Mary Renault

OGIEŃ Z NIEBIOS

Tłumaczył
Marek Michowski

Zysk i S-ka
Wydawnictwo

Tytuł oryginału
Fire from Heaven

Konsultacja merytoryczna
prof. dr hab. Leszek Mrozewicz

ISBN 83-7298-745-9

Zysk i S-ka Wydawnictwo
ul. Wielka 10, 61-774 Poznań
tel. (0-61) 853 27 51, 853 27 67, fax 852 63 26
Dział handlowy, tel./fax (0-61) 855 06 90
sklep@zysk.com.pl
www.zysk.com.pl

Druk i oprawa: ABEDIK Poznań

...Perdikkas zapytał, kiedy, zgodnie z jego życzeniem, mają mu oddać cześć boską. Odpowiedział, że wtedy, gdy będą szczęśliwi. To były ostatnie słowa króla.

Kwintus Kurcjusz Rufus

ROZDZIAŁ PIERWSZY

Chłopiec obudził się, gdy wąż ciaśniej oplótł go w pasie. Przestraszył się, bo ten uścisk zdławił mu oddech i sprowadził zły sen. Gdy się już obudził na dobre, uświadomił sobie, co się dzieje i wepchnął dłonie w wężowe sploty. Przesunęły się. Twarda wstęga pod plecami chłopca najpierw spęczniała, potem stała się wiotka. Łeb prześlizgnął się po ramieniu i wzdłuż szyi. Chłopiec poczuł przy uchu trzepoczący język.

Staroświecka lampa do pokoju dziecinnego, malowana w chłopców toczących kółka i przyglądających się walkom kogutów, dopalała się na stoliku. Dawno już zgasł zmierzch, przy którym chłopiec zasypiał. Przez wysokie okno wpadało jedynie zimne i jaskrawe światło księżyca, rzucając sine plamy na posadzkę z żółtego marmuru. Chłopiec zsunął przykrycie, by przyjrzeć się wężowi i upewnić, że to ten właściwy. Matka mówiła mu, że te wzorzyste, o grzbietach jak wyplatany szlaczek, trzeba zostawiać w spokoju. Wszystko jednak było w porządku: ten wąż był jasnobrązowy z szarym brzuchem, tak gładkim, jakby był polewany.

Kiedy chłopiec skończył cztery lata, już prawie rok temu, dostał własne łóżko długie na pięć stóp. Nogi miało jednak krótkie, na wypadek gdyby spadł, i żeby wąż nie musiał wysoko się wspinać. Wszyscy inni w pokoju twardo spali: jego siostra Kleopatra w swej kołysce przy spartańskiej niańce, bliżej zaś, w lepszym łóżku z rzeźbionej gruszy, jego własna piastunka Hellanike. Musiał to być środek nocy, ale wciąż jeszcze słychać było, jak mężczyźni w wielkiej sali śpiewają głośno i niezgodnie, połykając końcówki wierszy. Nauczył się już rozumieć takie sprawy.

Wąż był tej nocy jego własnym sekretem. Nawet Lanike, choć była tak blisko, nie dostrzegła ich cichego powitania. Chrapała spokojnie. On sam dostał kiedyś klapsa za naśladowanie odgłosu piły kamieniarza. Lanike nie była zwyczajną piastunką, ale szlachetnie urodzoną królewską krewniaczką, która przypominała mu dwa razy na dzień, że nie spełniałaby swej posługi dla nikogo, kto nie byłby synem jego ojca.

To chrapanie, tamte odległe śpiewy, były oznakami samotności. Czuwali tylko on sam i wąż, i wartownik przechadzający się po korytarzu. Słychać było, jak pobrzękują sprzączki jego zbroi, kiedy mija drzwi.

Chłopiec obrócił się na bok i pogłaskał węża czując, jak gładkie i silne ciało prześlizguje się między palcami po nagiej skórze. Płaski łeb spoczął na jego sercu, jakby się przysłuchiwał. Przedtem wąż był chłodny, co sprawiło, że chłopiec szybko się obudził. Teraz rozgrzany jego ciepłem stawał się leniwy. Zasypiał i mogło to potrwać do rana. Co powie Lanike, kiedy go znajdzie? Stłumił śmiech na myśl o potrząsaniu i wynoszeniu. Nigdy dotąd nie widział, by wąż zawędrował tak daleko od komnaty matki.

Nadsłuchiwał, czy matka wysłała swoje kobiety na poszukiwanie węża, który nazywał się Glaukos. Usłyszał jednak tylko, jak jacyś dwaj ludzie krzyczą na siebie w wielkiej sali, potem zaś głos swego ojca, który zakrzyczał tamtych.

Wyobraził sobie matkę w białej wełnianej szacie z żółtym szlakiem, którą nosiła po kąpieli, z rozpuszczonymi włosami, z lampą przeświecającą czerwono przez osłaniającą ją dłoń, jak cicho woła „Glaukos-s"!, a może nawet gra na swym kościanym fleciku jakąś melodię zaklinającą węże. Kobiety szukałyby wszędzie, między stolikami na grzebienie i szminki, w okutych brązem i pachnących kasją skrzyniach na ubrania — widział już kiedyś takie poszukiwania zgubionego kolczyka. One byłyby wystraszone i niezręczne, ona zaś byłaby zła. Usłyszawszy znów hałas z wielkiej sali, przypomniał sobie, że ojciec nie lubi Glaukosa i że cieszyłyby się, gdyby wąż zginął.

Wtedy właśnie postanowił, że zaraz go do niej sam zaniesie.

Trzeba więc było to zrobić. Chłopiec stanął w sinym świetle księżyca na żółtej posadzce, podtrzymując rękami owiniętego wokół siebie węża. Nie należało go niepokoić ubieraniem się, chwycił jednak ze stołka opończę i okrył nią siebie i węża, aby nie zmarznąć.

Przystanął, żeby pomyśleć. Musiał minąć dwóch żołnierzy. Nawet gdyby obaj okazali się przyjaciółmi, o tej porze mogliby go zatrzymać. Przysłuchiwał się krokom za drzwiami. Korytarz zakręcał, a wartownia była za rogiem. Wartownik pilnował obu drzwi.

Kroki oddaliły się. Odryglował drzwi i wyjrzał, by wybrać drogę. Spiżowy Apollon stał w niszy ściennej na cokole z zielonego marmuru. Chłopiec zdołał wcisnąć się za cokół, a kiedy wartownik poszedł w drugą stronę, pobiegł. Dalej było już łatwo, aż dotarł do małego dziedzińca, skąd prowadziły schody do królewskiej sypialni.

Ściany po obu stronach stopni pomalowane były w drzewa i ptaki. U szczytu schodów, przed polerowanymi drzwiami z wielkim pierścieniem uchwytu osadzonym w lwiej paszczy, znajdował się spocznik. Marmurowe stopnie nie nosiły śladów zużycia. Do czasów króla Archelaosa było tu tylko portowe miasteczko nad zalewem przy Pelli. Teraz było to miasto ze świątyniami i wielkimi domami. Na łagodnej pochyłości Archelaos zbudował swój słynny pałac, którym zadziwił całą Grecję. Pałac był zbyt sławny, by coś w nim zmieniać. Wszystko było tu wspaniałe, w stylu sprzed pięćdziesięciu lat. Zeuksis spędził tu całe lata, malując te ściany. U stóp schodów stał drugi wartownik, królewski przyboczny. Tej nocy był to Agis. Stał swobodnie, oparty na włóczni. Chłopiec zerknąwszy z ciemnego bocznego korytarza, cofnął się i czekał; przyglądał się teraz strażnikowi. Agis miał ze dwadzieścia lat i był synem jakiegoś wielmoży z królewskich włości. Włożył swą paradną zbroję, spodziewając się przyjścia króla. Na hełmie miał czerwono-biały grzebień z końskiego włosia, a na uchylnych osłonach policzków wytłoczone były lwy. Tarcza, na której widniał zgrabnie wymalowany biegnący dzik, zwisała mu z ramienia. Nie wolno jej było odstawić, dopóki król nie znajdzie się bezpiecznie w łożu, a i potem powinna być w zasięgu ręki. W prawej dłoni trzymał siedmiostopową włócznię.

Chłopiec przypatrywał mu się z prawdziwą przyjemnością. Czuł, że wąż porusza się i zwija pod opończą. Młody człowiek był jego dobrym znajomym. Miał ochotę wypaść z okrzykiem z ukrycia, zmuszając tamtego do podrzucenia tarczy w górę i pochylenia włóczni. Chętnie też rzuciłby mu się na ramię, sięgając do grzebienia hełmu. Agis był jednak na służbie. Pewnie poskrobałby w drzwi i przekazał Glaukosa którejś z pokojówek, a chłopcu pozostałaby tylko Lanike i łóżko. Próbował już dawniej wejść tam w nocy, chociaż nigdy o tak późnej porze. Zawsze mu wtedy mówiono, że nie wolno wejść nikomu oprócz króla.

Mozaikową posadzkę w korytarzu tworzyły czarne i białe kamyki układane w szachownicę. Nogi zdrętwiały mu od stania, a noc robiła się chłodna. Agis pilnował tylko tych jednych schodów. Z tamtym wartownikiem sprawa była całkiem inna.

Przez chwilę zastanawiał się, czy nie wyjść z ukrycia, pogadać z Agisem i wrócić, ale wąż ślizgający mu się po piersi przypominał, że wyszedł, by zobaczyć matkę. Zatem, należało to zrobić.

Jeżeli ktoś skupi wszystkie myśli na tym, czego pragnie dokonać, sposobność przychodzi sama. Poza tym Glaukos był wężem czarodziejskim. Chłopiec pogładził wiotką szyję węża, mówiąc bezgłośnie:

— Agatodemonie, Sabazeusie–Zagreusie, odeślijcie go, przybywajcie!

Dodał jakieś zaklęcie, którego używała matka. Choć nie wiedział, czemu ono służy, warto było spróbować.

Agis skierował się do korytarza po drugiej stronie dziedzińca, do posągu siedzącego lwa. Oparł o niego włócznię i tarczę i schował się za posągiem. Choć według miejscowej miary był całkiem trzeźwy, za wie-

9

le wypił przed rozpoczęciem służby, by wytrzymać do następnej zmiany. Wszyscy strażnicy chodzili za lwa. Rano niewolnicy wycierali ślady. Kiedy tylko zaczął iść, zanim jeszcze odstawił broń, chłopiec pojął jego zamiary i ruszył biegiem. Biegł cicho po chłodnych, gładkich stopniach. Zawsze dziwił się w czasie zabaw z rówieśnikami, że tak łatwo chwyta ich albo prześciga. Wydawało się niemożliwe, że tamci naprawdę się starają.

Nawet za lwem Agis nie zapomniał o obowiązkach. Kiedy stróżujący pies szczeknął, podniósł głowę. Szczekanie rozległo się jednak z innej strony i zaraz ustało. Przygładził strój i podniósł broń. Schody były puste. Chłopiec cicho zamknął za sobą ciężkie drzwi i sięgnął do rygla. Był wypolerowany i naoliwiony i dał się zasunąć bez żadnego dźwięku. Potem chłopiec się odwrócił.

Pojedyncza lampa paliła się na wysokiej podstawie z lśniącego brązu, oplecionej złoconą winoroślą i spoczywającej na złoconych koźlich kopytkach. Komnata była ciepła i oddychała własnym sekretnym życiem. Zwaliste zasłony z niebieskiej wełny z wyszywanymi brzegami, wymalowani na ścianach ludzie, wszystko to poruszało się, płomień lampy także oddychał. Ciężkie drzwi tłumiły głosy mężczyzn. Ledwie je było słychać.

Powietrze było nasycone zapachami olejku do kąpieli, kadzidła i piżma, żywicznego sosnowego drewna żarzącego się w przenośnym piecyku z brązu, matczynych szminek, olejków i tego jej ateńskiego flakonika; zapachem czegoś cierpkiego, co paliła, zajmując się czarami, wreszcie zapachem jej ciała i włosów. Leżała uśpiona z włosami rozrzuconymi na płóciennej poduszce w wielkim łożu, którego nogi wykładane były kością słoniową i szylkretem i zakończone lwimi pazurami. Nigdy jeszcze nie oglądał jej pogrążonej w tak głębokim śnie.

Wyglądało na to, że nie spostrzegła braku Glaukosa, jeżeli spała tak twardo. Przystanął, by się nacieszyć niczym nie zakłóconym posiadaniem. Naczyńka i flaszeczki na toalecie z oliwkowego drewna były czyste i pozamykane. Pozłacana nimfa podtrzymywała księżyc srebrnego zwierciadła. Szafranowa nocna szata leżała złożona na stołku. Z tylnego pokoju, w którym sypiały jej kobiety, dolatywało słabe i odległe pochrapywanie. Oczy chłopca powędrowały do ruchomego kamienia w palenisku, pod którym kryły się rzeczy zakazane. Nieraz już chciał spróbować własnych czarów. Ale Glaukos mógł się wymknąć. Trzeba go było zaraz przekazać matce.

Postąpił cicho naprzód, niewidzialny strażnik i władca jej snu. Przykrycie z kunich skór lamowane szkarłatem i obszyte złotą frędzlą unosiło się i opadało łagodnie. Brwi rysowały się czysto nad gładkimi powiekami, przez które zdawały się przeświecać jej szare jak dym oczy. Rzęsy były przyczernione a zaciśnięte usta miały kolor rozcieńczonego wina. Nos był biały i prosty i lekko się poruszał, gdy oddychała.

Przykrycie zsunęło się nieco z piersi, na których do niedawna zbyt często spoczywała głowa Kleopatry. Teraz zabrała ją spartańska niańka, a jego królestwo znów należało do niego.

Jedno pasmo jej włosów, kasztanowych, gęstych i lśniących w blasku lampy jak płynny ogień, wysuwało się teraz ku niemu. Chwycił kosmyk swoich włosów i przyłożył do tamtych. Jego były jak kute złoto, lśniące i ciężkie. Lanike narzekała przy okazji świąt, że nie trzymają mu się loki. Włosy matki były jak szumiąca fala. Spartanka mówiła, że włosy Kleopatry będą takie same, choć teraz przypominały piórka. Znienawidziłby ją, gdyby stała się podobniejsza do matki niż on. Może zresztą jeszcze umrze, małe dzieci umierają często.

W cieniu jej włosy wydawały się ciemniejsze i inne. Obejrzał się na wielkie malowidło ścienne: zdobycie Troi namalowane przez Zeuksisa dla Archelaosa. Postacie były naturalnej wielkości. Z tyłu wznosił się drewniany koń, z przodu Grecy zatapiali miecze w ciałach Trojan, rzucali się na nich z włóczniami albo dźwigali na ramionach kobiety z otwartymi w krzyku ustami. Na pierwszym planie stary Priam i mały Astianaks brodzili we własnej krwi. To był ten kolor. Odwrócił się zadowolony. Urodził się w tej komnacie i ten obraz nie był dla niego nowością.

Glaukos wił się pod opończą, niewątpliwie rad, że znów jest w domu. Chłopiec spojrzał jeszcze raz w twarz matki, potem pozwolił opaść swemu jedynemu okryciu, podniósł ostrożnie skraj derki i położył się obok niej, wciąż spleciony z wężem. Objęła go ramionami. Zamruczała cicho i zanurzyła nos i usta w jego włosach. Jej oddech pogłębił się. Wsunął głowę pod jej podbródek. Piersi ugięły się, obejmując go. Czuł, jak jego naga skóra przywiera do jej skóry na całej długości jego ciała. Wąż, zbyt mocno ściśnięty między nimi, zaczął się wiercić i wypełzł gdzieś na bok.

Poznał, że się obudziła. Gdy spojrzał w górę, jej szare oczy były otwarte. Pocałowała go i pogłaskała, po czym zapytała:

— Kto cię tu wpuścił?

Podczas gdy była jeszcze półsenna, on zaś pławił się w nastroju błogości, zdołał się przygotować na to pytanie. Agis nie pilnował jak należy. Żołnierzy karano za takie rzeczy. Pół roku temu widział z okna gwardzistę uśmierconego na placu musztry przez innych gwardzistów. Po tak długim czasie zapomniał, o jakie przewinienie chodziło, a może nie wiedział o tym wcale, ale pamiętał oddaloną małą figurkę przywiązaną do słupa i żołnierzy stojących dookoła z uniesionymi oszczepami, ostry, wysoki ton komendy, a po nim pojedynczy krzyk. Potem wszyscy stłoczyli się, wyrywając sterczące drzewca. Pamiętał zwieszoną głowę i wielkie rozlewisko czerwieni.

— Powiedziałem temu żołnierzowi, że mnie wzywasz.

Żadnych imion. Jak na rozmownego chłopca, wcześnie nauczył się trzymać język za zębami.

Poczuł, że jej policzek porusza się w uśmiechu. Prawie nigdy nie słyszał, by zwracała się do jego ojca, nie okłamując go w takiej czy innej sprawie. Pomyślał o innych umiejętnościach, jakimi władała, choćby o zaklinaniu węży muzyką kościanego fletu.

— Matko, kiedy mnie poślubisz? Jak będę starszy? Jak będę miał sześć lat?

Pocałowała go w kark i przebiegła mu palcami po grzbiecie.

— Zapytaj znowu, jak będziesz miał sześć lat. Jak się ma cztery, jest się za młodym na zaręczyny.

— W lwim miesiącu skończę pięć. Ja cię kocham.

Pocałowała go bez słów.

— Czy mnie najbardziej kochasz?

— Kocham cię bardzo mocno. Chyba mogłabym cię zjeść.

— Ale czy najbardziej? Czy mnie najmocniej kochasz?

— Kiedy jesteś grzeczny.

— Nie! — Otoczył ją w talii kolanami, bijąc piąstkami po jej ramionach. — Naprawdę najmocniej. Mocniej niż wszystkich. Niż Kleopatrę.

Jej ciche „och!" było nie tyle przyganą, co pieszczotą.

— Kochasz mnie! Kochasz! Kochasz mnie bardziej niż króla!

Rzadko używał słowa „ojciec" i wiedział, że nie sprawia jej tym przykrości. Czuł, jak jej ciało drga od tłumionego śmiechu.

— Być może — powiedziała.

Tryumfujący i rozradowany wsunął się pod kołdrę obok niej.

— Obiecaj, że będziesz mnie kochać najmocniej, a dam ci coś.

— Och, tyranie! A cóż to może być?

— Znalazłem Glaukosa! Wpełzł mi do łóżka.

Odchylił kołdrę i pokazał jej węża, który znów owinął się wokół niego. Musiało mu się to spodobać.

Spojrzała na połyskliwą głowę, która uniosła się ku niej z cichym syknięciem z białej piersi chłopca.

— Ależ to nie Glaukos! To ten sam gatunek, to prawda, ale ten jest znacznie większy.

Wpatrywali się oboje w zwiniętego węża. Umysł chłopca przepełniała duma, czuł, że zetknął się z tajemnicą. Pogłaskał, jak go nauczono, unicsioną szyję węża i głowa opadła na dawne miejsce.

Wargi Olimpias rozchyliły się, źrenice rozszerzyły, pochłaniając szare tęczówki. W jego oczach wyglądało to, jakby miękki jedwab składał się w fałdki. Uchwyt jej ramion zelżał, to jej oczy trzymały go w uścisku.

— On cię zna — wyszeptała. — To jego przybycie dzisiejszej nocy nie mogło być pierwsze, na pewno. Musiał przychodzić częściej, kiedy spałeś. Spójrz, jak się do ciebie garnie. On cię dobrze zna. Przychodzi od boga. On jest twoim demonem, Aleksandrze.

Lampa zamigotała. Koniec sosnowej głowni osunął się w żar i strzelił z niego błękitny płomień. Wąż uścisnął krótko chłopca, jakby chciał podzielić się jakimś sekretem, jego łuski przepływały po skórze jak woda.

— Nazwę go Tyche — powiedział chłopiec bez namysłu. — Będzie dostawał mleko w moim złotym kubku. Czy będzie ze mną mówił?

— Kto wie? To twój demon. Posłuchaj, opowiem ci...

Stłumione dźwięki dochodzące z wielkiej sali zabrzmiały głośniej, gdy otworzyły się jej drzwi. Mężczyźni wykrzykiwali życzenia dobrej nocy, jakieś pijackie żarty albo szyderstwa. Ten hałas przedostawał się przez zamknięte drzwi komnaty. Olimpias przerwała i przygarnęła chłopca.

— Nie zwracaj na to uwagi, on tu nie przyjdzie — powiedziała cicho. Czuł jednak, że nasłuchuje w napięciu.

Rozległy się ciężkie kroki, potykanie się i przekleństwa, potem zaś uderzenie włóczni Agisa o posadzkę i klaśnięcie jego pięt, gdy prezentował broń.

Kroki słychać było teraz na schodach. Drzwi rozwarły się. Król Filip zatrzasnął je za sobą i nie spojrzawszy nawet na łóżko, zaczął zdejmować ubranie.

Olimpias podciągnęła przykrycie. Chłopiec, któremu trwoga rozszerzyła oczy, z początku rad był z ukrycia. Potem jednak, skulony w niby-łonie z miękkiej wełny i pachnącego wonnościami ciała, zaczął odczuwać lęk przed niebezpieczeństwem, którego nie widział i nie mógł mu się przeciwstawić. Lepiej wiedzieć, niż zgadywać, zerknął więc spod kołdry.

Król stał obnażony, z nogą opartą na wyściełanym stołku przed toaletką, i rozwiązywał rzemień sandała. By to widzieć, przechylił twarz okoloną czarną brodą. Jego ślepe oko zwrócone było w stronę łóżka.

Od roku, albo i dłużej, chłopiec chodził na boisko oglądać zapaśników, kiedy ktoś godny zaufania zabierał go z rąk kobiet. Nie robiło mu różnicy, czy ciało jest nagie czy ubrane, chyba że chodziło o oglądanie blizn wojowników. Jednak nagość jego ojca, rzadko oglądana, zawsze napełniała go niesmakiem. Teraz, gdy rodzic stracił wzrok w oku zranionym podczas oblężenia Metone, stał się przerażający. Na początku zakrywał oko opatrunkiem, spod którego krwawe łzy ściekały mu na brodę. Potem łzy wyschły i opatrunek został zdjęty. Przebita strzałą powieka była pomarszczona i pokryta pasmami czerwieni, a na rzęsach osiadała żółtawa wydzielina. Rzęsy były czarne, tak jak broda i włosy na goleniach, przedramionach i piersi. Szlak czarnych włosów prowadził w dół brzucha, gdzie gęstwina na lędźwiach wyglądała niczym druga broda. Ramiona, kark i nogi były pokryte grubymi bliznami, sinymi, białymi i czerwonymi.

Czknął, napełniając komnatę wonią nie strawionego wina i ukazując dziurę w uzębieniu, a chłopiec nagle uświadomił sobie, kogo przypomina mu ojciec. To był jednooki olbrzym Polifem, który wyłapywał Odysowych żeglarzy i zjadał ich na surowo.

Matka uniosła się na łokciu, podciągając okrycie pod brodę.

— Nie, Filipie, nie dziś. To nieodpowiednia pora.

Król postąpił ku łożu.

— Nieodpowiednia pora?

Mówił głośno. Był jeszcze zadyszany po wchodzeniu po schodach.

— Mówiłaś to dwa tygodnie temu. Myślisz, że nie umiem liczyć, ty molosska suko?

Chłopiec poczuł, że dłoń matki zaciska się w pięść. Kiedy znów się odezwała, mówiła zaczepnym tonem. — Liczyć, ty bukłaku? Ty nie umiesz odróżnić lata od zimy. Idź do swojego kochasia. Jemu nie robi różnicy, jaki to dzień miesiąca.

Wiedza chłopca o tych sprawach była jeszcze niedoskonała, ale wyczuwał, o co chodzi. Nie lubił nowego ulubieńca swego ojca, który zadzierał nosa. Brzydził się też sekretami, które ci dwaj dzielili. Ciało matki napięło się i zesztywniało. Wstrzymał dech.

— Ty lamparcico! — warknął król. Chłopiec ujrzał, że rusza na nich niczym Polifem na swoje ofiary. Wydawał się cały najeżony; nawet ten członek, który zwisał z obrośniętego czarnym włosem podbrzusza, uniósł się o własnej mocy i wysunął ku przodowi, a widok ten pełen był tajemniczej grozy. Ściągnął przykrycie z łóżka.

Chłopiec leżał w ramionach matki, zatapiając palce w jej boku. Jego ojciec odskoczył z przekleństwem od łóżka, wskazując coś, ale bynajmniej nie chodziło mu o nich. W ich stronę zwrócone było tylko jego ślepe oko. Chłopiec zrozumiał teraz, czemu matka nie zdziwiła się, ujrzawszy przy sobie jego nowego węża. Glaukos już tam był, pewnie spał.

— Jak śmiałaś? — wycharczał Filip. Musiał odczuwać obrzydzenie.

— Jak śmiałaś sprowadzać to robactwo do łoża, kiedy ci tego zabroniłem? Czarownico, barbarzyńska wiedźmo! Urwał. Nienawiść w oczach żony przyciągnęła jego jedyne oko i zobaczył chłopca. Wpatrywali się w siebie. Twarz mężczyzny spurpurowiała od wina i gniewu, spotęgowanego teraz przez wstyd. Twarz chłopca lśniła jak klejnot oprawiony w złoto: wielkie szaroniebieskie oczy, przejrzysta skóra i delikatne ciało opinające pięknie ukształtowaną czaszkę nosiły wyraz niepojętej udręki.

Mamrocząc coś pod nosem, Filip sięgnął po szatę, by okryć nagość, ale było za późno. Był już skrzywdzony, obrażony, poniżony, zdradzony. Gdyby miał pod ręką swój miecz, mógłby ją chyba zabić.

Zaniepokojony tym wszystkim wąż, oplatający chłopca niczym żywa girlanda, poruszył się i podniósł łeb. Aż dotąd Filip go nie zauważył.

— A to co znowu? — Jego palec wskazujący dygotał. — Co tam leży na chłopcu? Jeden z twoich stworów? Czy teraz uczysz jego? Czy teraz jego wprowadzasz w krainę zabobonów, tańczących węży, wyjących mistagogów? Ostrzegam cię, że tego nie ścierpię. Zapamiętaj, co mówię, bo pożałujesz. Na Zeusa, przekonasz się, co zrobię. Mój syn jest Grekiem, a nie jakimś waszym barbarzyńskim góralem...

— Barbarzyńskim! — Jej głos najpierw zadźwięczał, potem ścichł do zabójczego półszeptu, jak u Glaukosa, kiedy wpadał w złość.

— Mój ojciec, chłopku, pochodzi od Achillesa, a matka z królewskiego rodu Troi. Moi przodkowie już byli władcami, gdy twoi służyli w Argos za parobków. Patrzyłeś kiedy w lustro? Każdy pozna w tobie Traka. Jeśli mój syn jest Grekiem, to po mnie. Nasza krew w Epirze jest czysta.

Filip zacisnął zęby, napinając kości policzkowe, i tak już mocno uwydatnione. Nawet śmiertelnie obrażony, pamiętał o obecności chłopca.

— Nie poniżę się do odpowiedzi. Jeśli jesteś Greczynką, zachowuj się jak Greczynka. Okaż nieco więcej skromności... — Tu przypomniał sobie o swym niekompletnym stroju. Z łóżka wpatrywały się w niego dwie pary szarych oczu. — Grecka nauka, rozum, cywilizacja... Chcę, żeby chłopiec miał to, co miałem ja. Musisz się z tym pogodzić.

— Ach, Teby! — Wymówiła to słowo jak przekleństwo. — Znowu Teby? Mam ich wyżej uszu. W Tebach zrobili z ciebie Greka, nauczyli cywilizacji! W Tebach! Nie słyszałeś, co mówią o Tebach Ateńczycy? Przecież prostacy z Teb są pośmiewiskiem całej Grecji. Nie rób z siebie głupca!

— Ateny, ten magiel! Ich wielkie dni przeminęły. Nie mówiliby w ten sposób o Tebach, gdyby mieli trochę wstydu.

— Sam się do tego zastosuj. Czym ty byłeś w Tebach?

— Zakładnikiem, gwarancją polityczną. Czy ja układałem traktaty mego brata? Wypominasz mi to? Miałem wtedy szesnaście lat. Spotkałem się tam z lepszym przyjęciem niż kiedykolwiek u ciebie. I nauczyli mnie tam wojować. Czym była Macedonia po śmierci Perdikkasa? Poległ w boju z Ilirami, a cztery tysiące naszych razem z nim. Doliny leżały odłogiem. Nasi ludzie bali się wyjść z górskich warowni. Mieli tylko owce, w których skóry się ubierali, a i te owce mogli stracić. Ilirowie mogli zabrać wszystko. Bardylis szykował się do wojny. Wiesz, kim jesteśmy dzisiaj i gdzie są nasze granice. Dzięki Tebom i tym ludziom, którzy zrobili ze mnie żołnierza, przybyłem do ciebie jako król. Twoi krewni byli mi całkiem radzi.

Chłopiec, przyciśnięty do boku matki, czuł, jak nabiera ona tchu. Czekał, nie wiedząc kiedy z nisko wiszących chmur zerwie się burza. Ściskał w palcach kołdrę. Czuł się zapomniany i samotny.

Burza zerwała się wreszcie.

— Zrobili tam z ciebie żołnierza? I co jeszcze? Co jeszcze?! Czuł, jak jej żebra dygoczą z wściekłości.

— Miałeś szesnaście lat, kiedy pojechałeś na południe, a już wtedy cały ten kraj pełen był twoich bękartów. Myślisz, że nie wiem, którzy to? Ta dziwka Arsinoe, żona Lagosa, mogłaby być twoją matką... a potem wielki Pelopidas nauczył się wszystkiego, z czego słyną Teby: bić się i uganiać za chłopcami!

— Zamilcz! — Filip ryknął jak na polu bitwy. — Nie wstyd ci przed dzieckiem? Czego on się tu napatrzy i czego nasłucha? Powiadam ci, że mój syn wyrośnie na cywilizowanego człowieka, choćbym miał...

Jego głos utonął w powodzi jej śmiechu. Puściła chłopca, pochyliwszy się wprzód. Opierając się na dłoniach, z rudymi włosami spadającymi na jej obnażone piersi i na otwarte oczy i usta chłopca, śmiała się, aż echo rozlegało się pod wysokim stropem komnaty.

— Twój syn? — krzyczała. — Twój syn!

Król Filip dyszał jak po długim biegu. Postąpił naprzód i uniósł rękę.

Nieruchomy przed chwilą chłopiec jednym błyskawicznym ruchem odrzucił zasłonę z włosów matki i stanął wyprostowany na łóżku. Oczy miał rozszerzone, prawie czarne. Usta mu zbielały. Uderzył uniesioną rękę ojca, który cofnął ją zaskoczony.

— Idź sobie! — krzyknął chłopiec z zajadłością leśnego rysia. — Idź sobie! Ona cię nie chce! Ona poślubi mnie!

Przez trzy długie oddechy Filip stał jak wrośnięty w ziemię. Usta i oczy miał szeroko otwarte jak ktoś, kto dostał pałką w łeb. Potem rzucił się naprzód, chwycił chłopca za ramiona, zawinął nim w powietrzu, przytrzymając jedną ręką, dopóki nie otworzył wielkich drzwi, a potem wyrzucił go na zewnątrz. Pochwycony znienacka, zesztywniały z wściekłości, nie zrobił niczego, by się ratować. Ciało, ślizgając się, dosięgło szczytu schodów i zaczęło staczać się w dół.

Młody Agis wypuścił z ręki włócznię, która upadła z wielkim szczękiem, wyszarpnął ramię z uchwytów tarczy i przeskakując po trzy i cztery stopnie rzucił się naprzód, by schwytać chłopca. Dosięgnął go na trzecim stopniu i podniósł w górę. Oczy były otwarte a głowa chyba cała. W górze król Filip przystanął z ręką na drzwiach. Nie zamknął ich, póki się nie upewnił, że wszystko jest w porządku, ale chłopiec już o tym nie wiedział.

Wąż, schwytany wraz z nim, podrażniony i poobijany, uwolnił się, gdy chłopiec zaczął spadać ze schodów, ześlizgnął się w dół i przepadł w mroku.

Agis po pierwszym zaskoczeniu zrozumiał, co się stało. Musiał zająć się chłopcem. Zniósł go ze schodów i usiadłszy u ich stóp, wziął go na kolana i obejrzał w świetle pochodni zatkniętej w ściennym uchwycie. Chłopiec był sztywny jak deska, oczy miał wywrócone białkami do góry.

„Na wszystkich podziemnych bogów, co mam robić?" — zastanawiał się młody człowiek. „Jeśli porzucę posterunek, dowódca upuści mi krwi. Jeśli królewski syn umrze na mych rękach, zrobi to król".

Któregoś wieczoru w zeszłym roku, zanim zaczęły się rządy nowego faworyta, Filip spoglądał w jego stronę, on zaś udawał, że nie rozumie, o co chodzi. Teraz zrozumiał aż za wiele: jego los nie był wart funta kłaków. Usta chłopca zsiniały. W kącie leżał gruby wełniany płaszcz Agisa, czekając na chłodne godziny poranne. Agis podniósł go, podłożył między swój twardy pancerz a chłopca i owinął go płaszczem.

— Już dobrze — odezwał się z niepokojem w głosie. — Już dobrze, wszystko w porządku.

Chłopiec zdawał się nie oddychać. Co robić? Dać mu w twarz, jak kobiecie w napadzie histerii? To by mogło go zabić. Oczy poruszyły się, spojrzenie skupiło. Chłopiec zaczerpnął tchu i przeraźliwie wrzasnął.

Agis z ulgą rozluźnił płaszcz, który spowijał wyrywającego się teraz chłopca. Cmokając i pomrukując, uspokajał go jak spłoszonego konia, nie trzymał go jednak zbyt mocno, mimo że dawał mu poznać pewność chwytu. W komnacie nad nimi rodzice chłopca obrzucali się przekleństwami. Agis nie zauważył, ile minęło czasu — większa część nocy była jeszcze przed nim — zanim te hałasy ucichły. Chłopiec zaczął płakać, ale nie trwało to długo. Wkrótce się uspokoił. Leżał, gryząc dolną wargę, połykał łzy i patrzył na Agisa, który nagle zaczął zastanawiać się nad jego wiekiem.

17

— Oto mój młody dowódca — powiedział cicho, poruszony tą prawie męską walką, malującą się na twarzy chłopca. Otarł ją płaszczem i pocałował, próbując sobie wyobrazić, jak ten złotowłosy będzie wyglądał, kiedy osiągnie wiek odpowiedni do miłości.

— A więc, mój drogi, trzymamy straż razem. Ja pilnuję ciebie, a ty mnie, zgoda?

Otoczył chłopca ramieniem i pogłaskał. Nie minęło wiele czasu, nim spokój, ciepło, nieświadoma zmysłowość pieszczot tego młodego człowieka i poczucie, że jest się raczej przedmiotem podziwu niż litości, zaczęły leczyć ciężką ranę, jaką poniosła osobowość chłopca. Rana zaczęła się zabliźniać.

Nagle wysunął głowę spod płaszcza i rozejrzał się wokół.

— Gdzie jest moja Tyche?

Co miał na myśli ten dziwny dzieciak, wywołując swój los? Widząc, że Agis go nie rozumie, chłopiec dodał: — Mój wąż, mój demon, gdzie on się podział?

— Ach, twój szczęśliwy wąż. — Agis uważał ulubieńców królowej za obrzydlistwo. — Kryje się tu gdzieś. Niedługo wróci.

Chłopiec zaczął drżeć, otulił go więc płaszczem.

— Nie bierz sobie tego wszystkiego do serca. Twój ojciec wcale tego nie chciał. To tylko sprawka wina. I ja nieraz przez nie dostałem po łbie.

— Jak będę duży... — chłopiec przerwał, żeby policzyć na palcach do dziesięciu. — Jak będę duży, zabiję go.

Agis świsnął przez zęby. — Nie mów takich rzeczy. Za zabicie ojca grozi klątwa bogów, a ojcobójcę ścigają Erynie.

Zaczął je opisywać, urwał jednak. Rozszerzone oczy chłopca wskazywały, że ma dość.

— Wszystkie te szturchańce, które dostajemy w dzieciństwie, uczą nas znosić prawdziwe rany, kiedy idziemy na wojnę. Posuń się. Patrz, co wyniosłem z pierwszego boju z Ilirami.

Uniósł spódniczkę ze szkarłatnej wełny i pokazał długą, pręgowaną bliznę na udzie i wgłębienie w miejscu, gdzie ostrze włóczni prawie dosięgło kości. Chłopiec patrzył z podziwem, dotykając palcem blizny.

— Cóż — rzekł Agis, zakrywając bliznę — domyślasz się, że to bolało. A co mnie powstrzymało przed wyciem z bólu i ośmieszeniem się przed Towarzyszami? Przytyczki otrzymywane od ojca. Ten, który mi to zrobił, nie miał okazji przechwalać się tym ciosem. To było moje pierwsze trofeum. Kiedy pokazałem ojcu jego głowę, dał mi ten pas do miecza, złożył w ofierze mój sznur młodzika i wydał ucztę dla całego rodu.

Spojrzał w głąb korytarza. Czy nikt nigdy tu nie przyjdzie zabrać chłopca do łóżka?

— Widzisz moją Tyche?

— Nie może być daleko. To domowy wąż, one się nie oddalają. Przyjdzie tu po swoje mleko, zobaczysz. Ale mało który chłopiec ma oswojonego węża. To chyba dziedzictwo krwi Heraklesa w tobie.

— Jak się nazywał jego wąż?

— Kiedy był niemowlęciem, do jego kołyski zakradły się dwa węże...

— Dwa? — Chłopiec zmarszczył pięknie zarysowane brwi.

— Ach, ale one były złe. Wysłała je Hera, żona Zeusa, żeby zadusiły chłopca. On jednak chwycił je za karki i zdusił w dłoniach...

Agis urwał, klnąc w duchu. Dzieciak będzie miał złe sny albo spróbuje dusić żmije.

— To przydarzyło się Heraklesowi, bo był synem boga. Uchodził za syna króla Amfitriona, ale to Zeus spłodził go z królową, Hera była więc zazdrosna.

Chłopiec słuchał uważnie. — On musiał pracować. Dlaczego pracował tak ciężko?

— Erysteus, następny król, zazdrościł mu, tamten bowiem był lepszy od niego, był bohaterem i półbogiem. Erysteus był tylko śmiertelnikiem, pojmujesz, i to Heraklesowi należało się królestwo, ale za sprawą Hery Erysteus urodził się wcześniej. Dlatego Herakles musiał wykonać swoje prace.

Chłopiec skinął głową, jakby wszystko było jasne.

— Musiał je wykonać, żeby pokazać, że jest najlepszy.

Agis nie słuchał już tego, bo wreszcie usłyszał w korytarzu kroki dowódcy nocnej straży, robiącego obchód.

— Nikt nie przechodził, panie. Nie wiem tylko, po co trzymają tę piastunkę. Dzieciak biega po pałacu zmarznięty i goły, jak go matka zrodziła. Mówi, że szuka swego węża.

— Leniwa suka! Każę niewolnicy postawić ją na nogi. Za późno już, żeby zawracać głowę królowej.

Odszedł, poszczękując zbroją. Agis przewiesił sobie chłopca przez ramię, klepiąc go po pośladkach.

— Do łóżka Heraklesie, najwyższy czas.

Chłopiec wykręcił się i zarzucił mu ręce na szyję. Agis nie wydał go. Oto prawdziwy przyjaciel. Dotrzymał tajemnicy. Nie mógłby zrobić więcej.

— Jeśli Tyche wróci, powiedz, gdzie mnie szukać. Zna moje imię.

Ptolemeusz, zwany synem Lagosa, jechał na swym nowym kasztanku na przejażdżkę nad jezioro pod Pellą. Koń był darem Lagosa, który z biegiem lat lubił syna coraz bardziej, chociaż w dzieciństwie różnie z tym bywało. Syn miał teraz osiemnaście lat i był ciemnowłosym, grubokościstym młodzikiem, którego stanowczy profil miał później przybrać sępie rysy. Zakłuł już w pojedynkę dzika i mógł zasiadać przy stole z mężczyznami. Zabił też człowieka w jakiejś nadgranicznej potyczce i zamienił sznur młodzika na pas do miecza z czerwonej skóry, przy którym wisiał oprawny w róg sztylet. Wiadomo było, że cieszy się zaufaniem Lagosa. Wyszło w końcu na to, że dobrze się ze sobą zgadzali, a król zgadzał się z nimi oboma.

Między sosnowym laskiem a jeziorem zobaczył Aleksandra, dającego mu znaki ręką, i skierował konia w jego stronę. Lubił tego chłopca, który zdawał się nie przynależeć do nikogo, nazbyt bystry na swoje siedem lat, a nawet niecałe siedem, i zbyt drobny, by zadawać się ze starszymi chłopcami. Nadbiegał oto przez wypalone słońcem mokradła, gdzie jego wielki pies rył ziemię, uganiając się za polnymi myszami i pchając chłopcu w ucho uwalany ziemią nos.

— Hop! — Młodzik podniósł chłopca i posadził przed sobą na derce. Pokłusowali, szukając miejsca do galopu.

— Czy ten twój pies jeszcze rośnie?

— Tak. Jeszcze nie dorósł do swoich łap.

— Słusznie, to przecież molos. Zaczyna mu rosnąć grzywa.

— Właśnie w tym miejscu tamten człowiek chciał go utopić.

— Kiedy nie zna się ojca, wychowanie nie zawsze się opłaca.

— Mówił, że to kundel i już mu przywiązał kamień do szyi.

— Słyszałem, że ktoś wtedy został ugryziony. Oj, to by mi się nie spodobało.

— On był za mały, żeby gryźć. Ja to zrobiłem. Możemy już jechać.

Pies, zadowolony, że może rozprostować długie nogi, pędził przy nich wzdłuż szerokiego zalewu, który oddzielał Pellę od morza. Kiedy tak galopowali, dzikie kaczki, mewy, długonogie czaple i żurawie podrywały się z krzykiem z kęp turzycy wystraszone tętentem. Chłopiec śpiewał wysokim, czystym głosem pean Konnych Towarzyszy, dzikie crescendo dostosowane do rytmu kawaleryjskiej szarży. Twarz mu płonęła, pęd zdmuchiwał jasne włosy z czoła, szare oczy wydawały się błękitne, cały promieniał.

Ptolemeusz zwolnił, dając wytchnąć koniowi, i zaczął wychwalać jego zalety. Aleksander odpowiadał fachowo niczym koniuszy.

— Czy twój ojciec wie, że spędzasz tyle czasu z żołnierzami? — Ptolemeusz nagle poczuł się odpowiedzialny za chłopca.

— O, tak. Mówił, że Sylanos może ćwiczyć mnie w rzucaniu do celu, a Menestas brać na polowania. Wychodzę tylko z przyjaciółmi. Lepiej było się nad tym nie rozwodzić. Ptolemeusz słyszał już przedtem, że król woli dla syna towarzystwo prostych żołnierzy, niż zostawiać go na cały dzień z matką. Popędzał konia, póki jakiś kamień nie utknął w kopycie i trzeba było zsiąść, by je obejrzeć.

Nad jego głową rozległo się pytanie:

— Ptolemeuszu, czy to prawda, że jesteś mym rodzonym bratem?

— Co takiego? — Ptolemeusz zaskoczony puścił konia. Chłopiec natychmiast chwycił wodze i ściągnął je. Młody człowiek, mocno zakłopotany, szedł przy koniu. Chłopiec czując, że coś jest nie w porządku, powiedział tonem wyjaśnienia:

— Mówili o tym w wartowni.

Podążali dalej w milczeniu. Chłopiec czekał z poważną miną, wyczuwając, że jego towarzysz się nie gniewa, ale jest skonsternowany. Ptolemeusz odezwał się w końcu. — Mogą sobie mówić. Przy mnie tego nie mówią. Ty też nie powinieneś. Musiałbym zabić tego, kto by mi to powiedział.

— Dlaczego?

— Tak trzeba, i tyle!

To nie była żadna odpowiedź. Ptolemeusz spostrzegł z konsternacją, że chłopiec jest mocno urażony. Tego nie przewidział.

— Posłuchaj — zaczął niezręcznie — jeżeli chłopiec w twoim wieku nie wie... Oczywiście, chciałbym być twoim bratem, nie w tym rzecz. Ale moja matka wyszła za mąż za mojego ojca. A to, o czym mówisz, musiałoby znaczyć, że jestem bękartem. Wiesz, co to znaczy.

— Tak. — Aleksander wiedział, że to śmiertelna zniewaga.

Wyczuwając jego zmieszanie, a może też ignorancję w tych sprawach, Ptolemeusz spełnił braterski obowiązek. Na otwarte pytanie otwarta odpowiedź. Chłopiec usłyszał coś niecoś od przyjaciół z wartowni, zapewne myślał, że narodziny mają w sobie coś z magii. Młody człowiek przedstawił sprawę racjonalnie. Zdziwiło go długie milczenie, które zapadło po tej wymianie zdań.

— O co chodzi? Wszyscy rodzimy się w ten sposób. Nic w tym złego. Tak nas stworzyli bogowie. Ale kobietom wolno to robić tylko z mężami, bo inaczej dziecko jest bękartem. To dlatego tamten człowiek chciał utopić twego psa — bał się, że będzie skundlony.

— Tak — powiedział chłopiec i wrócił do swych ponurych myśli.

Ptolemeusz był zmartwiony. On sam niemało się nacierpiał w dzieciństwie. Filip był wtedy tylko młodszym synem i jeszcze do tego zakładnikiem. Dopiero później przestał się wstydzić. Gdyby matka nie była zamężna, zostałby uznany. Teraz czuł, że niewłaściwie potraktował chłopca, nie stawiając sprawy dość jasno.

Aleksander patrzył przed siebie. Jego dziecinne dłonie trzymały pewnie wodze, robiąc co do nich należało i nie zaprzątając tym umysłu. Niezwykła ich sprawność powodowała, że Ptolemeusz czuł się nieswojo. Spod dziecinnej krągłości twarzy wyzierał profil jak wyrzeźbiony w kamieniu. „Żywy obraz jego matki" — myślał. „Nie ma w nim nic z ojca". Ta myśl uderzyła go jak piorun. Odkąd jadał z mężczyznami, dość się nasłuchał o królowej Olimpias. Dziwna, niesforna, niesamowita, dzika jak tracka menada, mogła skierować złe oko na tego, kto wszedł jej w drogę. Król poznał ją w bardzo stosownym miejscu: w oświetlonej pochodniami jaskini podczas misteriów na Samotrace. Stracił dla niej głowę od pierwszego wejrzenia, zanim się jeszcze dowiedział, z jakiego rodu pochodzi, i zabrał ją potem w tryumfie do kraju z użytecznym traktatem przymierza. Mówiono, że w Epirze do niedawna kobiety rządziły bez udziału mężczyzn. Czasami bębenki i cymbały rozbrzmiewały przez całą noc w jej sosnowym zagajniku, a z jej komnaty słychać było jakąś dziwną muzykę. Mówiono, że spółkuje z wężami — to były opowieści starych bab, ale co właściwie działo się w tym gaju? Czy ten chłopiec, który tak długo się z nią nie rozstawał, nie wiedział więcej, niż powinien wiedzieć? Czy dopiero teraz się o tym przekonał?

Było to tak, jakby odwalił kamień z wylotu jaskini prowadzącej do podziemi, uwalniając rój cieni piszczących niczym nietoperze. Przez myśli Ptolemeusza przelatywało ze dwadzieścia krwawych opowieści powtarzanych od stuleci: o walkach o tron Macedonii, o plemionach walczących o najwyższe królestwo, o krewniakach zabijających się nawzajem, aby zostać najwyższym królem, o wojnach, masakrach, otruciach, zdradzieckich włóczniach na łowach, nożach w plecy w ciemnościach, w łożu miłości. Nie był pozbawiony ambicji, ale na myśl o wstąpieniu w ten nurt mróz przebiegł mu po grzbiecie. Były to przy tym tylko niebezpieczne domysły, bo jaki mógł istnieć dowód? Chłopiec ma zmartwienie, zapomnijmy zatem o reszcie.

— Czy potrafisz dochować sekretu? — zapytał.

Aleksander podniósł dłoń i wygłosił jakąś przysięgę wzmocnioną grożącymi śmiercią zaklęciami.

— Ta jest najmocniejsza. Nauczył mnie jej Sylanos.

— Jest za mocna. Zwalniam cię z niej. Z takimi przysięgami trzeba uważać. Prawda jest taka: twój ojciec spłodził mnie z moją matką, ale wtedy był nieomal chłopcem, miał piętnaście lat. Było to, zanim wyruszył do Teb.

— Ach, Teby! — Słowa chłopca były echem innych słów.
— Na to był dość dorosły i był z tego znany. To bez znaczenia. Mężczyzna nie może czekać, aż się ożeni. Ja też nie czekałem, jeśli chcesz znać prawdę. Ale moja matka była już wtedy poślubiona ojcu, więc mówienie o tym ujmuje im czci. To jedna z tych rzeczy, za które płaci się krwią. I nie ma znaczenia, czy się z tym zgadzasz, czy nie, tak już po prostu jest.
— Nie będę o tym mówił. — Oczy chłopca, osadzone głębiej niż u innych, wpatrzone były w dal.
Ptolemeusz bawił się bezmyślnie uprzężą. „Co miałem mu powiedzieć? Powiedziałby mu to ktoś inny". Miał jednak w sobie jeszcze dość z chłopca, by uchronić przed porażką mężczyznę. Zatrzymał konia.
— Gdybyśmy zaprzysięgli braterstwo krwi, moglibyśmy mówić o tym każdemu. Wiesz jednak — dodał chytrze — co musielibyśmy zrobić?
— Oczywiście, że wiem! — Chłopiec chwycił wodze lewą ręką i wyciągnął przed siebie prawą, zwróconą ku górze zaciśniętą dłonią, aż na przegubie ukazała się błękitna żyłka.
— Dalej, zróbmy to zaraz!
Widząc tę dumę i stanowczość, Ptolemeusz wyciągnął z czerwonego pasa swój nowy ostry sztylet.
— Jeszcze chwilę, Aleksandrze. To, co robimy, to poważna sprawa. Twoi wrogowie będą moimi, a moi twoimi, dopóki żyjemy. Nigdy nie podniesiemy broni przeciw sobie, choćby nawet nasze rody ze sobą walczyły. Jeśli umrę w obcym kraju, ty mi urządzisz pogrzeb i to samo zrobię ja dla ciebie. Braterstwo krwi oznacza wszystkie te rzeczy.
— Przyrzekam. Możesz to już zrobić.
— Nie trzeba nam aż tyle krwi. — Sztylet ominął podsuniętą żyłkę, nacinając lekko białą skórę. Chłopiec spojrzał w dół z uśmiechem. Ptolemeusz ukłuł się w przegub i przycisnął do siebie nacięcia.
— Zrobione — rzekł.
„I to dobrze zrobione!" — pomyślał. „Musiał mnie natchnąć jakiś dobry demon. Teraz nie będą mogli już przychodzić do mnie i mówić: «On jest tylko bękartem królowej, ty zaś jesteś bękartem króla, żądaj więc swoich praw»".
— Dalej, bracie — powiedział chłopiec. — Wsiadaj, koń już złapał oddech. Niech to będzie prawdziwa jazda!

Królewskie stajnie zbudowane były na planie kwadratu z cegły ozdobionej sztukaterią i kamiennymi pilastrami. Były w połowie puste. Król urządził właśnie manewry, co robił zawsze, gdy mu przyszedł do głowy jakiś nowy pomysł taktyczny.

23

Aleksander szedł przyglądać się ćwiczeniom. Po drodze zaszedł do klaczy, która niedawno się oźrebiła. Jak się spodziewał, nie było tam nikogo, kto mógłby mu powiedzieć, że może to być niebezpieczne. Wślizgnął się do niej, by popieścić ją i pogłaskać źrebaka. Jej gorący oddech rozwiewał mu włosy. Trąciła go wreszcie, dając znak, że już dość, on zaś zostawił ją w spokoju.

Na dziedziniec pełen pomieszanych woni końskiego moczu, słomy, skóry, wosku i smaru wprowadzono właśnie jakieś trzy obce konie. Wycierali je cudzoziemscy koniuchowie, którzy nosili spodnie. Końskie nagłówki były osobliwie strojne, połyskujące złotymi płytkami i zwieńczone czerwonymi pióropuszami, z uskrzydlonymi bykami przy wędzidłach. Były to piękne, rosłe konie, potężnie zbudowane i nie zajeżdżone.

Nadworny oficer na służbie dzielił się właśnie z głównym koniuszym uwagą, że barbarzyńcy długo poczekają na powrót króla.

— Falanga Bryzona dopiero zaczyna ćwiczenia z sarissami — powiedział chłopiec. — To zajmuje wiele czasu.

On sam ledwie był w stanie unieść jeden koniec takiej olbrzymiej włóczni. — Skąd są te konie?

— Aż z Persji. To poselstwo od Wielkiego Króla. Mają odprowadzić Artabazosa i Menapisa.

Ci dwaj satrapowie po nieudanej próbie buntu szukali schronienia w Macedonii. Król Filip uważał, że są użyteczni, chłopiec przekonał się już, że są bardzo interesujący.

— To przecież nasi goście i przyjaciele — powiedział. — Ojciec nie pozwoli Wielkiemu Królowi ich pozabijać. Powiedz tym ludziom, żeby nie czekali.

— Ależ nie, o ile wiem, otrzymali przebaczenie. Mogą wracać do swego kraju, jeżeli zechcą. W każdym razie, posłów należy ugościć, jakąkolwiek przywożą wiadomość. Tak wypada.

— Ojciec nie wróci przed północą, a może i później, z Pieszymi Towarzyszami. Czy mam sprowadzić Menapisa i Artabazosa?

— Nie, nie. Posłom należy wpierw udzielić posłuchania. Niech barbarzyńcy zobaczą, że wiemy, jak się załatwia takie sprawy. Attosie, daj tym koniom oddzielną stajnię. Cudzoziemcy zawsze przenoszą jakieś choroby.

Napatrzywszy się koniom i ich uprzęży, chłopiec stał przez chwilę pogrążony w myślach. Potem umył nogi pod bieżącą wodą, przyjrzał się krytycznie swemu chitonowi i poszedł włożyć czysty. Nasłuchał się już przedtem, jak wypytywano satrapów o wspaniałości Persepolis: o salę tronową z jej złotą winoroślą i złotym drzewem, o schody, po których mogła wjeżdżać kawalkada, o dziwacznych sposobach składania hołdu. Było oczywiste, że Persowie przywiązują wielką wagę do ceremoniału. Uczesał się zatem, jak umiał, bez pomocy innych, ale nie bez bólu. W Sali Perseusza, która była jednym z popisowych dzieł Zeuksisa, przyjmowano dostojnych gości. Szambelan doglądał dwóch wytatuowanych na niebiesko trackich niewolników, ustawiających stoliki z ciasteczkami i winem. Posłów usadzono na honorowych miejscach. Na ścianie nad ich głowami Perseusz ocalał Andromedę przed morskim potworem. Zaliczono go do przodków chłopca, uważano go też za praojca Persów. Wyglądało na to, że jego potomstwo mocno się wyrodziło. Był on nagi, tyle że miał na nogach skrzydlate sandały. Posłowie wystąpili w pełnym stroju medyjskim, który wygnańcy dawno już przestali nosić. Każdy skrawek ciała tych mężów, oprócz dłoni i twarzy, był osłonięty ubraniem, a każdy skrawek ubrania był pokryty haftem. Ich okrągłe czarne kołpaki naszywane były cekinami. Nawet ich brody, ufryzowane w drobne kędziorki podobne do wężowych łusek, robiły wrażenie wyszywanych. Ozdobione frędzlami tuniki miały długie rękawy, a nogi okryte były spodniami, tym znakiem rozpoznawczym barbarzyńców.

Ustawiono trzy krzesła, ale tylko dwóch brodatych mężów usiadło. Towarzyszący im młodzik stał za krzesłem starszego z posłów. Miał jedwabiste, długie, czarne włosy, cerę barwy kości słoniowej, twarz zarazem wyniosłą i wrażliwą i błyszczące czarne oczy. Starsi zajęci byli rozmową, więc on pierwszy spostrzegł stojącego w wejściu chłopca i powitał go czarującym uśmiechem.

— Obyście żyli długo! — powiedział chłopiec wchodząc. — Jestem Aleksander, syn Filipa.

Obie brodate głowy obróciły się ku niemu. Już po chwili obaj mężowie przyjęli postawę stojącą i przyzywali słońce, by świeciło nad jego głową. Szambelan, odzyskawszy panowanie nad sobą, wymówił ich imiona.

— Usiądźcie, proszę, i pokrzepcie się. Musicie być zmęczeni po podróży.

Często słyszał ten utarty zwrot. Uświadomił sobie, że czekają, aż on usiądzie pierwszy. Dotąd mu się to nie zdarzyło. Wgramolił się na krzesło przygotowane dla króla. Noski jego sandałów nie sięgały posadzki. Szambelan skinął na niewolnika, by przyniósł podnóżek.

— Przyszedłem was ugościć, bo ojciec wyjechał na przegląd wojsk. Chyba wróci o północy. To zależy od Pieszych Towarzyszy i od tego, jak sobie poradzą z musztrą. Może dziś im pójdzie lepiej. Ciężko nad tym pracowali.

Posłowie, wybrani dla płynnej znajomości greki, nastawili uszu. W narzeczu macedońskim, z jego doryckimi samogłoskami i tępymi spółgłoskami, czuli się obaj niepewnie. Chłopiec mówił jednak bardzo wyraźnie.

— Czy to twój syn? — zapytał.

Starszy z posłów odpowiedział z powagą, że to syn przyjaciela, i przedstawił go. Młodzik skłonił się nisko i raz jeszcze wymówił się od siadania, ale z uśmiechem. Przez chwilę uśmiechali się do siebie. Posłowie wymienili zachwycone spojrzenia. To było czarujące: ten ładny, szarooki królewicz, to małe królestwo, ta prowincjonalna naiwność. Ten król, który osobiście musztruje wojsko! Chłopak mógłby równie dobrze chwalić się, że król sam sobie gotuje.

— Nie jecie ciasteczek? Ja też zjem jedno.

Ugryzł mały kawałek, żeby nie mieć pełnych ust. Jego znajomość etykiety nie rozciągała się na pogawędki przy jedzeniu. Przeszedł wprost do rzeczy.

— Menapis i Artabazos będą szczęśliwi, że im wybaczono. Często rozmawiają o kraju. Chyba się już nigdy nie zbuntują. Możecie to powiedzieć królowi Ochosowi.

Starszy z posłów uznał, że usłyszane przed chwilą słowa wynikają przede wszystkim z braku doświadczenia.

Uśmiechnął się pod wąsem i zapewnił, że nie omieszka tego zrobić.

— A co z wodzem Memnonem? Czy on także otrzymał przebaczenie? Chyba powinien, po tym jak jego brat Mentor wygrał wojnę w Egipcie.

Poseł zamrugał oczami i odpowiedział, że Rodyjczyk Mentor jest cenionym najemnikiem i że bez wątpienia Wielki Król okaże wdzięczność.

— On jest żonaty z siostrą Artabazosa. Czy wiecie, ile mają dzieci? Dwadzieścioro i jedno! I wszystkie żyją! Przy tym jeszcze to prawie same bliźniaki, jedenastu chłopców i dziewięć dziewczynek. Ja mam tylko jedną siostrę, myślę jednak, że to wystarczy.

Obaj posłowie skłonili głowy. Byli poinformowani o małżeńskich kłopotach króla.

— Memnon zna macedoński. Opowiadał mi, jak przegrał bitwę.

— Królewiczu — uśmiechnął się starszy poseł — powinieneś uczyć się wojować od zwycięzców.

Aleksander spojrzał na niego z zastanowieniem. Ojciec zawsze starał się dociec, jaki błąd zrobili pokonani. Memnon nie miał nic przeciw opowiadaniu o tym, jak przegrał bitwę. Chłopiec czuł, że jest traktowany z góry. Gdyby zagadnął ten młodzik, odpowiedź byłaby inna.

Szambelan odesłał już niewolników, sam jednak ociągał się z odejściem przypuszczając, że wkrótce będzie potrzebne jego wsparcie. Chło-

piec gryzł swoje ciastko i zastanawiał się nad pytaniami najważniejszymi, mogło bowiem zabraknąć czasu na zadanie wszystkich pytań.
— Ilu żołnierzy ma w swym wojsku Wielki Król?
Obaj posłowie uśmiechnęli się. Prawda mogła wyjść tylko na korzyść. Można mieć pewność, że chłopak zapamięta większość z tego, co tu powiedziano.
— Nie ma takiej liczby — odpowiedział starszy. — Jest ich tylu, ile ziaren piasku w morzu albo gwiazd w bezksiężycowe noce.

Opowiedzieli mu o medyjskich i perskich łucznikach, o jeźdźcach dosiadających wielkich rumaków nezajskich, o wojskach z kresów imperium: Kisjanach i Hyrkańczykach, o Asyryjczykach w spiczastych hełmach, zbrojnych w nabijane kolcami maczugi, o Partach, których bronią były łuki i krzywe miecze, Etiopach w lamparcich i lwich skórach, którzy przed bitwą malują sobie twarze na biało i czerwono i używają strzał z kamiennymi grotami, o oddziałach arabskich wielbłądników, o Baktryjczykach i o jeszcze innych, aż do samych Indii. Słuchał z oczami zaokrąglonymi jak u wszystkich dzieci słuchających baśni, dopóki baśń się nie skończyła.
— I wszyscy oni muszą walczyć, gdy Wielki Król ich wzywa?
— Wszyscy, pod karą śmierci.
— Ile czasu trwa, nim się zgromadzą?
Tu zapadła nagła cisza. Więcej niż sto lat minęło od wyprawy Kserksesa i posłowie nie znali odpowiedzi. Odrzekli, że Wielki Król włada rozległymi dziedzinami i ludami o wielu językach. Z Indii do tego tu wybrzeża podróż może trwać nawet rok. Wojska stoją jednak wszędzie tam, gdzie król może ich potrzebować.
— Nalejcie sobie jeszcze wina. Czy aż do Indii prowadzi dobra droga?
Potrzebowali czasu, by z tym się uporać. Stojący w wejściu trącali się łokciami, wiadomości rozchodziły się po pałacu.
— Jaki jest w bitwie król Ochos? Czy jest dzielny?
— Jak lew! — odpowiedzieli naraz obaj posłowie.
— Którym skrzydłem jazdy dowodzi?
— Budzi on taki lęk... — Posłowie zaczynali robić uniki. Chłopiec zajął się ciastkiem. Wiedział, że nie wolno być niegrzecznym wobec gości, zmienił więc temat.
— Jeśli żołnierze pochodzą z Arabii, Indii i Hyrkanii i nie mówią po persku, jak on z nimi rozmawia?
Rozmawia z nimi? Król? To było wzruszające: ten mały strateg był jednak bardzo dziecinny. — Ależ to satrapowie prowincji wybierają dowódców, którzy mówią językiem żołnierzy.

Aleksander przechylił nieco głowę i zmarszczył brwi.

— Żołnierze lubią, kiedy się z nimi rozmawia przed bitwą. Lubią, kiedy się zna ich imiona.

— Jestem pewien — rzekł drugi poseł — że się cieszą, kiedy ty ich poznajesz.

Dodał, że Wielki Król rozmawia tylko z przyjaciółmi.

— Z nimi mój ojciec rozmawia przy wieczerzy.

Posłowie mamrotali coś, nie ważąc się na wymianę spojrzeń. Dwór macedoński słynął z barbarzyńskich obyczajów. Mówiono, że królewskie biesiady przypominają raczej zabawy górskich rozbójników w zasypanych śniegiem jaskiniach pełnych łupów niż ucztowanie władcy. Jakiś Milezyjczyk opowiadał im i przysięgał, że był tego świadkiem, jak król Filip wstawał z biesiadnego łoża, by prowadzić taneczny korowód. Pewnego razu zaś, kiedy przekrzykiwano się podczas jakiejś sprzeczki, rzucił jabłkiem w głowę któregoś z wodzów. Milezyjczyk, z bezczelnością właściwą Grekom, temu narodowi kłamców, posunął się do twierdzenia, że wódz odpowiedział, rzucając kawałem chleba, i że wciąż pozostaje przy życiu, co więcej, nadal jest wodzem! Jeśli choć połowa z tego była prawdą...

Aleksander wahał się, czy zadać kolejne pytanie. Menapis opowiadał mu coś, w co nie uwierzył i chciał się co do tego upewnić. Wygnaniec mógł przecież chcieć ośmieszyć Wielkiego Króla. Ci ludzie mogli jednak o tym donieść i gdyby wrócił do kraju, zostałby ukrzyżowany. Wydać gościa i przyjaciela byłoby nikczemnością.

— Mówił mi któryś z chłopców, że kto pozdrawia Wielkiego Króla, musi się położyć twarzą do ziemi, ale ja powiedziałem mu, że jest głupi.

— Wygnańcy mogli opowiedzieć ci, królewiczu, jak wielką mądrość wyraża tego rodzaju hołd. Nasz pan włada nie tylko wielu ludami, lecz także wielu królami. Nazywamy ich satrapami, ale są wśród nich potomkowie królów, którzy rządzili samowładnie, póki ich ziem nie włączono do imperium. Musi on więc być wyniesiony ponad innych królów, jak oni są wyniesieni ponad swych poddanych. Ci pomniejsi królowie powinni padać przed nim na twarz, tak jak pada się przed bogami. Gdyby nie wydawał się tak wielki, jego władza szybko by się skończyła.

Chłopiec wysłuchał i zrozumiał. Odpowiedział grzecznie.

— My tu nie padamy na twarz przed bogami, nie musicie więc robić tego przed ojcem. Nie przywykł do tego i nie robi mu to różnicy.

Posłowie ze wszystkich sił starali się zachować powagę. Sama myśl o padaniu na twarz przed wodzem barbarzyńskiego plemienia, którego przodek był wasalem Kserksesa (i to wiarołomnym wasalem), była zbyt groteskowa, by się obrażać. Szambelan uznał, że najwyższy czas wystąpić. Skłonił się przed chłopcem, który z pewnością na to zasłużył, mówiąc mu, że go wzywają. Aleksander pożegnał się, zwracając się do każdego po imieniu.

— Przykro mi, że nie będę mógł tu wrócić. Muszę iść na manewry. Mam przyjaciół wśród Pieszych Towarzyszy. Mój ojciec powiada, że sarissa jest świetną bronią w zwartym szyku, ale cała sztuka w tym, by uczynić ten szyk ruchomym, będzie więc ćwiczył, aż ich tego nauczy. Mam nadzieję, że nie będziecie czekać długo. Gdybyście czegoś potrzebowali, wystarczy powiedzieć.

Później uczył swego psa aportować w pałacowym ogrodzie, pośród rzeźbionych urn z Efezu, w których kwitły kwiaty z ciepłych stron. Zginęłyby w mroźnej zimie Macedonii, gdyby nie wnoszono urn do wnętrza pałacu. Z kolumnowego portyku nad nimi schodził ojciec Aleksandra.

Chłopiec kazał psu usiąść. Czekali czujni, z nastawionymi uszami. Ojciec usiadł na marmurowej ławie i skinął na chłopca, by podszedł od strony zdrowego oka. To ślepe już się zaleczyło i tylko biała plama na tęczówce wskazywała, gdzie trafiła strzała. Kończyła już lot i temu zawdzięczał życie.

— Chodź tu do mnie — powiedział, szczerząc w uśmiechu białe zęby.

— Opowiedz, co mówili. Słyszałem, że zadałeś im kilka trudnych pytań. Co odpowiedzieli? Ilu żołnierzy wystawi Ochos, jeśli będzie musiał?

Mówił po macedońsku, choć zwykle zwracał się do syna po grecku. To rozwiązało chłopcu język i zaczął opowiadać: o dziesięciu tysiącach Nieśmiertelnych, o łucznikach, oszczepnikach i topornikach, o tym, że konie uciekają, gdy poczują zapach wielbłądów, i o tym, że w Indiach królowie jeżdżą na jakichś czarnych, nie owłosionych bestiach — tak wielkich, że mogą dźwigać na grzbiecie wieże. Tu zerknął na ojca, nie chcąc wyjść na głupca. Filip skinął jednak głową.

— Tak, to słonie. Słyszałem o tym od ludzi o wypróbowanej uczciwości. Mów dalej, wszystko to bardzo się przyda.

— Mówili, że ludzie, którzy pozdrawiają Wielkiego Króla, muszą przed nim padać na twarz. Powiedziałem, że nie muszą tego robić przed tobą. Bałem się, że ktoś ich wyśmieje.

Ojciec zadarł głowę, śmiejąc się na całe gardło, i klepnął się po kolanie.

— Nie zrobili tego? — zapytał chłopiec.

29

— Nie, ale przecież ich od tego zwolniłeś. Zawsze przedstawiaj konieczność jako cnotę, a zobaczysz, że będą ci dziękować. Mieli szczęście, bo lepiej wyszli na spotkaniu z tobą niż posłowie Kserksesa, kiedy spotkali się z twoim imiennikiem w wielkiej sali w Ajgaj.

Usiadł wygodniej. Chłopiec wiercił się, denerwując psa, który opierał nos na jego stopie.

— Kiedy Kserkses przerzucił most przez Hellespont i przeprowadził po nim wojsko, by zagarnąć Grecję, wysłał najpierw posłów do wszystkich ludów, żądając ziemi i wody: garści ziemi z każdego kraju i flaszki wody z każdej rzeki na znak poddania się i hołdu. Nasz kraj leżał na jego drodze przemarszu na południe, znaleźlibyśmy się więc za jego plecami, gdyby poszedł dalej. Chciał się co do nas upewnić, wysłał więc siedmiu posłów. Królem był wtedy pierwszy Amyntas.

Aleksander miał ochotę zapytać, czy ten Amyntas był jego pradziadkiem, ale nie należało mówić zbyt wiele o przodkach, chyba że chodziło o bogów lub herosów. Starszy brat ojca, Perdikkas, zginął w bitwie, pozostawiając syna, który był wtedy niemowlęciem. Macedończycy chcieli jednak mieć króla, który pobiłby Ilirów i objął rządy w królestwie, powołali więc na tron ojca. Chłopcu mówiono, że dowie się o przodkach, kiedy będzie starszy.

— W owym czasie nie było tu w Pelli pałacu, był tylko zamek tam, w Ajgaj. Trzymaliśmy się go zębami i pazurami. Naczelnicy zachodnich okręgów Orestis i Lynkestis uważali się za królów. Ilirowie, Pajonowie i Trakowie każdego miesiąca przekraczali granice, biorąc w niewolę ludzi i uprowadzając bydło. Ale to jeszcze było nic wobec Persów. O ile wiem, Amyntas nie był przygotowany do obrony. Pajonowie, których mógłby uważać za sprzymierzeńców, zostali najechani i pobici jeszcze przed przybyciem posłów. Dał więc za wygraną i złożył hołd ze swego kraju. Wiesz, kim jest satrapa?

Pies poderwał się i zaczął rozglądać. Chłopiec poklepał go, by usiadł.

— Syn Amyntasa miał na imię Aleksander. Mógł mieć czternaście czy piętnaście lat i miał już własną straż przyboczną. Był obecny, kiedy Amyntas przyjmował posłów w wielkiej sali w Ajgaj.

— Zabił już zatem swego dzika?

— Tego nie wiem. Był obecny, bo to była uroczysta uczta.

Chłopiec znał Ajgaj prawie równie dobrze jak Pellę. Wszystkie stare świątynie bogów, gdzie urządzano wielkie festiwale, znajdowały się w Ajgaj, a także królewskie grobowce, kurhany, na których nie dawano wyrosnąć drzewom. Prowadziły do nich wejścia jak do jaskiń, zamknięte ciężkimi drzwiami z kutego brązu i marmuru. Mówiono, że jeśli któryś z królów Macedonii zostanie pochowany poza Ajgaj, linia królewska wygaśnie. Kiedy lato w Pelli robiło się gorące, przenosili się tam, szukając chłodu. Potoki spływające z porosłych paprocią górskich dolin nigdy nie wysychały i niosły chłód śniegów leżących w górze. Spadając z urwisk i płynąc obok domów przez zamkowy dziedziniec łączyły się, tworząc wielki wodospad przesłaniający świętą jaskinię. Stary zamek o grubych, mocnych murach nie był podobny do pięknego kolumnowego pałacu. W wielkiej sali było koliste palenisko i otwór w dachu odprowadzający dym. Okrzyki budziły w niej echa. Chłopiec wyobraził sobie Persów o kędzierzawych brodach i w połyskliwych kołpakach, jak stąpają po nierównej kamiennej posadzce.

— Trwała wtedy pijatyka. Być może posłowie przywykli do słabszego wina, a może uznali, że wolno im robić, co chcą, skoro bez trudu uzyskali to, po co przybyli. Jeden z nich zapytał, gdzie są szlachetne panie, twierdząc, że w Persji biorą one udział w ucztach.

— Czy perskie panie zostają, kiedy się pije?

— To było jawne kłamstwo, które nikogo nie oszukało, zwyczajna bezczelność. Perskie panie są pilnowane o wiele lepiej niż nasze.

— Czy doszło do bójki?

— Nie, Amyntas posłał po kobiety. Kobiety z Pajonii były już wtedy niewolnicami w Azji, bo ich mężowie stawili opór. Chyba nie mógł nic więcej zrobić, trzeba mu oddać sprawiedliwość. Nie miał takiej armii jak my. Miał tylko Towarzyszy z królewskich ziem i poborowych, których ich panowie ćwiczyli, jak chcieli i jeśli chcieli, a mogli ich nie przyprowadzić wcale, jeśli nie chcieli. Nie zajął jeszcze góry Pangajos z kopalniami złota. Dopiero ja to zrobiłem. Złoto, mój chłopcze, jest matką armii. Płacę swoim żołnierzom przez okrągły rok, czy jest wojna, czy jej nie ma, oni zaś walczą dla mnie pod rozkazami moich dowódców. Na południu odprawia się ich, kiedy nie są potrzebni. Żołnierze szukają wtedy zajęcia, gdzie się da i walczą dla jakiś cudzoziemskich wodzów, ale to po prostu najemnicy. W Macedonii ja jestem wodzem. I dlatego, mój synu, posłowie Wielkiego Króla nie przychodzą tu żądać ziemi i wody.

Chłopiec skinął z namysłem głową. Brodaci posłowie byli grzeczni, bo musieli, chociaż z tym młodym było chyba inaczej.

— Czy te panie naprawdę przyszły?

— Przyszły i, jak się możesz domyślić, były obrażone. Nie raczyły się uczesać ani włożyć swoich naszyjników. Myślały, że posiedzą chwilę, a potem odejdą.

Aleksander wyobraził sobie matkę, jak odbiera takie wezwanie. Chyba nie pokazałaby się, nawet by ratować kraj przed niewolą. A jeśli już by przyszła, uczesałaby się i włożyła wszystkie swoje klejnoty.

— Kiedy usłyszały, że mają zostać — ciągnął Filip — poszły na najdalsze miejsca pod ścianą, jak przystało uczciwym kobietom.

— Tam, gdzie siadają paziowie?

— Tak, tam. Pokazywał mi to miejsce pewien starzec, który wiedział to od swego dziada. Chłopcy ustąpili im miejsca. Usiadły, zasłoniły twarze i siedziały w milczeniu. Posłowie wykrzykiwali komplementy i nalegali, by się odsłoniły. Gdyby ich kobiety zrobiły to przed obcymi, obcięliby im nosy. Tak, i jeszcze gorzej, możesz mi wierzyć. Młody Aleksander ujrzał tam swoją matkę i siostry, i wszystkie krewne. Był oburzony i wypominał to ojcu. Persowie nie zwrócili na to uwagi. Niech sobie szczeniak szczeka, byle pies siedział cicho. Któryś z nich przemówił do króla: „Mój macedoński przyjacielu, byłoby lepiej, gdyby kobiety w ogóle nie przychodziły, niż żeby po przyjściu siadały naprzeciw nas jako udręka dla naszych oczu. Powinieneś naśladować nasz zwyczaj. Nasze panie rozmawiają z gośćmi. Pamiętaj, że dałeś naszemu królowi ziemię i wodę!"

— Zaświecił więc królowi mieczem w oczy. Chyba zapadła cisza. Potem król kazał kobietom usiąść obok Persów, jak siadają tancerki i flecistki w miastach na południu. Królewicz spostrzegł, że tamci zaraz zaczęli ich dotykać. Przywołał młodzików ze swej straży przybocznej i wybrał siedmiu jeszcze bez zarostu. Do tych przemówił na osobności i zaraz ich odesłał. Potem podszedł do ojca, który musiał wyglądać marnie, jeśli została w nim resztka wstydu, i rzekł:

„Ojcze, jesteś zmęczony. Nie trwaj przy pijatyce. Pozostaw gości mnie. Dostaną wszystko, na co zasługują, daję ci na to słowo".

— To był jakiś sposób, by król mógł zachować twarz. Prosił tylko syna, by nie robił głupstw, i odszedł. Posłowie uznali, oczywiście, że teraz wszystko im wolno. Królewicz nie okazywał gniewu.

„Drodzy goście, zaszczycacie nasze matki i siostry. Pozwólcie tym kobietom odejść do kąpieli, ubrać się i ustroić, nie zdążyły bowiem tego zrobić. Kiedy wrócą, będziecie mogli powiedzieć, że potraktowano was w Macedonii tak, jak na to zasługujecie".

Aleksander siedział wyprostowany, z błyszczącymi oczyma. Odgadł już zamiary królewicza.

— Persom nie żałowano wina, a noc była jeszcze przed nimi. Przystali na to. Wkrótce weszło siedem niewiast we wspaniałych szatach i z zasłoniętymi twarzami. Podeszły do każdego z posłów. Choć przez swe zuchwalstwo utracili oni prawa gości i przyjaciół, królewicz czekał nawet wtedy, chcąc zobaczyć, jak się zachowają. Gdy wszystko stało się jasne, dał znak. Młodzi ludzie w niewieścich szatach sięgnęli po sztylety. Ciała toczyły się po tacach i paterach z owocami i pośród rozlanego wina. Nie zdążyli nawet krzyknąć.

— Świetnie! — rzekł chłopiec. — Dobrze im tak.

— Mieli oni, oczywiście, służbę gdzieś w tej sali. Zawarto wrota i nikt nie uszedł z życiem, by zanieść wiadomość do Sardes. Nigdy nie udowodniono, że nie zostali oni napadnięci przez bandytów w drodze przez Trację. Kiedy wszystko już się dokonało, pogrzebano ciała w lesie. Jak mi mówił ów starzec, Aleksander rzekł wtedy: „Przybyliście po ziemię i wodę. Ziemia wam wystarczy!"

Ojciec urwał, rad z poklasku, jakim było rozpromienione milczenie. Chłopiec, który słuchał opowieści o krwawej zemście, odkąd zaczął rozumieć ludzką mowę — każdy ród i każda chłopska gromada w Macedonii miały swoje — uznał tę opowieść za tak dobrą jak najlepszy teatr.

— Więc kiedy król Kserkses nadciągnął, Aleksander walczył z nim?

Filip zaprzeczył ruchem głowy.

— Był już wtedy królem. Wiedział, że nic nie może zrobić. Poszedł ze swymi ludźmi za Kserksesem, wraz z innymi satrapami. Ale przed wielką bitwą pod Platejami, kiedy była już późna noc, podjechał na koniu ku Grekom, by im wyjawić ustawienie Persów, co prawdopodobnie przesądziło o zwycięstwie.

Chłopcu twarz się wydłużyła i zmarszczył brwi z niesmakiem.

— Cóż, chytrze postąpił, ja jednak stoczyłbym bitwę.

— Zrobiłbyś to? — Filip wyszczerzył zęby. — Ja także. Może jeszcze tego dożyjemy, kto wie?

Wstał z ławy, wygładzając swą pięknie wybieloną szatę z purpurowym szlakiem.

— Za czasów mego dziada Spartanie zawarli przymierze z Wielkim Królem, by zapewnić sobie władzę nad południem. Ceną były greckie miasta w Azji, które przedtem były wolne. Nikt jeszcze nie zmazał tej plamy z twarzy Hellady. Żadne z państw nie mogłoby się oprzeć Artakserksesowi i Spartanom. I powiadam ci: te miasta nie będą wolne, dopóki Grecy nie zgodzą się pójść na wojnę pod jednym dowódcą. Mógł nim być Dionizjusz z Syrakuz, ale miał dość kłopotów z Kartaginą, a jego syn jest głupcem, który wszystko zaprzepaścił. Ale znajdzie się jeszcze taki mąż. Jeśli dożyjemy, zobaczymy.

Skinął głową z uśmiechem. — Nie mogłeś znaleźć sobie lepszego psa? Co za szkaradna bestia! Powiem łowczemu, żeby ci znalazł jakiegoś pełnej krwi.

33

Chłopiec skoczył przed psa.

— Ale ja go kocham! — wykrzyknął tonem, który nie wyrażał miłości, a raczej wyzwanie do walki na śmierć i życie.

— Dobrze, dobrze — rzekł Filip z rozczarowaniem. — Nie musisz na mnie krzyczeć. Ta bestia jest twoja, nikt go nie chce skrzywdzić. Chciałem dać ci drugiego psa w podarunku.

Po chwili ciszy chłopiec odezwał się. — Dziękuję, ojcze: On byłby chyba zazdrosny i zagryzłby tego drugiego. Jest bardzo silny.

Pies wcisnął mu nos pod pachę. Stali tak ramię w ramię. Filip wzruszył ramionami i wszedł do pałacu.

Aleksander i pies zaczęli się zmagać. Pies szturchał i szarpał chłopca, powstrzymując się przy tym, jakby bawił się ze szczenięciem. W końcu położyli się w trawie ogarnięci sennością w promieniach słońca. Chłopiec wyobrażał sobie wielką salę w Ajgaj, pełną porozrzucanych pucharów, tac, poduszek, powalonych Persów leżących w kałużach krwi, jak owi Trojanie na ścianie w komnacie matki. W drugim końcu sali, gdzie zabijano ludzi z ich orszaku, walczył jeszcze młodzik, który przybył z posłami, sam przeciw dwudziestu.

— Stójcie! — krzyknął królewicz. — Nie ważcie się go tknąć! To mój przyjaciel.

Kiedy drapiący się pies obudził go, jechali właśnie na strojnych w pióropusze koniach oglądać Persepolis.

Ciepły letni dzień chylił się ku zachodowi. Na słone jezioro pod Pellą kładł się cień warowni na wyspie, gdzie mieścił się skarbiec i więzienie. W mieście połyskiwały lampy w oknach. Niewolnicy wyszli z pochodniami zapalić wielkie latarnie, podtrzymywane przez lwy siedzące u stóp pałacowych schodów. Na równinie rozlegało się porykiwanie bydła idącego ku domowi. W górach, które zwracały ku Pelli swe pogrążone w cieniu wschodnie stoki, iskrzyły się odległe ogniska strażnicze.

Chłopiec siedział na dachu pałacu, patrząc w dół na miasto, zalew i małe łódki rybackie kierujące się ku przystani. Pora była spać. Schodził z drogi piastunce, bo chciał zobaczyć matkę, która mogła pozwolić mu zostać. Ludzie, którzy naprawiali dach, poszli już do domu, pozostawiając drabiny. Tej okazji nie wolno było zmarnować.

Siedział na dachówkach z pentelikońskiego marmuru, sprowadzanego przez króla Archelaosa. Pod sobą miał rynnę, a między kolanami ozdobę gzymsu w kształcie głowy Gorgony o wyblakłych już barwach. Trzymając się jej wężowych włosów, zaglądał w przepaść, wyzywając de-

34

mony ziemi. Obiecał sobie już wcześniej, że w drodze powrotnej będzie patrzył w dół. Wkrótce demony dały za wygraną, jak wszystkie tego rodzaju istoty, kiedy rzuca się im wyzwanie. Zamiast kolacji zjadł wykradziony wcześniej czerstwy chleb. A mogłaby to być gorąca polewka zaprawiona miodem i winem. Jej zapach był kuszący, ale po kolacji było się zaganianym do łóżka. Niczego nie dostaje się za darmo. Z dołu doleciało beczenie. Musieli prowadzić czarnego kozła, była już pewnie pora. Lepiej było o nic nie pytać. Skoro już tu się znalazł, matka nie odeśle go z powrotem.

Schodził ostrożnie po szeroko rozstawionych szczeblach drabiny, przeznaczonej dla dorosłych. Pokonane demony trzymały się z daleka. Chłopiec śpiewał pieśń zwycięstwa. Z dolnego dachu zeskoczył na ziemię. Nie było tam nikogo, prócz kilku zmęczonych niewolników schodzących ze służby. Hellanike szuka go pewnie po pałacu, trzeba więc trzymać się na zewnątrz. Ma ona przy nim za swoje: słyszał, jak mówiła to matka.

Wielka sala była oświetlona. W środku jacyś niewolnicy z kuchni przesuwali stoły, rozmawiając po tracku. Tuż przed nim szedł miarowym krokiem wartownik robiący obchód. Po krzaczastej rudej brodzie chłopiec poznał Menestasa. Uśmiechnął się i pozdrowił go, mijając.

— Aleksandrze! Aleksandrze!

Głos Lanike dobiegał zza rogu, gdzie chłopiec był przed chwilą. Wyszła więc, szukając go, i jeszcze go teraz zobaczy. Zaczął biec, myśląc, co by tu zrobić. Nawinął się Menestas.

— Szybko! Zasłoń mnie tarczą!

Nie czekał, aż go podsadzą. Wdrapał się na żołnierza, czepiając się go rękami i nogami. Broda łaskotała go po twarzy.

— Małpka! — mruknął Menestas, okrywając go tarczą w samą porę, i cofając się pod ścianę. Hellanike minęła go. Nawoływała z nutą gniewu w głosie, była jednak zbyt dobrze wychowana, by rozmawiać z żołnierzami.

— Dokąd się wybierasz? Nie obchodzi mnie to, ale... — Chłopiec jednak uścisnął tylko żołnierza za szyję, zeskoczył i zniknął.

Przekradał się bocznymi przejściami, unikając śmietników, bo nie można służyć bogu z brudnymi rękami i nogami, i dotarł szczęśliwie do strzeżonego ogrodu tuż przy bocznym wejściu do pokojów matki. Na schodach czekało już kilka kobiet z pochodniami. Zszedł im z oczu za mirtowy żywopłot. Nie chciał być widziany, zanim wszyscy nie znajdą się w gaju. Wiedział, dokąd teraz pójść.

35

W pobliżu wznosiła się mała świątynia Heraklesa, jego przodka ze strony ojca. O zmierzchu niebieska ściana we wnętrzu portyku pociemniała już, ale posąg z brązu widać było wyraźnie, a osadzone w oczodołach agaty chwytały resztki światła. Król Filip poświęcił tę świątynię zaraz po wstąpieniu na tron. Miał wtedy dwadzieścia cztery lata, a rzeźbiarz, który wiedział, co się należy zleceniodawcy, przedstawił Heraklesa w tym właśnie wieku, tyle że bez brody, według południowej mody. Włosy i lwia skóra były złocone. Lwia paszcza okrywała niczym kaptur głowę, a reszta skóry ramiona. Twarz została skopiowana z monet Filipa.

Nikt nie patrzył. Aleksander wszedł do świątyni i dotknął palca prawej stopy herosa tuż nad podstawą posągu. Tam na dachu wzywał go tajemnymi słowami i bohater natychmiast przybył, by poskromić demony. Wypadało mu podziękować. Za sprawą wielu takich dotknięć ten palec był jaśniejszy od reszty stopy.

Zza żywopłotu słychać było podzwanianie blaszanych grzechotek i warkot trącanego lekko bębenka. Blask pochodni padał na malowane wejście, zamieniając zmierzch w ciemną noc. Chłopiec podkradł się do żywopłotu. Przyszła już większość kobiet. Miały na sobie jaskrawe cienkie suknie, będą więc przed bogiem tylko tańczyć. W czasie Dionizjów, gdy wychodziły z Ajgaj w górskie lasy, ubierały się jak prawdziwe menady i nosiły trzcinowe tyrsy zwieńczone szyszką i oplecione bluszczem. Swe splamione krwią pstrokate szaty i jelenie skóry potem porzucały. Skóry, które teraz miały na sobie, były spięte złotymi zapinkami. Berła były złocone i ozdobione kamieniami. Przyszedł kapłan Dionizosa i chłopiec prowadzący kozła. Czekano tylko na matkę.

Nadeszła, jeszcze w wejściu uśmiechając się do Hyrminy z Epiru. Ubrana była w szafranową szatę i złote sandały z zapięciami z granatów. Na głowie miała złoty wieniec z bluszczu. Cienkie gałązki drżały przy ruchach jej głowy, połyskując w świetle pochodni. Wokół jej tyrsu wił się wężyk z emalii. Jedna z kobiet niosła w koszyku Glaukosa. Ten zawsze brał udział w tańcach.

Dziewczyna z pochodnią obeszła wszystkie inne. Płomienie skoczyły w górę. Wszystkie oczy zabłysły, a czerwień, zieleń, błękit i żółć sukien nabrały głębi jak klejnoty. Z cienia ukazał się podobny do maski, smutny, mądry i zły pysk kozła z oczami jak topazy i złoconymi rogami. Na jego szyi wisiał wieniec z zielonych winogron. Wraz z kapłanem i chłopcem-służącym poprowadził pochód do gaju. Kobiety szły za nimi, cicho rozmawiając. Grzechotki podzwaniały w takt kroków nosicielek. W strumieniu, który zasilał fontanny, skrzeczały żaby.

Weszli na odsłonięte wzgórze ponad ogrodem. Cała ta ziemia należała do króla. Ścieżka wiła się wśród zarośli mirtów, tamaryszków i dzikich oliwek. Chłopiec stąpał cicho za wszystkimi poza zasięgiem wzroku, kierując się światłem pochodni. Z przodu zamajaczył wysoki cień sosnowego lasku. Chłopiec opuścił ścieżkę i przemykał ostrożnie przez zarośla. Za wcześnie było się ujawniać. Leżąc na brzuchu na sprężystym igliwiu, patrzył w głąb lasku. Kobiety pozatykały pochodnie we wbitych w ziemię uchwytach. Było tam miejsce przygotowane do tańca, ołtarz przybrany girlandami i stoły na kozłach zastawione pucharami i naczyniami do mieszania wina. Na swym cokole, zadbany jak zawsze, obmyty z ptasich nieczystości i wypolerowany tak, że jego członki z brunatnego marmuru nabrały połysku młodzieńczego ciała, stał Dionizos. Olimpias sprowadziła go z Koryntu, gdzie wyrzeźbiono go na jej polecenie. Był naturalnej wielkości. Piętnastoletni młodzieniec, jasnowłosy, o mięśniach tancerza, miał na sobie ozdobne czerwone buty i lamparcią skórę na ramieniu. W prawej dłoni trzymał tyrs o długim drzewcu, lewą unosił złoty kubek na znak powitania. Jego uśmiech nie był uśmiechem Apollona, który mówi: „Poznaj samego siebie, człowieku, to ci zajmie całe krótkie życie". To był uśmiech przyzywający do udziału w jego tajemnicy.

Stanęły w kręgu, trzymając się za ręce, i śpiewały, przyzywając boga, nim złożono ofiarę z kozła. Padał deszcz po tym, jak ostatnio przelano tu krew, kozioł szedł więc bez obawy i dopiero gdy przebił go nóż, wydał żałosny pojedynczy krzyk. Krew zebrano do płytkiej czary i zmieszano z winem dla boga. Chłopiec patrzył spokojnie, opierając brodę na dłoniach. Widział już niezliczone ofiary, składane w świątyniach i w tym gaju, gdzie jako dziecko przyprowadzany był na tańce i zasypiał na sosnowych łuskach, kołysany tętnieniem bębenków.

Zabrzmiała muzyka. Dziewczęta z klekotkami na palcach i z grzechotkami i dziewczyna grająca na podwójnym flecie zaczęły grać cicho, kołysząc się w takt muzyki. W otwartym koszu kołysał się łeb Glaukosa. Kroki i dźwięki przyspieszały, ręce splatały się za plecami, kobiety uderzały stopami o ziemię, ich ciała wyginały się w przód i w tył, rozpuszczone włosy wirowały. Przy tańcach Dionizosa piły nie rozcieńczone wino, po tej ofierze, kiedy to piły razem z bogiem.

Wkrótce będzie mógł wyjść, teraz go już nie odeślą.

Dziewczyna z cymbałami uniosła je wysoko nad głowę, wydobywając z nich pulsujący dźwięk. Poczołgał się naprzód, aż znalazł się prawie w świetle pochodni. Nikt go nie spostrzegł. Obracając się wolno, by podczas śpiewu nie stracić tchu, zaczęły wysławiać tryumf boga. Słyszał większość słów, ale i tak znał ten hymn na pamięć. Już przedtem często go tu słuchał. Po każdym wierszu dźwięczały cymbały, a chór śpiewał, za każdym razem głośniej.

— Euoj, Bakchos! Euoj! Euoj!

Rozpoczęła ten hymn jego matka, witając boga jako syna Semele, zrodzonego z ognia. Jej oczy, policzki i włosy błyszczały, złoty wieniec migotał, żółta suknia odbijała blask pochodni, jakby ona sama świeciła własnym światłem.

Hyrmina z Epiru, potrząsając czarnymi włosami, śpiewała o tym, jak boskie dziecię zostało ukryte przed zazdrosną Herą na Naksos, pod strażą śpiewających nimf. Chłopiec podpełzł bliżej. Nad jego głową wznosił się stół z winem. Wyjrzał za skraj stołu. Stały tam starodawne puchary i naczynie do mieszania wina ozdobione malowidłami. Sięgnął po puchar i zajrzał do środka. Było w nim jeszcze trochę wina. Ulał kroplę czy dwie jako libację dla boga, bo otrzymał należyte przeszkolenie w takich sprawach, a potem wypił resztę. Smakowało mu mocne, nie rozcieńczone wino, było bowiem słodkie. Bóg był chyba zadowolony, bo pochodnie płonęły jaśniej, a muzyka zaczynała czarować. Był pewien, że wkrótce zatańczy.

Kobiety śpiewały, jak to syna Zeusa zaprowadzono do leśnej kryjówki starego Sylena, który uczył go mądrości, póki uczeń go nie prześcignął, odkrywając moc drzemiącą we fioletowych gronach. Odtąd satyrowie oddawali mu cześć boską, był bowiem dawcą radości i szaleństwa. Pieśń miała wirujący rytm i taniec też wirował, jak koło na dobrze nasmarowanej osi. Chłopiec zaczął stąpać pośród drzew, myląc takt i klaszcząc w dłonie.

Bóg osiągnął wiek młodzieńczy. Miał piękną twarz i dziewczęcy wdzięk, lecz płonął w nim ten ogień, który był położnym jego matki. Doszedł do wieku męskiego, łaskawy dla tych, którzy widzieli jego boskość, groźny jak głodny lew dla niedowiarków. Jego sława rosła, mimo życia w ukryciu. Nie dało się dłużej oszukiwać Hery. Poznała jego potęgę i chwałę i zesłała na niego obłęd.

Muzyka wznosiła się po spirali, coraz wyżej i coraz szybciej. Piszczała jak małe zwierzątka ginące w środku nocy. Łoskot cymbałów był ogłuszający. Chłopiec poczuł po tańcu pragnienie, sięgnął więc po następny puchar. Tym razem wino nie zaparło mu tchu. Było jak ten ogień z niebios, o którym mówił hymn.

Bóg ruszył na wędrówkę; przez Trację, poprzez Hellespont, po wyżynie frygijskiej na południe, do Karii. Jego wyznawcy, którzy przedtem dzielili z nim radość, nie opuścili go, lecz towarzyszyli mu w szaleństwie. Prowadziło to ich do ekstazy, bo nawet jego szaleństwo było boskie. Udał się wybrzeżem Azji do Egiptu, którego mądry lud gościnnie go powitał. Odpoczywał tam, ucząc się mądrości od tamtejszych ludzi i jednocześnie sam ich nauczał. Potem, osiągnąwszy pełnię boskości i szaleństwa, skierował się na wschód, przez niezmierzone obszary Azji. Liczba jego wyznawców rosła, tak jak szerzy się pożar. Przekroczył Eufrat po moście z bluszczu, a rzekę Tygrys na grzbiecie tygrysa. Poprzez równiny, rzeki i góry wysokie jak Kaukaz dotarł wreszcie na skraj świata, do Indii. Dalej nie było już nic, jedynie opływający ziemię Ocean. Klątwa Hery straciła swą moc. Indowie oddali mu cześć boską, a dzikie lwy i pantery dawały się wprzęgać do jego rydwanu. Wrócił potem do krajów Hellenów, gdzie Wielka Matka oczyściła go z krwi przelanej w okresie obłędu.

Zaśpiewał teraz chór, a głos chłopca zawtórował tonom fletu. Odrzucił swój chiton, rozgrzany tańcem, płomieniami pochodni i winem. Pod jego stopami kręciły się złote koła rydwanu ciągnionego przez lwy, rozbrzmiewały peany, rzeki cofały się przed nim, a ludy Indii i Azji tańczyły w takt jego pieśni. Wzywały go menady. Zeskoczył z rydwanu, by tańczyć pośród nich. Przerwały swój wirujący krąg, śmiejąc się i wołając coś do niego, i znów zamknęły krąg, on zaś krążył wokół swego ołtarza. One śpiewały, on tańczył w koło po rosie, póki las nie zawirował wokół niego i nie mógł już odróżnić ziemi od nieba. Lecz oto stanęła przed nim Wielka Matka w złotym wieńcu na głowie, uniosła go i pocałowała, on zaś ujrzał na jej złotej sukni czerwone ślady swoich stóp, splamionych krwią, po której stąpał w miejscu, gdzie złożono ofiarę. Jego stopy były równie czerwone jak buty posągu.

Zawinięto go w płaszcz i ułożono na grubej podściółce, i znów pocałowano, i powiedziano mu cicho, że nawet bogowie muszą spać, kiedy są jeszcze dziećmi. Ma tak leżeć i być grzeczny, a niedługo wszyscy razem pójdą do domu. Było mu ciepło w szkarłatnej wełnie, wśród zapachu sosnowych igieł. Minęły nudności i pochodnie przestały wirować. Dopalały się w swych uchwytach, ale wciąż były jasne i przyjazne. Widział spod płaszcza, jak kobiety odchodzą w głąb lasu, trzymając się za ręce i obejmując. Próbował później sobie przypomnieć, czy słyszał przedtem z głębi lasu jakieś inne, niższe głosy, odpowiadające na ich wołania, zawodziła go jednak pamięć. W każdym razie nie bał się i nie był sam, bo nie opodal rozlegały się szepty i śmiechy. Tańczące płomienie były ostatnią rzeczą, jaką widział, zanim zamknęły mu się oczy.

ROZDZIAŁ DRUGI

Miał siedem lat. Był to wiek, w którym chłopcy wychodzą spod opieki kobiet. Nadszedł czas, by zrobić z niego Greka.

Król Filip znów toczył wojnę na wybrzeżu chalcydyckim, zabezpieczając granice, przez co rozumiał ich rozszerzanie. Pożycie małżeńskie mu się nie układało. Wyglądało na to, że poślubił nie żonę, a wielką panią, której wojna nie skłaniała do uległości, a której szpiedzy wiedzieli wszystko.

Z dziewczyny stała się kobietą o uderzającej urodzie, ale czy chodziło o dziewczynę, czy o młodzika, to właśnie sama młodość budziła w Filipie pożądanie. Przez jakiś czas zadowalał się młodymi ludźmi, potem — idąc za przykładem przodków — wziął sobie młodą, dobrze urodzoną konkubinę jako drugą żonę. Urażona duma Olimpias zatrzęsła pałacem niczym trzęsienie ziemi. Widziano ją nocą w Ajgaj, jak szła z pochodnią do królewskich grobów. Było to starożytne czarnoksięstwo: wypisać przekleństwo na ołowiu i zostawić je duchom do wykonania. Mówiono, że chłopiec był z nią. Filip przyglądał się synowi, kiedy potem się spotkali. Szaroniebieskie oczy spotkały się z jego oczami: niezachwiane, nawiedzone, nieme. Kiedy odchodził, czuł na karku spojrzenie tych oczu.

Wojna w Chalcydyce nie mogła czekać, nie powinien też czekać chłopiec. Był niewysoki na swoje lata, ale we wszystkim innym nad wiek rozwinięty. Hellanike nauczyła go czytać i śpiewać (miał wysoki, czysty i dobrze ustawiony głos). Żołnierze ze straży przybocznej, a nawet i z koszar, do których uciekał co drugi dzień, nauczyli go swej chłopskiej gwary i bóg jeden wie, czego jeszcze. Lepiej zaś było nie myśleć o tym, czego mógł nauczyć się od matki.

Odkąd królowie Macedonii wyruszali na wojny, zabezpieczanie tyłów stało się ich drugą naturą. Ilirów na zachodzie zmuszono do uległości już w pierwszych latach panowania Filipa. Ze wschodem miał zamiar właśnie skończyć. Pozostawało dawne zagrożenie od strony barbarzyńskich królestw, spiski w kraju i waśnie rodowe. Jeśli przed wyruszeniem w drogę miał zabrać chłopca spod opieki Olimpias i wyznaczyć upatrzonego przez siebie wychowawcę, kłopoty były nieuniknione.

Filip miał zawsze za punkt honoru znalezienie drogi do celu z uniknięciem bitwy. Zasnął, zastanawiając się nad tą trudną sprawą, a kiedy się obudził, przypomniał sobie Leonidasa.

40

Ten krewny Olimpias był jeszcze bardziej zhellenizowany niż on sam. Jako młody człowiek zakochany raczej w idei Grecji niż w zrodzonych przez nią ideach, wyruszył w podróż na południe, zaczynając od Aten. Opanował tam najczystszy dialekt attycki, studiował krasomówstwo i kompozycję i zapoznawał się ze szkołami filozoficznymi — dostatecznie długo, by uznać, że mogą one jedynie zaszkodzić mądrym tradycjom i wnioskom, które podsuwał zdrowy rozsądek. Jak wypadało komuś dobrze urodzonemu, nawiązał przyjaźnie z arystokratami, dziedzicznymi oligarchami, którzy uznawali tylko stare, dobre sposoby, narzekali na dzisiejsze czasy i tak jak ich przodkowie z czasów Wielkiej Wojny podziwiali obyczaje Sparty. Naturalną koleją rzeczy Leonidas zapragnął zapoznać się z nimi.

Przyzwyczajony do wyszukanych rozrywek ateńskich, do wielkich świąt teatralnych, konkursów muzycznych, uroczystych procesji urządzanych na wzór wielkich widowisk, uczt w dobranym gronie, w czasie których popisywano się znajomością poezji, oczytaniem i bystrością umysłu, uznał, że atmosfera Lacedemonu jest duszna i prowincjonalna. Sytuacja, w której spartiaci rządzili helotami jako naród panów, feudalnemu wielmoży z Epiru wydawała się nienaturalna i krępująca. Raziła go otwartość mowy spartiatów. I tu również, jak w Atenach, wielkie dni przeminęły. Niczym stary pies, pobity przez młodszego i pokazujący zęby — ale z daleka — Sparta nie była już ta sama, odkąd Tebańczycy pojawili się pod jej murami. Wygasł handel wymienny. Napływał pieniądz, ceniony tu jak wszędzie indziej. Bogaci gromadzili coraz więcej ziemi. Biedni nie byli w stanie płacić swego udziału w posiłkach przy wspólnym stole i stawali się zwykłymi „sąsiadami", których dzielność zanikała wraz z dumą. Tylko w jednym byli tacy sami jak dawniej. Wciąż wychowywali zdyscyplinowanych chłopców, wytrzymałych, nie rozpieszczonych i pełnych szacunku dla starszych, którzy robili, co im kazano, nie pytając o powody, wstawali, gdy wchodzili starsi, i nie odzywali się pierwsi. „Attycka kultura i spartańskie maniery" — myślał, żeglując do kraju. „Połączmy je w podatnym młodym umyśle, a wydadzą człowieka doskonałego".

Wrócił do Epiru, a doświadczenie z podróży przydało mu jeszcze znaczenia. Okazywano mu względy długo po tym, jak jego wiedza stała się przestarzała. Król Filip, który miał agentów we wszystkich miastach greckich, wiedział o tym, ilekroć jednak rozmawiał z Leonidasem, uświadamiał sobie, że jego własna greka jest cokolwiek beocka. Z mową attycką szły helleńskie maksymy: „Umiar we wszystkim", „Dobry początek to połowa sukcesu" i „Chwała kobiecie, jeśli o niej nie mówią ani dobrze, ani źle".

Oto był kompromis doskonały. Krewni Olimpias zostali uhonorowani. Leonidas, którego namiętnością była poprawność zachowania się, wskaże jej obowiązki wysoko urodzonej pani, a sobie pozostawi obowiązki mężczyzny. Ona przekona się, że trudniej poradzić sobie z nim niż z Filipem. On, za pośrednictwem swych przyjaciół z południa, znajdzie odpowiednich nauczycieli, których król nie miał czasu szukać, a ich poglądy w sprawach polityki i moralności będą bardzo zdrowe. Wymieniono listy. Filip wyjechał uspokojony, zostawiając rozkazy, by Leonidasa powitano z honorami.

W dniu jego przybycia Hellanike wyjęła najlepsze ubranie Aleksandra i kazała niewolnicy przygotować mu kąpiel. Kiedy go szorowały, weszła Kleopatra. Wyrastała na grubą dziewczynkę o rudych włosach Olimpias i krępej budowie Filipa. Zbyt wiele jadła, bo często bywała nieszczęśliwa, zdając sobie sprawę, że matka bardziej kocha Aleksandra.

— Będziesz teraz uczniem — powiedziała. — Nie wolno ci wchodzić do pokojów kobiet.

Często ją pocieszał, kiedy się martwiła, starał się ją rozbawić albo dawał jej różne rzeczy. Nie cierpiał jednak, kiedy straszyła go swą kobiecością.

— Wejdę, kiedy zechcę. Kto mi zabroni?

— Twój nauczyciel!

Zaczęła wyśpiewywać te słowa, podskakując. Wyskoczył z wanny, zachlapując posadzkę, i wrzucił ją w ubraniu do wody. Hellanike przełożyła go przez kolano i zbiła sandałem. Potem dała klapsa Kleopatrze, która śmiała się z brata, i wyrzuciła ją płaczącą, każąc pokojówce wytrzeć ją do sucha.

Aleksander nie płakał. Rozumiał, o co tu chodzi. Nikt mu nie musiał mówić, że jeśli nie będzie słuchał tego człowieka, jego matka przegra bitwę w tej wojnie, a następna bitwa będzie stoczona ponad jego głową. Po takich bitwach zostawały mu blizny. Kiedy groziła jakaś nowa, blizny pulsowały jak stare rany przed deszczem.

Hellanike czesała jego splątane włosy, zmuszając go do zaciśnięcia zębów. Płacz przychodził mu bez trudu, kiedy w starych pieśniach wojennych zaprzysięgli Towarzysze ginęli razem przy opadającej kadencji fletu. Przepłakał pół dnia, kiedy jego pies zachorował i zdechł. Wiedział już, co to opłakiwanie poległych, bo wypłakał duszę, kiedy zginął Agis. Ale gdyby płakał nad sobą, Herakles by go wyklął. To była część ich tajnego porozumienia.

Wykąpany, uczesany i ustrojony, został wezwany do Sali Perseusza, gdzie Olimpias i gość zasiadali na honorowych miejscach. Chłopiec spodziewał się, że zobaczy jakiegoś uczonego w podeszłym wieku, ujrzał zaś wyprostowanego jak trzcina męża około czterdziestki, z czarną brodą, nieco tylko posiwiałą, wyglądającego prawie jak jakiś wódz, który — choć dziś nie na służbie — jutro będzie o wszystkim pamiętał. Chłopiec wiedział już niemało o dowódcach, głównie od ich podwładnych. Leonidas był dobrotliwy. Ucałował go w oba policzki, położył na ramionach mocne dłonie, wyraził pewność, że chłopiec okaże się godny przodków. Aleksander poddał się grzecznie temu wszystkiemu. Jego poczucie rzeczywistości kazało mu, jak żołnierzowi na paradzie, przejść przez to wszystko. Leonidas nie spodziewał się, że zobaczy tak obiecujące początki spartańskiego wyszkolenia. Ten chłopiec, choć niebezpiecznie ładny, wyglądał na zdrowego i bystrego, niewątpliwie okaże się też pojętny.

— Wychowałaś wspaniałego syna, Olimpias. Ten piękny strój dziecięcy świadczy o twojej trosce o niego. Teraz jednak musimy mu znaleźć coś odpowiedniego dla chłopca.

Oczy chłopca poszukały matki, która sama wyszywała tę tunikę z miękkiej czesankowej wełny. Wyprostowana na krześle skinęła mu lekko głową i odwróciła wzrok.

Leonidas wprowadził się do swoich pokojów w pałacu. Układanie się z odpowiednimi nauczycielami musiało potrwać. Ci najlepsi mają uczniów, których będą musieli odprawić. Niektórym trzeba będzie się przyjrzeć, bo mogą szerzyć jakieś niebezpieczne poglądy. On sam zacznie wychowanie od zaraz. Wcale na to nie za wcześnie.

Chłopiec wyglądał na dobrze wyszkolonego, ale ten wygląd wprowadzał w błąd. Ten chłopiec robił, co mu się podobało, wstawał o pierwszych kurach albo nie spał wcale, biegał, gdzie chciał, z chłopcami i z dorosłymi. Trzeba przyznać, że choć mocno rozpieszczony, nie był maminsynkiem, ale mówił okropnym językiem. Nie tylko prawie całkowicie pozbawiony był znajomości greki, ale poza tym gdzież to mógł się uczyć swego macedońskiego? Można by sądzić, że spłodzono go gdzieś pod koszarowym murem.

Godzin lekcyjnych było najwyraźniej za mało. Chłopcem trzeba było się zajmować od świtu do zmierzchu.

Każdego ranka zaczynał ćwiczenia już przed wschodem słońca: dwa okrążenia toru dla biegaczy, ćwiczenia ciężarkami, skoki i rzuty. Kiedy w końcu przynoszono mu śniadanie, nigdy nie miał dość. Jeśli mówił, że zjadłby więcej, kazano mu powiedzieć to po grecku, po to, by mógł usłyszeć w odpowiedzi (wygłoszonej w znakomitej grece), że zdrowo jest jeść lekkie śniadania.

43

Nosił teraz nieozdobne stroje z szorstkiego domowego płótna, bardzo odpowiednie dla królewskich synów Sparty. Kiedy przyszła jesień i było coraz zimniej, chłopiec hartował się, chodząc bez płaszcza. Gdy biegał dla rozgrzewki, stawał się głodny, ale wcale nie karmiono go lepiej. Leonidas przekonał się, że chłopiec jest posłuszny, cierpliwy, nie narzeka, ale też nie kryje niechęci do wychowawcy. Było oczywiste, że traktuje go i narzucony przez niego reżim jako ciężką próbę, którą trzeba przejść dla dobra matki, a podtrzymuje go w tej próbie duma. Leonidas czuł się skrępowany, ale nie potrafił przełamać tego muru niechęci. Należał do tych, którzy wchodząc w rolę ojca, zacierają w pamięci wszelkie wspomnienia dzieciństwa. Mogliby mu to uprzytomnić jego synowie, gdyby kiedykolwiek z nim rozmawiali. Wobec tego chłopca spełniał po prostu swój obowiązek i nie znał nikogo, kto mógłby zrobić to lepiej.

Zaczęły się lekcje greki i wkrótce się okazało, że Aleksander mówi całkiem płynnie. On po prostu nie lubił mówić po grecku. Wychowawca powiedział mu, że powinien się wstydzić, bo jego ojciec mówi bardzo dobrze. Chłopiec powtarzał więc słowa bez ociągania się, szybko uczył się je zapisywać i pocieszał się myślą, że gdy opuści salę lekcyjną, zanurzy się w mowie macedońskiej i w żargonie falangi.

Kiedy zrozumiał, że z greki będzie musiał korzystać przez cały dzień, ledwie mógł się z tym pogodzić. Przecież nawet niewolnikom wolno rozmawiać między sobą w ojczystym języku.

Miał też i chwile wytchnienia. Olimpias uważała język północy za nieskażone dziedzictwo dawnych bohaterów, a grekę za jakąś wyrodzoną z niego gwarę. Okazując uprzejmość niższym od siebie, mówiła po grecku z Grekami, ale tylko z nimi. Leonidas miewał obowiązki towarzyskie i wtedy jego niewolnik próbował ucieczki. Jeśli zdołał dopaść koszar w porze posiłku, zawsze mógł liczyć na miskę owsianki.

Nadal z upodobaniem jeździł konno, szybko jednak stracił swego ulubionego przybocznego, młodego Towarzysza, któremu podziękował zwyczajowym pocałunkiem za pomoc przy zsiadaniu z konia. Zobaczył to przypadkiem Leonidas i zaraz kazał chłopcu odejść poza zasięg głosu. Ten widział tylko, że jego przyjaciel spurpurowiał na twarzy, uznał więc, że tego już za wiele, wrócił i wkroczył między tamtych.

— To ja pocałowałem jego. On nigdy nie próbował mnie wykorzystać.

Użył koszarowego słowa, nie znając lepszego.

Zapadła chwila ciszy. Potem odprowadzono go w milczeniu do sali lekcyjnej, gdzie Leonidas zbił go, wciąż nie mówiąc ani słowa.

Swoich własnych synów traktował znacznie gorzej. Miał wzgląd na Olimpias i na urodzenie chłopca. Było to jednak bicie przeznaczone dla chłopca starszego niż ten. Leonidas nie przyznał się przed sobą, że czekał na taką sposobność, by zobaczyć, jak jego podopieczny to zniesie. Nie usłyszał niczego oprócz odgłosów uderzeń. Zamierzał kazać chłopcu odwrócić się i spojrzeć sobie w twarz, ale został w tym uprzedzony. Spodziewał się zobaczyć spartańskie męstwo albo litowanie się nad sobą. Spotkał się ze spojrzeniem suchych, rozszerzonych oczu płonących furią, spotęgowaną jeszcze przez milczenie, niczym serce paleniska. Ujrzał zaciśnięte, pobladłe wargi i rozdęte nozdrza. Przez chwilę odczuł rzeczywiste zagrożenie.

On jeden spośród przebywających w Pelli oglądał dzieciństwo Olimpias. Ona rzuciłaby się na niego z paznokciami; twarz jej piastunki nosiła ich ślady. Takie panowanie nad sobą było natomiast czymś odmiennym. Strach pomyśleć, co może się stać, gdy to opanowanie pryśnie.

Jego pierwszą myślą było chwycić chłopca za kark i wytrząść z niego opór. Ale choć był ograniczony, miał też poczucie sprawiedliwości i własnej godności. Ponadto sprowadzono go tu, by wychował dzielnego króla Macedonii, nie zaś niewolnika. Ten chłopiec potrafił panować nad sobą.

— Milczysz jak żołnierz. Szanuję ludzi, którzy umieją znosić ból. Nie będzie dziś więcej zajęć.

Otrzymał w zamian spojrzenie wyrażające niechętny respekt dla śmiertelnego wroga. Gdy chłopiec wychodził, Leonidas ujrzał, że chiton na jego plecach jest zakrwawiony. W Sparcie byłaby to rzecz niegodna uwagi, pożałował jednak, że bił tak mocno.

Chłopiec nie powiedział matce o niczym, ale zauważyła blizny. W komnacie, w której dzielili ze sobą tyle tajemnic, przytuliła go z płaczem i po chwili płakali już razem. On przestał pierwszy. Podszedł do ruchomego kamienia pod paleniskiem, wyciągnął człowieczka z wosku, którego już kiedyś tam wypatrzył, i zażądał od matki, by rzuciła urok na Leonidasa. Zabrała mu szybko lalkę, nakazując mu jej nie dotykać, zwłaszcza że służy do czego innego. Członek woskowego człowieczka przebity był cierniem, ale ten urok, choć rzucany wciąż na nowo, jakoś nie działał na Filipa.

Co do chłopca, łzy przynosiły pociechę krótkotrwałą i złudną. Czuł się podle, kiedy w ogrodzie znów spotkał się z Heraklesem. Nie płakał wprawdzie z bólu, ale z żalu za utraconym szczęściem, powstrzymałby się jednak, gdyby nie ona. Na drugi raz powinna to wiedzieć.

Dzielili jednak nadal pewien sekret. Ona nigdy nie pogodziła się z jego spartańskim ubiorem. Lubiła go stroić. Wychowana w domu, w którym kobiety siadywały w wielkiej sali niczym królowie z Homera, słuchając pieśniarzy śpiewających o bohaterskich czynach przodków — gardziła Spartanami, tym narodem jednakowo wyglądających posłusznych dzieci i nie domytych kobiet, będących na pół żołnierzami, na pół rozpłodowymi klaczami. To że jej syna zmuszano, by upodobnił się do tamtej szarej, plebejskiej masy, mogłoby ją wprawić we wściekłość — gdyby uznała to za możliwe. Już samo takie usiłowanie budziło w niej wstręt. Przyniosła synowi nowy chiton, zdobny błękitem i szkarłatem, wkładając zaś odzienie do skrzyni powiedziała, że nic w tym złego, jeśli podczas nieobecności wuja będzie wyglądał jak przyzwoity człowiek. Później dołożyła do tego korynckie sandały i chlamidę z milezyjskiej wełny ze złotą zapinką.

Nosząc ten piękny strój, znowu poczuł się sobą. Na początku wystrzegał się Leonidasa, z czasem jednak stał się nieostrożny. Leonidas nie mówił nic, wiedząc, kogo musiałby obwiniać. Przeszukał po prostu skrzynie chłopca i zabrał nowy strój, a także dodatkową derkę, którą znalazł tam ukrytą.

„Rzucił wreszcie wyzwanie bogom — pomyślał Aleksander — i to będzie jego koniec".

Ale matka uśmiechnęła się tylko ze smutkiem i zapytała, jak mógł być tak nieostrożny. Leonidasowi nie należy rzucać wyzwania, bo obrazi się i wróci do kraju.

— A wtedy, mój kochany, dopiero zaczną się kłopoty!

Drobiazgi drobiazgami, władza władzą: nic za darmo. Przemycała mu później inne podarki. Był ostrożniejszy, ale i Leonidas był czujny i przeszukiwał skrzynie chłopca, jakby to było zrozumiałe samo przez się.

Chłopcu wolno było dostawać bardziej stosowne upominki. Któryś z jego przyjaciół kazał zrobić dla niego mały kołczan, całkiem jak prawdziwy, przewieszany przez ramię. Pasek był za długi i chłopiec, siedząc na dziedzińcu, usiłował przesunąć sprzączkę. Miał kłopoty, bo skóra była twarda. Już chciał szukać jakiegoś szydła, gdy podszedł do niego nieznajomy chłopiec. Był urodziwy i mocno zbudowany, miał ciemne włosy i ciemnoszare oczy.

— Pozwól mi spróbować.

Mówił po grecku, lepszą greką niż ta, której uczą w szkole.

— Skóra jest twarda, bo nowa. — Chłopiec miał na dziś dość greki i odpowiedział po macedońsku.

Obcy przykucnął przy nim. — Całkiem jak prawdziwy. Czy zrobił ci go ojciec?

— Ależ nie, Kreteńczyk Dorejos. Nie mógł mi zrobić kreteńskiego łuku z rogu, bo tylko dorośli mogą taki łuk naciągnąć. Koragos zrobił mi zwykły łuk.

— Ten pasek wydaje mi się w sam raz. Prawda, ty jesteś niższy. Pomogę ci.

— Już mierzyłem. Trzeba go skrócić o dwie dziurki.

— Jest twardy, ale dam sobie radę. Mój ojciec rozmawia teraz z królem.

— Czego chce od króla?

— Nie wiem. Kazał mi czekać.

— Czy on każe ci mówić cały dzień po grecku?

— W naszym domu wszyscy tak mówią. Mój ojciec jest przyjacielem króla. Kiedy będę starszy, będę musiał zamieszkać na dworze.

— A nie chcesz?

— Nie za bardzo. Wolę być w domu. Spójrz, to na tamtym wzgórzu, nie na tym pierwszym, na drugim. Cała ta ziemia należy do nas. Czy ty wcale nie mówisz po grecku?

— Mówię, jeśli zechcę. Kiedy mi się to znudzi, przestaję.

— Ależ ty mówisz prawie tak dobrze jak ja. Czemu rozmawiałeś ze mną w taki sposób? Ludzie pomyślą, że jesteś jakimś kmiotkiem.

— Mój wychowawca każe mi nosić te szmaty, żebym wyglądał jak Spartanie, ale mam porządne ubrania i wkładam je od święta.

— W Sparcie biją chłopców.

— Ach, on mi już raz upuścił krwi, ale nie płakałem.

— Nie ma prawa cię bić, powinien powiedzieć twemu ojcu. Ile mu płacicie?

— On jest wujem mojej matki.

— Hm, rozumiem. Mój ojciec wynajął mi pedagoga, tylko dla mnie.

— No cóż, to nas uczy znosić rany, kiedy idziemy na wojnę.

— Na wojnę? Przecież ty masz dopiero sześć lat!

— Wcale nie! W lwim miesiącu skończę osiem. Zobaczysz!

— Ja też osiem. Ale ty nie wyglądasz na tyle. Wyglądasz na sześć.

— Ach, daj mi to. Za wolno ci idzie.

Szarpnął pasek. Skóra wsunęła się na powrót w klamrę. Nieznajomy chwycił pasek.

— Głupi! Już prawie to zrobiłem!

Aleksander rzucił mu po macedońsku koszarowe przekleństwo. Tamten otworzył oczy i usta, zamurowało go. Aleksander spostrzegł, jakie zrobił wrażenie, i zamilkł. Trwali tak, przykucnięci, zapomniawszy o kołczanie.

— Hefajstionie! — ryknął jakiś głos z kolumnowego portyku. Obaj chłopcy usiedli nagle, jak gryzące się psy, na które wylano wiadro wody.

47

Wielmożny Amyntor, którego posłuchanie właśnie dobiegło końca, ujrzał ze zgrozą, że jego syn opuścił portyk, gdzie mu kazano czekać, wdarł się na plac zabaw królewicza i właśnie wyrywał mu zabawkę. W tym wieku nie można ani na chwilę spuszczać z nich oczu. Amyntor przeklinał swoją próżność — lubił pokazywać się z synem, ale głupio zrobił, przyprowadzając go tutaj. Zły na siebie podszedł do chłopca, chwycił go za chiton na karku i trzepnął po uchu. Aleksander zerwał się na nogi. Zdążył już zapomnieć, o co poszło.

— Nie bij go. Nic mi nie zrobił. Chciał mi pomóc.

— To miło, że tak mówisz, Aleksandrze, ale on był nieposłuszny. Kiedy odciągano winowajcę, chłopcy wymieniali przez chwilę spojrzenia, dzieląc się poczuciem zmienności losów ludzkich. Miało minąć sześć lat, zanim się znowu spotkali.

— Nie przykłada się do pracy i nie jest zdyscyplinowany — mówił gramatyk Timantes.

Większość nauczycieli, których zatrudnił Leonidas, uważała, że w wielkiej sali za dużo się pije. Uciekali do łóżek albo na rozmowy w swoich pokojach, wymawiając się od picia na różne sposoby, co bawiło Macedończyków.

— Być może — odrzekł muzyk Epikrates — ale konia poznaje się nie po tym, jak chodzi w cuglach.

— On się przykłada, kiedy mu na tym zależy — powiedział matematyk Naukles. — Potrafi obliczyć wysokość pałacu z długości jego cienia w południe, a jeśli go zapytać, ilu jest żołnierzy w piętnastu falangach, nie zastanawia się wcale. Nie zdołałem jednak sprawić, by pokochał piękno kryjące się w liczbach. A ty, Epikratesie?

Muzyk, szczupły, ciemnowłosy Grek z Efezu, z uśmiechem pokręcił głową.

— Ty go uczysz posługiwania się liczbami, a ja wrażliwości. Wiadomo, że muzyka ma związek z nakazami etyki, ja zaś mam wykształcić przyszłego króla, a nie artystę.

— Ze mną już dalej nie zajdzie — stwierdził matematyk. — Powiedziałbym, że nie wiem, dlaczego tu jeszcze pracuję, ale chyba mi nie uwierzycie.

Z wielkiej sali doleciał wybuch rubasznego śmiechu. Ktoś obdarzony talentem zdołał urozmaicić tradycyjny skolion. Wszyscy ryknęli chórem refren — po raz siódmy.

— Tak, płacą nam dobrze — przyznał Epikrates. — Zarobiłbym jednak tyle i w Efezie, udzielając lekcji i występując z koncertami, i zarobiłbym to jako muzyk. Tutaj jestem czarownikiem, wyczarowuję marzenia. Nie to miałem robić, a jednak to mnie tu trzyma. Ciebie nie, Timantesie?

Timantes prychnął pogardliwie. Uważał kompozycje Epikratesa za zbyt nowoczesne i zbyt emocjonalne. Sam był Ateńczykiem i słynął z czystości stylu. Prawdę powiedziawszy, był on nauczycielem Leonidasa. Zmęczony już nauczaniem i zadowolony, że może zapewnić sobie byt na stare lata, zamknął swoją szkołę i przybył do Pelli. Przeczytał wszystko, co było godne przeczytania, i wiedział, o co poetom chodziło.

— Wydaje mi się — powiedział — że im tu w Macedonii nie brakuje namiętności. W moich latach studenckich wiele słyszałem o kulturze dworu Archelaosa. Potem przyszły wojny o sukcesję i wyglądało na to, że chaos powrócił. Nie powiem, że na tym dworze nie ma wyrafinowania, ale — ogólnie biorąc — jesteśmy na kulturalnym pustkowiu. Czy wiecie, że młodych ludzi nie uważa się tu za dorosłych, póki nie zabiją dzika — albo człowieka? Można by pomyśleć, że żyjemy w czasach wojny trojańskiej.

— Powinno ci to ułatwić nauczanie Homera — zauważył Epikrates.

— Potrzebna jest systematyczność i pilność. Chłopiec ma dobrą pamięć, kiedy chce mu się jej użyć. Z początku całkiem nieźle zapamiętywał. Brak mu jednak systematyczności. Wyjaśnia się budowę zdania. Przytacza się właściwy przykład. A co z jego zastosowaniem? Ot, choćby: „Dlaczego przykuto Prometeusza do skały?" albo „Kogo opłakiwała Hekuba?"

— Mówiłeś mu o tym? Królowie powinni uczyć się żałować Hekuby.

— Królowie powinni uczyć się wewnętrznej dyscypliny. Dziś rano przerwał mi lekcję. Zadałem mu kilka wierszy z *Siedmiu przeciw Tebom* jako ćwiczenie ze składni. Zastanawiał się, po co im było tych siedmiu wodzów do prowadzenia konnicy, falangi i lekkozbrojnych. „To nie jest nasz temat" — powiedziałem. „Skup się na składni". Miał czelność odpowiedzieć mi po macedońsku. Musiałem dać mu po łapach.

Jakieś pijackie krzyki przerwały śpiew w wielkiej sali. Słychać było szczęk tłuczonych naczyń. Głos króla ryknął coś i hałas ucichł. Zaczęto śpiewać coś innego.

— Dyscyplina — rzekł znacząco Timantes. — Umiar, powściągliwość, poszanowanie prawa — kto go tego nauczy, jeśli nie my? Jego matka?

Zapadła cisza. Naukles, w którego pokoju siedzieli, otworzył nerwowo drzwi i wyjrzał.

— Jeśli chcesz współzawodniczyć z nią, Timantesie — powiedział

Epikrates — powinieneś osłodzić stosowane przez siebie lekarstwo, jak ja słodzę swoje.

— On musi zdobyć się na pilność. To podstawa wszelkiej edukacji.

— Nie rozumiem wcale, o czym mówicie — odezwał się nagle nauczyciel gimnastyki Derkylos.

Pozostali myśleli dotąd, że usnął. Ułożył się na łóżku Nauklesa, był bowiem zdania, że wysiłek powinien iść na przemian z wypoczynkiem. Był w połowie swoich lat trzydziestych, miał regularne rysy i krótkie, kędzierzawe włosy, tak lubiane przez rzeźbiarzy, i świetne, starannie utrzymane ciało. Zwykł mówić, że chce dać dobry przykład uczniom. Zazdrośni koledzy uważali, że powoduje nim próżność. Trzeba mu było przyznać, że wychował wielu uwieńczonych na igrzyskach zwycięzców. Ambicji intelektualnych nie miał żadnych.

— Mówiliśmy — powiedział protekcjonalnym tonem Timantes — że chłopak powinien bardziej się starać.

— Słyszałem. — Atleta uniósł się na łokciu, przybierając nazbyt już posągową pozę. — Nie wywołujcie licha. Lepiej to odpukać.

Gramatyk wzruszył ramionami, Naukles zaś rzekł cierpko: — Ty nie powiesz nam chyba, Derkylosie, że nie wiesz, co tu jeszcze robisz?

— Zdaje się, że ja mam najlepszy powód z nas wszystkich: ja go chronię przed skręceniem sobie karku, on nie ma w sobie hamulca bezpieczeństwa. Chyba to zauważyliście?

— Nie jestem biegły w wyrażeniach z boiska — powiedział Timantes.

— Zauważyłem to — przyznał Epikrates. — O ile myślimy o tym samym.

— Nie znam waszych życiorysów — mówił Derkylos. — Jeżeli jednak komuś z was uderzyła w bitwie krew do głowy, albo ze strachu wyskakiwał ze skóry, być może odnalazł wtedy ukryte w sobie siły, których istnienia nie podejrzewał. Nie odnajdziecie ich na ćwiczeniach, ani nawet na zawodach. Zamknęła do nich dostęp natura albo mądrość bogów, jeśli kto woli. To rezerwa na czarną godzinę.

— Pamiętam — rzekł nagle Naukles — że podczas trzęsienia ziemi, kiedy moja matka znalazła się pod zwalonym domem, podnosiłem belki, których później nie mogłem nawet poruszyć.

— To były właśnie te ukryte siły. Tylko nieliczni nad nimi panują. Ten chłopiec będzie jednym z nich.

— Tak, masz świętą rację. — Epikrates był już przekonany.

— Wiem, że za każdym razem ujmuje to człowiekowi coś z życia. Muszę na niego uważać. Powiedział mi kiedyś, że Achilles musiał wybierać między sławą a długim życiem.

— Co takiego? — poderwał się Timantes. — Przecież ledwie zaczęliśmy pieśń pierwszą!

Derkylos popatrzył na niego w milczeniu, a potem rzekł cicho:

— Zapominasz o jego przodkach ze strony matki.

Timantes cmoknął z podziwem, wstał i życzył wszystkim dobrej nocy. Nauklesowi pilno już było się położyć. Muzyk i atleta poszli się przejść po parku.

— Nie ma sensu mówić z nim o tym — zaczął Derkylos — ale tego chłopca nie karmią jak należy.

— Chyba żartujesz! Tu, w pałacu?

— To sprawka tego zakutego łba, Leonidasa, i jego spartańskiej diety. Ważę chłopca co miesiąc i wiem, że nie dość szybko rośnie. Nie mówię, oczywiście, że go głodzą. On po prostu spala wszystko, co zjada, i mógłby zjeść drugie tyle. On jest szybko myślący i jego ciało musi dotrzymywać kroku. Myśl nie powinna spotkać się z odmową. Czy wiesz, że on trafia już oszczepem w cel w pełnym biegu?

— Uczysz go posługiwać się ostrą bronią? W jego wieku?

— Oby wszyscy dorośli byli w tym równie sprawni! To go uspokaja... Co nim jednak kieruje?

Epikrates rozejrzał się. Byli na otwartej przestrzeni. Nikogo w pobliżu.

— Jego matka narobiła sobie wrogów. Jest cudzoziemką z Epiru, nazywają ją czarownicą. Nie słyszałeś plotek o jego narodzinach?

— Raz, pamiętam... ale kto śmiał jemu o tym mówić?

— On sprawia wrażenie, jakby dźwigał na sobie ciężar potwierdzenia. No cóż, lubi muzykę i w niej znajduje wyzwolenie. Zajmowałem się trochę tą stroną sztuki, którą uprawiam.

— Muszę pomówić jeszcze raz z Leonidasem o jego diecie. Powiedział mi ostatnio, że w Sparcie dają tylko jeden posiłek dziennie, a resztę trzeba sobie znaleźć. Nie rozpowiadaj o tym, ale ja go czasami dokarmiam. Zwykłem to robić w Argos z chłopcami z biednych rodzin... Co do tych opowieści — czy ty w nie wierzysz?

— Nie na trzeźwo. On ma zdolności Filipa, choćby i nie miał jego twarzy i charakteru. Nie, nie wierzę w nie... Czy znasz tę starą pieśń o Orfeuszu, jak to grał na lirze na stoku góry i ujrzał lwa, który przysiadł, by go słuchać? Wiem, że nie jestem Orfeuszem, ale czasem spoglądam w oczy owego lwa. Dokąd poszedł, kiedy przestał słuchać? Co się z nim później działo? Tego nie mówi pieśń.

*

51

— Dziś poszło ci znacznie lepiej — powiedział Timantes. — Na następną lekcję możesz zapamiętać osiem linijek. Oto one. Przepisz je na wosku po prawej stronie dyptyku. Po lewej wypisz stare formy. Wręczył chłopcu tabliczkę i zabrał zwój. Ręce poznaczone błękitnymi żyłkami trzęsły mu się, kiedy wkładał zwój do skórzanej tuby.

— To wszystko. Możesz odejść.

— Czy mógłbym pożyczyć tę książkę?

Timantes podniósł wzrok, zaskoczony i oburzony.

— Pożyczyć tę książkę? Oczywiście, że nie. To bardzo cenny, poprawiony tekst. Co miałeś zamiar z nią robić?

— Chcę zobaczyć, co dalej. Będę ją trzymał w skrzyni i za każdym razem przed czytaniem będę mył ręce.

— Powoli. Nie należy zaprzęgać konia przed wozem. Dziś naucz się swojego zadania i zwróć uwagę na formy jońskie. Twój akcent ciągle jest nazbyt dorycki. Aleksandrze, to nie jest rozrywka przy wieczerzy. To Homer. Musisz opanować jego język, zanim porozmawiamy o czytaniu.

Zawiązał rzemienie tuby.

Były to linijki, w których mściwy Apollo zstępuje ze szczytów Olimpu, a strzały brzęczą mu na barkach. Przerobione w szkolnej izbie, wykute na pamięć, jak jakiś spis inwentarza, którego uczy się niewolnik w kuchni, złożyły się w całość, gdy chłopiec został sam. Ujrzał rozległy krajobraz oświetlony przez płonące stosy pogrzebowe. Znał Olimp. Wyobraził sobie martwe światło zaćmienia słońca i nadciągającą ciemność, którą otacza słaby pierścień ognia. Taki blask ma ukryte słońce, zdolny porazić ludzi ślepotą. *Do nocy był nadchodzącej podobny**.

Poszedł do gaju ponad Pellą, wsłuchując się w dźwięk drgającej cięciwy i w szelest strzał, próbując ułożyć to w myślach po macedońsku. Następnego dnia odbiło się to na jego recytacji. Timantes skarcił go za lenistwo, nieuwagę i brak zainteresowania i kazał mu przepisać dwadzieścia razy ten fragment.

Rył więc litery w wosku, a wizja rozpraszała się i gasła. Timantes, któremu coś kazało podnieść wzrok, ujrzał szare oczy, mierzące go odległym, chłodnym spojrzeniem.

— Nie śnij na jawie, Aleksandrze. O czym myślisz?

— O niczym. — Chłopiec pochylił się nad rysikiem. Zastanawiał się przed chwilą, czy nie dałoby się zabić Timantesa. Chyba nie, bo nie było-

---

* Homer, *Iliada*, tłum. Kazimiera Jeżewska, Ossolineum 1972, I 48. (Wszystkie przypisy pochodzą od tłumacza.)

by właściwe prosić o to przyjaciół. Mogłaby ich spotkać kara i niesława za zabójstwo kogoś tak wiekowego. Matka też by miała kłopot. Następnego dnia zabłądził. Szukali go łowcy z psami, a przywiózł wieczorem na swoim starym ośle jakiś drwal. Chłopiec był posiniaczony, a skórę miał pozdzieraną, bo stoczył się z jakichś skał i przy tym zwichnął nogę. Nie mógł na niej stanąć. Posuwał się więc na czworakach. Jak mówił drwal, „las jest nocą pełen wilków, to nie miejsce dla młodego pana".

Otworzył usta tylko po to, by podziękować drwalowi, zażądać, by go nakarmiono i by mu dano młodego osła, co mu obiecał po drodze. Dopilnowawszy tego, zamilkł. Lekarz miał trudności z wydobyciem z niego czegoś więcej niż „tak" i „nie". Skrzywił się z bólu, gdy badano jego stopę. Założono mu na nią okład i łubki. Matka zasiadła przy łóżku. Odwrócił twarz.

Odłożyła na bok gniew. Przyniosła mu na wieczerzę wszystko, czego zabraniał Leonidas. Oparła go potem o pierś i napoiła słodkim, grzanym winem z korzeniami. Kiedy opowiedział jej o swoich kłopotach, jak dalece sam je rozumiał, pocałowała go, utuliła i poszła rozprawić się z Leonidasem.

Ta burza wstrząsnęła pałacem niczym starcie bogów nad równiną trojańską. Zawiodła jednak broń tak dotąd skuteczna w walce z Filipem. Leonidas był niezwykle uprzejmy, bardzo ateński. Zgłosił chęć odejścia i przedstawienia powodu ojcu chłopca. Kiedy wychodziła z jego pracowni (była zbyt rozgniewana, by posyłać po niego i czekać), wszyscy odwracali wzrok, bo była zapłakana.

Stary Lizymach, który tkwił pod jej drzwiami, odkąd wyszła, mijając go bez słowa, pozdrowił ją, gdy wracała, i zadał jej pytanie bez wielkich ceremonii, jakby zwracał się do jakiejś gospodyni w swej ojczystej Akarnanii.

— Jak tam chłopiec?

Nikt nie zwracał uwagi na Lizymacha. Zawsze był gdzieś w pobliżu, zadomowiony w pałacu od wczesnych lat panowania Filipa. Poparł go, kiedy było trzeba, udowodnił, że jest dobrym towarzyszem wieczerzy, i w nagrodę otrzymał rękę młodej dziedziczki będącej pod królewską opieką. Zajmował się gospodarką i polowaniem w dobrach, które stanowiły jej wiano. Bogowie odmówili mu jednak dzieci, i to nie tylko z żoną, ale z wszystkimi kobietami, z którymi kiedykolwiek sypiał. Uznał zatem, że nie przystoi mu pycha i zachowywał się skromnie i z prostotą. Jedynym jego przywilejem był swobodny dostęp do królewskiej biblioteki. Filip powiększył cenny zbiór Archelaosa i był bardzo ostrożny w doborze czytelników. Z celi, w której czytywał Lizymach, słychać było całymi godzinami, jak mamrocze nad zwojami, smakując słowa i kadencje. Nic jednak z tego nie wynikło: żadna rozprawa naukowa, historia ani tragedia. Jego umysł był, jak się zdaje, tak samo bezpłodny jak lędźwie.

Olimpias poczuła się podniesiona na duchu na widok tej szerokiej, otwartej twarzy, siwiejących jasnych włosów i brody oraz wyblakłych niebieskich oczu. Zaprosiła go do swego pokoju gościnnego. Usiadł, nakłoniony do tego przez nią, podczas gdy ona sama przechadzała się po pokoju. Kiedy przystawała dla nabrania tchu, mruczał coś uspokajająco. Dopiero wtedy, gdy zatrzymała się wyczerpana, zdecydował się odezwać:

— Pani moja, czy nie uważasz, że gdy chłopiec wyrósł spod opieki niańki, może potrzebować pedagoga?

Obróciła się tak gwałtownie, że aż zadzwoniły klejnoty.

— Nigdy nie zatrudnię nikogo takiego i król dobrze o tym wie. Co oni chcą z niego zrobić: urzędnika, handlarza czy rządcę? On czuje, kim jest. Przez cały dzień ci nisko urodzeni pedanci pracują nad złamaniem jego ducha. On nie ma ani godziny, od obudzenia się do zaśnięcia, kiedy jego dusza mogłaby odetchnąć. Czy ma żyć jak jakiś schwytany złodziej, chodzący w kieracie pod nadzorem niewolnika? Niech nikt nie mówi o tym przy mnie. A gdyby król kazał ci tak postąpić, powiedz mu, Lizymachu, że jeśli mój syn będzie musiał to znosić, nie obejdzie się bez przelewu krwi. Tak, na potrójną Hekate, nie bez przelewu krwi!

Zaczekał, póki nie uznał, że może już zostać wysłuchany.

— Nie chciałbym tego oglądać. Raczej już sam zostanę jego pedagogiem. Prawdę mówiąc, pani, przyszedłem o to prosić.

Usiadła na swym wysokim krześle. Czekał cierpliwie, bo rozumiał, że zamilkła nie po to, by pytać samą siebie, dlaczego ktoś dobrze urodzony podejmuje się pracy służącego. Zastanawiała się, czy on temu podoła.

— Często odnoszę wrażenie — odezwał się nagle — że w nim narodził się ponownie Achilles. Jeśli tak jest, będzie potrzebował Fojniksa... *Trzeba mi w tobie, do bogów podobny Achillu, mieć syna, który potrafi mnie kiedyś przed zgubą nikczemną osłonić*.

— Czy on to zrobi? Zanim Fojniks wypowiedział te słowa, wyrwano go w sędziwym wieku z jego Ftyi i zabrano do Troi. A tego, o co prosił, nie dostał od Achillesa.

---

* Homer, *Iliada*, tłum. Ignacy Wieniewski, Wydawnictwo Literackie 1984, IX 495.

— Oszczędziłoby mu to smutku. Być może jego dusza to pamięta. Wiemy, że prochy Achillesa i Patroklesa zmieszane zostały w jednej urnie. Żaden bóg nie zdoła ich rozdzielić. I oto wraca Achilles ze swą zaciętością i dumą i z wrażliwością Patroklesa. Każdy z nich cierpiał za siebie: ten chłopiec będzie cierpiał za obydwu.

— Jest w nim coś więcej, niż ludzie mogą dostrzec.

— Temu nie przeczę. Wystarczy mi to, co widzę. Pozwól mi jednak spróbować, a jeśli będzie miał coś przeciw mnie, uwolnię go od swej osoby.

Wstała znów i przeszła się po pokoju.

— Dobrze, spróbuj. Jeśli potrafisz stanąć między nim a tymi głupcami, będę twoją dłużniczką.

Aleksander miał w nocy gorączkę i przespał potem większą część dnia. Kiedy Lizymach zajrzał do niego następnego ranka, zastał go siedzącego w oknie i wołającego coś do kogoś na dole. Dwaj Konni Towarzysze wrócili właśnie z Tracji w służbie króla, on zaś chciał usłyszeć wieści z wojny. Podzielili się z nim nowinami, ale odmówili zabrania go na przejażdżkę, gdy się dowiedzieli, że mają go łapać, kiedy skoczy z piętra. Odjechali, śmiejąc się i machając rękami. Gdy chłopiec odwrócił się z ciężkim westchnieniem, złapał go Lizymach i zaniósł z powrotem do łóżka.

Chłopiec łatwo się z nim pogodził, skoro znał go niemal od urodzenia. Odkąd nauczył się chodzić, siadywał mu na kolanach, słuchając opowiadań. Timantes mówił o nim do Leonidasa, że bardziej przypomina rozgarniętego ucznia niż uczonego. Teraz chłopiec ucieszył się na jego widok i zwierzył mu się ze swoich przygód w lesie. Nie obeszło się bez przechwałek.

— Czy możesz stawać na tej nodze?

— Nie mogę. Podskakiwałem.

Chłopiec zmarszczył brwi z bólu, a Lizymach podłożył mu pod stopę poduszkę.

— Uważaj na nią. Ta kostka była słabym miejscem Achillesa. Matka trzymała go za nią, kiedy kąpała go w Styksie, ale zapomniała potem i ją zamoczyć w wodzie.

— Czy książka mówi o tym, jak zginął Achilles?

— Nie, ale on wiedział, że zginie, bo taki wybrał los.

— Czy wróżbici go nie ostrzegali?

— Tak, ostrzegali go, że zginie zaraz po Hektorze, a jednak zabił go. Pomścił swego przyjaciela Patroklesa, którego zabił Hektor.

Chłopiec rozważał to z przejęciem. — To był jego najlepszy przyjaciel?

— Tak. Wyrastali razem od dziecka.

— Czemu więc Achilles go nie ocalił?

— On wycofał swoich żołnierzy z bitwy, bo obraził go najwyższy król. Grekom bardzo źle szło bez niego, co mu zresztą obiecał bóg. Patrokles, który miał miękkie serce, kiedy ujrzał starych Towarzyszy ginących, poszedł z prośbą do Achillesa. — „Pożycz mi tylko swej zbroi i pozwól pokazać się na polu. Pomyślą, że wróciłeś. To wystarczy, żeby ich nastraszyć". Achilles pozwolił mu i Patrokles dokazał wielkich rzeczy, ale... — Lizymach urwał, widząc wyraz twarzy chłopca.

— Nie powinien na to pozwolić! On był wodzem! Posłał niższego stopniem tam, gdzie sam nie chciał iść! To przez niego zginął Patrokles!

— O, tak. On o tym wiedział. Złożył z niego ofiarę swej urażonej dumie. Dlatego też wybrał swoją drogę do śmierci.

— Jak go obraził król? Jak to się zaczęło?

Lizymach usiadł na stołku przy łóżku. Kiedy opowieść zaczęła się rozwijać, Aleksander ujrzał ze zdziwieniem, że wszystko to mogło zdarzyć się w Macedonii, prawie każdego dnia.

Ten pustogłowy młodszy syn, który wykrada żonę potężnemu gospodarzowi i sprowadza ją wraz z krwawą zemstą do zamku swego ojca...

— Stare rody Macedonii i Epiru znały dziesiątki takich historii. Najwyższy król zwołał wasali i niższych władców. Sędziwy król Peleus wysłał swego jedynaka Achillesa, zrodzonego z małżeństwa z boginią. Kiedy ten szesnastolatek przybył na równinę Troi, już był najlepszym z wojowników.

Cała tamta wojna przypominała utarczki górskich szczepów: wojownicy wyzywający się na pojedynki na śmierć i życie, piechota przepychająca się za wielmożami. Nasłuchał się o dziesiątkach takich wojen, które staczano za życia opowiadających o nich. Wybuchały z powodu jakichś dawnych zatargów albo zapalały się od krwi przelanej w pijackich sprzeczkach, albo z powodu przesuniętego kamienia granicznego, nie wypłaconego wiana, wyszydzania zdradzonego męża.

Lizymach opowiadał o tamtej wojnie, jakby przedstawiał czasy swej młodości. Czytał spekulacje Anaksagorasa, maksymy Heraklita, historię Tukidydesa, filozoficzne dzieła Platona, dramaty Eurypidesa i romantyczne sztuki Agatona. Homer przenosił go jednak w lata dzieciństwa, kiedy to siadywał na kolanach ojca, słuchając pieśniarza i patrząc, jak starsi bracia chodzą i szczękają mieczami u pasa... Tak wciąż jeszcze chodzi się po ulicach Pelli.

Chłopiec, który miał dotąd za złe Achillesowi wywołanie całego tego zamieszania z powodu jednej dziewczyny, dowiedział się, że była ona nagrodą za dzielność, król zaś zabrał mu ją, aby go poniżyć. Teraz zrozumiał, dlaczego Achilles wpadł w gniew. Agamemnona wyobrażał sobie jako krępego męża z gęstą czarną brodą.

Achilles siedział zatem w swym namiocie, wyrzekając się sławy i grając na lirze Patroklesowi, jedynemu, który go rozumiał. Wtedy przybyli wysłannicy króla. Greków przyparto do muru i wtedy król musiał przełknąć zniewagę: Achilles dostanie z powrotem swoją dziewczynę. Dostanie też za żonę córkę Agamemnona i wiele miast w jej wianie.

Podobnie jak słuchacze tragedii, którzy znają jej zakończenie, a jednak chcieliby usłyszeć, że wszystko dobrze się skończyło, chłopiec chciałby, aby Achilles zmiękł i poszedł do bitwy u boku Patroklesa, wspaniały i szczęśliwy. Lecz Achilles odwrócił twarz. Powiedział, że proszą o zbyt wiele. *Nieraz mi matka mówiła, Tetyda o stopach srebrzystych*, że przeznaczenie otwarło przede mną dwie drogi do śmierci: jeśli tu pozostanę, by walczyć pod Troi murami, nie masz dla mnie powrotu, lecz sławę wieczną zdobędę, a jeśli odpłynę do domu, do miłej ziemi ojczystej, sława mi zacna przepadnie, lecz za to długie mnie życie czeka i wtedy nierychło los mnie dopadnie śmiertelny**.* Teraz gdy go znieważono, wybiera tę drugą drogę i popłynie do domu.

Trzeci z posłów dotąd się nie odezwał. Teraz wystąpił naprzód. Był to stary Fojniks, który znał Achillesa od dziecka i sadzał go sobie na kolanach. Kiedyś adoptował go król Peleus, gdy go wyklął rodzony ojciec. Żył szczęśliwie na dworze Peleusa, lecz ojcowska klątwa spełniła się, pozbawiając go na zawsze potomstwa. Znalazł więc w Achillesie syna z wyboru, który miał za to odwrócić od niego zły los. Jeżeli Achilles pożegluje do domu, Peleus będzie mu towarzyszył i nigdy go już nie opuści. Prosił go jednak, by raczej poprowadził Greków do walki.

Dalej były już rozważania o moralności i chłopiec przestał uważać, zająwszy się własnymi myślami. Nagle zapragnął czymś Lizymacha obdarzyć.

— Ja bym się zgodził, gdybyś to ty mnie prosił.

Nie czuł bólu w zwichniętej nodze, gdy zbliżył się do Lizymacha, by go uścisnąć.

Lizymach objął go, nie kryjąc łez. Chłopcu to nie przeszkadzało. Herakles pozwalał na takie łzy. Miał szczęście, że wpadł na właściwy pomysł. I do tego była to prawda. Naprawdę kochał Lizymacha, chciałby mu zastąpić syna i odwracać od niego zły los. Gdyby to on przyszedł

---

* Homer, *Iliada*, tłum. K. Jeżewska, op. cit., IX 410.
** Homer, *Iliada*, tłum. I. Wieniewski, op. cit., IX 412-417.

do niego, jak kiedyś Fojniks do Achillesa, dostałby, o co by prosił: Aleksander poprowadziłby Greków do walki, wybierając pierwszą drogę, nie zaś powrót do miłej ziemi ojczystej i długie życie. Wszystko to było prawdą, a Lizymach był uszczęśliwiony, po cóż więc dodawać, że chłopiec nie zrobiłby tego dla Fojniksa?

Zrobiłby to dla wiecznej sławy.

Olint, wielkie miasto na północno-wschodnim wybrzeżu, poddał się Filipowi. Najpierw trafiło do miasta jego złoto, później jego żołnierze. Olintyjczycy już od dawna krzywo patrzyli na rosnącą potęgę Filipa. Przez całe lata udzielali schronienia jego braciom z nieprawego łoża, którzy zgłaszali pretensje do tronu. Prowadzili też jednocześnie rozgrywkę z nim i z Atenami, potem zaś sprzymierzyli się z Atenami.

Filip zadbał przede wszystkim o to, by jego poplecznicy w mieście bogacili się i by to okazywali. Ich stronnictwo rosło w siłę. Na południu Filip podsycał powstanie na Eubei, aby zmusić Ateńczyków do zajęcia się własnymi sprawami. Tymczasem wymieniał posłów z Olintem, układając warunki zawarcia pokoju — i zajmował strategicznie ważne obszary wokół miasta.

Kiedy je zajął, wystosował ultimatum: albo oni muszą odejść, albo on, sam zaś wcześniej już zdecydował, że odejdą oni. Jeśli się poddadzą, mogą odejść wolno i z gwarancją bezpieczeństwa. Ich ateńscy sprzymierzeńcy z pewnością się o nich zatroszczą.

Poza członkami stronnictwa popierającego Filipa wszyscy głosowali za stawianiem oporu. Doszło do walk, które sporo kosztowały Filipa, zanim jego zwolennicy nie doprowadzili do paru przegranych bitew i w końcu zdołali wpuścić go za bramy.

Uznał wtedy, że czas już przestrzec innych przed sprawianiem mu kłopotów. Olint stanie się odstraszającym przykładem.

Zbuntowani bracia przyrodni zginęli pod włóczniami Towarzyszy. Niedługo potem gromady skutych łańcuchami niewolników zaczęły przemierzać Grecję. Prowadzili je handlarze niewolników albo ludzie, których użyteczność zasługiwała na taką nagrodę. Greckie miasta, które od niepamiętnych czasów przyglądały się Trakom, Etiopom i Scytom o wystających kościach policzkowych, wykonującym najcięższe prace, patrzyły teraz ze zgrozą na Greków dźwigających pod batem ciężary i na greckie dziewczęta, sprzedawane jawnie do domów nierządu. Głos Demostenesa wzywał wszystkich przyzwoitych ludzi do przeciwstawienia się barbarzyńcy.

Macedońscy chłopcy widzieli przejście tych żałosnych konwojów. Widzieli dzieci płaczące i wlokące się w kurzawie przy spódnicach matek.

Było to przesłanie tysiąclecia: tak wygląda klęska, nie wolno do niej dopuścić.

W mieście Dion u stóp Olimpu, na świętej ziemi Zeusa Olimpijskiego i w świętym miesiącu boga, wydał Filip ucztę zwycięstwa, wśród splendorów, jakich nie znał nawet Archelaos. Dostojni goście ściągali na północ z całej Grecji. Przybyli też kitarzyści i fleciści, pieśniarze i aktorzy, ubiegający się o złote wieńce, purpurowe szaty i worki srebra. Miano wystawiać *Bachantki* Eurypidesa, które kiedyś miały swą premierę w tym właśnie teatrze. Najlepszy scenograf z Koryntu malował dekoracje: tebańskie wzgórza i pałac królewski. Co rano słychać było, jak aktorzy ćwiczyli w swoich kwaterach wszystkie odcienie głosów, od gromowych głosów bogów do dziewczęcych dyszkantów. Nawet nauczyciele mieli wolne. Achilles i jego Fojniks (do którego od razu przylgnęło to przezwisko) mieli ten próg Olimpu i te widowiska tylko dla siebie. Fojniks dał Achillesowi swój własny egzemplarz *Iliady* w sekrecie przed Timantesem. Nie sprawiali nikomu kłopotu, pochłonięci swą prywatną grą.

W dniu dorocznego święta boga król wydał wielką ucztę. Aleksander miał tam tylko się pokazać, aby wyjść przed początkiem picia. Włożył nowy niebieski chiton przeszywany złotą nicią, a gęste, długie włosy ułożono mu w loki. Siedział na skraju biesiadnego łoża ojca, a przed nim stała jego własna srebrna misa i kubek. Wielka sala jarzyła się światłem lamp. Synowie wielmożów, służący w straży przybocznej, krążyli od króla do jego honorowych gości, nosząc im podarunki.

Było tam kilku Ateńczyków ze stronnictwa, które zabiegało o pokój z Macedonią. Chłopiec zauważył, że ojciec sili się na attycki akcent. Ateńczycy mogli pomagać jego wrogom, mogli wdawać się w intrygi z Persami, z którymi ich przodkowie walczyli pod Maratonem, ale ciągle przodowali w greckości.

Król, krzycząc przez całą salę, pytał jakiegoś gościa, dlaczego ma tak ponurą minę. Był to Satyros, wielki komik ateński. Chodziło mu właśnie o zwrócenie na siebie uwagi, teraz zaś w zabawny sposób udawał przestrach i odpowiedział, że nie śmie nawet prosić o coś, czego bardzo pragnie.

— Wystarczy, że to nazwiesz! — zawołał król, wyciągając dłoń.

Okazało się, że zależy mu na wyzwoleniu dwóch dziewcząt, które widział wśród niewolników: były one córkami jego starego przyjaciela z Olintu. Chciał je uchronić przed losem niewolnic, uposażyć je i wydać za mąż. Król krzyknął, że to prawdziwe szczęście móc spełnić tak szlachetną prośbę. Rozległ się gwar pochwał i nastrój na sali wyraźnie się poprawił. Goście, którzy mijali po drodze zagrody z niewolnikami, poczuli się nieco lepiej. Wniesiono wieńce i wielkie naczynia do chłodzenia wina wypełnione śniegiem Olimpu. Filip zwrócił się do syna, odgarnął mu z rozgrzanego czoła wilgotne jasne włosy, które już zaczynały się prostować, pocałował go wśród zachwyconych pomruków gości i kazał iść do łóżka. Chłopiec zsunął się z łoża, życzył dobrej nocy znajomemu strażnikowi przy drzwiach i skierował się do komnaty matki, żeby jej o wszystkim opowiedzieć. Zanim jeszcze dotknął drzwi, wiedział, że coś jest nie w porządku. W komnacie panował zamęt. Kobiety tłoczyły się jak przerażone kury. Matka, wciąż ubrana w szatę, którą nosiła w czasie występów chórów, kroczyła tam i z powrotem. Toaletka była wywrócona, a pokojówka na czworakach zbierała słoiki i szpilki. Kiedy drzwi się otworzyły, upuściła jakiś słoik, rozsypując antymon. Olimpias przemierzyła pokój i jednym uderzeniem w głowę powaliła ją na posadzkę.

— Precz, wszystkie! — krzyknęła. — Głupie dziewuchy! Precz stąd. Chcę zostać sama z synem.

Wszedł. Odpływał mu z twarzy rumieniec, wywołany ciepłem wielkiej sali i piciem rozcieńczonego wina. Czuł, że ściska mu się żołądek. Podszedł w milczeniu do matki. Gdy kobiety odeszły, rzuciła się na łóżko, tłukąc pięściami i kąsając poduszki. Podszedł i ukląkł przy niej, gładząc jej włosy chłodnymi rękami. Nie pytał, co się stało.

Olimpias obróciła się na łóżku i chwyciła go za ramiona, wzywając wszystkich bogów, aby byli świadkami jej krzywdy i aby ją pomścili. Krzyczała, że niebiosa nie pozwalają, aby się dowiedział, co ona musi znosić od najgorszego z mężów, bo to nie przystoi jego niewinnemu wiekowi. Zawsze tak mówiła na początku. Poruszył głową, by móc swobodnie oddychać. „Tym razem to nie żaden młody człowiek" — pomyślał. „To musi być dziewczyna".

Macedońskie przysłowie mówiło, że król z każdej wojny przywozi sobie żonę. W istocie takie związki, przypieczętowane jakimś obrządkiem dla uspokojenia krewnych dziewczyny, były nie najgorszym sposobem zdobywania godnych zaufania sprzymierzeńców. Chłopiec wiedział o tym. Teraz przypomniał sobie zmianę w zachowaniu ojca, którą już kiedyś widywał.

— Trakijka! — krzyczała matka. — Jakaś brudna, pomalowana na niebiesko Trakijka!

Zatem gdzieś w Dion przez cały ten czas ukryta była ta dziewczyna. Nie chodziło o heterę, bo te widzieli wszyscy.

— Przykro mi, matko — powiedział z ciężkim sercem. — Czy ojciec ją poślubił?

— Nie nazywaj tego człowieka ojcem! — Trzymała go w wyciągniętych rękach, wpatrując mu się w twarz. Miała posklejane rzęsy, a powieki w czarnych i niebieskich smugach. Rozszerzone oczy ukazywały białka wokół tęczówek. Jedno ramiączko sukni opadło. Gęste, kasztanowe włosy otaczały twarz i opadały splątane na obnażone piersi. Przypomniał sobie głowę Gorgony w Sali Perseusza i wzdrygnął się ogarnięty zgrozą.

— Twój ojciec! — krzyczała. — Zagreus mi świadkiem, ty nie masz z nim nic wspólnego!

Wpijała mu palce w ramiona, aż zaciskał z bólu zęby.

— Nadejdzie dzień, tak, nadejdzie, kiedy on się dowie, czyją masz w sobie krew. Dowie się, że uprzedził go ktoś większy od niego!

Puściła go i opierając się na łokciach, zaczęła się śmiać. Owinięta rudymi włosami usiłowała złapać oddech i śmiała się wśród łkań coraz wyższym i wyższym tonem. Chłopiec nigdy jej takiej nie widział. Klęczał przy niej, ogarnięty zgrozą, czepiając się jej rąk, całując spoconą twarz, wołając jej do ucha, żeby przestała i by przemówiła do niego. Krzyczał, że on jest przy niej i że nie wolno jej oszaleć, bo on tego nie przeżyje.

W końcu jęknęła, usiadła, przygarnęła go i przytuliła policzek do jego głowy. Poczuł ulgę i położył się przy niej z zamkniętymi oczami.

— Biedne dziecko! To nic takiego, to tylko histeryczny śmiech. To on mnie o to przyprawia. Powinnam się wstydzić przed tobą, przed nikim innym, ale ty przecież wiesz, czego muszę wysłuchiwać. Widzisz sam, kochanie, poznaję cię, nie jestem szalona, chociaż on by sobie tego życzył, ten człowiek, który nazywa siebie twoim ojcem.

Otworzył oczy i usiadł. — Kiedy będę dorosły, dopilnuję, żeby cię traktowano jak należy.

— Ach, on nawet się nie domyśla, kim ty jesteś, lecz ja to wiem. Ja i bóg.

Nie zadawał pytań. Dosyć już się wydarzyło. Później w nocy, kiedy leżał w łóżku, wsłuchując się w oddalone odgłosy uczty, jej słowa wróciły do niego.

Następnego dnia zaczęły się igrzyska. Dwukonne rydwany objeżdżały tor, wojownicy zeskakiwali, biegli przy wozach i wskakiwali znowu. Fojniks, który zauważył nieobecne spojrzenie chłopca i domyślał się przyczyny, rad był, widząc, że to mu się spodobało.

Przed samą północą obudził się, myśląc o matce. Wstał i ubrał się.

Śniło mu się, że ona wzywa go z morza, jak boska matka Achillesa. Pójdzie do niej i zapyta, co miała na myśli poprzedniego wieczoru. Jej pokój był pusty. Jakaś staruszka należąca do dworu zbierała rzeczy. Zapomniano o niej. Popatrzyła na chłopca załzawionymi czerwonymi oczami i powiedziała, że królowa poszła do przybytku Hekate. Wymknął się z pałacu w noc, między pijaków i dziwki, żołnierzy i rabusiów. Musiał ją zobaczyć, za jej wiedzą lub bez niej. Znał drogę do rozstajów. W czasie wielkiego święta bramy miasta były otwarte. Daleko przed sobą widział czarne płaszcze i pochodnię. Była to noc Hekate, bezksiężycowa, nie spostrzegli go więc, gdy podchodził ukradkiem. Matka musiała radzić sobie sama, bo nie miała dorosłego syna do pomocy. To, co tam robiła, było właśnie jego sprawą.

Kazała swym kobietom czekać i dalej poszła sama. Przekradł się przez oleandry i tamaryszki aż do przybytku z posągiem o trzech twarzach. Ona już tam była, trzymając coś piszczącego i skowyczącego. Zatknęła pochodnię w okopconym otworze przy płycie ołtarza. Była cała w czerni, a to, co trzymała, było czarnym szczenięciem. Podniosła je za kark i przejechała nożem po gardle. Wiło się i piszczało, a białka jego oczu połyskiwały w świetle pochodni. Trzymała szczenię za tylne nogi, drgające i dławiące się, póki się nie wykrwawiło. Gdy już podrygiwało słabiutko, położyła je na ołtarzu. Sama uklękła przed posągiem, bijąc pięściami o ziemię. Usłyszał, że szepce coś z wściekłością, najpierw cicho, jakby syczał wąż, a potem szept stopniowo zamienił się w wycie, jakiego nie powstydziłby się ów pies. Usłyszał nie znane mu słowa zaklęć i znane przekleństwa. Jej długie włosy wlekły się po zakrwawionej ziemi. Gdy wstała, końce ich były zesztywniałe, a ręce miała poplamione krwią.

Kiedy wszystko się skończyło, odprowadził ją do domu, wciąż trzymając się w ukryciu. Kiedy tak szła w czarnym płaszczu pośród swoich kobiet, wyglądała znowu zwyczajnie. Nie chciał tracić jej z oczu.

Następnego dnia Epikrates przyszedł do Fojniksa. — Dziś musisz mi go odstąpić. Chcę go zabrać na zawody muzyczne.

Wybierał się tam z przyjaciółmi, z którymi mógł rozmawiać o technice gry, martwił go jednak wygląd chłopca. Słyszał, jak wszyscy, o czym mówiło całe miasto.

Były to zawody kitarzystów. Nie zabrakło chyba żadnego wybitnego artysty z Grecji lądowej, z greckiej Azji, czy z miast Sycylii i Italii. Piękno, którego istnienia nie podejrzewał, porwało chłopca. Ponury nastrój prysnął. Wpadł w ekstazę. Tak Hektor ogłuszony rzuconym przez Ajasa głazem usłyszał głos, który zjeżył mu włosy na głowie i ujrzał stojącego obok Apollona.

Żył potem prawie tak samo jak dotąd. Matka często przypominała mu o tym, co zaszło, wzdychając albo spoglądając znacząco, ale najgorszy wstrząs miał już za sobą. Był silny i osiągnął wiek, w którym szybko wraca się do zdrowia. Szukał lekarstwa, idąc za głosem natury, jeżdżąc z Fojniksem po orzechowych gajach u podnóży Olimpu i deklamując Homera, linijka po linijce — najpierw po macedońsku, potem po grecku. Fojniks najchętniej trzymałby go z dala od pokojów kobiet. Gdyby jednak królowa zwątpiła w jego lojalność, utraciłby chłopca na zawsze. Nie powinna na próżno rozglądać się za synem. W każdym razie chłopiec wydawał się być teraz w lepszym humorze.

Wiedział, że matka układa teraz jakiś plan i że jest w pogodnym nastroju. Przez jakiś czas obawiał się, że przyjdzie do niego z pochodnią o północy i zaprowadzi do przybytku Hekate. Nigdy dotąd nie kazała mu przeklinać ojca. Tamtej nocy, kiedy poszli do grobowców, musiał tylko trzymać parę rzeczy i stać obok niej.

Czas mijał. Najwyraźniej nie chodziło o nic takiego. W końcu zapytał ją wprost. Uśmiechnęła się, a ledwie uchwytne cienie ukazały się pod jej policzkami. Dowie się wszystkiego we właściwym czasie i ma to być niespodzianka. Chodzi o służbę Dionizosowi. Obiecała, że go tam przyprowadzi. Ulżyło mu. Chodziło tylko o tańce. Przez ostatnie dwa lata mówiła mu, że jest za duży, by brać udział w kobiecych misteriach. Teraz miał osiem lat. Z przykrością pomyślał, że wkrótce Kleopatra będzie z nią chodzić zamiast niego.

Podobnie jak król, matka udzielała posłuchań wielu zagranicznym gościom. Tragik Arystodemos przybył tym razem jako dyplomata. Tę rolę często powierzano znanym aktorom. Miał ustalić okup za Ateńczyków, wziętych do niewoli w Olincie. Ten szczupły, wytworny mężczyzna posługiwał się swym głosem niczym wysokiej klasy instrumentem, czuło się niemal, jak go pieszczotliwie dotyka. Aleksander podziwiał znajomość rzeczy, z jaką matka pytała tamtego o sprawy teatru. Potem przyjęła Neoptolemosa ze Skiros, jeszcze sławniejszego aktora, który grał rolę boga w *Bachantkach*. Przy tej rozmowie chłopiec nie był obecny.

Nie wiedział, że matka zajmuje się czarami, póki któregoś dnia nie podsłuchał jej przez zamknięte drzwi. Drewno było grube, ale usłyszał część zaklęcia. Nie znał go dotąd, chodziło w nim o zabicie górskiego lwa, ale znaczenie było oczywiste. Odszedł nie zapukawszy.

W dniu przedstawienia Fojniks obudził go o świcie. Na honorowe krzesło był jeszcze za mały: będzie siadał przy ojcu, kiedy dorośnie. Pytał już wcześniej matkę, czy może usiąść przy niej, jak to robił jeszcze w zeszłym roku, ale odpowiedziała, że nie będzie oglądać sztuki, bo ma co innego do roboty. Musi jej potem opowiedzieć, jak mu się podobało.

Lubił teatr. Lubił wszystko, co poprzedzało tę duchową ucztę: budzenie się, miłe zapachy poranka — ziemi mokrej od rosy, trawy i ziół deptanych przez wiele nóg, dymu z pochodni gaszonych o brzasku. Lubił patrzeć na ludzi cisnących się w rzędach siedzeń, słuchać gwaru z górnych rzędów, gdzie siedzieli chłopi i żołnierze, i szczebiotania kobiet na wydzielonych dla nich miejscach. Było jeszcze zamieszanie wokół poduszek i kobierców na honorowych siedzeniach, a potem rozległy się pierwsze tony fletu i wszystkie odgłosy ucichły, oprócz porannych treli ptaków.

Sztuka zaczęła się o bladym świcie. Bóg w postaci jasnowłosego młodzieńca oddawał cześć ogniowi, płonącemu na grobie jego matki, i planował zemstę na królu Teb, który szydził z jego obrzędów. Chłopiec zauważył, że młodzieńca grał mężczyzna, biegle naśladujący głos, i że menady miały płaskie piersi i mówiły czystymi głosami chłopców, ale zanotowawszy to w pamięci, oddał się bez reszty iluzji.

Ciemnowłosy młody Penteus wypowiadał się złośliwie o menadach i ich obrzędach, bóg zmuszony więc był go zabić. Kilku przyjaciół opisało już chłopcu wszystko. Trudno było sobie wyobrazić bardziej przerażającą śmierć, ale Fojniks zapewniał chłopca, że widzowie nie będą jej oglądać.

Kiedy ślepy wróżbita napominał króla, Fojniks szepnął, że ów starczy głos spod maski jest głosem tego samego aktora, który grał przedtem młodzieńczego boga. Oto prawdziwa sztuka! Kiedy Penteus zginie poza sceną, grający go aktor miał także zmienić maskę i zagrać oszalałą królową Agaue.

Uwięziony przez króla bóg uwolnił się pośród płomieni i podziemnych wstrząsów, które w wykonaniu ateńskich techników wprost chłopca oczarowały. Penteus nie uwierzył w cud i w zgubnym zaślepieniu nadal odmawiał mu boskości. Dionizos użył zabójczych czarów i zesłał nań szaleństwo. Odtąd widział on na niebie dwa słońca, myślał, że może przesuwać góry, dał się też namówić bogu i w przebraniu kobiety wybierał się podglądać menady. Chłopiec śmiał się wraz z innymi, w przeczuciu grozy, która miała teraz nastąpić.

Król odszedł na spotkanie śmierci. Śpiewał chór. Potem posłaniec przyniósł wieści. Penteus wspiął się na drzewo, by podglądać. Menady wypatrzyły go tam i silne swym boskim szaleństwem wyrwały drzewo z korzeniami. Oszalała królewska matka, widząc w nim tylko dziką bestię, razem z innymi rozdarła go na strzępy. Tak więc to się skończyło i — jak zapowiadał Fojniks — nie zostało pokazane: wystarczyła sama opowieść. Posłaniec wykrzyknął, że Agaue przybywa, niosąc trofeum. Menady wbiegły w zakrwawionych szatach przejściem prowadzącym na scenę. Królowa Agaue niosła głowę zatkniętą na włóczni, jak to się robi na łowach. Głowa zrobiona była z maski Penteusa i z peruki, wypchanych czerwonymi szmatami, których strzępy zwisały w dół. Królowa miała na sobie prawdziwie przerażającą maskę, której brwi zmarszczone były w udręce, usta zaś wykrzywiał szaleńczy grymas. Z tych ust rozległ się głos. Od pierwszych wypowiadanych słów chłopiec siedział, jakby i on zobaczył dwa słońca na niebie. Nie był daleko od sceny, a wzrok i słuch miał dobre. Jej maska miała jasną perukę, lecz spod spływających w dół loków ukazywały się prawdziwe włosy i widać było, że są ciemnorude. Ramiona królowej były odsłonięte. Znał je, poznawał nawet bransolety.

Aktorzy, odgrywając wstrząs i zgrozę, cofnęli się, pozostawiając scenę dla niej. Wśród widzów rozległ się szmer, poznali od razu, że mają przed sobą prawdziwą kobietę. Kto?... co?... Chłopcu zdawało się, że przez całe godziny pozostaje sam ze swoją wiedzą, nim zaczęły padać odpowiedzi na pytania i nowina pobiegła dookoła. Szerzyła się jak pożar w zaroślach. Ci z lepszym wzrokiem przekonywali tych gorzej widzących. Słychać było paplaninę kobiet i syk urazy, od mężczyzn na górze dolatywał głęboki szum, niczym szum przypływu, na honorowych miejscach zaś panowało osłupiałe, głuche milczenie.

Chłopiec siedział, jakby to jemu odcięto głowę. Matka odrzuciła w tył włosy i wskazała krwawe trofeum. Przywykła do tej straszliwej maski. Stała się ona jej drugą twarzą. Chłopiec ściskał skraj kamiennej ławy, łamiąc sobie paznokcie.

Flecista dmuchnął w podwójny flet, ona zaś zaśpiewała:

Cieszę się, raduję,
że wielki, wielki i wspaniały czyn
Dla miasta tego spełniłam*.

---

* Eurypides, *Bachantki*, tłum. Jerzy Łanowski, w: *Tragedie*, PIW, t. III, w. 1197-1199.

O dwa rzędy niżej widział chłopiec plecy ojca, który mówił coś do siedzącego przy nim gościa. Twarzy nie mógł dostrzec.

Przekleństwo w grobowcu, krew czarnego psa, przebita cierniem lalka, wszystko to były obrzędy odprawiane w ukryciu. To zaś było zaklęcie Hekate rzucone w świetle dnia, ofiara złożona śmierci. Głowa na włóczni królowej była głową jej syna.

Głosy, które rozlegały się wokół, wyrwały go z tego koszmaru, ale wprowadziły w następny. Były jak brzęczenie roju much spłoszonych przez sępa. Prawie zagłuszały aktorów.

To o niej mówili, nie o królowej Agaue z tej sztuki. Mówili o niej południowcy, którzy nazywali Macedonię barbarzyńską, wielmoże i dzierżawcy, chłopi i żołnierze.

Mogli ją nazywać czarownicą. I boginie przecież rzucają czary. Jednak to było coś innego, znał takie głosy. W ten sposób żołnierze z falangi mówili w wartowni o jakiejś kobiecie, która należała do połowy ludzi z ich oddziału, albo o żonie jakiegoś wieśniaka, która urodziła bękarta.

Fojniks też nad tym ubolewał. Będąc człowiekiem raczej statecznym niż bystrym, z początku po prostu osłupiał. Nie przypuszczał, że Olimpias byłaby zdolna do czegoś podobnego. Niewątpliwie ślubowała to Dionizosowi, straciwszy głowę przy winie i tańcu podczas obrzędów. Już chciał poklepać chłopca po ramieniu, ale spojrzawszy raz jeszcze, wstrzymał się.

Szaleństwo opuściło królową, pozostawiając świadomość i rozpacz. W górze pojawił się bezlitosny bóg, aby zakończyć sztukę. Chór odśpiewał ostatnie wiersze:

Wielorakie są kształty losów,
Wiele wbrew nadziejom spełniają bogowie.
Co spodziewane, to się nie stało,
Z niespodzianego wynalazł bóg wyjście*.

Skończyło się, lecz nikt nie ruszał się z miejsc. Co zrobi teraz ona? Skłoniła się przed posążkiem Dionizosa w orchestrze, nim odeszła z innymi. Któryś z nich zabrał głowę. Stało się jasne, że ona nie wróci. Z góry, z bezimiennego tłumu mężczyzn, rozległ się przeciągły gwizd.

Pierwszy aktor powrócił, by przyjąć roztargnione oklaski. Nie miał dziś swego najlepszego dnia, mając na głowie to dziwactwo, a jednak to było naprawdę dobrze zrobione.

---

* Tamże, t. III, w. 1388-1392.

Chłopiec wstał, nie patrząc na Fojniksa. Z zadartym podbródkiem, patrząc wprost przed siebie, torował sobie drogę przez ociągający się z odejściem, rozgadany tłum. Kiedy przechodzili, rozmowy cichły, ale nie na długo. Zaraz za bramą odwrócił się, spojrzał Fojniksowi w twarz i powiedział:

— Była lepsza niż aktorzy.

— Tak, to prawda. Była natchniona przez boga. Ten występ był mu poświęcony. Dionizos wysoko ceni takie ofiary.

Wyszli na udeptany plac przed teatrem. Kobiety w rozszczebiotanych gromadkach zmierzały w stronę domów, mężczyźni rozmawiali w grupach tu i ówdzie. W pobliżu stały w swych pięknych strojach hetery, dziewczęta z Efezu i Koryntu, towarzyszące w Pelli oficerom. Rozmawiały bez skrępowania, a któraś odezwała się donośnym, słodkim głosikiem:

— Biedny chłopak! Widać, że ciężko to przeżywa.

Chłopiec przeszedł, nie dając po sobie poznać, że słyszał.

Już prawie wyszli z tłumu i Fojniks odetchnął z ulgą, gdy wtem spostrzegł, że nie ma przy nim chłopca. Był o jakieś dziesięć kroków od niego, przy grupce stłoczonych mężczyzn. Fojniks usłyszał śmiech tamtych. Ruszył biegiem, ale było już za późno.

Ten, który wyrzekł ostatnie, niedwuznaczne słowo, nic spostrzegł, że coś jest nie w porządku. Drugi, odwrócony tyłem do chłopca, poczuł szybkie szarpnięcie za pas od miecza. Szukając wzrokiem kogoś równego mu wzrostem, ledwie zdążył uderzyć z góry w rękę chłopca, tak więc ten, który mówił, dostał pchnięcie sztyletem w bok, a nie w brzuch.

Wszystko stało się tak szybko i cicho, że nikt nie zdążył się odwrócić. Wszyscy stali jak wryci. Strumyk krwi wił się po nodze pchniętego sztyletem. Właściciel broni, który chwycił chłopca, nim go rozpoznał, patrzył teraz wzrokiem bez wyrazu na zakrwawione ostrze w jego dłoni. Fojniks stał za chłopcem z dłońmi na jego ramionach. Chłopiec wpatrywał się w twarz rannego, rozpoznając w nim znajomego, ten zaś, zaciskając gorący wyciek, odpowiadał spojrzeniem, w którym był ból, zdumienie i wstrząs rozpoznania.

Wszyscy złapali wreszcie oddech. Zanim ktokolwiek zdążył się odezwać, Fojniks podniósł dłoń, jakby to było na wojnie. Jego kwadratowa twarz nabrała wyrazu nacierającego byka. Trudno było go rozpoznać.

— Lepiej będzie dla was wszystkich, jeśli zamkniecie usta.

Pociągnął chłopca za sobą, przerywając nie rozstrzygniętą wymianę spojrzeń.

Zabrał go do swojej kwatery na jedynej porządnej ulicy w miasteczku. W małym pokoju unosiła się woń starej wełny, starych zwojów, nie wietrzonej pościeli i mazidła, którym Fojniks nacierał sztywne kolana. Chłopiec rzucił się twarzą w dół na łóżko przykryte narzutą w czerwone i niebieskie kwadraty i leżał nieruchomo. Fojniks klepał go po ramionach, a kiedy wreszcie zaczął szlochać, przygarnął go ramieniem. Poza tą potrzebą chwili nie widział konieczności działania. Już chyba udowodnił, że jego miłość jest bezinteresowna. Oddałby wszystko, co miał, przelałby krew, ale nie żądano od niego aż tyle. Wystarczy słowo pociechy.

— Niewielka byłaby szkoda, gdybyś zabił tego plugawca. Człowiek honoru nie mógł tego puścić mimo uszu... Trzeba być bezbożnikiem, żeby szydzić z oddawania czci bogu... Nie ma co płakać, mój Achillesie, że obudził się w tobie wojownik. Tamten wyzdrowieje, a nie zasłużył na to, i będzie siedział cicho, jeśli wie, co dla niego dobre. Ode mnie nikt się nie dowie.

Chłopiec wykrztusił w ramię Fojniksa:

— To on mi zrobił mój łuk.

— Wyrzuć go. Zdobędę ci lepszy.

Nastała chwila ciszy.

— Nie mówił tego do mnie. Nie wiedział, że tam jestem.

— I komu potrzebny taki przyjaciel?

— Uderzyłem go bez uprzedzenia.

— On cię też nie uprzedził, że usłyszysz to, co powiedział.

Chłopiec bardzo łagodnie uwolnił się i znów leżał, kryjąc twarz. Nagle usiadł, ocierając dłonią oczy i nos. Fojniks zwilżył ręcznik wodą z dzbanka i przetarł mu twarz. Siedział, patrząc przed siebie, i mówił od czasu do czasu: — Dziękuję!

Fojniks wyjął z wezgłowia swój najlepszy srebrny puchar i nalał wina, które zostało mu ze śniadania. Chłopiec wypił po krótkich namowach. Wino zdawało się wpływać mu wprost pod skórę, która pokryła się rumieńcem na twarzy, szyi i piersiach. Nagle rzekł:

— Obraził moich rodziców, ale uderzyłem bez uprzedzenia.

Odrzucił włosy w tył, obciągnął pomięty chiton, zawiązał rzemyk sandała.

— Dziękuję ci za gościnę. Pójdę trochę pojeździć.

— To niezbyt mądre. Nie jadłeś śniadania.

— Wystarczy mi to, co zjadłem. Dziękuję. Do widzenia.

— Zaczekaj. Przebiorę się i pojadę z tobą.

— Nie, dziękuję. Chcę być sam.

— Posiedźmy, poczytajmy coś albo przejdźmy się...

— Pozwól mi odejść.

Fojniks cofnął dłoń niczym przestraszone dziecko. Później zauważył brak butów chłopca do konnej jazdy, jego kuca i ćwiczebnych oszczepów. Zaczął rozpytywać. Widziano go powyżej miasta, jadącego ku Olimpowi. Do południa było jeszcze parę godzin. Fojniks czekając, przysłuchiwał się rozmowom. Ludzie zgadzali się, że królowa zrobiła to, składając ofiarę. Epirotów poi się mistyką przekazywaną z mlekiem matki. Macedończycy za tym nie przepadają. Król robił dobrą minę do złej gry z uwagi na gości i grzecznie potraktował tragika Neoptolema. A gdzie jest młody Aleksander?

— Poszedł się przejechać — odpowiadał Fojniks, kryjąc troskę. Co też mu przyszło do głowy, że pozwolił chłopcu oddalić się jak dorosłemu? Nie należało spuszczać go z oka. Nie ma sensu jechać za nim. W potężnym masywie Olimpu śmiało mogłyby ukrywać się przed sobą całe armie. Są tam niedostępne, bezdenne przepaście, dziki, wilki, lamparty, żyją tam jeszcze nawet lwy.

Słońce przeszło na zachodnią stronę nieba. Strome wschodnie stoki, pod którymi leżało Dion, pomroczniały. Chmury kłębiły się wokół ukrytych za nimi wierzchołków. Fojniks wyjechał z miasta na otwartą przestrzeń ponad nim. U stóp świętego dębu podniósł ramiona do wiecznie stojącego w słońcu szczytu, tronu Zeusa, kąpiącego się w eterze. Szlochał, modląc się i ślubując ofiary. Kiedy przyjdzie noc, nie będzie mógł dłużej ukrywać prawdy.

Wielki cień Olimpu przesunął się za linię brzegu i zdławił wieczorny blask morza. Zmierzch okrył dębowy gaj, las poza nim był już czarny. Coś się poruszyło między zmierzchem i nocą. Skoczył na konia, aż odezwały się zesztywniałe stawy, i pojechał naprzeciw.

Chłopiec wyszedł spośród drzew, idąc przy pysku kuca. Zmordowane zwierzę stąpało z trudem, lekko utykając. Szli spokojnie w dół polany, kiedy chłopiec zobaczył Fojniksa. Podniósł rękę w pozdrowieniu, ale nic nie powiedział.

Oszczepy przywiązał przy derce, nie miał jeszcze na nie tułubu. Kucyk niczym spiskowiec przykładał mu pysk do policzka. Ubranie chłopca było podarte, kolana poocierane i brudne, ręce i nogi podrapane. Widać było, że od rana stracił na wadze. Przód chitonu pociemniały był od krwi. Szedł pewnie między drzewami. Oczy miał puste, rozszerzone. Stąpał lekko, nienaturalnie spokojny i pogodny.

Fojniks zeskoczył przy nim z konia, obejmując go i wypytując.

Chłopiec przejechał dłonią po pysku kuca.

— Okulał.

69

— Odchodziłem tu od zmysłów. Co ci się stało? Krwawisz? Gdzie byłeś?

— Nie krwawię. — Wyciągnął dłonie, obmyte już w strumieniu. Miał krew pod paznokciami. Jego oczy napotkały oczy Fojniksa, wyjawiając to, co nieprzeniknione.

— Zbudowałem ołtarz i kaplicę i złożyłem ofiarę Zeusowi. Podniósł głowę. Jasne brwi wydawały się przejrzyste, prawie świetliste. Głęboko osadzone oczy rozszerzyły się — i rozjarzyły.

— Złożyłem ofiarę bogu, a on do mnie przemówił. On przemówił do mnie!

ROZDZIAŁ TRZECI

Pracownia króla Archelaosa była jeszcze wspanialsza niż Sala Perseusza, bo była bliższa jego sercu. Tu przyjmował poetów i filozofów, których ściągała do Pelli sława jego gościnności i nadzieja na bogate dary. Na poręczach egipskiego krzesła, ozdobionych głowami sfinksów, spoczywały kiedyś dłonie Agatona i Eurypidesa.

Wielkie malowidło, pokrywające całą ścianę, przedstawiało muzy, którym poświęcona była ta sala, śpiewające Apollonowi. Grający na lirze Apollon spoglądał nieodgadnionym wzrokiem na półki pełne książek i rękopisów, złocone i zdobione drogimi kamieniami szkatuły, tłoczone oprawy, zakładki z jedwabiu obszyte złotą frędzlą, końcówki drążków z kości słoniowej, agatów i sardonyksów. Skarby te były przez kolejne panowania odkurzane i pielęgnowane przez wyszkolonych niewolników. Od czasu, gdy były czytane, minęło całe pokolenie. Były zbyt cenne. Książki do czytania znajdowały się w bibliotece.

Stał tu wspaniały ateński brąz przedstawiający Hermesa jako wynalazcę liry, kupiony od jakiegoś bankruta w ostatnich latach świetności miasta. Przy wielkim stole, inkrustowanym lazurytem i chalcedonem, wspartym na lwich łapach, stały dwie lampy z brązu w kształcie kolumn owiniętych gałązkami lauru. Nic się tu nie zmieniło od czasów Archelaosa. Przez drzwi w drugim końcu widać było jednak, że malowane ściany czytelni znikły za półkami i stojakami pełnymi dokumentów, a stojące tam dawniej sofa i stolik ustąpiły miejsca przeładowanemu stołowi, przy którym główny sekretarz walczył z codziennym workiem listów.

Był rześki, jasny dzień marcowy. Wiał wiatr z północnego wschodu. By nie rozdmuchiwał dokumentów, pozamykano szczeblinowe okiennice. Przeciskało się przez nie chłodne, oślepiające słońce pospołu z lodowatym podmuchem. Główny sekretarz chował pod płaszczem gorącą cegłę, grzejąc przy niej ręce. Jego pisarz patrzył z zazdrością, chuchając w palce i starając się ukryć to przed królem.

Król Filip rozsiadł się wygodnie. Wrócił właśnie z kampanii w Tracji i po spędzeniu tam zimy uważał swój pałac za prawdziwe Sybaris wygód. Gdy jego władza sięgała ku odwiecznej zbożowej drodze Hellespontu, temu gardłu Grecji, gdy okrążał kolonie i wydzierał Atenom ziemie posłusznych im szczepów, gdy oblegał sprzymierzone z nimi miasta, południowcy uważali za jego najcięższy grzech złamanie starej, uczci-

71

wej zasady, że wojny nie prowadzi się w zimie, kiedy nawet niedźwiedzie śpią.

Siedział przy wielkim stole. W brunatnej, pokrytej bliznami dłoni, spękanej od mrozu i stwardniałej od lejców i włóczni, trzymał srebrny rysik, którego używał do dłubania w zębach. Pisarz, siedzący na składanym stołku z tabliczką na kolanach, czekał, by zapisać list do jakiegoś wielmoży w Tessalii.

Tam widział Filip swoją dalszą drogę. To właśnie sprawy południa sprowadziły go do domu. Nareszcie mógł wstawić stopę w uchylone drzwi. W Delfach bezbożni Fokijczycy gryźli się między sobą jak wściekłe psy, wyczerpani wojną. Pieniądze, które bili ze skarbów świątyni, wydawali na opłacenie najemników. Teraz — z oddali — godzący Apollon zwrócił się przeciw nim. On potrafił czekać na właściwą chwilę. W dniu, w którym podkopali sam trójnóg w poszukiwaniu złota, zesłał trzęsienie ziemi. Później były gorączkowe wzajemne oskarżenia, skazywano się na wygnanie i tortury. Przywódca pokonanych zajął z wygnańcami Termopile. Trzeba będzie pertraktować z desperatem. Zawrócił już posiłki z Aten, sprzymierzonych z Fokijczykami, bojąc się, że go wydadzą rządzącej frakcji. Niedługo dojrzeje do zerwania. Filip pomyślał, że Leonidas pod swym grobowym kurhanem musi się przewracać we śnie.

„Zanieś, wędrowcze, tę wieść..." Tak, zanieś im wieść, że za dziesięć lat będzie mi posłuszna cała Grecja. Miasta nie dochowują wiary miastom a ludzie ludziom, zapomnieli nawet o tym, co im pokazałeś: jak stawić opór i zginąć. Zawiść i chciwość podbiją ich dla mnie. Pójdą za mną i od tej chwili się odrodzą. Pod moją władzą odzyskają dumę. We mnie będą szukać przywódcy, a ich synowie szukać go będą w moim synu.

Ten wywód przypomniał mu, że już jakiś czas temu posłał po chłopca. Przyjdzie, kiedy go znajdą. Trudno wymagać od kogoś, kto ma dziesięć lat, żeby siedział spokojnie. Filip wrócił myślami do listu. Zanim skończył, usłyszał za drzwiami głos syna, który pozdrawiał strażnika. Ileż to dwudziestek, a może i setek ludzi zna ten chłopiec z imienia! Ten przy drzwiach służy w straży dopiero piąty dzień.

Wysokie drzwi rozwarły się. Chłopiec wydawał się w nich drobny, zajmujący niewiele miejsca. Stał boso na marmurowej posadzce, ręce założył pod płaszczem, nie po to, by je ogrzać, ale w wyćwiczonej postawie chłopców spartańskich, której nauczył go Leonidas. Pośród bladolicych gryzipiórków pracujących w tej komnacie, ojciec i syn wyglądali jak dzikie zwierzęta wśród oswojonych: ów smagły żołnierz o ramionach pokrytych różowymi bliznami i czole przekreślonym jasnym pasem, śladem krawędzi hełmu, z mleczną plamką na oślepłym oku, nie do końca pokrytą przez opuszczoną powiekę, i ten chłopiec w drzwiach, którego gładką brązową skórę psuły tylko otarcia i zadrapania wyniesione z różnych przygód i którego gęste, splątane włosy przyćmiewały Archelaosową pozłotę. Jego strój z domowego płótna, noszący ślady wielokrotnego prania i długiego tłuczenia o kamienie w rzece, nabrał stylu swego właściciela, jakby z zamierzoną arogancją został przez niego umyślnie wybrany. Szare oczy, rozjaśnione padającym z ukosa chłodnym światłem słońca, rozważały jakąś myśl, przyniesioną do tej komnaty.

— Wejdź, Aleksandrze.

Chłopiec już to zrobił. Filip odezwał się tylko po to, by go usłyszano. Lubił podkreślać znaczenie swojej osoby.

Aleksander postąpił naprzód, notując w pamięci, że pozwolono mu wejść jak służącemu. Rumieniec od wiatru zanikał, skóra traciła blask. Wchodząc tu pomyślał, że ten nowy strażnik, Pauzaniasz, może się podobać ojcu. Gdyby coś z tego wynikło, przez jakiś czas mogłoby nie być nowej dziewczyny. W każdym razie, do niczego jeszcze nie doszło. Takie rzeczy się zauważa.

Podszedł do stołu i czekał. Spartańskie wychowanie każe młodym patrzeć w ziemię, zanim starsi do nich przemówią, ale tego Leonidas nie zdołał mu narzucić.

Filip poczuł znajome ukłucie bólu, spotykając jego nieugięte spojrzenie. Wolałby nawet nienawiść. Widywał takie spojrzenie w oczach ludzi gotowych raczej zginąć, niż ustąpić z jakiejś bramy albo przesmyku. To nie było wyzwanie, lecz wewnętrzne przekonanie. „Czym sobie na to zasłużyłem? To przez tę wiedźmę, która przybywa, kiedy tylko odwrócę się plecami, i stara się ukraść mi syna".

Aleksander przyszedł z zamiarem wypytania ojca o szyki bojowe Traków. Jego informacje nie były ze sobą zgodne, chciałby więc wiedzieć... W każdym razie, nie teraz.

Filip odesłał pisarza i wskazał chłopcu pusty stołek. Gdy ten, wyprostowany jak trzcina, usiadł na szkarłatnej owczej skórze, można było wyczuć, że myśli o odejściu.

Nienawiść jest tak samo ślepa jak miłość, wrogowie Filipa lubili więc myśleć, że wszyscy jego ludzie w miastach greckich zostali przez niego kupieni. Choć jednak nikt nie stracił na służbie u niego, było wielu takich, którzy niczego by od niego nie wzięli, gdyby ich wpierw do siebie nie przekonał.

— Spójrz tylko — powiedział, podnosząc ze stołu jakiś zwój miękkiej skóry. — Co na to powiesz?

Chłopiec obracał bezkształtny przedmiot w rękach. Jego długie, tępo zakończone palce zaczęły rozplątywać rzemienie. Z chaosu wyłonił się porządek, a na twarzy chłopca pojawił się wyraz zadowolenia.

— To jest proca i torba na pociski do zawieszania na pasie. Gdzie takie robią?

Torba była naszywana złotymi blaszkami wycinanymi w śmiało stylizowane jelenie.

— Zdarto ją z jakiegoś wodza Traków, ale pochodzi z dalekiej północy, z trawiastych równin. To wyrób scytyjski.

Aleksander zamyślił się nad tą zdobyczą wojenną ze skraju kimmeryjskich pustkowi. Myślał o nie kończących się stepach poza Istrem, o słynnych cmentarzyskach królów chowanych w kręgu martwych jeźdźców, ludzi i koni wbitych na pale i obumierających w suchym, chłodnym powietrzu. Walczył z pragnieniem dowiedzenia się o tym czegoś więcej i w końcu wyrzucił z siebie nagromadzone pytania. Rozmawiali przez dłuższy czas.

— Wypróbuj tę procę. Przywiozłem ją dla ciebie. Spróbuj coś ustrzelić, ale nie odchodź za daleko. Jadą tu posłowie ateńscy.

Proca leżała na kolanach chłopca, ale pamiętały o niej tylko dłonie.

— Z pokojem?

— Tak. Wylądowali w Halos i prosili o zapewnienie bezpieczeństwa. Nie chcieli czekać na herolda. Widać im się śpieszy.

— Drogi są niedobre.

— To prawda. Będą musieli obeschnąć, zanim ich przyjmę. Możesz przyjść posłuchać. To poważna sprawa. Pora, żebyś zobaczył, jak załatwia się takie rzeczy.

— Będę w pobliżu i chętnie przyjdę.

— W końcu przestali gadać, a zaczęli działać. Odkąd zająłem Olint, huczało tam u nich niczym w ulu. Przez cały zeszły rok naprzykrzali się miastom na południu, próbując utworzyć ligę przeciw mnie. Nic z tego nie wyszło, tyle że uchodzili się nieźle.

— Wszyscy się boją?

— Nie wszyscy, ale nikt nikomu nie ufa. Niektórzy zaufali ludziom, którzy zaufali mnie. Nie zawiodę ich zaufania.

Chłopiec ściągnął jasne brwi, które prawie się zetknęły, uwydatniając kości nad głęboko osadzonymi oczami.

— Nawet Spartanie nie będą walczyć?

— Pod komendą Ateńczyków? Nie będą dowodzić, nawojowali się już do syta, nie będą nikogo słuchać. — Uśmiechnął się do siebie. — I nie będą wysłuchiwać mówcy, który bije się w piersi i wylewa łzy, narzekając jak oszukana na obola przekupka.

— Kiedy Arystodemos wrócił tu z okupem za Jatroklesa, mówił mi, że Ateńczycy głosowali za pokojem. — Już wcześniej, żeby ich zachęcić, odesłałem Jatroklesa bez okupu. Proszę bardzo, niech mi wysyłają posłów. Jeśli myślą, że wejdą w porozumienie z Fokidą, albo z Tracją, grubo się mylą. Zresztą, tym lepiej: oni będą głosować, a ja będę działać. Nie trzeba nigdy zniechęcać wrogów do marnowania czasu... Jatrokles będzie posłem, Arystodemos także. To nam nie zaszkodzi.

— Kiedy tu był, recytował Homera: Achilles i Hektor przed walką, ale on jest za stary.

— To czeka nas wszystkich. Przybędzie też, oczywiście, Filokrates. Nie tracił czasu na wyjaśnienia, że to jego główny agent w Atenach. Chłopak na pewno o tym wie.

— Będziemy go traktować jak innych. Nie wyszłoby mu na zdrowie, gdybyśmy go tu wyróżniali. Będzie ich ogółem dziesięciu.

— Dziesięciu? — Chłopiec wytrzeszczył oczy. — Po co? Czy wszyscy będą przemawiać?

— Tak, wszyscy. Nikt się nie zgodzi, żeby go pominąć. Miejmy nadzieję, że podzielą się tematami. Po co aż tylu? Do pilnowania siebie nawzajem. Zanosi się na co najmniej jeden dobry występ, bo przyjeżdża też Demostenes.

Chłopiec nadstawił uszu jak pies, przy którym wspomniano o spacerze. Filip widział, jak rozjaśnia mu się twarz. Czyżby wszyscy jego wrogowie byli bohaterami jego syna?

Aleksander myślał o elokwencji wojowników Homera. Demostenesa wyobrażał sobie jako Hektora: wysokiego, ciemnowłosego, o spiżowym głosie i płonących oczach.

— Czy on jest dzielny? Jak ci spod Maratonu?

W uszach Filipa zabrzmiało to jak pytanie z innego świata. Musiał zebrać myśli. Po chwili uśmiechnął się kwaśno.

— Przekonasz się. Ale nie pytaj go o to wprost.

Rumieniec ogarnął twarz chłopca, od jasnej skóry na szyi do włosów. Wargi zacisnęły się. Nic nie odpowiedział.

„Kiedy się gniewa, wygląda całkiem jak jego matka". Filip zawsze tym się gryzł.

— Nie znasz się na żartach — rzekł zniecierpliwiony — i jesteś wrażliwy jak dziewczyna.

„Jak on śmie mówić mi o dziewczynach!" — pomyślał chłopiec. Zacisnął dłonie na procy, aż poczuł ukłucia złotych blaszek.

Filip pomyślał, że cała robota na nic. Klął w myślach żonę, syna i samego siebie. Zdobywając się na lekki ton, powiedział:

— Obaj się przekonamy. Znam go nie lepiej niż ty.

Nie było to całkiem uczciwe, bo dzięki raportom swych agentów miał wrażenie, że zna tamtego od lat. Pozwolił sobie na tę małą złośliwość, bo czuł się pokrzywdzony. Niech chłopiec zachowa swe nadzieje i niech zostanie, jaki jest.

W kilka dni później posłał znów po niego. Dla nich obu były to dni pełne zajęć. Ojciec zajmował się sprawami państwowymi, syn nieustannym poszukiwaniem wciąż nowych prób, którym mógł się poddać: rozpadlin do przeskakiwania, narowistych koni, rekordów do pobicia w biegach i w rzutach. Nauczył się też grać nowe pieśni na swojej nowej kitarze.

— Będą tu przed zmierzchem — powiedział Filip. — Rano będą odpoczywać, a po pierwszym posiłku udzielę im posłuchania. Będzie też uroczysta wieczerza, więc czas na popisy wymowy mają ograniczony. Włóż, oczywiście, strój galowy.

Lepsze stroje chłopca przechowywała matka. Zastał ją piszącą list ze skargami na męża do brata, do Epiru. Nabrała biegłości w pisaniu, bo wielu spraw nie mogła powierzyć pisarzom. Zamknęła dyptyk, kiedy wszedł, i wzięła go w ramiona.

— Muszę się ubrać na przyjęcie tych ateńskich posłów — wyjaśnił. — Włożę ten niebieski strój.

— Wiem, w czym ci będzie do twarzy, kochanie.

— Nie, to musi być odpowiednie dla Ateńczyków. Włożę ten niebieski.

— Wedle woli mego pana. Niebieski, a więc zapinka z lazurytu...

— Nie, w Atenach tylko kobiety noszą klejnoty, z wyjątkiem pierścieni.

— Ależ, kochanie, powinieneś być lepiej ubrany od nich. Oni są nikim, ci posłowie.

— Nie, matko. Oni uważają klejnoty za barbarzyństwo. Nie będę ich nosił.

Zdarzało jej się słyszeć ostatnio ten nowy ton w jego głosie. Nie przywykła jednak do użycia go przeciw niej.

— Będziesz więc mężczyzną, panie mój.

Przygładziła jego rozwiane włosy.

— Jesteś jak dziki górski lew. Przyjdź we właściwym czasie, żebym mogła ci się przyjrzeć.

Kiedy nadszedł wieczór, chłopiec zwrócił się do Fojniksa:

— Jeśli można, chciałbym zaczekać na przyjazd Ateńczyków.

Fojniks popatrzył z niechęcią na zapadający zmierzch.

— Co spodziewasz się zobaczyć? — burknął. — Gromadę ludzi w kapeluszach naciągniętych na uszy? W tej mgle nie odróżnisz pana od sługi.

— Nie szkodzi. Chcę to widzieć.

Nadeszła zimna i wilgotna noc. Nieprzerwane trele żab w sitowiu nad jeziorem wibrowały w głowie. Mgła wisiała nieruchomo nad kępami turzycy i wiła się nad zalewem, gdzie spotykała się z bryzą wiejącą od morza. Błotniste strumyki niosły po ulicach Pelli dziesięciodniowy brud i śmieci do wody cętkowanej kroplami deszczu.

Aleksander stał w oknie pokoju Fojniksa. Przyszedł go ponaglać. Sam miał już na sobie buty do konnej jazdy i płaszcz z kapturem. Fojniks siedział z książką przy lampie i piecyku z brązu, jakby mieli przed sobą całą noc.

— Patrz! Za zakrętem widać pochodnie osób jadących przodem!

— To dobrze. Teraz miej ich na oku. W taką pogodę nie wyjdę ani o chwilę za wcześnie.

— Prawie nie pada. Co będziesz robił, kiedy pójdziemy na wojnę?

— Zachowam zdrowie na tę okazję, Achillesie. Nie zapominaj, że feniks wije sobie gniazdo w płomieniach.

— Podpalę ci tę książkę, jeśli się nie pośpieszysz. Nawet nie włożyłeś butów.

Wychylił się z okna. Pochodnie, pomniejszone przez ciemność, otulone mgłą, zdawały się pełznąć niczym świetliki po kamieniu.

— Fojniksie?

— Tak, tak. Jeszcze mamy czas.

— Czy on chce układać się o pokój? Czy tylko chce ich uspokoić, jak Olintyjczyków, dopóki nie będzie gotów?

Fojniks położył książkę na kolanach.

— Achillesie, chłopcze drogi — wszedł zręcznie w czarodziejski rytm wiersza — bądź sprawiedliwy dla Peleusa, twego królewskiego ojca.

Niedawno śniło mu się, że stoi na scenie w szatach przodownika chóru z jakiejś tragedii, napisanej dopiero do końca pierwszej strony. Reszta istniała już w wosku, nie była jednak przepisana na czysto, on zaś ubłagał poetę, żeby zmienił zakończenie, lecz gdy próbował je sobie przypomnieć, pamiętał tylko własne łzy.

— To Olintyjczycy pierwsi nie dotrzymali słowa. Zawarli układ z Ateńczykami i przyjęli jego wrogów, jedno i drugie wbrew przyrzeczeniom. Wiadomo, że niedotrzymanie warunków unieważnia układy.

— Tamci dowódcy jazdy poddali własnych żołnierzy w bitwie — chłopiec podniósł głos. — Przekupił ich, żeby to zrobili. Przekupił ich.
— To ocaliło wiele istnień ludzkich.
— Zostali niewolnikami! Wolałbym umrzeć.
— Gdyby wszyscy woleli, nie byłoby niewolników.
— Ja nigdy nie skorzystam z usług zdrajców, kiedy zostanę królem. Jeśli się do mnie zgłoszą, zabiję ich. Wszystko jedno, kogo będą chcieli wydać. Choćby to był najgorszy wróg, poślę mu ich głowy. Nienawidzę ich jak bram piekielnych. Ten Filokrates też jest zdrajcą.
— Mimo to może być z niego pożytek, a twój ojciec dobrze życzy Ateńczykom.
— Jeżeli zrobią, co im każe.
— Daj spokój, można by pomyśleć, że chce im narzucić tyranię. Kiedy za czasów mego ojca podbili ich Spartanie, zrobili to naprawdę. Znasz przecież historię, jeśli ci na tym zależy. Dawno temu, kiedy Agamemnon był najwyższym królem, Hellenowie mieli w czasie wojny przywódcę, jakieś miasto albo jakiegoś męża. Jak inaczej zgromadzono by wojsko przeciw Troi? Jak odparto by barbarzyńców w wojnie z Kserksesem? Dopiero w naszych czasach gryzą się i ujadają na siebie jak bezdomne psy i nikt im nie przewodzi.
— Z twoich słów wynika, że nie warto im przewodzić. Nieprędko się zmienią.
— Najlepsi z nich wyginęli w tej wielkiej rzezi, dwa pokolenia wstecz. Moim zdaniem i Ateńczycy i Spartanie ściągnęli na siebie klątwę Apollona, odkąd zaczęli wynajmować żołnierzy Fokijczykom. Dobrze wiedzieli, jakim to złotem im się płaci. Dokądkolwiek szło to złoto, przynosiło śmierć i zniszczenie i nie widać było temu końca. Teraz twój ojciec stanął po stronie boga i sam widzisz, jak mu się powodzi. Cała Grecja o tym mówi. Któż bardziej nadaje się na przywódcę? A pewnego dnia to przywództwo przejdzie na ciebie.
— Ja bym raczej... — zaczął chłopiec. — Ach, spójrz! Minęli Święty Gaj, już są prawie w mieście. Szybciej, ubieraj się!
Kiedy dosiadali koni na błotnistym dziedzińcu stajni, Fojniks powiedział: — Ściągnij kaptur na czoło. Kiedy cię zobaczą na posłuchaniu, nie powinni wiedzieć, że byłeś na ulicy i gapiłeś się na nich jak jakiś wieśniak. Naprawdę nie wiem, czego ty się spodziewasz po tej wycieczce.
Wycofali konie na polankę przed kapliczką jakiegoś herosa. Wiszące nad nimi pąki kasztanów, na wpół już rozwinięte, wyglądały jak wykute w brązie na tle sinych chmur, przez które przesączało się światło księżyca. Wypalone prawie do uchwytów pochodnie tańczyły w nieruchomym

powietrzu w takt stąpania mułów. Ukazywały prowadzącego orszak posła, któremu towarzyszył Antypater. Aleksander poznałby grube kości i kwadratową brodę wodza, nawet gdyby był okutany jak inni, ale ten, wróciwszy dopiero co z Tracji, uważał tę noc za ciepłą. Ten drugi musiał być Filokratesem. Z twarzą ledwie widoczną między płaszczem a kapeluszem wyglądał jak zły duch. W następnym jeźdźcu chłopiec rozpoznał grację Arystodemosa. Przebiegł wzrokiem po szeregu jeźdźców, na ogół patrzących spod obwisłych kapeluszy pod kopyta swoich koni. Przy samym końcu jakiś wysoki i dobrze zbudowany mąż siedział wyprostowany jak żołnierz. Miał krótką brodę, z wyglądu nie był ani stary, ani młody, światło pochodni ukazywało jego śmiały, drapieżny profil. Chłopiec patrzył za nim, kiedy przejechał, dopasowując tę twarz do swych marzeń. Oto widział wielkiego Hektora, który nie zdąży się zestarzeć, zanim Achilles będzie gotów.

Demostenes, syn Demostenesa, z Pajonii obudził się o pierwszym brzasku w królewskim domu gościnnym, wysunął głowę z pościeli i rozejrzał się. Komnata była imponująca: z posadzką z zielonego marmuru i pilastrami o złoconych głowicach przy oknie i przy drzwiach. Ława na składanie szat była wyłożona kością słoniową, a naczynie nocne było italskiej roboty, ozdobione rzeźbionymi girlandami. Deszcz przestał padać, ale wiało i powietrze było chłodne. Spał pod trzema derkami, nie miałby jednak nic przeciw kolejnym trzem dodatkowym. Obudziła go potrzeba skorzystania z naczynia, ale stało w drugim końcu komnaty, a na posadzce nie było chodnika. Było mu niewygodnie, ale ociągał się i kulił. Przełknął ślinę, czując suchość w gardle. Jego lęki, rodzące się w czasie jazdy, urzeczywistniły się: złapał katar, i to akurat tego dnia!

Pomyślał z tęsknotą o swym przytulnym domu w Atenach, gdzie jego perski niewolnik Kyknos przyniósłby mu więcej derek, przysunąłby owo naczynie i przyrządził gorący napój z ziół i miodu, dobroczynnie działający na gardło. Tymczasem leżał, niczym wielki Eurypides, który zakończył tu życie, chory pośród barbarzyńskich splendorów. Czy miał zostać jeszcze jedną ofiarą tego surowego kraju, wylęgarni piratów i tyranów, skalnego gniazda tego czarnego orła, który wisiał nad Helladą, gotów spaść na każde osłabione, potykające się, krwawiące miasto? Choć jednak żyły one w cieniu jego skrzydeł, walczyły ze sobą o drobne zyski i pozostawały w konfliktach z powodu drobnych waśni, gardząc ostrzeżeniami pasterza. Dziś miał spotkać twarzą w twarz wielkiego drapieżcę, a tymczasem czuł, że nos mu się zatyka.

Na statku i po drodze powtarzał sobie wciąż na nowo swoją mowę.

Miał przemawiać ostatni, zgodzili się bowiem przemawiać według wieku, żeby zakończyć spory o pierwszeństwo. Kiedy inni dowodzili swego starszeństwa, on ogłosił się najmłodszym z nich, ledwie mogąc uwierzyć w ich ślepotę. Dopiero gdy zapisana została ostateczna kolejność, spostrzegł, że znalazł się w gorszej sytuacji. Przeniósł wzrok z odległego naczynia na drugie łóżko. Jego współmieszkaniec, Ajschynes, leżał na wznak i chrapał. Był wysoki i nogi prawie wystawały mu z pościeli, a szeroka pierś odpowiadała echem chrapnięciom. Kiedy się budził, pędził do okna i wykonywał efektowne ćwiczenie głosu, zapamiętane z czasów spędzonych na scenie. A jeśli ktoś wspominał o chłodzie, zwykł mawiać, że gorzej bywało pod namiotami w tej czy w innej armii. Miał przemawiać jako dziewiąty, a Demostenes — po nim.

Do niego będzie należeć ostatnie słowo. W sądzie to rzecz bezcenna i za żadną cenę nie można jej kupić, lecz tu niektóre najlepsze argumenty będą wykorzystane przez przedmówców. Ponadto, będzie musiał, jako następny mówca, stawić czoło złowrogiej prezencji tego człowieka, głębokiemu głosowi, wyczuciu czasu, scenicznej pamięci, która pozwalała mu mówić bez notatek aż do przesypania się piasku w klepsydrze, a także umiejętności wygłaszania mowy bez przygotowania (godny zazdrości dar niesprawiedliwych bogów!).

Takie byle co, wychowany w biedzie. Kimże on był, by zadzierać nosa w Zgromadzeniu, pośród ludzi szkolonych w retoryce? Ojciec nauczyciel wbił mu do głowy znajomość liter, by zrobić z niego pisarczyka. Matka była kapłanką jakiegoś zamorskiego kultu, który powinien być zakazany przez prawo. Niewątpliwie radził sobie dzięki łapówkom. Dziś słyszy się wciąż o jego przodkach, arystokratach, oczywiście zrujnowanych podczas Wielkiej Wojny, o jego służbie wojskowej na Eubei i o zamieszczanych w raportach nudnych wzmiankach na jego temat.

Kawka skrzeczała w rześkim powietrzu. Przenikliwy podmuch owiewał łóżko. Demostenes otulał derkami chude ciało, wspominając z goryczą, jak wieczorem, kiedy narzekał na marmurową posadzkę, Ajschynes rzucił bez namysłu: — Chyba ci to nie przeszkadza, przy twoich północnych przodkach.

Minęło wiele lat, odkąd ktoś wygrzebał sprawę małżeństwa dziadka z babką Scytyjką. Tylko dzięki swemu bogactwu ojciec dobił się obywatelstwa, on jednak myślał, że to dawno zapomniana sprawa. Spojrzał na uśpioną postać, odkładając jeszcze na chwilę pilny spacer do nocnego naczynia i mruknął złośliwie:

— Ty byłeś belfrem, a ja studentem. Ty byłeś akolitą, ja wtajemniczonym. Ty przepisywałeś protokoły, ja działałem. Ty byłeś trzeciorzędnym aktorem, ja siedziałem w pierwszym rzędzie. W rzeczywistości nigdy nie widział Ajschynesa na scenie, ale dodał: — A gdy ciebie wygwizdywano, ja gwizdałem. Marmur pod stopami przypominał zielony lód, uryna parowała. Łóżko tymczasem zdążyło wystygnąć. Nie pozostało mu nic innego, jak wciągnąć coś na siebie i zacząć się ruszać, żeby pobudzić krążenie krwi. Gdybyż tu był Kyknos! Ale Rada nagliła do pośpiechu, a pozostali zgodzili się głupio, że obejdą się bez służby. Gdyby tylko on jeden zabrał służącego, jakiś niechętny mu mówca nie pożałowałby tysiąca słów. Blade słońce wznosiło się, wiatr osłabł. Na dworze mogło być cieplej niż w tym marmurowym grobowcu. Wyłożony kamiennymi płytami dziedziniec ogrodowy był pusty, jeśli nie liczyć jakiegoś wałęsającego się chłopca-niewolnika. Mógłby zabrać ze sobą zwój i powtórzyć sobie mowę. Gdyby to robił tu, obudziłby Ajschynesa. Ten wyraziłby zdziwienie, że Demostenes wciąż jeszcze potrzebuje notatek, i pochwaliłby się, że zawsze szybko uczył się ról.

W domu nikt jeszcze się nie ruszał, oprócz niewolników. Przyglądał się każdemu z nich, szukając Greków. Podczas oblężenia Olintu schwytano wielu Ateńczyków. Posłowie mieli pełnomocnictwa do umawiania się o okup. Demostenes postanowił już wcześniej, że wykupi pierwszego, którego znajdzie, choćby na własny koszt. W tym przenikliwym chłodzie, w tym wyniosłym, pysznym pałacu krzepił serce myślą o Atenach.

Miał szczęśliwe dzieciństwo i nieszczęśliwe lata chłopięce. Bogaty ojciec zmarł, pozostawiając go niedbałym opiekunom. Był słabowitym chłopcem, nie budził niczyjego pożądania, ale sam łatwo się podniecał. W gimnazjum rzucało się to w oczy i na całe lata przylgnęło do niego paskudne przezwisko. Mając lat kilkanaście dowiedział się, że jego opiekunowie grabią jego dziedzictwo. Nie miał nikogo, kto stanąłby w jego sprawie przed sądem, prócz samego siebie. Miał wadę wymowy, ćwiczył więc uparcie, wyczerpująco, w ukryciu, naśladując aktorów i mówców, dopóki nie był gotowy. Wygrał proces, lecz dwie trzecie jego pieniędzy już wtedy przepadło. Utrzymywał się z tego jednego, co umiał, zaczynając od małych i nie całkiem uczciwych spraw, i w końcu poznał upajający smak władzy, kiedy zebrany na Pnyksie tłum słuchał tylko jego i głosował tak jak on. Przez te wszystkie lata okrywał swą urażoną dumę pancerzem dumy z Aten. Muszą być znowu wielkie i to będzie jego nagrodą, która przetrwa w najdalsze wieki.

Nienawidził wielu, niektórych nie bez powodu, innych z zawiści, ale najbardziej ze wszystkich nienawidził tego macedońskiego tyrana, którego wciąż jeszcze nie oglądał na własne oczy i który chciał zepchnąć Ateny do roli miasta pod swoją opieką. W sieni jakiś tatuowany na niebiesko tracki niewolnik sprzątał. Demostenes znów doznał, jak zawsze, uczucia wyższości Ateńczyków nad wszystkimi ludami ziemi. Król Filip musi zrozumieć, co to znaczy. Już on mu zamknie usta, jak powiadają w sądach. Gdyby królowi można było rzucić wyzwanie, nie byłoby tego poselstwa. Można jednak, od niechcenia przypominając władcy dawne więzy, wytknąć mu zgrabnie wszystkie złamane obietnice, zapewnienia dawane tylko po to, by zyskać na czasie, popychanie miast przeciw miastom, stronnictw przeciw stronnictwom, udzielanie przez niego wsparcia wrogom Aten, podczas gdy jednocześnie zwodził i łamał ich przyjaciół. Tego wstępu nauczył się na pamięć. Zaraz potem wprowadzał pewną anegdotkę, którą trzeba było jeszcze doszlifować. Musiał na innych posłach zrobić wrażenie, tak samo jak na Filipie. Na dłuższą metę mogło to nawet więcej znaczyć. W każdym razie, opublikuje tę mowę.

Kamienne płyty dziedzińca zarzucone były gałązkami naniesionymi przez wiatr. Pod niskim murkiem stały w donicach przycięte i bezlistne krzaki róż. Czy to możliwe, żeby kiedyś zakwitły?

Na dalekim widnokręgu rysowało się biało-niebieskie pasmo gór. Rozdzielały je czarne wąwozy porośnięte gęstym lasem niczym futrem. Jacyś dwaj młodzi ludzie przebiegli pod murem, wołając coś do siebie swą barbarzyńską gwarą. Byli bez płaszczy. Uderzając się w ramiona, przytupując i łykając ślinę w próżnej nadziei, że jego chore gardło się poprawia, Demostenes niechętnie przyznał w myśli, że wychowani w Macedonii muszą być wytrzymali. Nawet ten chłopiec-niewolnik, który powinien chyba zamiatać gałązki, siedział w swym szarym stroju na murze i zdawał się rozkoszować ciepłem. Jego pan mógłby mu przynajmniej sprawić buty.

Do roboty! Otworzył zwój na drugim akapicie i zaczął mówić, przechadzając się jednocześnie, by nie zmarznąć. Próbował różnych sposobów: łączenia kadencji z kadencją, wznoszącej się intonacji z opadającą, ataku z perswazją. Czyniło to z każdej skończonej mowy szatę bez jednego szwu. Gdy jakieś zawołanie wymagało odpowiedzi, udzielał jak najkrótszej i uspokajał się dopiero, gdy wrócił do tekstu. Kiedy opanował go w najdrobniejszych szczegółach, osiągał szczyt swoich możliwości.

— Takie to były owe bezinteresowne przysługi wyświadczone przez nasze miasto twemu ojcu Amyntasowi. Skoro jednak mówię o rzeczach, których nie możesz, oczywiście, pamiętać, bo nie było cię wtedy na świecie, pozwól mi wspomnieć o uprzejmościach, których byłeś świadkiem i sam ich na sobie doświadczyłeś. — Zrobił przerwę. Tu Filip powinien okazać zaciekawienie. — Twoi co starsi krewni potwierdzą moje słowa. Kiedy oto zmarł twój ojciec Amyntas i twój stryj Aleksander, a twój brat Perdikkas i ty sam byliście dziećmi, twoja matka Eurydyka została zdradzona przez tych, którzy przedtem głosili się jej przyjaciółmi, a wygnaniec Pauzaniasz wrócił, próbując zdobyć tron. Sprzyjała mu sposobność i nie brakło poparcia.

Musiał przystanąć, by nabrać tchu. Uświadomił sobie nagle, że chłopiec-niewolnik zeskoczył z muru i idzie tuż za nim. Przypomniał sobie przez chwilę lata, gdy go przedrzeźniano. Odwrócił się gwałtownie, spodziewając się zobaczyć grymas albo sprośny gest, ale chłopiec patrzył na niego z powagą jasnymi, szarymi oczami. Musiała go zwabić gestykulacja i modulacja głosu, jak flet pasterza wabi młode niektórych zwierząt. Demostenes przywykł w domu, że służba wchodzi i wychodzi, kiedy pan uczy się na pamięć tekstów.

— Kiedy więc nasz wódz Ifikrates przybył w te strony, twoja matka Eurydyka posłała po niego i — jak to potwierdzają wszyscy, którzy byli przy tym obecni — złożyła mu w ramiona twego starszego brata Perdikkasa, a ciebie, który byłeś dziecięciem, położyła mu na kolanach. „Nieżyjący już ojciec tych sierot adoptował cię" — rzekła...

Zatrzymał się. Czuł na karku spojrzenie chłopca. Ten kmiotek, który gapił się na niego jak na sztukmistrza, robił się męczący. Zrobił ruch ręką, jakby odsyłał do domu psa.

Chłopiec odstąpił o kilka kroków i stanął z lekko przechyloną głową. Nieco sztywną greką z silnym akcentem macedońskim powiedział: — Mów dalej, proszę. Mów dalej o Ifikratesie.

Demostenes wzdrygnął się. Przywykł zwracać się do tysięcy słuchaczy, a oto obecność tego jednego wydała mu się niedorzecznie uciążliwa. O co tu chodziło? Choć ubrany był jak niewolnik, nie mógł być byle ogrodnikiem. Kto go wysłał i po co?

Z bliska chłopiec okazał się do czysta wymyty. Łatwo zgadnąć, co to oznacza, kiedy idzie w parze z takim wyglądem jak jego. Był towarzyszem łoża swego pana — choć młodym, to niewątpliwie wprowadzonym w jego sekrety. Dlaczego się przysłuchiwał? Demostenes nie na darmo żył od trzydziestu lat pośród intryg. W parę chwil zbadał w myśli tuzin, a może więcej możliwości. Czy jakaś kreatura Filipa próbuje go wybadać? Za młody na szpiega. Co pozostaje? Jakieś przesłanie? Od kogo?

Któryś spośród tych dziesięciu musi być opłacany przez Filipa. Ta myśl prześladowała go przez całą drogę. Zaczął podejrzewać Filokratesa. Skąd miał pieniądze na wielki nowy dom i wyścigowego konia dla syna? Odkąd zbliżyli się do Macedonii, zaczął nawet inaczej się zachowywać.

— O co chodzi? — zapytał chłopiec.

Demostenes uświadomił sobie, że go obserwowano, gdy był pochłonięty własnymi sprawami. Narastał w nim ślepy gniew. Zapytał wolno i wyraźnie, w kuchennej grece, jakiej używał, mówiąc do cudzoziemskich niewolników: — Czego chcesz? Szukasz kogoś? Czyj jesteś?

Chłopiec przechylił głowę, otworzył usta — i najwyraźniej zmienił zamiar. Odezwał się całkiem poprawną greką, ze znacznie słabszym akcentem niż poprzednio:

— Chciałbym zapytać, jeśli można, czy Demostenes już wstał?

Demostenes nie przyznał się nawet przed sobą, że poczuł się dotknięty. Wrodzona ostrożność podsunęła mu wymijającą odpowiedź.

— Posłowie są do siebie podobni. Powiedz, czego od niego chcesz?

— Niczego. — Chłopiec wyraźnie nie czuł się urażony tym przesłuchaniem. — Chcę go tylko zobaczyć.

Wyglądało na to, że dalsze zwlekanie niczego nie da.

— Ja nim jestem. Co masz mi do powiedzenia?

Uśmiech chłopca był z rodzaju tych, jakimi dobrze wychowane dzieci przyjmują głupie żarty dorosłych. — Wiem, jak on wygląda. Kim jesteś naprawdę?

To były rzeczywiście głębokie wody! Jakiś bezcenny sekret mógł być w zasięgu ręki. Demostenes obejrzał się instynktownie. Ten dom mógł być pełen oczu, on zaś nie miał nikogo do pomocy w przytrzymaniu chłopca i powstrzymaniu go od krzyku, który poruszyłby gniazdo szerszeni. W Atenach często asystował przy torturach, jakim zgodnie z prawem poddawano niewolników. Bali się tego bardziej niż swych panów, inaczej nigdy by nie zeznawali przeciw nim. Czasami bywali tak młodzi, jak ten tutaj. W śledztwie nie można być miękkim. Tu jednak, wśród barbarzyńców, nie można skorzystać ze środków prawnych. Trzeba robić, co się da.

Wtedy właśnie z okna pokoju gościnnego dobiegł głęboki, melodyjny głos ćwiczący gamę i stanął w nim wychylony do pasa Ajschynes z obnażoną, szeroką piersią. Chłopiec, który odwrócił się na jego głos, wykrzyknął: — To on!

Demostenes poczuł, że ogarnia go ślepa furia. Nagromadzona w nim zawiść prawie go rozsadzała. Prowokowano go i szydzono z niego, trzeba jednak zachować zimną krew, zastanowić się, postępować krok za krokiem. A więc to był zdrajca! Ajschynes! Nie mógłby sobie życzyć nikogo lepszego. Potrzebował jednak dowodu.

— To jest — powiedział — Ajschynes, syn Adrometa, do niedawna aktor z zawodu. To, co słyszałeś, było aktorskim ćwiczeniem głosu. Każdy ci powie, kim on jest. Pytaj, jeśli chcesz.

Chłopiec przenosił wolno wzrok z jednego na drugiego, a szkarłatny rumieniec ogarniał go z wolna od szyi do czoła. Milczał.

„Teraz dowiemy się czegoś użytecznego" — pomyślał Demostenes.

Jedno było pewne — ta myśl narzucała mu się, mimo że rozważał następne posunięcia — iż nigdy nie widział ładniejszego chłopca. Pożądanie mąciło mu kalkulacje. Później, później, wszystko mogło zależeć od przytomności umysłu. Kiedy się dowie, kto jest właścicielem chłopca, może spróbować go kupić. Kyknos dawno stracił urodę i jest już tylko pożyteczny. Trzeba być ostrożnym, skorzystać z zaufanego agenta... To było szaleństwo! Należało raczej wykorzystać zmieszanie tamtego. Demostenes przemówił ostrym tonem:

— A teraz mów prawdę, bez żadnych łgarstw. Czego chcesz od Ajschynesa? Dalej, mów. Wiem już i tak dosyć.

Za długo z tym zwlekał. Chłopiec już się pozbierał. Minę miał wcale zuchwałą.

— Nie sądzę — powiedział.

— Co miałeś przekazać Ajschynesowi? Nie kłam, co to było?

— Czemu miałbym kłamać? Nie boję się ciebie.

— Zobaczymy. Czego chcesz od niego?

— Niczego. Ani od ciebie.

— Zuchwały jesteś! Twój pan cię chyba psuje.

Rozwodził się nad tym jeszcze przez chwilę dla własnej satysfakcji. Chłopiec, jeśli nawet nie rozumiał greki, zrozumiał chyba intencję.

— Żegnaj! — rzekł krótko.

To mu się nie uda! — Zaczekaj! Nie uciekaj, zanim skończę mówić. Komu służysz?

Chłopiec podniósł wzrok i z lekkim uśmieszkiem odrzekł:

— Aleksandrowi.

Demostenes zmarszczył brwi. Tak nazywał się chyba co trzeci dobrze urodzony Macedończyk. Po chwili zastanowienia chłopiec dodał:

— I bogom.

— Marnujesz mój czas — rzekł Demostenes. Uczucia wzięły górę.

— Nie waż się odchodzić. Zbliż się.

Chwycił w przegubie rękę chłopca, gdy ten się odwracał. Chłopiec wyciągnął ją na całą długość, ale nie wyrywał się. Po prostu patrzył. Głęboko osadzone oczy zdawały się najpierw blednąć, potem pociemniały, gdy rozszerzyły się źrenice. Powiedział powoli po grecku z wyszukaną poprawnością:

— Zdejmij ze mnie swą dłoń. Jeśli tego nie zrobisz, zginiesz. Zapewniam cię.

Demostenes puścił go. To jakiś okropny, niebezpieczny chłopiec, najwyraźniej ulubieniec jakiegoś wielkiego pana. Niewątpliwie rzucał puste groźby... ale to była Macedonia. Chłopiec, choć uwolniony, zwlekał z odejściem, wpatrując się uważnie w jego twarz. Demostenesa przeszył zimny dreszcz. Pomyślał o zasadzkach, truciźnie, nożach w ciemnych sypialniach. Poczuł dotkliwy ścisk w żołądku i dostał gęsiej skórki. Chłopiec stał nieruchomo, patrząc na niego spod grzywy splątanych włosów. Potem odwrócił się, przesadził murek i zniknął. Głos Ajschynesa grzmiał z okna w najniższych rejestrach i wznosił się efektownie czystym falsetem. Podejrzenia, nic prócz podejrzeń. Niczego nie można wstawić do oskarżenia. Podrażnienie przechodziło z gardła do nosa. Kichnął gwałtownie. Dobrze by mu zrobił gorący kleik, potrafi go przyrządzić byle głupiec. Jakże często mawiał o Macedonii, że z tego kraju nie można nawet kupić porządnego niewolnika.

Olimpias siedziała na swym złoconym krześle rzeźbionym w palmety i róże. Przez okno wpadało południowe słońce, rzucając na posadzkę koronkowe cienie gałęzi okrytych pąkami. Pod ręką miała cyprysowy stolik, a na stołku u jej nóg siedział syn. Zaciskał zęby, ale czasem wyrywały mu się ciche jęki. Rozczesywała mu włosy.

— To już naprawdę koniec, kochanie.

— Czy nie można tego obciąć?

— Żeby były poszarpane? Chcesz wyglądać jak niewolnik? Wszy by cię oblazły, gdyby nie ja. No, już. Zrobione. Byłeś grzeczny, więc masz tu całusa i możesz zjeść swoje daktyle. Nie dotykaj tylko mojej sukni, póki masz lepkie palce. Doris, żelazka!

— Jeszcze są za gorące, pani.

— Matko, przestań już układać mi włosy. Żaden z chłopców tego nie robi.

— I co z tego? Ty masz dawać przykład im, nie oni tobie. Czy nie chcesz ładnie wyglądać w moich oczach?

— Żelazka, pani. Chyba już nie spalą włosów.

— Nie radziłabym! A ty siedź spokojnie. Kiedy to zrobię, nikt nie zgadnie, że nie kręcą ci się z natury.

— Ależ wszyscy widzą mnie codziennie. Wszyscy oprócz...

— Siedź spokojnie, bo się sparzysz. Co mówiłeś?

— Nic. Myślałem o tych posłach. Mimo wszystko włożę chyba te klejnoty. Nie należy zniżać się do poziomu Ateńczyków. Miałaś słuszność.

— Oczywiście! Poszukamy zaraz czegoś odpowiedniego.

— Poza tym, ojciec włoży swoje klejnoty.

— O, tak. Będzie lepiej, gdy włożysz swoje.

— Spotkałem przed chwilą Arystodemosa. Powiedział, że trudno mnie poznać, tak urosłem.

— On jest czarujący. Musimy go tu zaprosić, ty i ja.

— Przedstawił mi jeszcze kogoś, kto był kiedyś aktorem. Spodobał mi się. Nazywa się Ajschynes. Był bardzo zabawny.

— Możemy zaprosić i jego. Czy jest dobrze urodzony?

— To nie ma znaczenia, kiedy chodzi o aktorów. Opowiadał mi o teatrze: jak podróżują z zespołem i jak robią psoty komuś, z kim źle się pracuje.

— Musisz być ostrożny z tymi ludźmi. Mam nadzieję, że nie mówiłeś za wiele.

— Ach, nie. Pytałem go o partię wojny i partię pokoju w Atenach. On jest chyba z partii wojny, ale myślał, że jesteśmy inni. Chyba się ze sobą zgadzamy.

— Nie dawaj nikomu z nich powodu do przechwalania się, że został wyróżniony.

— On tego nie zrobi.

— Co masz na myśli? Czy pozwalał sobie na poufałość?

— Nie, oczywiście, że nie. Rozmawialiśmy tylko.

Przechyliła mu głowę w tył, żeby skręcić loczki nad czołem. Gdy jej dłoń mijała jego usta pocałował ją w przelocie. Ktoś poskrobał w drzwi.

— Pani, król zawiadamia, że wezwał już posłów. Chce, żeby królewicz wyszedł do nich razem z nim.

— Powiedz, że się tam stawi.

Ułożyła mu włosy, lok po loku, a potem mu się przyjrzała. Paznokcie miał przycięte, był świeżo po kąpieli. Nabijane złotem sandały stały w pogotowiu. Wyszukała mu chiton z szafranowej wełny, z obszyciem w czterech czy pięciu kolorach, jej własnej roboty, a do tego purpurową chlamidę na ramiona i wielką złotą spinkę. Gdy włożył chiton, opięła go filigranowym złotym pasem. Nie spieszyła się. Gdyby przyszedł za wcześnie, czekałby na Filipa.

— Jeszcze nie koniec? — zapytał. — Ojciec może już czekać.

— Dopiero co wezwał posłów.

— Chyba są gotowi!

— Przekonasz się, że ich nudne mowy będą ci się dłużyć.

— Trzeba się uczyć, jak się załatwia sprawy... Widziałem Demostenesa.

— Tego wielkiego Demostenesa! I co o nim sądzisz?

— Nie spodobał mi się.

Podniosła oczy znad złotego paska, unosząc brwi. Obrócił się do niej z pewnym oporem, co zanotowała w pamięci.

— Ojciec mówił mi, że tak będzie, ale nie chciałem słuchać. Miał jednak rację.

— Włóż płaszcz. Czy mam ci pomagać jak dziecku?

W milczeniu zarzucił go na ramiona. Ona w milczeniu wbiła szpilkę w tkaninę — zbyt mocno. Nie poruszył się.

— Czy cię zraniłam? — spytała ostro.

— Nie. — Przykląkł, by zawiązać sandały. Tkanina odsłoniła szyję. Ujrzała krew.

Przyłożyła ręcznik do draśniętego miejsca i pocałowała go w czoło, zawierając z nim pokój, nim odejdzie, by spotkać się z jej nieprzyjacielem. Idąc ku Sali Perseusza, zapomniał szybko o bólu od ukłucia szpilką. Było tak, jakby urodził się z tym bólem. Nie przypominał sobie, by kiedyś go nie czuł.

Posłowie stali przed pustym tronem. Wielkie malowidło ścienne poza nim przedstawiało Perseusza ratującego Andromedę. Za plecami mieli dziesięć ozdobnych twardych krzeseł. Uprzednio dano im do zrozumienia, że nawet najgorliwszym demokratom wolno będzie usiąść wtedy, i nie wcześniej, gdy król im to zaproponuje. Ich przywódca Filokrates wypatrywał go z poważną miną i raczej niespokojnie. Gdy tylko ustalono kolejność i tematy przemówień, sporządził krótkie ich streszczenie i przesłał je sekretnie królowi. Filip znany był z tego, że potrafił mówić bez przygotowania z przekonaniem i dowcipnie, ale wdzięczny był za sposobność okazania swej wartości w całej pełni. Dał już przedtem dowody swej wdzięczności, i to całkiem wyraziste.

Na lewym skraju (stali w kolejności przemawiania) Demostenes z wysiłkiem przełykał ślinę i ocierał nos rogiem płaszcza. Podnosząc wzrok, napotykał spojrzenie malowanych oczu wspaniałego młodzieńca, którego unosiły w błękicie skrzydlate sandały. W prawej ręce trzymał miecz, w lewej ohydną głowę Meduzy, kierując jej zabójczy wzrok na morskiego smoka wśród fal w dole. Andromeda, z rozłożonymi ramionami przykuta do pokrytej bluszczem skały, z przeświecającym przez cienką suknię ciałem i jasnym włosem rozwiewanym przez unoszącą herosa bryzę — wpatrywała się w swego wybawcę kochającym, błędnym wzrokiem.

Było to niewątpliwe arcydzieło, równie dobre jak malowidła Zeuksisa na Akropolu, i w dodatku większe od tamtych. Demostenes czuł taką gorycz, jakby patrzył na łup wojenny zdobyty na Atenach. Piękny, opalony młodzieniec w swej wspaniałej nagości (do kartonu musiał pozować jakiś ateński atleta z czasów chwały) spoglądał z wyższością w dół na dziedziców wielkości i wspaniałości jego miasta. Raz jeszcze jak za dawnych lat palestry Demostenes poczuł lęk przed obnażeniem chudych członków, gdy obok przechodzili podziwiani przez niego chłopcy, ostentacyjnie nie zwracając uwagi na publiczność. Dla niego mieli tylko śmiechy i znienawidzone przezwisko.

Jesteś martwy, Perseuszu, piękny i dzielny, ale martwy, daruj więc sobie to wpatrywanie się we mnie. Umarłeś na malarię na Sycylii, utonąłeś w Syrakuzach albo uschłeś z pragnienia w odwrocie. Kiedyś byłeś związany, przy Koziej Rzece Spartanie poderżnęli ci gardło. Kat Trzydziestu przypiekł cię żelazem, a potem zadusił. Andromeda musi sobie poradzić bez ciebie. Niech szuka pomocy, gdzie się da, bo oto rozchylają się fale i wyłania się z nich smoczy łeb.

Atena w jaśniejącym hełmie, muskając stopami chmurę, śpieszyła natchnąć herosa otuchą. Szarooka Pani Zwycięstw! Rozporządzaj mną, jestem twój. Powiedz słowo, a twoja boska moc odda wrogów mieczowi i Gorgonie. Pozwól mi strzec twej warowni, póki znów nie przyjdą na świat herosi!

Atena odpowiedziała mu trzeźwym spojrzeniem. Oczy miała szare, jak należy. Znów poczuł dreszcz, jak o świcie, a pusty żołądek skurczył mu się z trwogi.

U drzwi zapanował ruch. Wszedł król w towarzystwie dwóch wodzów, Antypatra i Parmeniona, groźna trójca twardych wojowników, z których każdy przykuwał wzrok. Wraz z nimi wszedł przy ramieniu króla jakiś wystrojony kędzierzawy chłopiec ze spuszczonymi oczami. Zasiedli na honorowych krzesłach. Filip pozdrowił uprzejmie posłów i skinął, by usiedli.

Filokrates wygłosił mowę, w której pod pozorami stanowczości kryło się mnóstwo słabych punktów. Król mógł z nich zrobić użytek. Podejrzenia Demostenesa przybrały na sile. Wszyscy przedstawili wprawdzie streszczenia, czy jednak wszystkie te słabe ogniwa mogły być tylko potknięciami?

Spodziewał się, że Filip będzie złośliwy, nie spodziewał się, że zdoła odebrać im odwagę. Jego mowa powitalna, choć nienagannie uprzejma, nie marnowała słów. Była krótka, a to dawało do zrozumienia, że dymna zasłona wielosłowia nie zda się na nic. Kiedy tylko mówca zwracał się o poparcie do innych posłów, Filip przebiegał wzrokiem po ich twarzach. Jego ślepe oko, poruszające się tak samo jak zdrowe, wydawało się Demostenesowi bardziej złowrogie niż to drugie.

Dzień dłużył się. Plamy słonecznego światła pod oknami rozciągały się coraz dalej po posadzce. Jeden mówca po drugim powoływał się na prawa Aten do Olintu, do Amfipolis, do ich dawnych stref wpływów w Tracji i na Chersonezie, wspominał o wojnie na Eubei, o tej czy innej morskiej potyczce, wywlekał stare związki z Macedonią w długim ciągu wojen sukcesyjnych, mówił o zbożowym szlaku Hellespontu, o dążeniach Persji i knowaniach satrapów z nadmorskich prowincji. Demostenes często widział, jak błyszczące czarne oko i jego nadziany na rożen współtowarzysz kierują się w jego stronę i nieruchomieją na chwilę.

Był oczekiwany, jako sławny przeciwnik tyranów, tak jak czeka się na pierwszego aktora podczas występu otwierającego sztukę chóru. Jakże często na sali sądowej i na Zgromadzeniu ta świadomość przyśpieszała krążenie krwi i myśli. Teraz uświadomił sobie, że nigdy dotąd nie zwracał się do pojedynczego człowieka.

Znał każdą strunę swego instrumentu, wiedział, co wyniknie z najmniejszego przykręcenia każdego z kołków, umiał przekształcać cnotę w obrzydliwość, grać na miłości własnej, wiedział, jak obrzucić błotem kogoś nieskazitelnego i jak oczyścić występnego. Jako prawnik — polityk był pierwszej klasy fachowcem, nawet w swoich czasach, kiedy poziom tych umiejętności był bardzo wysoki. Wiedział też, że będzie czymś więcej. Miał swoje wielkie dni, kiedy zapalał wszystkich swym marzeniem o wielkości Aten. Poznał wtedy uniesienie artysty. Osiągnął szczyt swoich możliwości. Jego sztuka wymagała jednak pośrednictwa tłumu. Kiedy odchodził, chwalono jego mowę, ale tłum rozpadał się na tysiące, z których nikt naprawdę go nie lubił. Nie osłonił nikogo tarczą w bitwie. Kiedy pragnął miłości, kosztowała go ona dwie drachmy.

Przyszła kolej na ósmego mówcę, Ktezyfona. Niedługo on sam będzie przemawiać, nie do przychylnego ucha tłumu, lecz do tego czarnego, badawczego oka.

Znów miał zatkany nos i musiał go wydmuchać we własny płaszcz, bo posadzka była na to zbyt ozdobna. Co będzie, jeśli przydarzy mu się to w czasie przemówienia? Żeby nie myśleć o królu, patrzył na rudego, grubokościstego Antypatra i na Parmeniona o szerokich ramionach, krzaczastej ciemnej brodzie i o krzywych nogach jeźdźca. Było to niemądre. Tamci nie musieli tak jak Filip uważnie słuchać i otwarcie oceniali posłów. Srogie niebieskie oczy Antypatra przywołały z pamięci Demostenesa oczy fylarcha, pod dowództwem którego odbył obowiązkowe szkolenie wojskowe jako osiemnastoletni, niezgrabny młodzik.

Przez cały ten czas wystrojone książątko siedziało nieruchomo na swym niskim krześle z oczami utkwionymi w kolanach. Każdy ateński chłopiec patrzyłby na Demostenesa, może impertynencko (niestety, obyczaje psują się wszędzie jednakowo), ale przynajmniej czujnie. Spartańskie wyszkolenie! Sparta, symbol minionej tyranii i dzisiejszej oligarchii. Tego właśnie należało się spodziewać po synu Filipa. Ktezyfon skończył. Skłonił się, a Filip wyrzekł kilka słów podziękowania. Umiał sprawić, że mówca czuł się zauważony i zapamiętany, Herold zapowiedział Ajschynesa.

Ten podniósł się na całą swą wysokość (był za wysoki, by grać role kobiet, co było jedną z przyczyn zejścia ze sceny). Czy się zdradzi? Nie można opuścić ani jednego słowa, ani odcienia głosu. Trzeba też obserwować króla.

Ajschynes wygłaszał wstęp. Raz jeszcze Demostenes musiał podziwiać jego wyszkolenie. On sam polegał głównie na gestykulacji. To on, prawdę mówiąc, wprowadził ją do publicznych przemówień, nazywając dawną pomnikową postawę mówców arystokratycznym przeżytkiem. Prawa ręka Ajschynesa pozostawała nieruchoma, przytrzymując płaszcz. Przybrał postawę pełną męskiej godności. Nie udawał żołnierza, skoro miał przed sobą trzech wodzów, ale robił wrażenie kogoś, kto wie, jak wygląda wojna. Była to dobra mowa, trzymająca się streszczenia. Nie zdradził się z niczym. Demostenes dał za wygraną. Znów wydmuchał nos i zaczął myśleć o własnym przemówieniu.

— I twoi co starsi krewni potwierdzą moje słowa. Kiedy oto zmarł twój ojciec Amyntas i twój stryj Aleksander, a twój brat Perdikkas i ty sam byliście dziećmi...

Jego umysł zatrzymał się nagle między wstrząsem a zrozumieniem. Słowa były właściwe, ale to Ajschynes, nie on, je wypowiedział!

— ...zdradzona przez fałszywych przyjaciół, a wygnaniec Pauzaniasz wrócił, próbując zdobyć tron...

Głos tamtego ciągnął dalej, bez wysiłku, z przekonaniem, z doskonałym wyczuciem czasu. Obłędne myśli o przypadkowej zbieżności zbudziły się i zgasły, gdy słowo za słowem potwierdzało nikczemność.

— Ty sam byłeś ledwie dziecięciem. Położyła mu cię na kolanach i rzekła...

Dawne lata bolesnej walki z wadą wymowy i drżeniem głosu nauczyły go szukać oparcia w samym sobie. Raz po razie, z tekstem w dłoni, musiał powtarzać to półgłosem na pokładzie statku i w gospodach. Ten oszukańczy handlarz cudzymi słowami mógł to, oczywiście, zapamiętać.

Anegdota została doprowadzona do zgrabnie ułożonego zakończenia. Wszyscy byli pod wrażeniem: król, wodzowie, reszta posłów —

91

wszyscy oprócz chłopca, który — zniecierpliwiony po całych godzinach bezruchu — zaczął drapać się w głowę.

Demostenes nie tylko stanął w obliczu straty najlepiej przygotowanej części, to było najmniej ważne. Musiał teraz, w ostatniej chwili, przerobić swoją mowę.

Nigdy nie był dobry bez przygotowania, nawet gdy słuchacze byli przychylni. Królewskie oko znów wyczekująco zwróciło się w jego stronę.

Gorączkowo zbierał w myślach fragmenty swej mowy, zestawiając je w poszukiwaniu nowych połączeń i pomostów, przystosowując do użytku innego niż poprzedni. Nie interesując się jednak przedtem mową Ajschynesa, nie miał pojęcia, ile z niej jeszcze pozostało i kiedy nadejdzie jego kolej. Ta niepewność nie pozwalała mu się skupić. Wspominał czasy, gdy dławił parweniuszowskie pretensje Ajschynesa, przypominając mu i zarazem ludziom wpływowym, że pochodzi on z podupadłej rodziny: jako chłopiec przygotowywał atrament w szkole swego ojca, przepisywał urzędowe spisy, nigdy nie grał głównych ról. Któż by mógł przewidzieć, że do szlachetnego teatru polityki ośmieli się wnieść kuglarskie sztuczki swego nikczemnego zawodu?

Nigdy nie został o to oskarżony. Ujawnienie prawdy uczyniłoby każdego oratora pośmiewiskiem całych Aten. Można było tego nie przeżyć.

Głos Ajschynesa rozbrzmiewał dalej. Demostenes czuł zimny pot na czole. Liczył na początkowy ustęp swego przemówienia, jego rozmach mógł go poprowadzić dalej. Perseusz spoglądał pogardliwie w dół. Król głaskał brodę. Antypater mamrotał coś do Parmeniona. Chłopiec przeciągał palcami po włosach.

Ajschynes wstawił zręcznie w ostatnią część swojej mowy przewodnią myśl zakończenia przygotowanego przez Demostenesa. Skłonił się i wysłuchał podziękowania.

— Demostenes — oznajmił herold. — Syn Demostenesa z Pajonii.

Podniósł się i zaczął mówić, z uczuciem zbliżania się do przepaści. Opuściło go wszelkie poczucie stylu, rad był, że w ogóle zapamiętał słowa. Prawie pod koniec wróciła mu zdolność orientacji i wpadł na sposób zapełnienia luki w przemówieniu. W tej właśnie chwili jakiś ruch przyciągnął jego spojrzenie. Po raz pierwszy chłopiec podniósł głowę.

Fryzowane loki rozluźniały się już, zanim jeszcze zaczął się nimi bawić. Teraz zmieniły się w splątaną grzywę. Szare oczy były szeroko otwarte. Uśmiechnął się prawie niedostrzegalnie.

— Jeśli spojrzeć szerzej na tę kwestię... spojrzeć szerzej... jeśli spojrzeć...

92

Głos uwiązł mu w gardle. Usta otwierały się i zamykały, ale słychać było tylko oddech. Wszyscy obecni wlepili w niego oczy. Ajschynes podniósł się i poklepał go troskliwie po plecach. W oczach chłopca było doskonałe zrozumienie, nie przegapił niczego i czekał na więcej. Twarz miał chłodną i jasną.

— Jeśli spojrzeć szerzej... Ja... Ja... Król Filip, zdumiony i zdezorientowany, nie przepuścił okazji popisania się wielkodusznością.

— Mój drogi panie, przerwij na chwilę. Nie przejmuj się. Zaraz sobie wszystko przypomnisz.

Chłopiec przechylił głowę w lewo. Demostenes poznał tę pozę. Szare oczy znów otworzyły się szerzej, oceniając jego przestrach.

— Spróbuj przemyśleć to stopniowo i od początku — rzekł dobrodusznie Filip. — Nie przejmuj się tym zamilknięciem. To się zdarza i w teatrze. Zapewniam cię, że poczekamy.

Co to za zabawa w kotka i myszkę? Niemożliwe, żeby chłopiec nie powiedział niczego ojcu. Pamiętał tę szkolną grekę: „Zginiesz, zapewniam cię!"

W krzesłach posłów podniósł się gwar: jego mowa zawierała pewną ważną kwestię, jeszcze nie omówioną. Gdyby tylko mógł przypomnieć sobie nagłówki... W panice poszedł za radą króla i potykając się, raz jeszcze wygłosił wstęp. Wargi chłopca poruszały się w milczeniu, błądził po nich uśmiech. Demostenes poczuł, że głowę ma pustą jak wyschnięta tykwa. Powiedział: — Przepraszam — i usiadł.

— W takim razie, panowie... — Filip skinął na herolda — kiedy odpoczniecie i pokrzepicie się, udzielę wam odpowiedzi.

Na zewnątrz Antypater i Parmenion dzielili się opiniami o przydatności posłów w konnicy. Filip wybierał się do pracowni, gdzie pisał przemówienie (zostawił miejsce na sprawy poruszone w czasie posłuchania), ale spostrzegł jeszcze, że syn podniósł na niego wzrok. Skinął głową. Chłopiec poszedł za nim do ogrodu, gdzie pośród drzew odpoczywali w milczeniu po niedawnych wrażeniach.

— I co sądzisz o Demostenesie?

— Miałeś rację, ojcze. On nie jest dzielny.

Filip rozluźnił szatę i rozejrzał się, coś w głosie chłopca zwróciło jego uwagę. — Co mu się stało? Czy ty coś o tym wiesz?

— Ten, który mówił przed nim, jest aktorem. Ukradł mu jego tekst.

— Skąd możesz o tym wiedzieć?

— Słyszałem, jak powtarzał go w ogrodzie. Rozmawiał ze mną.

— Demostenes? O czym?

— Myślał, że jestem niewolnikiem i że go szpieguję. Kiedy przemówiłem po grecku, powiedział, że chyba jestem czyimś chłopcem do łóżka — użył koszarowego określenia, które pierwsze mu się nasunęło. — Nie powiedziałem mu, kim jestem, postanowiłem z tym zaczekać.

— Co takiego?

— Kiedy zaczął mówić, podniosłem głowę i wtedy mnie poznał. Chłopiec ujrzał ze szczerą przyjemnością, jak szczerbaty uśmiech ojca przenosi się na oczy, nawet na to ślepe.

— Ale czemu nic mi nie powiedziałeś?

— On się tego spodziewał i nie wiedział, co myśleć. Filip spojrzał na syna z błyskiem w oku. — Czy coś ci proponował?

— Nie prosiłby o cokolwiek niewolnika. Zastanawiał się tylko, ile mógłbym kosztować.

— Cóż. Możemy uznać, że teraz już wie.

Ojciec i syn wymienili spojrzenia w owej chwili doskonałej harmonii. Byli w prostej linii dziedzicami tych zbrojnych w miecze z brązu władców rydwanów spoza Istru, którzy przywiedli tu swoje szczepy w minionych tysiącleciach. Jedni pociągnęli dalej, by podbić kraje południa i nauczyć je swoich obyczajów. Inni zajęli te górskie królestwa i utrzymywali tu stare zwyczaje. Grzebali zmarłych w komnatach grobowych, u boku przodków, których szkielety ściskały w dłoniach podwójne topory i których czaszki okrywały szyszaki przyozdobione kłami dzików. Przekazywali też z ojca na syna tradycje krwawej zemsty i odwetu. Zniewaga została pomszczona, i to na kimś, kogo nie mógł dosięgnąć miecz, i na jego własnych warunkach, z przebiegłością i zręcznością godną zemsty w wielkiej sali w Ajgaj.

Warunki pokoju omawiano szczegółowo w Atenach. Antypater i Parmenion, którzy pojechali tam jako przedstawiciele Filipa, przyglądali się zafascynowani dziwnym zwyczajom południa. W Macedonii jedyną sprawą poddawaną pod głosowanie były wyroki śmierci, wszystkie inne decyzje pozostawiano królowi.

Zanim warunki zostały przyjęte (co usilnie zalecał Ajschynes) i posłowie wyruszyli w drogę powrotną, by ratyfikować traktat, król Filip zdążył opanować tracką warownię Kersebleptesa i przyjąć jego warunkowe poddanie się, zabierając jego syna do Pelli jako zakładnika.

Tymczasem w górskich warowniach nad Termopilami wygnanemu rabusiowi świątynnych skarbów, Falajkosowi z Fokidy, zabrakło złota, żywności i nadziei. Filip prowadził z nim tajne układy. Wiadomość, że Macedonia przejęła Gorące Wrota, spadła na Ateny niczym trzęsienie ziemi.

94

Łatwiej byłoby im pogodzić się z grzechami Fokijczyków (z którymi były zresztą w przymierzu) niż z taką wieścią. Musiano to ukrywać, dopóki pokój nie został potwierdzony uświęconymi przysięgami. Filip powitał drugie poselstwo z otwartymi ramionami. Najdroższy był mu Ajschynes, przeszedł bowiem na jego stronę z przekonania, nie za pieniądze. Przyjął on chętnie zapewnienia króla, że nie życzy źle Atenom, co było szczerą prawdą, i że potraktuje łagodnie Fokijczyków, w czym trudno było dopatrzyć się fałszu. Ateny potrzebowały Fokidy, nie tylko by utrzymać Termopile, ale by powstrzymać Teby, odwiecznego nieprzyjaciela.

Posłów ugaszczano, zabawiano i obdarowywano okazałymi darami, które przyjęli wszyscy z wyjątkiem Demostenesa. Tym razem on przemawiał pierwszy, wszyscy byli jednak zgodni, że zabrakło mu zwykłego ognia. Prawdę mówiąc, kłócili się i knuli przeciw sobie przez całą drogę z Aten. Podejrzenia Demostenesa o zdradzie Filokratesa zmieniły się w pewność. Śpieszno mu było przekonać innych, ale że chciał zarazem osądzić Ajschynesa, to drugie wątpliwe oskarżenie podważało wiarygodność pierwszego.

Rozpamiętując swe niepowodzenia, przyszedł na obiad, gdzie młody Aleksander z jakimś drugim chłopcem zabawiali gości, śpiewając na dwa głosy przy lirze. Dwoje chłodnych, szarych oczu spojrzało na Demostenesa znad instrumentu. Odwracając się szybko, ujrzał uśmiech Ajschynesa.

Przyrzeczenia zostały potwierdzone i posłowie wyjechali do kraju. Filip eskortował ich aż do Tessalii, nie ujawniając, że mu to po drodze. Gdy tylko odjechali, pomaszerował do Termopil, gdzie przejął od Falajkosa górskie warownie w zamian za zapewnienie bezpieczeństwa. Wygnańcy odchodzili wynajmować swe miecze w nie kończących się lokalnych wojnach greckich i ginąć tu czy tam, gdzie ich wypatrzył mściwy Apollon.

W Atenach wybuchła panika. Spodziewali się, że Filip zwali się na nich jak kiedyś Kserkses. Obsadzono załogą mury, w których stłoczyli się uchodźcy z całej Attyki. Filip przysłał jednak wiadomość, że pragnie uporządkować sprawy w Delfach, bo zgorszenie trwa już zbyt długo i zaprasza Ateńczyków, by przysłali sprzymierzone siły.

Demostenes wygłosił płomienną mowę przeciw zdradzieckim tyranom. Twierdził, że Filip chce, by mu wydać kwiat ateńskiej młodzieży jako zakładników. Nie wysłano więc nikogo. Filip był szczerze zaskoczony, urażony i zraniony w głębi duszy. Okazał wielkoduszność, której po nim nie oczekiwano, a nie usłyszał potem ani jednego słowa podziękowania.

Pozostawiwszy Ateny samym sobie, wyruszył na wojnę fokijską. Miał błogosławieństwo Świętej Ligi, państw, które wraz z Fokijczykami były strażnikami świętego okręgu. Załatwiwszy sprawy w Tracji, mógł uderzyć całą siłą. Jedna fokijska warownia po drugiej poddawała się albo była zdobywana. Wkrótce było po wszystkim i Święta Liga zebrała się, by zdecydować o losie Fokijczyków. Byli powszechnie znienawidzeni, bo ich świętokradczy postępek zrujnował świątynię. Większość zgromadzonych żądała dla nich kary śmierci, na torturach albo przez zrzucenie z urwisk Fedriadów, co najmniej zaś sprzedania w niewolę. Filipowi obrzydło już okrucieństwo tej wojny, przewidywał też nie kończące się dalsze wojny o opuszczone ziemie, nakłaniał więc innych do okazania łaski. W końcu postanowiono rozproszyć Fokijczyków po wsiach, których nie wolno było fortyfikować. Zakazano im też odbudowy murów miejskich. Wreszcie musieli płacić coroczne odszkodowanie świątyni Apollona. Demostenes wygłosił płomienne przemówienie, demaskując okrucieństwo tych postanowień.

Święta Liga uchwaliła podziękowanie Filipowi za uwolnienie od bezczeszczących najświętszy przybytek Grecji bezbożników i przekazała Macedonii dwa miejsca w Radzie należące przedtem do Fokidy. Odjechał już do Pelli, gdy wysłano za nim dwóch heroldów, proszących go o przyjęcie godności przewodniczącego następnych igrzysk pytyjskich.

Po ich wysłuchaniu stał w oknie swej pracowni, rozkoszując się tym sukcesem. Był to nie tylko wspaniały początek, ale wytęskniony koniec. Oto uznano go za Hellena.

Odkąd doszedł do wieku męskiego, zakochał się w Helladzie. Jej nienawiść paliła go jak smagnięcia biczem. Zapomniała w swym upadku, jaka była w przeszłości, ale potrzeba jej było jedynie przywództwa, on zaś czuł w głębi duszy, że to właśnie jest jego przeznaczeniem.

Jego miłość rodziła się w goryczy, kiedy obcy ludzie zaprowadzili go z gór i lasów Macedonii na ponure niziny tebańskie jako żywy symbol klęski. Choć sami gospodarze byli dla niego uprzejmi, wielu Tebańczyków tej uprzejmości nie okazywało. Oderwano go od przyjaciół i krewnych, od chętnych dziewcząt i tej zamężnej pani, która była jego pierwszą nauczycielką. W Tebach wolne kobiety były dla niego nieosiągalne, bo śledzono każdy jego krok. A kiedy szedł do burdelu, zapłaciłby każdą cenę za dziwkę, która nie budziłaby w nim wstrętu — gdyby taką zdołał znaleźć.

Jedyną jego pociechą była palestra. Tu nikt nie patrzył na niego z góry. Dał się poznać jako sprawny i nieustępliwy w walce atleta. Palestra zaakceptowała go. Tam nie odmawiano mu miłości. Był samotny i potrzebował miłości, znajdował w niej pocieszenie. Takie miłości rozwijały się równie naturalnie jak inne i były cenione, zgodnie z tradycją.

Dzięki tym nowym przyjaźniom zaczął odwiedzać filozofów i nauczycieli retoryki, wkrótce też nadarzyła się okazja studiowania sztuki wojennej u jej mistrzów. Tęsknił za krajem i wracał doń z radością, ale przedtem został wprowadzony w misteria Hellady i stał się jej wtajemniczonym.

Ateny były jej ołtarzem, niemalże nią samą. Odbudowa ich dawnej chwały — to było wszystko, czego od nich żądał. Ich obecni przywódcy robili na nim wrażenie Fokijczyków w Delfach, niegodnych przywłaszczycieli świętego przybytku. W głębi duszy zdawał sobie sprawę, że Ateńczycy nie wyobrażają sobie chwały bez wolności, ale był jak ktoś zakochany, kto myśli, że najważniejsza cecha ukochanej da się łatwo odmienić, skoro tylko staną się małżeństwem.

Cała jego polityka, często pokrętna, często oportunistyczna, była wielkim wyczekiwaniem na otwarcie przed nim drzwi. Prędzej by je wyłamał, niż pogodził się z utratą ukochanej, wyczekiwał jednak z utęsknieniem, że mu otworzą. Trzymał oto w dłoni piękny zwój z Delf. Był to klucz, jeśli nie do sypialni, to przynajmniej do drzwi domu.

Muszą go w końcu przyjąć. Kiedy uwolni ich rodaków w Jonii po tylu pokoleniach w niewoli, musi trafić do ich serc. Otrzymał przecież, niby znak wróżebny, długi list od Isokratesa, sędziwego filozofa, który był przyjacielem Sokratesa, zanim Platon został jego uczniem. Urodził się on, zanim Ateny wypowiedziały Sparcie wojnę, która rozpoczęła tamto długie i śmiertelne upuszczanie krwi Grecji. Teraz w swym dziesiątym dziesięcioleciu, nadal skory zmieniać świat, nakłaniał Filipa do zjednoczenia Greków i objęcia nad nimi przywództwa. Snując marzenia w oknie, widział Helladę znowu odmłodzoną, nie przez tego piskliwego oratora, który nazywał go tyranem, ale przez Heraklidę prawdziwszego niż bezsilni i skłóceni ze sobą królowie Sparty. Widział swój posąg ustawiony na Akropolu, a Wielkiego Króla zepchniętego do roli odpowiedniej dla barbarzyńcy — dostarczyciela daniny i niewolników; widział Filipowe Ateny, które raz jeszcze staną się szkołą Hellady.

Jakieś młode głosy przerwały mu te rozmyślania. Tuż pod nim, na tarasie, jego syn grał w kostki z młodym zakładnikiem, synem króla Agrianów, Teresa.

Filip spojrzał z irytacją w dół. Czego ten chłopiec chce od tego małego dzikusa? Zaprowadził go nawet do gimnazjonu, jak mówił jeden z wielmożnych Towarzyszy, którego syn też tam chodził, i któremu to się nie podobało.

97

Tamten chłopak był traktowany po ludzku, dobrze ubrany i dobrze karmiony, nie zmuszany do pracy ani do niczego, co nie byłoby godne jego urodzenia. Oczywiście żaden ze szlachetnych domów nie był gotów go przyjąć, chociaż przyjęliby chętnie cywilizowanego chłopca z jakiegoś greckiego miasta z nadbrzeżnej Tracji. Musiał więc zamieszkać w pałacu, że zaś Agrianie byli wojowniczą rasą, której uległość mogła nie trwać długo, postawiono przy nim strażnika, na wypadek gdyby próbował ucieczki. Dlaczego Aleksander, mogąc wybrać każdego porządnie urodzonego chłopca z Pelli, wyszukał sobie tego? To przechodziło zdolność pojmowania Filipa. To chyba chwilowy kaprys. Nie warto się wtrącać. Książęta przykucnęli na kamiennych płytach, mieszając macedoński z trackim i pomagając sobie mimiką. Trackiego było więcej, bo Aleksander uczył się szybciej. Strażnik przysiadł znudzony na zadzie marmurowego lwa.

Lambaros pochodził z Czerwonych Traków, północnego szczepu zdobywców, który przed tysiącem lat przybył na południe, by wywalczyć sobie swe górskie dzierżawy pośród ciemnowłosych Pelazgów. Był o rok starszy od Aleksandra, a że był grubokościsty, wyglądał na więcej. Miał płomiennorudą czuprynę i wytatuowanego na ramieniu konia o małym łebku, starożytną oznakę krwi królewskiej — jak każdy wysoko urodzony Trak twierdził, że pochodzi w prostej linii od półboga Rezosa Jeźdźca. Na udzie widoczny był jeleń, znak jego szczepu. Kiedy już przestanie rosnąć, zostanie pokryty wyszukanym wzorem: spiralami i symbolami przynależnymi jego godności. Na szyi nosił na rzemieniu szpon gryfa oprawiony w żółte scytyjskie złoto.

Trzymał teraz skórzaną sakiewkę z kośćmi, mamrocząc nad nią jakieś wezwanie. Strażnik, który wolałby być gdzieś z przyjaciółmi, kaszlnął zniecierpliwiony. Lambaros rzucił mu przez ramię wściekłe spojrzenie.

— Nie zwracaj na niego uwagi — rzekł Aleksander. — To tylko strażnik. Nie będzie ci mówił, co masz robić.

Uważał za wielki dyshonor dla domu, że królewskiego zakładnika traktuje się w Pelli gorzej niż w Tebach. Chodziło mu to po głowie, jeszcze zanim zastał Lambarosa płaczącego rozpaczliwie z głową opartą o drzewo. Strażnik przyglądał się temu obojętnie. Na dźwięk nowego głosu płaczący odwrócił się jak osaczone zwierzę, ale ujrzał wyciągniętą do siebie rękę. Gdyby wyśmiano jego łzy, walczyłby, choćby miano go zabić. Zrozumieli się bez słów.

W rudych włosach miał czerwone wszy. Hellanike gderając, przywoływała pokojówkę, by tym się zajęła. Kiedy Aleksander posłał po słodycze, by poczęstować tamego, przyniósł je tracki niewolnik.

— On tylko stoi na warcie. Ty jesteś moim gościem. Twój rzut.

Lambaros powtórzył modlitwę do trackiego boga nieba, zawołał: „pięć!"
i wyrzucił dwójkę i trójkę.

— Prosisz go o takie drobnostki, że chyba się obrazi. Bogowie lubią,
kiedy prosi się ich o coś wielkiego.

Lambaros, który często modlił się o powrót do domu, rzekł:

— Twój bóg wygrał dla ciebie.

— Nie, ja liczę na szczęście. Oszczędzam prośby na później.

— Na co?

— Posłuchaj, Lambarosie. Kiedy dorośniemy, kiedy będziemy królami — rozumiesz, o czym mówię?

— Kiedy nasi ojcowie umrą.

— Kiedy pójdę na wojnę, czy będziesz moim sprzymierzeńcem?

— Tak. Co to jest sprzymierzeniec?

— Ty przyprowadzisz swoich ludzi, żeby walczyć z moimi wrogami,
a ja będę walczyć z twoimi.

Z okna powyżej król Filip patrzył, jak Trak chwycił dłonie jego syna
i klęknąwszy, włożył w nie swoje dłonie. Podniósł potem głowę, mówiąc
coś długo i płynnie. Aleksander klęczał naprzeciw niego, trzymając złożone dłonie, i cierpliwie słuchał. Nagle Lambaros zerwał się na równe
nogi i zawył wysokim tonem jak porzucony pies, usiłując naśladować dy-
szkantem wojenny okrzyk Traków. Filip uznał tę scenę, której nie rozpoznał, za niesmaczną. Rad był, że strażnik porzucił próżnowanie i nadchodzi.

To przypomniało Lambarosowi jego prawdziwe położenie. Pean urwał
się, a chłopiec zwiesił ponuro głowę.

— Czego tu chcesz? Nic złego się nie dzieje. On mnie uczy swoich
zwyczajów.

Zaskoczony strażnik, który nadszedł, by rozdzielić biorących udział
w bójce, zaczął się tłumaczyć.

— Wracaj. Zawołam cię, kiedy będziesz potrzebny. To piękna przysięga, Lambarosie. Powtórz, proszę, zakończenie.

— Dotrzymam wiary — Lambaros mówił wolno i uroczyście — chyba że niebo zwali się, by mnie zgnieść, albo ziemia otworzy się, by mnie
pożreć, albo morze wzniesie się, by mnie pochłonąć. Mój ojciec całuje
swoich naczelników, kiedy ich zaprzysięga.

Filip patrzył z niedowierzaniem, jak jego syn bierze w dłonie rudą
głowę młodego barbarzyńcy i składa na jego czole rytualny pocałunek.
To zaszło za daleko. To było niehelleńskie. Filip przypomniał sobie, że
nie przekazał jeszcze chłopcu nowiny o igrzyskach pytyjskich, na które
zamierzał go zabrać. Będzie miał o czym myśleć.

Z kamiennych płyt podniósł się kurz, Aleksander skrobał coś patykiem. — Pokaż mi, jak twoi rodacy szykują się do bitwy.

Z okna biblioteki położonej piętro wyżej Fojniks patrzył z uśmiechem, jak złotowłosa i ruda głowa pochylają się nad jakąś poważną grą. Zawsze to chwilowa ulga dla opiekuna, kiedy łuk jest bez cięciwy. Obecność strażnika zwalniała go z obowiązków. Wrócił do swej nie rozwiniętej jeszcze książki.

— Zdobędziemy tysiąc głów — mówił Lambaros. — Ciach, ciach, ciach!

— Tak, ale gdzie stoją procarze?

Podszedł znów strażnik, który dostał tymczasem polecenie.

— Aleksandrze, masz zostawić chłopaka ze mną. Twój ojciec król cię wzywa.

Szare oczy Aleksandra zajrzały na chwilę w jego oczy. Mimo woli przestąpił z nogi na nogę.

— Dobrze. Nie przeszkadzaj mu robić, na co ma ochotę. Jesteś żołnierzem, a nie pedagogiem. I nie nazywaj go chłopakiem. Jeśli ja mogę traktować go jak księcia, ty też możesz.

Oczy Lambarosa podążały za nim, gdy przechodził między marmurowymi lwami. Szedł wysłuchać wielkiej nowiny z Delf.

ROZDZIAŁ CZWARTY

— Szkoda, że nie możesz poświęcić temu więcej czasu — rzekł Epikrates.

— Dni powinny być dłuższe. Dlaczego musimy spać? Powinniśmy obchodzić się bez tego

— To by chyba nie wpłynęło na jakość wykonania.

Aleksander pogłaskał polerowane pudło kitary o inkrustowanych wolutach i kołkach z kości słoniowej. Dwanaście strun cicho jęknęło. Zsunął z ramienia pasek, który umożliwiał grę stojąc (kiedy się grało siedząc, dźwięk był stłumiony) i usiadł na stole obok kitary, trącając struny, by sprawdzić nastrojenie.

— Masz słuszność — mówił Epikrates. — Dlaczego musimy umierać? Powinniśmy obchodzić się bez tego.

— Tak, konieczność snu przypomina i tę konieczność.

— Daj spokój! Kiedy ma się dwanaście lat, ma się pod dostatkiem czasu. Chciałbym zobaczyć cię w jakichś zawodach, to byłaby dla ciebie zachęta do pracy. Myślałem o igrzyskach pytyjskich. Przez dwa lata przygotowałbyś się jak należy.

— Jaka jest granica wieku dla chłopców?

— Osiemnaście lat. Czy twój ojciec się zgodzi?

— Nie, gdybym miał brać udział tylko w zawodach muzycznych. Ja też nie, Epikratesie. Czemu chcesz, żebym to robił?

— To by cię nauczyło dyscypliny.

— Tak myślałem. Przestałbym to jednak lubić.

Epikrates wydał swe zwykłe westchnienie.

— Nie gniewaj się. Dyscyplinę pobieram u Leonidasa.

— Wiem, wiem. Ty jednak masz lepsze dotknięcie niż ja w twoim wieku. Wcześniej zacząłeś, a poza tym — mogę to powiedzieć bez przechwałki — miałeś lepszego nauczyciela. Nie będziesz jednak muzykiem, Aleksandrze, jeśli odrzucasz filozofię tej sztuki.

— Na to trzeba mieć duszę matematyka. To nie dla mnie i ty o tym wiesz. W każdym razie, nie mógłbym być muzykiem, skoro muszę być kimś innym.

— Dlaczego jednak nie weźmiesz udziału w igrzyskach — kusił Epikrates — i dodatkowo w zawodach muzycznych?

— Nie chcę. Kiedy się przyglądałem, myślałem, że nie ma niczego piękniejszego. Potem jednak spotkałem atletów i dowiedziałem się, jak

101

to naprawdę jest. Mogę bić się z tutejszymi chłopcami, bo jesteśmy wszyscy jednakowo szkoleni. Ale tamci chłopcy to atleci. Często kończą karierę, nim dorosną, a jeśli nawet pozostaną na stadionie, igrzyska są całym ich życiem. To tak jak być kobietą — dla kobiet. Epikrates ze zrozumieniem skinął głową. — No cóż, to dokonało się już za mego życia. Ludziom, którzy nie mogą być dumni z siebie, wystarcza, że są dumni ze swych miast za sprawą innych ludzi. Prowadzi to do tego, że w końcu miasta nie mają z czego być dumne, chyba z umarłych, którzy za swą dumę potrafili ponosić koszty... No, ale niechże posłucham tego raz jeszcze. Tym razem niechby to było trochę więcej z tego, co napisał kompozytor.

Aleksander przytroczył wielki instrument bokiem do piersi. Lewą ręką spróbował basów, trzymanym w prawej plektronem sopranów. Przechylił nieco głowę. Wydawało się, że słucha oczami, nie uszami. Epikrates przyglądał mu się z irytacją zmieszaną z czułością, jak zwykle zadając sobie pytanie, czy gdyby nie starał się zrozumieć chłopca, nie uczyłby go lepiej. Nie, najprawdopodobniej dałby za wygraną. Chłopiec nie miał jeszcze dziesięciu lat, a już umiał dosyć, by przy wieczerzy brzdąkać na lirze, jak przystało dobrze urodzonemu. Nikt nie wymagał, by go nauczyć czegoś więcej.

Aleksander uderzył w trzy dźwięczne struny, zagrał długą, falującą kadencję i zaczął śpiewać.

W wieku, w którym macedońscy chłopcy przechodzą mutację, zachował swój czysty alt, który nabrał po prostu mocy. Głos wznosił się wysokimi ozdobnikami. Epikrates dziwił się, że wydaje się to nie sprawiać chłopcu kłopotu. Podobnie też był zdziwiony, kiedy stwierdził, iż Aleksander nie krył znudzonej miny, kiedy inni chłopcy zabawiali się opowiadaniem tłustych dowcipów. Bez wahania dyktował swoje warunki.

Jak stado Nereid szły greckie okręty
Pod Troję — po fali, po sinej.
Wznosiły się dzioby nad morskie odmęty
A wokół pląsały delfiny.
I wstąpił Achilles na pokład okrętu,
By płynąć z innymi na brzeg Simoentu*.

---

* Eurypides, *Elektra*, tłum. Artur Sandauer, PIW 1963, w. 321-326.

Głos rozbrzmiewał i cichł. Struny wtórowały mu jak echa w górskiej dolinie.

Gdy dramatyczna, porywcza, namiętna improwizacja zmierzała od jednej kulminacji do drugiej, Epikrates przyglądał się temu w milczeniu. Nie zwracano na niego uwagi. Czuł się oszołomiony. Oto był rezultat pracy, której świadomie poświęcił swe twórcze życie. Nie był nawet zakochany: miał odmienne upodobania. Dlaczego tu został? Ten występ zachwyciłby górne rzędy w odeonie w Atenach czy w Efezie i skłonił je do wygwizdania sędziów. Nic tu jednak nie było na pokaz, i nie była to ignorancja, o tym już się upewnił, lecz doskonała niewinność.

„Dlatego tu pozostaję" — pomyślał. „Wyczuwam tu jakąś potrzebę, której głębi i siły nie umiem ocenić i której boję się sprzeciwić".

Rozpoznał kiedyś urodzonego muzyka w synu handlarza z Pelli i zaproponował mu, że będzie go uczył za darmo. Chciał tym uspokoić sumienie. Ów chłopak mógł zostać zawodowcem, pracował ciężko, był mu wdzięczny, a jednak tamte owocne lekcje mniej zaprzątały myśli Epikratesa niż te, gdzie wszystko, co było poświęcone bogu, któremu służył, rzucano niczym kadzidło na jakiś nie znany ołtarz.

Nie lada nam dziwy zbieg pewien spod Troi
Powiadał, Achillu, o tarczy, o twojej... *

Muzyka narastała aż do gwałtownego crescendo. Wargi chłopca rozchylił bolesny, samotny uśmiech niczym po miłosnym akcie dopełnionym w mroku. Instrument nie wytrzymywał tego zaciekłego ataku i słychać było, że się rozstraja. Chłopiec musiał to słyszeć, ale grał dalej, jakby mógł siłą woli utrzymać struny w posłuszeństwie. Epikrates pomyślał, że kiedyś będzie on traktował siebie w taki sam sposób, w jaki dziś traktuje instrument.

„Muszę odejść. Już najwyższy czas. Dałem mu wszystko, co zechciał przyjąć. Poradzi sobie z tym. W Efezie można przez okrągły rok słuchać dobrej muzyki, a raz na jakiś czas najlepszej. W Koryncie też by mi się podobało. Mógłbym zabrać ze sobą młodego Pejtona, powinien posłuchać mistrzów. Tego tu nie uczę już niczego, on zaś mnie demoralizuje. Potrzebuje słuchacza, który rozumiałby ten jego język, a ja go słucham, chociaż on katuje moją ojczystą mowę. Niech gra tym bogom, którzy go zechcą słuchać, a mnie niech pozwoli odejść!"

---

* Tamże, w. 333-334.

Lecz kiedyś tą samą odmierzy ci miarką
Spełniciel boskiego wyroku... *

Przejechał plektronem w poprzek strun. Jedna pękła i smagnęła po innych. Zabrzmiały dysonansem, a potem zamilkły. Patrzył na nie z niedowierzaniem.

— I cóż? — zapytał Epikrates. — Czego się spodziewałeś? Myślałeś, że są nieśmiertelne?

— Myślałem, że wytrzymają, póki nie skończę.

— Tylko nie traktuj w ten sposób konia. Daj mi ją.

Wyjął ze skrzyni nową strunę i zajął się doprowadzaniem instrumentu do porządku. Chłopiec zniecierpliwiony stanął w oknie. To, co przed chwilą prawie się objawiło, nie powróci. Epikrates zajął się strojeniem instrumentu. „Chciałbym go zmusić do pokazania, co naprawdę umie, zanim stąd odejdę..."

— Nigdy jeszcze nie popisałeś się przed ojcem i jego gośćmi, nie licząc gry na lirze.

— Przy wieczerzy ludzie życzą sobie liry.

— Bo dostają to z braku czegoś lepszego. Zrób to dla mnie: opracuj jeden utwór i zagraj go jak należy. Twój ojciec na pewno chętnie zobaczy, jakie zrobiłeś postępy.

— On chyba nawet nie wie, że mam kitarę. Sam ją sobie kupiłem, jak wiesz.

— Tym lepiej. Pokażesz mu coś nowego.

Jak wszyscy w Pelli, Epikrates słyszał o kłopotach króla z kobietami. Chłopiec był przez to rozstrojony, od pewnego czasu widział go w takim stanie. Czemu, na wszystkich bogów rozsądku, król nie zadowala się heterami? Mógłby mieć najlepsze. Ma też swych młodych ludzi. Dlaczego ze swymi kochankami musi wiązać się aż tak ceremonialnie? Miał już za sobą przynajmniej trzy takie weselne uroczystości, nie licząc tej ostatniej. W krainie do tego stopnia zacofanej mógł sobie istnieć taki stary królewski obyczaj, ale jeśli król chciał być uważany za Hellena, powinien sobie przypomnieć: „Nigdy w nadmiarze!" Nie da się, jak widać, przerobić barbarzyńców w ciągu jednego pokolenia na ludzi cywilizowanych. Wychodzi to i z tego chłopca, a jednak...

Chłopiec wciąż wpatrywał się w okno, jakby zapomniał, gdzie się znajduje. Jego matce musi zależeć na nim. Można by litować się nad tą

* Tamże, w. 347-349.

kobietą, gdyby sama nie prowokowała przynajmniej połowy swoich kłopotów, i jej syna także. On musi należeć do niej, tylko do niej, i tylko bogowie wiedzą, o co jeszcze jej chodzi, bo gdy król zasiadał przy królowej, zachowywał się jak człowiek cywilizowany. Czy ona nie rozumie, że może o jeden raz za wiele płakać nad rozlanym mlekiem? Każda taka kolejna panna młoda może urodzić chłopca, który z radością zostanie synem swego ojca. Dlaczego ona nie okaże odrobiny giętkości? Dlaczego nie oszczędzi chłopcu tego wszystkiego?

Epikrates pomyślał, że dziś nie ma już nadziei na nauczenie go czegokolwiek. Można odłożyć kitarę... „Ale gdybym to ja się uczył? Po co bym to robił?" Przewiesił instrument przez ramię, wstał i zaczął grać.

Po chwili Aleksander odwrócił się od okna i usiadł przy stole. Najpierw był rozdrażniony, potem się uspokoił, przechylił głowę, a jego oczy znalazły sobie jakiś odległy cel. Wkrótce pojawiły się łzy. Epikrates na ich widok poczuł ulgę. Zawsze tak było, gdy muzyka wzruszała chłopca i żaden z nich nie był tym zakłopotany. Kiedy się skończyło, otarł oczy rękami i uśmiechnął się.

— Jeśli chcesz, zagram coś w wielkiej sali.

„Powinienem odejść, i to szybko" — mówił sobie Epikrates, wracając. „Za wiele tu zamieszania dla kogoś, kto pragnie harmonii i spokoju ducha".

Po kilku dalszych lekcjach Aleksander zwrócił się do niego: — Dziś na wieczerzy będą goście. Gdyby mnie prosili, żebym zagrał, czy mam spróbować z kitarą?

— Oczywiście. Zagraj dokładnie tak, jak dziś rano. Czy dla mnie znajdzie się jakieś miejsce?

— O, tak. Będą sami znajomi, żadnych cudzoziemców. Powiem słowo ochmistrzowi.

Wieczerza była opóźniona, czekano na króla. Pozdrowił uprzejmie gości, ale służbę traktował raczej szorstko. Choć policzki miał zaczerwienione, a oczy nabiegłe krwią, był wyraźnie trzeźwy i pilno mu było zapomnieć o tym, co go rozgniewało. Niewolnicy podawali sobie z ust do ust nowinę, że wyszedł właśnie od królowej.

Gośćmi byli sami starzy przyjaciele spośród Konnych Towarzyszy. Król spoglądał po twarzach z ulgą: żadnych posłów, dla których trzeba by urządzać przedstawienie i zwlekać z podaniem wina. Dobre, mocne, akantyjskie i bez żadnej wody. Potrzebował tego po tym, co musiał znieść.

Aleksander usiadł na skraju biesiadnego łoża Fojniksa i dzielił z nim stół. Nigdy nie siadał przy ojcu, chyba że został zaproszony. Fojniks, który nie miał tak dobrego słuchu, by rozprawiać o muzyce, przeczytał za to wszystko, co o niej napisano. Dowiedziawszy się o zamiarach chłopca, przytoczył słowa o lirze Achillesa.

— Ale ja nie będę jak Patrokles, o którym Homer mówi, że siedział i czekał, aż jego przyjaciel przestanie.

— Ach, to byłaby już przesada. Te słowa znaczą tylko tyle, że Patrokles chciał porozmawiać.

— Hola, chłopcze! Gdzież to sięgasz? Ten puchar jest mój!

— Twoje zdrowie! Spróbuj mojego. Opłukali go chyba winem, zanim wlali wodę, i to wszystko.

— Jeden do czterech, bardzo odpowiednie proporcje dla chłopców. Nalej mi trochę. Nie wszyscy możemy pić tak, jak twój ojciec, a poza tym nie wypada wołać o dzban wody.

— Upiję trochę, żeby zrobić miejsce na dolanie.

— Nie, chłopcze, wystarczy. Upijesz się i nie będziesz mógł grać.

— Ach, nie. Wypiłem tylko łyk.

I rzeczywiście, nie było po nim widać, że pił. Pochodził z dobrego szczepu.

Gdy dopełniono puchary, podniosła się wrzawa. Filip przekrzyczał ją, wołając o muzykę albo pieśń.

— Jest tu twój syn, panie — zawołał Fojniks. — Nauczył się nowej pieśni na tę ucztę.

Dwa lub trzy puchary mocnego, nie rozcieńczonego wina poprawiły Filipowi nastrój. — „Stare lekarstwo na ukąszenie węża" — pomyślał, szczerząc zęby. — Dalej, chłopcze! Bierz swą lirę i chodź tutaj!

Aleksander skinął na sługę, któremu powierzył kitarę. Zawiesił ją starannie na ramieniu i ruszył, by stanąć przy biesiadnym łożu ojca.

— A to co? Potrafisz na tym grać? — Król nigdy nie widział kitary w rękach niezawodowca i wydało mu się to niestosowne.

Chłopiec uśmiechnął się. — Musisz mi powiedzieć, ojcze, kiedy mam skończyć.

Wypróbował struny i zaczął grać.

Epikrates, słuchający z drugiego końca sali, patrzył na chłopca z czułością. W tej chwili Aleksander mógłby śmiało pozować do posągu młodego Apollona. Kto wie, może to początek, może chłopiec jeszcze posiądzie wiedzę i naukę tego boga.

Macedońscy wielmoże, którzy czekali na sygnał, by wykrzyknąć jako chór, słuchali zadziwieni. Nigdy nie słyszeli, by ktoś dobrze urodzony grał w taki sposób. Co też nauczyciele wydobyli z tego chłopca? Mówiło się już o nim, że jest śmiały i gotowy na wszystko. Czyżby zrobili z niego południowca? Teraz pewnie zacznie filozofować.

Król Filip już nieraz przysłuchiwał się zawodom muzycznym. Choć interesował się tą sztuką raczej dorywczo, potrafił ocenić technikę. Dostrzegł ją i widział też, że jest ona tu nie na miejscu. Jego Towarzysze nie wiedzieli, co o tym myśleć. Dlaczego nauczyciel nie wspominał o tej niezdrowej namiętności? Prawda leżała jak na dłoni: to ona znów wciągała go w swoje obrządki, pogrążając syna w swych szaleństwach, robiąc z niego barbarzyńcę. „Wystarczy na niego popatrzeć" — myślał. „Wystarczy popatrzeć!"

Przez wzgląd na cudzoziemskich gości, którzy zawsze na to liczyli, przyzwyczaił się zabierać chłopca na te wieczerze, urządzane na wzór helleński. Ale synowie jego przyjaciół nie pojawiali się na nich, dopóki nie dorośli. Dlaczego złamał ten stary obyczaj? Czy chłopiec musi ogłaszać całemu światu, że ma jeszcze dziewczęcy głos? To ta epirocka suka, ta złośliwa czarownica! Dawno by się jej pozbył, gdyby nie jej potężny krewniak, istna włócznia wymierzona w jego plecy, ilekroć wyruszał na wojnę. Lepiej niech nie będzie zbyt pewna siebie! On jeszcze może to zrobić!

Fojniks nie wyobrażał sobie dotąd, że chłopiec mógłby tak grać. Był równie dobry jak tamten Samijczyk przed kilkoma miesiącami. Ponosił go jednak zapał, jak mu się to niekiedy zdarzało z Homerem. Przy ojcu powinien się hamować. Nie powinien był pić tego wina.

Był już teraz przy kadencjach zmierzających do finału. Wartki potok dźwięków pędził wśród spienionych skał. Świetlisty pył połyskiwał w górze.

Filip patrzył, prawie nie słuchając, pochłonięty tym, co widział. Ten blask w twarzy, te głęboko osadzone oczy, w których lśniły nie skrywane łzy, ten odległy uśmiech na ustach. Wszystko to było lustrzanym odbiciem tamtej twarzy, którą pozostawił w komnacie na górze, twarzy o płonących czerwienią policzkach, o oczach, z których wściekłość wyciskała łzy, o wyzywającym uśmiechu.

Aleksander potrącił ostatnią strunę i zaczerpnął tchu. Nie popełnił ani jednego błędu.

Goście zaczęli klaskać. Epikrates przyłączył się do nich z zapałem. Fojniks zawołał nieco zbyt głośno: — Świetnie! Doskonale!

Filip uderzył pucharem w stół. Czoło nabiegło mu szkarłatem, powieka ślepego oka nieco opadła, odsłaniając tylko białą plamę, zdrowe oko było wytrzeszczone.

— Świetnie? To ma być muzyka dla mężczyzny?

Chłopiec obrócił się powoli, jakby budził się ze snu. Mrugnął kilka razy i utkwił oczy w ojcu.

— Nigdy więcej — rzekł Filip — nie chcę oglądać takiego widowiska. Zachowaj sobie te rzeczy dla korynckich dziwek i perskich eunuchów, bo śpiewasz wystarczająco dobrze dla jednych i dla drugich. Powinieneś się wstydzić.

Chłopiec stał kilka chwil bez ruchu, z twarzą bez wyrazu, coraz bardziej blednącą, gdy odpływała z niej krew. Potem, nie patrząc na nikogo, przeszedł między biesiadnymi łożami i wyszedł z wielkiej sali. Epikrates poszedł za nim. Stracił jednak parę chwil, zastanawiając się, co mu powiedzieć, i potem już go nie znalazł.

W parę dni później Gyras, Macedończyk z gór w głębi kraju, wyruszył starodawnym szlakiem do domu. Swemu dowódcy powiedział, że jego ojciec jest umierający i że chce go zobaczyć po raz ostatni. Dowódca spodziewał się tego już od wczoraj. Poradził Gyrasowi, żeby — kiedy załatwi już swoje sprawy — nie tracił czasu, jeśli nie chce stracić żołdu. Na waśnie plemienne patrzono przez palce, chyba że ich rozszerzenie się stanowiło realną groźbę. Nie było im końca. Żeby je wyeliminować, armia musiałaby zajmować się tylko nimi, sama zresztą nie była wolna od plemiennych zależności. Stryj Gyrasa został zabity, a stryjenkę zgwałcono i porzucono gdzieś na pustkowiu. Gdyby Gyrasowi odmówiono urlopu, musiałby zdezerterować. Takie rzeczy były na porządku dziennym.

Był to jego drugi dzień w drodze. Służył w lekkiej jeździe z własnym koniem, drobnym i niepozornym, ale wytrzymałym. Te cechy dzielił z nim właściciel, rudowłosy i ciemnoskóry człowiek ze złamanym i krzywo zrośniętym nosem oraz krótką, szczeciniastą brodą. Ubierał się głównie w skóry, a uzbrojony był po zęby, co było konieczne w podróży i związane z jego zamiarami. Gdzie tylko się dało, wybierał drogę tak, by poruszać się po trawie, chroniąc nie podkute kopyta swego konia. Około południa wjechał w pofałdowane wrzosowiska pomiędzy górskimi grzbietami. W obniżeniach gruntu kołysały się w wietrzyku brzozy i modrzewie. Jeszcze panowało lato, ale tu na wyżynach powietrze było rześkie. Gyras nie miał ochoty ginąć, wolałby jednak to niż życie w hańbie, które go czekało, gdyby nie dokonał zemsty. Rozglądał się więc dookoła, jakby miał wkrótce rozstać się z tym światem. Wjechał w dębinę, w której cieniu po kamieniach i poczerniałych liściach dębu pluskał strumyk. Napoił i spętał konia, zaczerpnął wody kubkiem z brązu, który nosił u pasa, wyjął z juków kozi ser i czarny chleb i usiadł na kamieniu.

Na szlaku za nim zastukały kopyta i ktoś obcy wjechał nieśpiesznie między drzewa. Gyras sięgnął po oszczepy. Leżały pod ręką.

— Dzień dobry ci, Gyrasie!

Do ostatka nie wierzył własnym oczom. Byli o dobre pięćdziesiąt mil od Pelli.

— Aleksander! — Chleb utknął mu w gardle. Przełknął go z trudem, a tymczasem chłopiec zsiadł z konia i zaprowadził go do strumienia.

— Skąd się tu wziąłeś? Jesteś sam?

— Teraz już z tobą. — Pozdrowił we właściwej formie boga strumienia, odciągnął konia, by nie pił za wiele i przywiązał go do jakiegoś dębczaka.

— Zjedzmy coś razem.

Wypakował jedzenie i podszedł do Gyrasa. Przez ramię przewiesił długi nóż myśliwski, ubranie miał pomięte i brudne, we włosach sosnowe igły. Najwyraźniej spał pod gołym niebem. Koń niósł przy jukach dwa oszczepy i łuk.

— Masz tu jabłko. Spodziewałem się, że dogonię cię przy posiłku.

Oszołomiony Gyras zjadł jabłko. Chłopiec napił się ze złożonych dłoni i ochlapał sobie twarz. Gyras, zajęty własnymi ważnymi sprawami, nie słyszał o wieczornym przyjęciu króla Filipa. Przeraziła go myśl, że chłopiec zostanie jego podopiecznym. Zanim by go odprowadził i znowu wyruszył, w domu mogło zdarzyć się wszystko.

— Jakim sposobem sam dotarłeś aż tak daleko? Zabłądziłeś? Polujesz?

— Poluję na to samo co ty — odpowiedział Aleksander. — Dlatego idę z tobą.

— Ale... ale... Przecież nie wiesz, o co mi chodzi!

— Oczywiście, że wiem. Wie to każdy w twoim oddziale. Trzeba mi jakiejś wojny, a twoja nadaje się w sam raz. Już mi czas zasłużyć na pas do miecza. Wyruszyłem po swojego człowieka.

Gyras wpatrywał się w niego osłupiały. Chłopiec musiał jechać za nim, niewidoczny, przez całą drogę. Wyposażony był odpowiednio. Coś zmieniło się też w jego twarzy. Policzki miał zapadnięte, oczy wydawały się głębiej osadzone, grzbiet nosa uwydatnił się, a na czole pojawiła się zmarszczka. Nie była to wcale twarz chłopięca. Niezależnie od tego miał dwanaście lat i Gyras za niego odpowiadał.

— To nie jest w porządku — powiedział zdesperowany. — Wiesz, że nie jest. Wiesz, że potrzebują mnie w domu. Teraz będę musiał zostawić ich samych sobie i odwieźć cię z powrotem.

— Nie możesz — chłopiec mówił tonem pouczenia. — Jadłeś ze mną, więc nie możesz mnie wydać. Zabrania tego prawo gościnności.

— Trzeba było powiedzieć mi wcześniej. Nic nie poradzę. Musisz wrócić i wrócisz. Jesteś jeszcze dzieckiem. Jeśli coś ci się stanie, król mnie ukrzyżuje.

Chłopiec wstał bez pośpiechu i podszedł do konia. Gyras poderwał się, ale usiadł widząc, że go nie odwiązuje.

— Nic ci nie zrobi, jeśli wrócę. Gdybym zginął, będziesz miał mnóstwo czasu na ucieczkę. Chyba i wtedy by cię nie zabił. Pomyśl raczej o mnie: jeśli spróbujesz mnie odesłać, albo wysłać o mnie wiadomość, zabiję cię. Tego możesz być pewien.

Odwrócił się z podniesionym ramieniem. Gyras spojrzał na wymierzony w siebie, gotowy do rzutu oszczep. Wąski grot w kształcie liścia lśnił błękitem, świeżo naostrzony. Jego czubek wyglądał jak igła.

— Spokojnie, Gyrasie. Siedź i nie ruszaj się. Wszyscy wiedzą, że jestem szybki. Zanim zdążysz coś zrobić, rzucę. Nie chcę, żebyś ty był moim pierwszym. To by się nie liczyło, musiałbym dopaść innego w bitwie. Ale jeśli spróbujesz mnie zatrzymać, będziesz nim ty.

Gyras spojrzał mu w oczy. Spoglądał już w takie oczy przez szparę w hełmie...

— Daj spokój. Nie mówisz poważnie.

— Nikt się nawet o tym nie dowie. Po prostu zostawię cię tu wilkom i kaniom na pożarcie. Nikt ci nie odda ostatniej posługi.

Zaczął mówić wierszem:

— *Duchy ci wejść nie pozwolą, widmowe cienie umarłych*; rzeki podziemia nie dając ci przebyć, byś w ich tłum się dostał. Błądzić więc będziesz przed szerokimi wrotami Hadesu***.

Gyras siedział nieruchomo. Miał czas na zastanowienie. Choć nie wiedział o wieczerzy, wiedział o nowym małżeństwie króla i o poprzednich także. Z jednego z nich urodził się już chłopiec. Ludzie mówili, że dobrze się zapowiadał, ale zidiociał, niewątpliwie podtruty przez królową. Może zresztą przekupiła tylko niańkę, żeby upuściła dziecko na główkę. Mogli pojawić się inni synowie. Jeśli młody Aleksander chce zostać mężczyzną wcześniej, można to zrozumieć.

— I cóż? — spytał chłopiec. — Obiecujesz? Nie mogę tak stać przez cały dzień.

— Bogowie tylko wiedzą, za co mnie to spotyka! Co mam ci obiecać?

— Ani słowa o mnie do Pelli. Nie powiesz nikomu o mnie bez mej wiedzy. Nie zabronisz mi wziąć udziału w bitwie. Musisz to przyrzec, przyzywając śmierć, gdybyś miał nie dotrzymać przyrzeczenia.

Gyras wahał się. Nie w smak mu były takie układy z synem czarowni-

---

* Homer, *Iliada*, tłum. K. Jeżewska, op. cit., XXIII 72.
** Homer, *Iliada*, tłum. I. Wieniewski, op. cit., XXIII 73.

cy. Chłopiec opuścił oszczep, ale trzymał rzemień w palcach, gotowy do rzutu.

— Musisz to zrobić. Nie chcę, żebyś mnie związał w czasie snu. Mógłbym czuwać całą noc, ale byłoby głupio robić to przed bitwą. Musisz przysiąc, jeśli chcesz wyjść stąd żywy.

— A co potem ze mną będzie?

— Jeśli przeżyję, dopilnuję tego. Musisz się liczyć z tym, że zginę — to wojna. — Chłopiec sięgnął do skórzanej sakwy, oglądając się przez ramię na Gyrasa, który wciąż jeszcze nie był zaprzysiężony, i wyjął kawałek mięsa. Było już skruszałe.

— To z udźca ofiarnego kozła — powiedział, rzucając mięso na głaz.

— Tak właśnie należy zrobić. Podejdź, połóż na tym rękę. Szanujesz przysięgi złożone w obliczu bogów?

— Tak — odpowiedział Gyras.

Ręce miał tak chłodne, że mięso dawno zabitego kozła wydawało mu się całkiem ciepłe.

— Powtarzaj więc za mną.

Przysięga była skomplikowana i szczegółowa, a przywołanie śmierci naprawdę przerażające. Chłopiec miał wprawę w tego rodzaju rzeczach, znał się też na ich słabych stronach. Gyras skończył przysięgać, co mu kazano, i poszedł opłukać okrwawioną rękę w strumieniu. Chłopiec powąchał mięso.

— Chyba nie nadaje się jeszcze do jedzenia, nawet gdybyśmy mogli tracić czas na rozpalanie ognia.

Odrzucił mięso, wsunął oszczep w pochwę i podszedł do Gyrasa. — Mamy to już za sobą, więc jesteśmy przyjaciółmi. Skończmy jeść, a ty mi opowiesz o tej wojnie.

Gyras przesunął dłonią po czole i zaczął wyliczać krzywdy krewniaków.

— Nie, o tym już wiem. Ilu jest was, a ilu tamtych? Jaka tam jest okolica? Czy macie konie?

Szlak prowadził zielonymi wzgórzami, stale się wznosząc. Miejsce trawy zajęły paproć i tymianek. Szlak wił się obok sosnowych lasków i zarośli mącznika. Nad nimi wznosiły się górskie grzbiety. Wdychali życiodajne, nieskalanie czyste powietrze gór.

Gyras opowiadał o krwawej waśni ciągnącej się od trzech pokoleń. Chłopiec okazał się wdzięcznym słuchaczem. O swoich sprawach powiedział tylko:

— Jeśli dostanę swego człowieka, musisz to poświadczyć w Pelli. Król upolował swojego dopiero wtedy, gdy miał piętnaście lat. Parmenion mi to powiedział.

111

Gyras zamierzał spędzić ostatnią noc podróży u swoich dalszych krewnych, o pół dnia drogi od domu. Wskazał chłopcu z daleka ich wioskę na skraju skalnej gardzieli. Wznosiły się nad nią skalne stoki, a prowadziła do niej ponad przepaścią ścieżka dla mułów. Gyras chciał jechać dobrą, dłuższą drogą z czasów króla Archelaosa, chłopiec upierał się jednak, by wypróbować ścieżkę, dowiedziawszy się, że jest trudno dostępna. Mijali ostre zakręty i zawrotne uskoki. — Jeśli oni są z twojego rodu, nie ma sensu mówić im, że jestem twoim krewnym. Powiedz, że jestem synem twojego dowódcy, i że uczę się wojaczki. Nie będą mogli zarzucić ci kłamstwa.

Gyras chętnie się zgodził, nawet jeśli to oznaczało, że będą mieli oko na chłopca. Nie mógł zresztą zrobić nic innego, pamiętając o przysiędze. Wierzył w takie rzeczy.

Wioska Skopas leżała na płaskiej półce o obwodzie kilku stadiów, między osypującym się górskim zboczem a gardzielą wąwozu. Zbudowana z brunatnych kamieni, których mnóstwo leżało dookoła, wyglądała jakby wyrosła ze skały. Dostępu broniła zapora z głazów i ciernistych zarośli. Rzadka trawa wewnątrz niej pełna była krowich placków. Bydło spędzało tam noce. Pasło się tam ledwie parę włochatych koników, bo z większości korzystali właśnie myśliwi i pasterze. Na górze widać było kozy i kilka chudych owiec. Dźwięk fujarki pastuszka brzmiał jak piosenka dzikiego ptaka.

Na karłowatym, uschniętym drzewie ponad ścieżką zatknięto pożółkłą czaszkę i kilka kości, jakieś pozostałości ręki.

— To było dawno temu — odpowiedział Gyras na pytanie chłopca.
— Byłem wtedy dzieckiem. Ten człowiek zabił swego ojca.

Ich przyjazd był największym od pół roku wydarzeniem. Zaczęto zwoływać pasterzy głosem rogu. Najstarszego mieszkańca zwleczono z barłogu z jeszcze starszych od niego skór i szmat, gdzie czekał na swój koniec. W domu naczelnika plemienia częstowano ich małymi, słodkimi figami i jakimś zmętniałym winem w najlepszych, czyli najmniej wyszczerbionych pucharach. Gospodarze ze starodawną dwornością zaczekali, aż goście się pokrzepią, zanim zaczęli pytać, co ich sprowadza i co słychać w szerokim świecie. Gyras mówił, że Wielki Król znów trzyma Egipt pod butem i że król Filip został wezwany do uporządkowania spraw w Tessalii i mianowany tam archontem, czyli prawie królem, dzięki czemu chwycił południowców za gardło. Brat naczelnika zapytał, czy to prawda, że król wziął sobie nową żonę i oddalił epirocką królową.

Milczenie chłopca było bardziej wymowne niż głosy pozostałych. Gyras odpowiedział, że to stek kłamstw. Kiedy król zajmuje nowe ziemie, bierze do swego domu córkę miejscowego władcy — zdaniem Gyrasa jako zakładniczkę. Co do królowej Olimpias, cieszy się ona wielkim szacunkiem jako matka następcy tronu, który jest chlubą swych rodziców. Wygłosiwszy tę mowę, ułożoną w pocie czoła przed kilkoma godzinami, Gyras uciął komentarze, pytając z kolei o nowiny.

Nowiny były złe. Czterej nieprzyjaciele natknęli się w górskiej dolinie na dwóch rodaków Gyrasa goniących za jeleniem. Jeden z nich dowlókł się do domu i powiedział, gdzie znajdą ciało jego brata, nim zajmą się nim szakale. Nieprzyjaciół rozpierała pycha. Ich naczelnik nie może już powstrzymać swoich synów i nikt już nie czuje się bezpieczny.

Omówiono wiele wydarzeń i przytoczono wiele wypowiedzianych dawniej słów. Tymczasem pasterze zaganiali zwierzęta, a kobiety przyrządzały kozła ubitego dla uczczenia gości. O zmroku wszyscy poszli do łóżek.

Aleksander dzielił swe łoże z synem naczelnika. Tamten chłopiec bał się trochę gościa, pozwolił mu więc spać, na ile tylko pozwoliły na to pchły, których w łóżku nie brakowało.

Śniło mu się, że Herakles potrząsa go za ramię. Wyglądał jak w ogrodowej kaplicy w Pelli: młody, bez brody, w kapturze z paszczy lwa ze zwisającą grzywą.

— Wstawaj leniu albo zacznę bez ciebie. Nie mogę się ciebie dobudzić...

Wszyscy w izbie spali. Wziął płaszcz i cicho wyszedł na zewnątrz. Księżyc świecił jasno nad rozległą wyżyną. Nie czuwał nikt oprócz psów. Wielkie psisko podobne do wilka podbiegło, by go obwąchać.

Wszędzie panował spokój. Dlaczego Herakles go wzywał? Spojrzał na wysoką skałę, pełniącą rolę wioskowej strażnicy, na którą wiodła wygodna ścieżka. Gdyby stał tam strażnik... ale nie stał. Wspiął się tam sam. Widać stąd było drogę Archelaosa, wijącą się u stóp góry.

Dwudziestu kilku jeźdźców na nie objuczonych koniach! Znajdowali się za daleko, by można ich usłyszeć, nawet w tej głuchej ciszy gór, ale w świetle księżyca widać było błyski.

Oczy chłopca rozszerzyły się. Wzniósł ręce i oczy ku niebu. Twarz miał promienną. Ofiarował siebie Heraklesowi i oto bóg udzielił mu odpowiedzi. Nie opuścił go, szukającego bitwy. Wysłał mu bitwę naprzeciw.

W blasku księżyca, bliskiego teraz pełni, zapamiętywał wygląd otoczenia, miejsca dogodne do walki i słabe punkty. Tam w dole nie było miejsca odpowiedniego na zasadzkę. Archelaos znał się na budowie dróg i poprowadził tę drogę, unikając pułapek. Tamci powinni jednak wpaść w zasadzkę, byli bowiem liczniejsi od mieszkańców Skopas. Tych zaś trzeba było zbudzić natychmiast, zanim wróg zbliży się na tyle, by usłyszeć poruszenie we wsi. Gdyby zaczął biegać w koło, w zamieszaniu przestaną zwracać na niego uwagę. Trzeba ich zmusić, by go wysłuchali. Przed chatą naczelnika wisiał róg, którym zwoływano wieśniaków. Wypróbował go po cichu, a potem zagrał.

Drzwi zaczęły się otwierać. Mężczyźni wybiegali, zawiązując przepaski, kobiety lamentowały, owce i kozy meczały i beczały. Chłopiec stał na wysokim głazie, widoczny na tle nieba, i wołał: — Wojna! To jest wojna! Gwar ucichł. Słychać było tylko jego głos. Odkąd opuścił Pellę, myślał tylko po macedońsku.

— Jestem Aleksander, syn króla Filipa. Gyras mnie zna. Przybyłem walczyć po waszej stronie, bo tak mi nakazał bóg. Na drodze w dole jest wróg, dwudziestu trzech konnych. Przed wschodem słońca będzie po nich, jeżeli mnie posłuchacie.

Wywołał naczelnika i jego synów, każdego z nich po imieniu.

Wystąpili naprzód w głuchym milczeniu, wytrzeszczając na niego oczy w mroku. Więc to był syn czarownicy, syn tej Epirotki!

Usiadł na głazie, nie chcąc oddzielać się od nich wysokością, i mówił spokojnie i pewnie, świadom, że Herakles stoi przy nim.

Kiedy skończył, naczelnik odesłał kobiety do domów, a mężczyznom nakazał wykonać polecenia chłopca. Z początku byli przeciwni. Wydawało się wbrew rozsądkowi nie atakować przeklętych nieprzyjaciół, zanim nie wejdą za zaporę, między bydło, które przyszli uprowadzić. Gyras poparł jednak ten plan. Świt ledwie majaczył, kiedy zbroili się, chwytali kuce i zbierali się za domami po przeciwnej stronie wioski. Jasne było, że tamci liczyli na nieobecność mężczyzn. Odrzucono część cierniowej zapory, by ułatwić wrogom wejście bez budzenia ich podejrzeń. Jak co rano wysłano pastuszków w góry.

Szczyty rysowały się czernią na tle nieba, na którym bladły już gwiazdy. Chłopiec trzymał konia za uzdę, ściskał oszczepy i patrzył na pierwszą różowość świtu. Mógł to być jego ostatni świt. Wiedział to już przedtem, teraz to czuł. Nasłuchał się już w życiu o śmierci. Teraz jego własne ciało przypomniało mu te opowieści; o żelazie wgryzającym się w czyjeś życie, o śmiertelnej męce, o mrocznych cieniach czekających na tych, którzy na zawsze muszą porzucić światło. U jego boku nie było już boskiego stróża.

— Czemuś mnie opuścił?

Najwyższy szczyt rozbłysnął płomieniem świtu. Chłopiec był sam i stał w milczeniu. Głos Heraklesa docierał do niego bez przeszkód.

— Opuściłem cię, byś pojął moją tajemnicę. Nie myśl, że to inni umrą, a nie ty. Nie po to ci sprzyjam. Ja sam zostałem bogiem, kładąc się na stosie. Zmagałem się z Thanatosem i wiem, jak zwycięża się śmierć. Nieśmiertelność nie oznacza wiecznego życia, bo to pragnienie rodzi się ze strachu. To każda chwila wolna od strachu czyni człowieka nieśmiertelnym.

Różowość świtu zmieniła się w złocistość. Chłopiec stał między życiem a śmiercią, jak między nocą a dniem i myślał w uniesieniu: „Ja się nie boję!" Było to lepsze od muzyki i od miłości matki, było to prawdziwe życie bogów. Nie mógł go dotknąć żaden smutek, nie mogła zaszkodzić żadna złość. Wszystko wydawało mu się jasne i czyste. Czuł się jak orzeł spadający na zdobycz, ostry jak strzała, pełen światła.

Kopyta nieprzyjacielskich koni zatętniły na twardym gruncie. Przystanęli na chwilę przed zaporą. Z góry dolatywał odgłos pastuszej fujarki. W domach gaworzyły dzieci nieświadome podstępu. Jakaś świadoma go kobieta śpiewała. Odrzucili na bok ciernie i ze śmiechem wjechali do środka. Bydło, po które przybyli, pozostało w zagrodzie. Najpierw kobiety!

Nagle zabrzmiał krzyk tak głośny i wysoki, jakby zobaczyła ich jakaś przerażona dziewczyna. Potem rozległy się okrzyki mężczyzn.

Konno i pieszo wypadli na wrogów ludzie ze Skopas. Niektórzy z tamtych już byli między domami, z tymi uporano się szybko. Wkrótce siły się zrównały.

Przez chwilę panował zamęt. Ludzie przemykali między bydłem i zderzali się z nim. Potem jeden z jeźdźców popędził do bramy i uciekł. Podniosły się okrzyki tryumfu. Chłopiec zrozumiał, że ludzie ze Skopas gotowi byli pozwolić tamtym uciec, zadowoleni ze zwycięstwa. Nie myśleli o tym, że wróg powróci, rozdrażniony porażką i szukający pomsty. Czyżby chodziło im tylko o zwycięstwo?

Rzucił się do bramy z krzykiem: — Odeprzeć ich! — a miejscowi poszli za nim, pociągnięci jego pewnością siebie. Zaparto bramę. Bydło nadal pętało się dokoła, ale ludzie stali już naprzeciw siebie w dwóch krótkich liniach bojowych.

„Teraz!" — pomyślał chłopiec. Spojrzał na stojącego przed nim.

Przeciwnik miał na sobie kołpak z czarnej skóry naszywany niezdarnie kutymi żelaznymi płytkami i pancerz z koziej skóry z włosiem na wierzchu, tu i ówdzie powycieranym. Miał rudą brodę, a z nadmiernie opalonej twarzy schodziła skóra. Marszczył czoło, nie w gniewie, lecz jak człowiek, któremu kazano robić coś, na czym się nie zna, i który nie ma czasu na zmartwienia innych, ponieważ trapią go własne. Chłopiec pomyślał, że mimo wszystko był to dorosły i wysoki mężczyzna, a kołpak nosił ślady częstego używania. Trzeba brać tego, kto pierwszy się nawinie, to najlepszy sposób.

Miał swoje dwa oszczepy, jeden do rzutu, drugi do walki wręcz. W powietrzu latały już włócznie, a jeden z mieszkańców wskoczył z łukiem na dach domu. Jakiś koń zarżał i stanął dęba. W jego karku tkwiła strzała. Jeździec spadł i wygrzebał się, podskakując na jednej nodze, a koń pomknął wokół domów. Większość włóczni chybiła — przez niecierpliwość, zbyt wielką odległość lub też brak wprawy. Rudowłosy szukał wzrokiem okazji, by w zwarciu zrzucić z konia tego przeciwnika, z którym przyjdzie mu walczyć. Jeszcze trochę, a zajmie się nim ktoś inny.

Chłopiec wymierzył oszczep, poganiając kuca piętami. Cel był łatwy, na koziej skórze widać było czarną łatę na sercu. Nie, to był jego pierwszy nieprzyjaciel, to musiała być walka wręcz. Obok tamtego stał jakiś czarnowłosy, ciemnoskóry, krępy człowiek z czarną brodą. Chłopiec wziął zamach, rzucił, prawie nie patrząc, i sięgnął po drugi oszczep, szukając wzrokiem rudowłosego. Tamten dojrzał go, ich oczy się spotkały. Chłopiec wydał jakiś bitewny krzyk obywający się bez słów i zdzielił drzewcem konia. Ten skoczył naprzód po zrytej kopytami ziemi.

Tamten pochylił włócznię, dłuższą niż oszczep chłopca, spoglądając spod niej. Jego oczy przesunęły się tylko po chłopcu i dalej szukały kogoś dorosłego, kogo musiałby się obawiać.

Chłopiec zadarł głowę i krzyknął z całej mocy w płucach. Tamten musiał dać się sprowokować, potraktować go serio, inaczej nie będzie to przepisowe zabójstwo, ale coś w rodzaju ciosu w plecy albo zabicia śpiącego. Musi być doskonałe, bez zarzutu. Znów wydał swój bitewny krzyk.

Najeźdźcy byli rosłym plemieniem. Rudowłosemu mogło się wydawać, że najeżdża na niego jakiś dzieciak. Patrzył na chłopca niespokojnie, z obawą, że kiedy będzie go odganiał, zaskoczy go któryś z mężczyzn. Wzrok miał nie najlepszy, i choć chłopiec widział go wyraźnie, on potrzebował paru chwil, by rozpoznać zbliżającą się twarz. Nie była dziecinna. Włosy zjeżyły mu się na głowie.

Chłopiec przybrał wyraz twarzy wojownika, aby nie było wątpliwości, że idzie o walkę na śmierć i życie. Z twarzą pełną szczerości, wolną od gniewu, nienawiści, wątpliwości, z twarzą, w której malowała się radość ze zwycięstwa nad strachem i czyste poświęcenie się, leciał ku rudowłosemu. Ten nie chciał mieć do czynienia z tą promieniejącą nieludzkim blaskiem twarzą, z tą tajemniczą istotą, czymkolwiek była, niesamowitą, wydającą jastrzębie krzyki. Zawrócił konia. Zbliżał się jakiś tęgi Skopijczyk, pewnie by go oddzielić: z tym tu poradzi sobie ktoś inny.

Za długo się rozglądał. Promienny mężczyzna-chłopiec był już przy nim. Uderzył włócznią, ale atakujący skutecznie się uchylił. Ujrzał głęboko osadzone oczy i usta wykrzywione w ekstazie. Uderzenie trafiło go w pierś, i nie było to już uderzenie, ale zguba i ciemność. Gdy mu ciemniało w oczach, zdążył jeszcze pomyśleć, że te uśmiechnięte usta rozchylają się, by wyssać z niego życie.

Skopijczycy wznieśli okrzyk na cześć chłopca, któremu najwyraźniej sprzyjało szczęście. To było najszybsze rozstrzygnięcie w całej tej walce. Napastnicy byli wstrząśnięci, bo zabity był ukochanym synem ich naczelnika, który był już za stary, by samemu wyruszyć. Przebijali się w nieładzie do wyjścia, napierając końmi na bydło i ludzi. Nie wszyscy Skopijczycy byli zdecydowani walczyć do ostatka. Konie kwiczały, krowy ryczały i tratowały powalonych, w powietrzu wisiał odór świeżego gnoju, potu, krwi i stratowanego zielska.

Zgodnie z logiką walka kierowała się ku drodze. Chłopiec przepychając się koniem przez stado kóz, przypomniał sobie widok ze strażnicy. Wypadł ze ścisku z przeszywającym uszy okrzykiem.

— Zatrzymać ich! Ścieżka! Zepchnąć ich na ścieżkę!

Nawet się nie obejrzał i gdyby Skopijczycy nie rzucili się za nim, uderzyłby sam na Kimoliów.

Zdążyli. Jeźdźcy zostali powstrzymani, wszystkie drogi oprócz jednej były odcięte. Wpadli teraz w panikę, nie umiejąc wybrać mniejszego zła. Bali się przepaści, nie znając jednak kozich ścieżek na skalnej ścianie, stłoczyli się na wąskiej ścieżce nad gardzielą wąwozu.

Na początku tego szlaku jeden z nich zawrócił ku prześladowcom. Miał włosy koloru słomy, skórę spaloną na brąz, orli nos. Przedtem był pierwszy w ataku i ostatni w ucieczce, ostatni też porzucił próbę przedarcia się do drogi. Zrozumiał, że dokonali złego wyboru i czekał tam, gdzie zwężała się ścieżka. To on zaplanował i poprowadził tę wyprawę. Jego młodszy brat zginął z ręki chłopca, który powinien jeszcze pasać kozy, on zaś będzie musiał donieść o tym ojcu. Śmierć wydawała się lepsza od hańby, i tak zresztą czekała ich śmierć, a jeśli potrafi utrzymać jakiś czas to przejście, kilku może zdołać uciec. Wyciągnął stary żelazny miecz po dziadku i zsiadł z konia, zagradzając drogę.

Chłopiec zobaczył go, wyjechawszy ze swego miejsca w sieci, jak broni się przed trzema naraz przeciwnikami, dostaje cios w głowę i osuwa się na kolana. Ścigający przebiegli nad nim. Mieli przed sobą jeźdźców rozciągniętych sznurem wzdłuż skalnej półki. Wrzeszcząc z radości, Skopijczycy zaczęli rzucać w nich kamieniami, a łucznik wypuszczał strzały. Konie spadały z kwikiem z urwiska, a jeźdźcy spadali za końmi. Tamci stracili połowę ludzi, zanim stali się nieosiągalni dla pocisków.

Wszystko było skończone. Chłopiec ściągnął cugle swego kuca, który dostał cięcie po karku i dokuczały mu muchy. Chłopiec głaskał zwierzę i uspokajał.

Przybył tu po jednego człowieka, a oto wygrał bitwę. Bóg z niebios mu ją zesłał.

Skopijczycy tłoczyli się wokół niego — ci, którzy nie zeszli do wąwozu obdzierać ciała. Kładli mu ciężkie dłonie na głowę i ramiona, ich oddechy parowały w chłodnym powietrzu. Był ich wodzem, ich dzielną przepiórką, ich lewkiem, ich szczęściem. Gyras szedł przy nim z miną człowieka, którego pozycja już na zawsze uległa zmianie.

Wtem ktoś krzyknął: — Ten sukinsyn jeszcze się rusza!

Chłopiec przepchnął się między ludźmi. Płowowłosy leżał tam, gdzie go powalono; krwawił z rozbitej głowy i próbował unieść się na ręku. Jakiś Skopijczyk chwycił go za włosy, aż krzyknął z bólu, i już szykował się, by mu poderżnąć gardło. Inni przestali zwracać uwagę na coś tak naturalnego i oczywistego.

— Nie! — zawołał chłopiec. Wszyscy odwrócili się zdziwieni i zaskoczeni. Podbiegł i ukląkł przy tamtym, odsuwając na bok nóż.

— On był dzielny. Zrobił to dla innych. Był jak Ajas przy okrętach.

Skopijczycy zaczęli się spierać. O co mu chodzi? O jakiegoś herosa? O złą wróżbę? — To tylko chłopięcy kaprys, a wojna to wojna — powiedział któryś, śmiejąc się. Odsunął pierwszego i z nożem w ręku pochylił się nad leżącym.

— Jeśli go zabijesz, pożałujesz tego — powiedział chłopiec. — Przysięgam na głowę mego ojca.

Ten z nożem obejrzał się, zaskoczony. Jeszcze przed chwilą ten chłopak był w najlepszym humorze.

— Lepiej zrób, co on mówi — mruknął Gyras.

— Macie mu pozwolić odejść. On jest moją zdobyczą. Ma dostać swego konia. Daję wam za to konia tego, którego zabiłem.

Słuchali z otwartymi ustami, chyba jednak liczyli na jego krótką pamięć i na to, że dobiją tamtego później.

— Wsadźcie go na konia i na drogę z nim. Pomóż mu, Gyrasie.

Skopijczycy swe ustępstwo zamienili w śmiech. Rzucili tamtego na konia, zabawiając się jego kosztem, póki ostry młody głos nie krzyknął:

— Przestańcie!

Uderzony po zadzie koń poszedł, bity jeszcze po drodze, a jego słaniający się jeździec czepiał się grzywy. Chłopiec odwrócił się. Zmarszczka zniknęła mu z czoła.

— Teraz muszę znaleźć mojego.

Na polu walki nie było już rannych. Kobiety zabrały swoich do domów. Najeźdźców dobito i znowu zrobiły to kobiety. Teraz przyszły po swoich zmarłych, rzucając się na ich ciała, bijąc się w piersi, rozdrapując twarze i wyszarpując włosy. Ich zawodzenie unosiło się w powietrzu jak głosy jakichś dzikich stworzeń: młodych wilków albo kóz w porze rodzenia. Białe chmury żeglowały powoli po niebie, rozwijając czarne skrzydła nad górami i malując czernią wierzchołki dalekich lasów.

„Oto pole bitwy" — myślał chłopiec. „Tak właśnie wygląda. Zabici nieprzyjaciele leżą rozrzuceni, znieruchomiali, rozciągnięci, powaleni, przeklęci".

Kobiety, gromadząc się niczym wrony, zasłaniały poległych zwycięzców. Zaczynały zlatywać się już pojedyncze sępy.

Rudowłosy leżał na wznak, z uniesionym kolanem, z młodzieńczą brodą zadartą w niebo. Ktoś zabrał mu już naszywany żelazem kołpak, starszy od niego o dwa pokolenia. Będzie jeszcze służył wielu innym właścicielom. Nie krwawił zbytnio. Była wcześniej taka chwila, kiedy padał z wbitym w pierś oszczepem, że chłopiec bliski był utraty broni. Wystarczyło jednak raz jeszcze pociągnąć.

Patrzył teraz w bladą, siniejącą już twarz o otwartych ustach i znów myślał o polu bitwy i o tym, że żołnierz musi się z nim oswoić. Zabił oto człowieka i musi okazać jakieś trofeum. Nic było już sztyletu, ani nawet pasa, zniknął też pancerz z koziej skóry. Kobiety uwijały się szybko. Chłopiec był zły na siebie, wiedział jednak, że narzekanie nie przywróci tamtemu tych rzeczy, jego zaś narazi na utratę twarzy. Jakieś trofeum musiał jednak mieć. Nie pozostało już nic, oprócz...

— Hej, młody wojowniku! — Jakiś skopijski młodzik o czarnych, splątanych włosach stał nad nim, ukazując w przyjaznym uśmiechu połamane zęby. Trzymał rzeźnicki topór z plamami nie zaschniętej jeszcze krwi na ostrzu.

— Jeśli chcesz, utnę ci jego głowę. Znam się na tym.

Chłopiec milczał, mając z jednej strony usta otwarte w uśmiechu, z drugiej w grymasie śmierci. Topór, którym tak lekko machał młodzik, był dla niego za ciężki.

— To się robi już tylko w zacofanych krajach, Aleksandrze — powiedział pośpiesznie Gyras.

— Lepiej będzie, jeśli ją zabiorę — odrzekł. — Nie mam nic poza nią.

Młodzik podszedł ochoczo. Gyras myślał już po miastowemu, ale syn królewski nie gardził starym obyczajem. Spróbował palcem ostrza. Chłopiec stwierdził jednak, że zbyt go ucieszyła myśl o zwaleniu tej roboty na kogoś innego. — Nie, muszę ją uciąć sam.

Skopijczycy śmiali się i klęli z podziwem. Włożono mu w ręce ciepłą i śliską rękojeść topora, pachnącą surowym mięsem. Ukląkł przy zwłokach, zmuszając się do trzymania oczu otwartych, i zawzięcie rąbał po szyi, ochlapując się krwawymi strzępami ciała, dopóki głowa nie potoczyła się swobodnie. Chwycił w garść włosy umarłego — bo nie powinno już nic pozostać do zrobienia, czego lękałby się w głębi duszy — i stanął wyprostowany.

— Przynieś mi moją torbę myśliwską, Gyrasie.

Gyras odpiął ją od siodła. Chłopiec wpuścił głowę do środka i otarł dłonie o torbę. Krew wciąż jeszcze zlepiała mu palce. Strumyk płynął o sto stóp w dole. Umyje je wracając. Odwrócił się, by pożegnać gospodarzy.

— Czekajcie! — krzyknął ktoś. Dwóch czy trzech mężczyzn biegło w jego stronę, niosąc coś i machając rękami. — Niech młody pan nie odjeżdża! Mamy jego drugie trofeum. Dwóch, tak, zabił dwóch!

Chłopiec zmarszczył brwi. Chciał już wracać. Stoczył tylko jedną walkę, o co więc im chodzi?

Pierwszy z tamtych podbiegł zdyszany. — To prawda. Ten tu — wskazał zwłoki z krwawą szyją — to jego drugi! Pierwszego zabił rzutem oszczepu, zanim się do nich zbliżyliśmy. Sam to widziałem. Zwalił się jak świnia pod obuchem. Rzucał się trochę, ale przestał, zanim przyszły kobiety. Masz tu, młody panie, coś do pokazania twemu ojcu!

Drugi z nich pokazał głowę, podnosząc ją za czarne włosy. Gęsta broda zakrywała uciętą szyję. Była to głowa tego mężczyzny, w którego rzucił pierwszym oszczepem, zanim stoczył walkę wręcz. Było takie jedno okamgnienie, kiedy widział, że może go dosięgnąć. Zapomniał o tym, odciął się w myślach od tego wszystkiego, jakby nigdy się nie zdarzyło. Trzymana za czuprynę głowa miała zadartą arogancko brodę, szczerząc w grymasie śmierci zęby ze szczerbą między nimi.

Zabity miał smagłą cerę, a jedno oko, na wpół przymknięte, ukazywało tylko białko.

Chłopiec wpatrywał się w tę twarz, czując chłód we wnętrznościach, lepki pot na dłoniach i wielką falę mdłości. Przełknął ślinę, powstrzymując się od wymiotów.

— Nie zabiłem go — powiedział. — Nie zabiłem tego człowieka.

Wszyscy trzej zaczęli go przekonywać, opisując ciało, przysięgając, że nie miało innej rany, proponując pójście z nim na miejsce, wciskając mu tę głowę. Dwóch ludzi w pierwszej potyczce! Może o tym opowiadać wnukom! Zwrócili się do Gyrasa: młody pan jest zmęczony, i nic dziwnego, ale kiedy przyjdzie do siebie, będzie mu żal tej zdobyczy. Gyras musi ją zabrać dla niego.

— Nie — chłopiec podniósł głos. — Nie chcę jej. Nie widziałem, jak zginął. Może zabiły go kobiety. Nie widzieliście, co z nim się stało. Zabierzcie tę głowę.

Posłuchali go, cmokając; byli pewni, że będzie tego żałował. Gyras wziął na bok naczelnika i szepnął mu coś do ucha. Tamten zmienił się na twarzy, otoczył chłopca ramieniem i powiedział mu, że przed długą podróżą powinien rozgrzać się kroplą wina. Chłopiec poszedł z nim spokojnie, z twarzą wyraźnie pobladłą i podkrążonymi oczami. Przy winie szybko wróciły mu kolory, zaczął się uśmiechać i wkrótce przyłączył się do śmiechu innych.

Z zewnątrz dochodził gwar pochwał. Cóż za wspaniały chłopiec! Co za odwaga, jaka głowa, i do tego jaka delikatność uczuć! Przecież podobieństwo nie było zbyt wielkie, a jednak było mu przykro. Któryż ojciec nie byłby dumny z takiego syna?

— *Najpierw oglądaj kopyta, gdyż grube daleko lepsze są od wąskich. Zważaj czy kopyta są wysokie, czy niskie z przodu i z tyłu, czy też są spłaszczone. Bo wysokie mają „jaskółkę" daleko od ziemi...**
— Czy jest w tej książce coś, czego nie umiesz na pamięć? — spytał Filotas, syn Parmeniona.

— Ksenofonta nigdy za wiele, jeżeli mowa o koniach — odparł Aleksander. — Chciałbym też przeczytać jego książki o Persji. Czy kupujesz coś dzisiaj?

— Nie w tym roku, ale mój brat kupuje.

— Ksenofont mówi, że dobre kopyta wydają dźwięk podobny do dźwięku cymbałów. Te tu wyglądają mi na wykrzywione. Ojciec zamierza kupić nowego bojowego rumaka. W zeszłym roku Ilirowie zabili pod nim konia.

Obejrzał się na podwyższenie, które wzniesiono jak zwykle przed wiosennym końskim targiem, ale król jeszcze nie przybył.

Był piękny, jasny dzień. Powierzchnia jeziora i zalewu marszczyła się i migotała. Białe chmury lecące nad nią ku dalekim górom miały sine krawędzie jak świeżo naostrzone miecze. Zdeptana murawa łąki zieleniła się pięknie po zimowych deszczach. Przez cały ranek żołnierze dokonywali zakupów. Dowódcy dla siebie, a naczelnicy plemion dla wasalów, z których tworzyły się ich oddziały (w Macedonii powinności feudalne pokrywały się najczęściej z wojskowymi), kupowali wytrzy-

* Ksenofont, *O jeździectwie*, tłum. J. Schnayder, w: *Wybór pism*, Ossolineum 1966, I 3.

121

małe krępe zwierzęta o gęstych grzywach, lśniące i pełne życia, odpasione zimą. Do południa skończono ze zwykłymi zakupami. Zaczęto wyprowadzać konie pełnej krwi, wyścigowe, paradne i bojowe, wyczesane i wystrojone na pokaz. Koński targ w Pelli był instytucją nie mniej szanowaną niż wielkie święta religijne. Handlarze przybywali tu z Tessalii, krainy koni, z Tracji, z Epiru, nawet spoza Hellespontu. Ci ostatni zawsze zapewniali, że ich towar pochodzi z krzyżówek ze sławną nezajską rasą koni, które były własnością królów perskich.

Liczący się nabywcy przybywali dopiero teraz. Aleksander spędzał tu prawie cały dzień. Towarzyszyło mu pół tuzina chłopców, zabranych ostatnio przez Filipa ojcom, których chciał uhonorować. Nie czuli się jeszcze swobodnie, ani z nim, ani ze sobą.

Już dawno temu powoływano w Macedonii straż królewicza, kiedy następca tronu dorastał. Sam król nie był jednak nigdy formalnym następcą, a poprzednio, w czasie wojen sukcesyjnych, żaden następca nie zdążył dorosnąć. Mordowano ich i wydziedziczano. Kroniki mówiły, że ostatnim, który miał swoich Towarzyszy, był Perdikkas Pierwszy przed pięćdziesięciu laty. Żył jeszcze ostatni z nich, mocno wiekowy. Niczym Nestor snuł długie opowieści o wojnach na pograniczu i wyprawach po bydło, znał imiona wszystkich wnuków Perdikkasowych bękartów, ale nie pamiętał niczego z ówczesnego ceremoniału.

Towarzysze powinni być rówieśnikami królewicza, którzy także zasłużyli już na pas do miecza, w całym królestwie nie udało się jednak znaleźć nikogo takiego. Ojcowie zgłaszali ochoczo swoich szesnastoi siedemnastoletnich synów, którzy wyglądali już i mówili jak mężczyźni. Tłumaczyli, że Aleksander otacza się jeszcze starszymi przyjaciółmi i dodawali taktownie, że to rzecz naturalna u tak dzielnego i dojrzałego chłopca.

Filip przyjmował te komplementy z dobrą miną. Żył wspomnieniem oczu, które spojrzały mu w twarz, kiedy położono przed nim tamtą głowę, cuchnącą już po przebyciu długiej drogi. W ciągu dni oczekiwania i poszukiwania jakichkolwiek wiadomości uświadomił sobie, że jeśli chłopiec nie wróci, będzie musiał zabić Olimpias, zanim ona zabije jego. Nie był to łatwy kąsek do przełknięcia. Odszedł też Epikrates, który — unikając jego wzroku — oświadczył mu, że królewicz zrezygnował z muzyki. Filip hojnie go obdarował, ale dobrze wiedział, że niepochlebna dla niego opowieść obejdzie wszystkie odeony w Helladzie, bo tacy ludzie zajdą wszędzie.

W rezultacie nie zrobiono nic, by powołać straż królewicza. Aleksandrowi nie zależało na wskrzeszeniu tej instytucji. Dobrał sobie gromadkę młodzików i dorosłych, którzy dali się już poznać jako przyjaciele Aleksandra. Oni sami starali się zapomnieć, że zeszłego lata Aleksander skończył dopiero trzynaście lat.

Ten poranek na końskim targu spędzał jednak w towarzystwie chłopców dobranych przez króla i był z tego rad. Traktował ich jak młodszych od siebie, ale nie po to, by się wywyższyć albo ich poniżyć, po prostu nigdy inaczej o nich nie myślał. O koniach mógł rozmawiać bez końca, oni zaś starali się dotrzymać mu kroku. Jego pas do miecza, jego sława, i to, że był z nich najniższy, onieśmielały ich. Odetchnęli z ulgą, gdy na pokaz rasowych koni przyszli jego przyjaciele, Ptolemeusz, Harpalos, Filotas i inni. Pozostawieni na boku chłopcy zebrali się w gromadkę i zaczęli się przechwalać.

— Mój ojciec nie przyjedzie tu dzisiaj. Szkoda zachodu. On sprowadza konie wprost z Tessalii. Znają go wszyscy hodowcy.

— Mam wkrótce dostać większego konia, ale ojciec czeka z tym, aż jeszcze urosnę.

— Aleksander jest od ciebie niższy, a już jeździ na koniach dla dorosłych.

— Chyba je specjalnie szkolą.

— Upolował też dzika — powiedział najwyższy z chłopców. — Pewnie powiesz, że specjalnie szkolili tego dzika.

— Wystawili mu go, zawsze tak się robi — powiedział syn najbogatszego z ojców, który liczył na takie właśnie wystawienie.

— To nie było tak — powiedział gniewnie wysoki chłopiec. Inni wymienili spojrzenia. Poczerwieniał. — Mój ojciec słyszał o tym. Ptolemeusz postanowił wystawić mu dzika bez jego wiedzy, przeczesali więc cały las i zostawili jednego małego dzika. Potem okazało się, że w nocy wszedł tam odyniec. Ptolemeusz był biały jak ściana i chciał go zatrzymać, ale on już wszystko zrozumiał i powiedział, że tego dzika zesłał mu bóg, i że bóg wie najlepiej. Nie mogli go powstrzymać. Pochorowali się ze strachu. Wiedzieli, że on jest za lekki i że sieć nie wytrzyma długo. On jednak trafił prosto w tętnicę szyjną. Nikt nie musiał mu pomagać. Wszyscy wiedzą, że tak było.

— Chcesz powiedzieć, że nikt nie ważył się popsuć tej historyjki. Wystarczy na niego popatrzeć. Mój ojciec też dałby mi pas, gdybym stanął w polu i pozwolił innym zmyślać. Z kim on chodzi?

— Mój brat mówi, że z nikim.

— Aha! Próbował?

— Jego przyjaciel próbował. Aleksander chyba go lubił, raz go nawet

pocałował. Ale kiedy ten chciał czegoś więcej, był zdziwiony i całkiem zbity z tropu. Brat mówi, że on jest niedoświadczony, jak na swój wiek.
— A ile lat miał twój brat, kiedy dostał swojego człowieka? — spytał najwyższy. — A co z dzikiem?
— To co innego. Mój brat mówi, że to przychodzi nagle, i że on będzie jeszcze szalał za dziewczynami jak jego ojciec.
— Ach, ale przecież król woli...
— Ciicho, głupku...
Wszyscy zaczęli się oglądać, ale młodzi ludzie zajęci byli dwoma wyścigowymi końmi, które handlarz puścił właśnie wokół pola. Chłopcy przerwali sprzeczkę do chwili, gdy królewska straż przyboczna zaczęła ustawiać się wokół podwyższenia, gotując się na przybycie króla.
— Patrzcie — szepnął któryś, wskazując dowodzącego — to Pauzaniasz.
Wymieniono znaczące spojrzenia — i pytające także.
— On był ulubieńcem króla przed tym, który zginął. Byli rywalami.
— I co się stało?
— Ciicho! Wszyscy to wiedzą. Król go porzucił, więc szalał z wściekłości. Kiedyś podczas uczty wstał i nazwał tego nowego chłopca bezwstydną dziwką, która idzie z każdym, kto zapłaci. Ludzie odciągnęli ich od siebie, ale czy to chłopcu naprawdę zależało na królu, czy też nie mógł znieść obrazy, gryzł się tym i w końcu poprosił przyjaciela, chyba Attalosa, żeby przekazał królowi jakieś pismo, gdyby zginął. W następnej bitwie z Ilirami ruszył na oczach króla wprost na wroga i został rozsiekany.
— A co zrobił król?
— Pochował go.
— Nie, co zrobił z Pauzaniaszem?
Rozległy się zmieszane szepty. — Nie wiadomo, czy... Oczywiście, że to on... Możesz rozstać się z życiem za takie gadanie... Nie, mój brat mówi, że to Attalos i przyjaciele tamtego.
— Ale co zrobili?
— Attalos któregoś wieczoru spił Pauzaniasza. Potem zanieśli go do koniuchów i powiedzieli im, że mogą z nim się zabawiać, bo on pójdzie z każdym, i to nawet bez zapłaty. Chyba go też pobili. Obudził się rano na dziedzińcu stajni.
Któryś gwizdnął cicho. Popatrzyli na dowódcę straży. Wyglądał dość staro jak na swoje lata i nie był zabójczo przystojny. Zapuszczał brodę.
— Domagał się, żeby Attalosa skazano na śmierć. Oczywiście król nie mógł tego zrobić, nawet gdyby chciał. Wyobraźcie sobie tylko przedstawienie czegoś takiego Zgromadzeniu! Musiał jednak coś zrobić, bo

Pauzaniasz pochodzi z Orestydów. Nadał mu kawał ziemi i mianował zastępcą dowódcy straży królewskiej.

— Czy Aleksander wie o takich rzeczach? — spytał teraz najwyższy spośród nich, dotąd słuchający w milczeniu.

— Jego matka mówi mu wszystko, żeby go nastawić przeciw królowi.

— Tak, ale król obraził go w wielkiej sali. Dlatego wyprawił się po swojego człowieka.

— Mówił ci o tym?

— Nie, oczywiście, że o tym nie mówi. Mój ojciec tam był, często bywa na wieczerzy u króla. Nasze dobra leżą w pobliżu.

— Więc spotkałeś przedtem Aleksandra?

— Tylko raz, kiedy byliśmy dziećmi. Nie poznał mnie. Za bardzo urosłem.

— Zaczekaj, niech się tylko dowie, że jesteście w tym samym wieku. On tego nie lubi.

— A kto powiedział, że jesteśmy?

— Mówiłeś mi, że urodziliście się w tym samym miesiącu.

— Ale nie mówiłem, że w tym samym roku.

— Mówiłeś, pierwszego dnia po przyjeździe.

— Nazywasz mnie kłamcą?

— Czyś zgłupiał, Hefajstionie? Nie możecie się tu bić!

— Więc niech mnie nie nazywa kłamcą!

— Wyglądasz na czternaście lat — powiedział rozjemca. — Na boisku myślałem, że masz więcej.

— Wiecie, kogo przypomina Hefajstion? Aleksandra. Nie całkiem jest podobny, ale mógłby być jego starszym bratem.

— Słyszysz, Hefajstionie? Czy twoja matka blisko znała króla?

Pytający przeliczył się myśląc, że tu i teraz nic mu nie grozi. W następnej chwili leżał na ziemi z rozciętą wargą. W poruszeniu wywołanym nadejściem króla niewielu to zauważyło. Tylko Aleksander miał ich cały czas na oku, bo uważał się za ich dowódcę. Zdecydował się jednak nie zwracać na zajście uwagi. Nie byli na służbie, a ten powalony chłopiec nie należał do jego ulubieńców.

Filip podjechał do trybuny eskortowany przez somatofilaksa, dowódcę straży. Pauzaniasz oddał honory i odstąpił na bok. Chłopcy stali z pochylonymi głowami. Jeden wysysał wargę, a drugi kostki palców.

Na końskim targu zawsze panowała swoboda, tu mężczyźni byli mężczyznami. Filip, ubrany w strój do konnej jazdy, pozdrowił szpicrutą wielmożów, paziów, oficerów i handlarzy końmi, wszedł na trybunę i zaczął przywoływać przyjaciół. Spostrzegł syna i już podnosił rękę, kiedy jednak zauważył mały dwór wokół chłopca, odwrócił się. Aleksander podjął rozmowę z Harpalosem, ciemnowłosym, przystojnym i pełnym wrodzonego wdzięku młodzikiem, którego los pokarał zniekształconą od urodzenia stopą. Aleksander zawsze podziwiał pogodę, z jaką tamten to znosił. Obok nich stąpał jakiś koń wyścigowy dosiadany przez nubijskiego chłopca w pasiastej tunice. Dookoła mówiono, że w tym roku król szuka już tylko bojowego rumaka. Jednakże zapłacił niedawno — i stało się to już legendą — ogromną sumę trzynastu talentów za wyścigowego konia, który zwyciężył potem dla niego w Olimpii. Handlarz myślał więc, że warto spróbować. Filip uśmiechnął się i pokręcił przecząco głową. Nubijski chłopiec, który żył nadzieją, że zostanie kupiony wraz z koniem, będzie nosił złote kolczyki i jadał od święta mięso, odjechał ze zrozpaczoną miną.

Teraz wprowadzono konie bojowe, które przez całe przedpołudnie zażarcie poskramiano i w końcu przekupywano łakociami. Król zszedł z podwyższenia, by im zaglądać w zęby, odwracać kopyta, macać pęciny i osłuchiwać piersi. Konie wyprowadzano albo zatrzymywano z boku, na wypadek gdyby nie trafiło się nic lepszego. Nastąpiło jakieś opóźnienie. Filip rozglądał się niecierpliwie, a Filonikos, wielki handlarz końmi z Tessalii, który już od jakiegoś czasu nie wiadomo czemu był wściekły, zwrócił się do swego ujeżdżacza:

— Powiedz im, że wypruję z nich flaki, jeśli go zaraz nie przyprowadzą.

— Kittos mówi, panie, że mogą go przyprowadzić, ale...

— Ale muszę go sam poskromić i pokazać wam, jak się to robi? Powiedz Kittosowi, że jeśli ta transakcja przejdzie mi koło nosa, z jego skóry nie da się wykroić nawet pary podeszew do sandałów.

Podszedł do króla ze szczerym, pełnym szacunku uśmiechem.

— Już go prowadzą, panie. Przekonasz się, że jest taki, jak ci pisałem z Laryssy, albo i lepszy. Wybacz opóźnienie, jakiś głupiec pozwolił mu się rozpętać, a że jest w świetnej formie, trudno sobie z nim poradzić. Ale oto i on!

Wprowadzali go ostrożnie. Był czarny, z białą strzałką na czole. Choć był wyraźnie spocony, nie dyszał jak koń, który dopiero co biegał. Kiedy go przyciągnięto przed króla i jego ujeżdżacza, rozdymał nozdrza i toczył czarnym okiem z ukosa; usiłował też zadrzeć głowę, ale koniuch ściągał mu ją w dół. Zwracał uwagę kosztowną uzdą z czerwonej skóry ze srebrnymi okuciami, ale nie miał na sobie czapraka. Handlarz mamrotał coś ze złością pod wąsem.

Jakiś przyciszony głos za podwyższeniem powiedział:

— Spójrz, Ptolemeuszu, spójrz na tego!

— Oto jest, panie! — Filonikos silił się na zachwyt. — Oto jest Grom. Jeśli kiedykolwiek istniał wierzchowiec godny króla... — I rzeczywiście, był to, i to pod każdym względem, idealny koń Ksenofonta. Zaczynając, zgodnie z jego radą, od kopyt, które były wysokie z przodu i z tyłu, a przy tupnięciu (ledwie o włos minęło stopę koniucha) wydawały dźwięk podobny do dźwięku cymbałów. Kości nóg miał silne, lecz elastyczne, pierś szeroką, szyję wygiętą w łuk, „niczym u bojowego koguta", jak to ujął pisarz, grzywę zaś długą, mocną, jedwabistą i źle wyczesaną. Jego czarna sierść lśniła, a na zadzie widniał wypalony rogaty trójkąt. Głowa wołu, znak hodowli. O dziwo, biała strzałka na czole prawie dokładnie powtarzała ten znak.

— To koń doskonały — mówił z lękiem Aleksander. — Doskonały w każdym calu.

— Jest narowisty — powiedział Ptolemeusz.

A na zapleczu główny koniuszy Kittos mówił do niewolnika, który wcześniej oglądał ich zmagania. — W taki dzień jak ten wolałbym, żeby mi poderżnęli gardło jak memu ojcu, kiedy zdobyli nasze miasto. Jeszcze nie zaleczyłem pleców od zeszłego razu, a dziś znów mnie to czeka.

— Ten koń to morderca. Czego on chce? Zabić króla?

— Z tym koniem wszystko jest w porządku. Bywa tylko podniecony, kiedy on traci panowanie nad sobą, bo koń go nie słucha. On jest jak dzikie zwierzę, kiedy się upije. Najczęściej odbija się to na nas, bo jesteśmy tańsi niż konie. To tylko jego wina, niczyja inna, ale pewnie by mnie zabił, gdybym mu powiedział, że to jego humory zepsuły tego konia na dobre. Kupił go przed miesiącem od Krojzosa, specjalnie na tę okazję. Zapłacił dwa talenty — słuchający gwizdnął — bo liczył, że dostanie trzy, i dostałby, gdyby się nie uparł, że złamie ducha tego konia. Mojego złamał już dawno. Ale koń trzyma się twardo, muszę to przyznać.

Filip widząc, że koń jest narowisty, obchodził go w odległości kilku kroków.

— Tak, podoba mi się. Zobaczmy, jak się rusza.

Filonikos zrobił parę kroków w stronę konia. Ten zarżał (rżenie przypominało głos trąbki wzywającej do boju), zadarł głowę, ciągnąc w górę koniucha, i wywinął kopytami w powietrzu. Handlarz zaklął i odsunął się. Koniuch wziął konia w garść. Kilka kropel krwi wyciekło z końskiego pyska, jakby to farba ściekała z czerwonej uzdy.

— Spójrz, jakie mu założyli wędzidło — mówił Aleksander. — Popatrz tylko na te haki.

— Zdaje się, że i to go nie powstrzyma — rzucił niedbale potężny Filotas. — Niestety, uroda to nie wszystko.

— A jednak wciąż podnosi głowę. — Aleksander postąpił naprzód. Tamci poszli za nim, spoglądając nad jego głową. Sięgał Filotasowi ledwie do ramienia.

— Sam widzisz, panie, jaki duch w tym koniu — tłumaczył pośpiesznie Filonikos. — Takiego konia jak ten można nauczyć stawać dęba i uderzać na nieprzyjaciela.

— To najprostszy sposób, żeby stracić swego wierzchowca — odrzekł szorstko Filip. — Kazać mu odsłonić brzuch.

Skinął na swego krzywonogiego, twardego jak skóra Towarzysza. — Czy mógłbyś go wypróbować, Jazonie?

Królewski ujeżdżacz obszedł konia, zachodząc go od przodu i wydając uspokajające dźwięki. Koń cofnął się, tupnął i zaczął przewracać oczami. Jazon cmoknął. — Grom, dobry Grom...

Na dźwięk tego imienia koń zatrząsł się z wściekłości. Ujeżdżacz powrócił do swojskich dźwięków.

— Przytrzymaj go, póki nie wsiądę — rozkazał koniuchowi. — To robota dla jednego.

Zbliżył się do końskiego boku, gotów chwycić za grzywę. Był to jedyny sposób, by wsiąść, o ile nie miało się włóczni, którą można by podeprzeć się w skoku. Czaprak, gdyby koń miał go na sobie, zapewniał wygodę i dobrą prezencję, ale nie dawał oparcia dla stóp. Strzemiona były dobre dla starców albo dla zniewieściałych Persów.

W ostatniej chwili jego cień padł przed oczy konia. Ten spłoszył się, obrócił i uderzył kopytami, mijając Jazona o parę cali. Ujeżdżacz odstąpił i patrzył na konia z ukosa, zaciskając jedno oko i wykrzywiając usta. Król napotkał jego spojrzenie i podniósł brwi. Aleksander, który dotąd wstrzymywał oddech, obejrzał się na Ptolemeusza i powiedział zbolałym głosem: — On go nie kupi.

— A kto by kupił? — zdziwił się Ptolemeusz. — Nie wiem, po co go nam pokazano. Ksenofont by go nie kupił. Cytowałeś go dopiero co: nerwowy koń nie pozwoli, byś wyrządził szkodę nieprzyjacielowi, ale wyrządzi wiele szkody tobie.

— Nerwowy? On? To najdzielniejszy koń, jakiego widziałem w życiu. To bojownik. Popatrz tylko, jak go bili. Nawet pod brzuchem widać pręgi. Jeśli ojciec go nie kupi, ten handlarz zaćwiczy go na śmierć. Widać to po nim.

Jazon spróbował jeszcze raz, ale zanim zbliżył się do konia, ten zaczął kopać. Ujeżdżacz spojrzał na króla, który wzruszył ramionami.

— To przez ten jego cień — mówił pośpiesznie Aleksander do Ptolemeusza. — On płoszy się nawet na widok własnego cienia. Jazon powinien to zauważyć.

— Zauważył dość. Musi myśleć o życiu króla. Czy ty pojechałbyś na takim koniu na wojnę?

— Tak, pojechałbym. Zwłaszcza na wojnę.

Filotas uniósł brwi, ale nie zdążył wymienić spojrzeń z Ptolemeuszem.

— Cóż, Filonikosie — rzekł Filip — jeśli to kwiat twojej stajni, nie traćmy czasu, mam robotę.

— Panie, daruj nam jeszcze chwilę. On tak bryka z braku ćwiczeń, owies go rozpiera.

— Nie muszę płacić trzech talentów za skręcenie karku, mogę za nie kupić coś lepszego.

— Panie mój, proponuję specjalną cenę, tylko dla ciebie.

— Jestem zajęty — odrzekł Filip.

Filonikos zacisnął grube wargi w szeroką, prostą kreskę. Koniuch, który wieszał się na kolczastym wędzidle, jakby walczył o życie, zaczął odciągać konia. Aleksander wykrzyknął swym wysokim, donośnym głosem: — Cóż za strata! Najwspanialszy koń na tym placu!

Gniew i pośpiech przydały tym słowom nutę arogancji, która sprawiła, że wszystkie głowy się obróciły. Filip obejrzał się wstrząśnięty. Nigdy dotąd, nawet w najgorszych chwilach, chłopiec nie był wobec niego grubiański. Lepiej będzie na razie to zignorować. Koniuch i koń odchodzili.

— Najlepszy koń, jakiego tu kiedykolwiek widziano, a wystarczy go tylko okiełznać.

Aleksander wyszedł na plac, jego przyjaciele, nawet Ptolemeusz, zostawili wokół niego pustą przestrzeń. Posuwał się za daleko. Tłum widzów wytrzeszczał oczy.

— Taki koń zdarza się raz na dziesięć tysięcy, a tu się go odrzuca!

Filip, obejrzawszy się ponownie, uznał, że nie było to zamierzone zuchwalstwo. Chłopiec był jak źrebak, którego rozpiera ziarno, nawet po tych dwóch jego przedwczesnych wyczynach. Uderzyły mu widocznie do głowy. Filip pomyślał, że najlepsze są takie lekcje, których sami sobie udzielamy.

— Jazon ujeżdża konie od dwudziestu lat, a ty, Filonikosie, od jak dawna?

Oczy handlarza przenosiły się z ojca na syna. Znalazł się pośrodku naciągniętej liny.

— Cóż, panie. Uczono mnie tego od małego.

— Słyszysz, Aleksandrze? Uważasz, że umiesz lepiej obchodzić się z końmi?

Aleksander spojrzał nie na ojca, lecz na Filonikosa, handlarz doznał nieprzyjemnego uczucia wstrząsu i odwrócił wzrok.

— Tak. Z tym koniem umiałbym się obchodzić lepiej.

— Dobrze więc — rzekł Filip. — Jeśli to potrafisz, jest twój.

Chłopiec spojrzał na konia z otwartymi ustami i łakomymi oczami. Koniuch przystanął. Koń parsknął mu ponad ramieniem.

— A jeśli ci się nie uda? Ile stawiasz?

Aleksander zaczerpnął tchu, nie spuszczając oczu z konia. — Jeśli nie zdołam go dosiąść, sam za niego zapłacę.

Filip uniósł ciężkie czarne brwi. — Trzy talenty?

Chłopiec dostawał od niedawna pensję, ale taka suma pochłonęłaby większą część z tego roku i następnego także.

— Tak — rzekł Aleksander.

— Mam nadzieję, że mówisz serio, bo ja tak.

— I ja też.

Przestał już myśleć wyłącznie o koniu i ujrzał, że wszyscy mu się przyglądają: oficerowie, naczelnicy, koniuchowie i handlarze końmi, Ptolemeusz, Harpalos i Filotas, chłopcy, z którymi spędził przedpołudnie. Ten wysoki, Hefajstion, który poruszał się tak zgrabnie, że przyciągał wzrok, wystąpił przed innych. Przez chwilę ich oczy się spotkały.

Aleksander uśmiechnął się do Filipa.

— Więc zakład stoi, ojcze. Koń jest mój, a kto przegrywa, płaci.

W otoczeniu króla rozległ się gwar, śmiech i oklaski zrodzone z ulgi, że wszystko obróciło się na dobre. Jedynie Filip rozpoznał ten szczególny uśmiech — nie licząc jeszcze jednego widza bez znaczenia, który już widział ten uśmiech w bitwie.

Filonikos, ledwie mogąc uwierzyć w ten uśmiech losu, śpieszył zabiec drogę chłopcu, który ruszył prosto do konia. Nie mógł wygrać, ważne więc było, by sobie nie skręcił karku. Trudno byłoby się spodziewać, by król wtedy zapłacił za niego.

— Panie mój, przekonasz się...

Aleksander obejrzał się. — Odejdź stąd.

— Ale, panie mój, kiedy...

— Idź stąd. Tam, na zawietrzną, żeby cię nie widział i nie czuł. Zrobiłeś już dosyć.

Filonikos spojrzał w pobladłe, rozszerzone oczy i poszedł w milczeniu dokładnie tam, gdzie mu kazano.

Aleksander przypomniał sobie wtedy, że nie zapytał, czy koń od począstku nazywał się Grom, czy też nosił kiedyś inne imię. Dawał wyraźnie do zrozumienia, że słowo Grom oznacza dla niego tyranię i ból, musiał zatem dostać nowe imię.

Obszedł konia, kryjąc swój cień za plecami i wpatrując się w rogatą białą strzałkę na końskim łbie.

— Byczogłowy — powiedział, przechodząc na macedoński, język prawdy i miłości. — Bucefale, Bucefale!

Koń nastawił uszu. Przedtem na dźwięk tego głosu ktoś znienawidzony utracił znaczenie i został przepędzony. Co będzie teraz? Koń stracił już wszelką wiarę w ludzi. Parsknął i tupnął ostrzegawczo.

— Król może jeszcze pożałować, że go do tego podmówił — powiedział Ptolemeusz.

— To urodzony szczęściarz — odrzekł Filotas. — Chcesz się założyć?

— Przejmuję go — rzekł Aleksander do koniucha. — Nie musisz czekać.

— Ach, nie, panie! Dopiero kiedy wsiądziesz. Ja za niego odpowiadam, panie mój.

— Nie, teraz jest mój. Podaj mi tylko cugle i nie szarp przy tym wędzidłem... Daj mi je, powiedziałem. No, już!

Chwycił cugle, odrobinę je popuszczając. Koń parsknął, a potem obrócił łeb i powąchał chłopca, grzebiąc niespokojnie prawą przednią nogą. Aleksander ujął cugle jedną ręką, przesuwając drugą po wilgotnej szyi. Potem przeniósł chwyt na czółko uzdy koło uszu, tak że koń nie czuł zębatego wędzidła. Koń nieco przesunął się do przodu.

— Odchodź tędy, nie od słońca.

Obrócił konia przodem do jasnego wiosennego słońca. Własne cienie mieli za sobą, niewidoczne. Owionął go zapach końskiego potu, oddechu, wyprawionej skóry.

— Bucefał — powiedział cicho.

Koń ruszył naprzód, próbując go pociągnąć. Ujął mocniej cugle. Końska mucha siadła na pysku zwierzęcia. Chłopiec przejechał dłonią po pysku, aż palce dotknęły wilgotnej wargi. Widać było, że koń palił się do biegu, jakby mówił: „uciekajmy stąd!"

— Tak, tak — powiedział, klepiąc go po szyi. — Wszystko w swoim czasie. Ruszymy, kiedy powiem — mówił bez przerwy, żeby koń wciąż o nim myślał. — Pamiętaj o tym, kim jesteśmy: Aleksander i Bucefał.

Wolną ręką odpiął zapinkę, zrzucił z siebie płaszcz i przełożył rękę przez koński grzbiet. Koń mierzył chyba z piętnaście dłoni, był więc wysoki jak na Grecję. Chłopiec przywykł do koni, które miały czternaście. Ten był tak wysoki jak koń Filotasa, o którym tyle się mówiło. Czarne oko obróciło się ku niemu. — Spokojnie. Powiem ci, kiedy. Z cuglami zapętlonymi w lewej ręce chwycił łuk grzywy, prawą zaś ręką podstawę tego łuku pomiędzy łopatkami. Poczuł, że koń sprężył się. Przebiegł z nim kilka kroków dla nabrania rozpędu, a potem podskoczył, przerzucając prawą nogę — i oto był na górze!

Koń czuł, że niesie na grzbiecie niewielki ciężar, ale czuł też skoncentrowaną pewność, łaskawość niezwyciężonych rąk, wyrozumiałość niewzruszonej woli, naturę, którą znał i której sam był częścią, przemieniającą się w boskość. Ludzie nad nim zapanować nie zdołali, ale będzie posłuszny bogu.

Obecni patrzyli na to najpierw w milczeniu. Byli to ludzie znający się na koniach i mieli dość rozumu, żeby tego konia nie płoszyć. Czekali, wstrzymując oddech, aż chłopiec popuści cugli. Zakładali, że koń poniesie i byli gotowi do owacji, gdyby chłopiec utrzymał się i zdołał się potem zatrzymać. On jednak miał konia w ręku, a ten czekał na jego znak. Rozległ się szmer podziwu, a gdy ujrzeli, że chłopiec pochyla się i ponagla konia głosem i nogami, a potem galopuje ku łąkom, podnieśli okrzyk uznania. Tamci zniknęli w dali i tylko wznoszące się chmary dzikiego ptactwa wskazywały, gdzie teraz się znajdują.

Powrócili w końcu, mając słońce za plecami, a ich cień kładł się wprost przed nimi. Niczym stopy faraona z płaskorzeźby, które depczą pokonanych wrogów, tak grzmiące kopyta tratowały w tryumfie ten cień.

Przy placu zwolnili do stępa. Koń prychał i potrząsał uzdą. Aleksander siedział swobodnie w pozie zalecanej przez Ksenofonta, z nogami opuszczonymi swobodnie od kolan w dół, trzymając się udami. Podjechał do trybuny, przed nią stał jednak ktoś, kto na niego czekał. Jego ojciec.

Zsunął się z konia na sposób konnych wojowników, przez końską szyję i plecami do konia. Uznawano to za najlepszy sposób na wojnie, o ile koń na to pozwalał. Ten koń pamiętał jeszcze, czego go nauczono, zanim nastał czas tyranii. Filip wyciągnął ramiona, Aleksander zaś osunął się prosto w jego objęcia.

— Nie dotykajmy pyska, ojcze. Jest poocierany.

Filip klepał go po plecach. Rozpłakał się z radości. Nawet ze ślepego oka płynęły prawdziwe łzy.

— Synu! — powiedział zdławionym głosem. Nawet brodę miał wilgotną. — Dobra robota, mój synu!

Aleksander odwzajemnił pocałunek. Nic nie powinno popsuć takiej chwili. — Dziękuję, ojcze. Dziękuję ci za konia. Będzie się zwał Bucefał.

Koń poderwał się nagle. Zbliżał się Filonikos, rozpromieniony i gotów prawić komplementy. Aleksander obejrzał się i dał mu znak głową. Filonikos wycofał się. Klient zawsze ma rację.

Wokół nich zbierał się tłum.

— Ojcze, czy mógłbyś kazać im trzymać się z daleka? On jeszcze boi się ludzi. Muszę sam go wytrzeć, bo się przeziębi.

Zajął się koniem, zatrzymując też najlepszego ze stajennych, by koń rozpoznał go następnym razem. Tłum nie opuszczał placu. Kiedy Aleksander wszedł na cichy dziedziniec stajni, zarumieniony po jeździe i po pracy, rozczochrany i przesycony zapachem konia, zastał tam Hefajstiona, wysokiego chłopca, który życzył mu spojrzeniem zwycięstwa. Aleksander uśmiechnął się na znak, że go poznaje. Tamten uśmiechnął się także i po chwili wahania podszedł bliżej. Nastała chwila ciszy.

— Chcesz mu się przyjrzeć?

— Tak, Aleksandrze. To było tak, jakby on cię znał. Czułem to, to była dobra wróżba. Jak się nazywa?

— Bucefał. Tak go nazwałem. — Mówili po grecku.

— To lepsze niż Grom. Nienawidził tamtego imienia.

— Ty mieszkasz gdzieś niedaleko, nieprawdaż?

— Tak, pokażę ci. Spójrz, to na tamtym wzgórzu. Nie na tym pierwszym, na drugim...

— Ty już tu kiedyś byłeś, pamiętam cię. Urodziłeś się w lwim miesiącu, w tym samym roku co ja.

— Tak.

— Jesteś o pół głowy wyższy, ale twój ojciec jest, zdaje się, wysoki?

— Tak, i moi stryjowie także.

— Ksenofont powiada, że można po długości nóg odgadnąć, czy źrebak wyrośnie na wysokiego konia. Kiedy dorośniemy, nadal będziesz wyższy.

Hefajstion patrzył w te szczere i ufne oczy i przypominał sobie słowa ojca: że królewski syn urósłby wyższy, gdyby ten jego wychowawca o kamiennej twarzy nie przeciążał go pracą i karmił jak należy. Powinno się go chronić, powinien mieć przy sobie przyjaciół.

— Ale ty zawsze będziesz tym jedynym, który jeździ na Bucefale.

— Podejdź, przyjrzyj mu się, ale nie za blisko. Widzę, że będę musiał na początku być tu za każdym razem, kiedy będą go obrządzać.

Zauważył, że przeszedł na macedoński. Popatrzyli na siebie i wzajemnie obdarzyli się uśmiechem.

Rozmawiali jeszcze jakiś czas, zanim przypomniał sobie, że miał zamiar pójść ze stajni, tak jak stał, do matki, żeby jej zanieść nowinę. Po raz pierwszy w życiu zupełnie o niej zapomniał.

*

W kilka dni później składał ofiarę Heraklesowi.

Bohater był dla niego wspaniałomyślny. Zasługiwał na coś więcej niż kozioł albo baran.

Olimpias zgodziła się z tym. Jeśli jej syn uważał, że nic nie jest za dobre dla Heraklesa, ona uważała, że nic nie jest za dobre dla jej syna. Wysłała już listy do wszystkich przyjaciół i do swych krewnych w Epirze. Opisywała w nich, jak to Filip próbował dosiąść tego konia i haniebnie spadał z niego na oczach wszystkich, bo koń był dziki niczym lew, ale jej syn go poskromił. Rozwinęła belę ateńskich tkanin, zapraszając go, by wybrał sobie coś na nowy chiton. Wybrał piękną białą wełnę. Kiedy zauważyła, że jest ona dość zwyczajna, odparł, że za to odpowiednia dla mężczyzny.

Swój dar ofiarny przyniósł w złotym pucharze do przybytku herosa w ogrodzie. Ojciec i matka byli obecni, bo była to uroczystość dworska.

Wygłosiwszy stosowne wezwanie, ze wszystkimi przydomkami herosa i wszystkimi należnymi pochwałami, zakończył słowami: — Bądź dla mnie takim, jakim byłeś dotąd. Sprzyjaj mi we wszystkich przedsięwzięciach, spełń, o co proszę.

Przechylił puchar. Przejrzysty strumień kadzidła rozbłysnął w świetle słońca, jakby składał się z ziaren bursztynu i upadł na płonące polana. Chmura wonnego błękitnego dymu wzbiła się pod niebiosa.

Wszyscy zgromadzeni, prócz jednego, wyrzekli: „Niech się stanie!" Leonidas, który przyszedł tu w poczuciu obowiązku, zacisnął wargi. Miał wkrótce odejść. Jego podopiecznego przejmował ktoś inny. Choć chłopcu jeszcze tego nie powiedziano, jego dobry humor był nie na miejscu. Arabskie wonności wciąż sypały się z kielicha. Musiało to kosztować wiele dwudziestek drachm! I to wszystko po tylu ostrzeżeniach przed przesadą, po tak długim nauczaniu skromności!

Wśród ogólnego entuzjazmu rozległ się jego szorstki głos:

— Musisz oszczędnie używać tego, co masz, Aleksandrze, dopóki nie zawładniesz krajem wydającym wonności.

Aleksander odwrócił się od ołtarza z pustym pucharem w dłoni. Patrzył na Leonidasa z wyrazem zdziwienia, a potem z poważnym skupieniem. — Dobrze, zapamiętam to — powiedział w końcu.

Gdy schodził po stopniach przybytku, jego oczy napotkały wyczekujący już wzrok Hefajstiona, który znał się na wróżebnych znakach. Już nic nie musieli o tym mówić.

ROZDZIAŁ PIĄTY

— Wiem już, kto to będzie. Ojciec dostał list i wezwał mnie dziś rano. Mam nadzieję, że da się z nim wytrzymać, bo inaczej trzeba będzie coś wymyślić.

— Na mnie możesz liczyć — powiedział Hefajstion — nawet gdybyś chciał go utopić. Cierpliwie znosiłeś dotąd więcej niż ci się należało. Czy to prawdziwy filozof?

Siedzieli w „koszu" dachu między dwoma szczytami pałacu. Tu mogli czuć się swobodnie, bo tylko Aleksander wspinał się tu do czasu, gdy pokazał drogę Hefajstionowi.

— O tak, z Akademii. Uczył go sam Platon. Będziesz przychodził na lekcje? Ojciec się zgadza.

— Będę ci tylko przeszkadzał...

— Sofiści uczą poprzez rozmowy. On chce, żebym sprowadził swych przyjaciół. Później pomyślimy o innych. To nie będą tylko ćwiczenia z logiki, on ma mnie uczyć rzeczy, które mogą mi się przydać. Ojciec mu to polecił. Odpisał, że wykształcenie człowieka winno odpowiadać jego pozycji i jego obowiązkom. To nam niewiele mówi.

— Ten cię przynajmniej nie będzie bił. Czy to Ateńczyk?

— Nie, on jest ze Stagiry. To syn Nikomacha, który leczył mego dziadka Amyntasa i chyba też mego ojca, kiedy był jeszcze chłopcem. Wiesz przecież, jakie było życie Amyntasa. Był jak wilk, na którego polują. Albo odpierał nieprzyjaciół, albo starał się im odpłacić. Ten Nikomach musiał być lojalny. Nie wiem, czy był dobrym lekarzem. Amyntas zmarł we własnym łóżku, a to rzadkość w naszej rodzinie.

— A więc jego syn — jak on się nazywa?

— Arystoteles.

— Więc zna ten kraj, a to już coś. Czy jest stary?

— Koło czterdziestki. Niestary, jak na filozofa. Oni żyją wiecznie. Isokrates, który chce, żeby ojciec przewodził Grekom, ma dziewięćdziesiąt kilka i jeszcze szuka pracy! Platon miał ponad osiemdziesiąt. Ojciec mówi, że Arystoteles miał nadzieję objąć po nim Akademię, ale Platon wybrał jakiegoś swego siostrzeńca. Dlatego Arystoteles opuścił Ateny.

— I potem starał się tu przyjechać?

— Nie, kiedy odszedł stamtąd, miałem dziewięć lat. Wiem, że nie mógł wrócić do Stagiry, bo ojciec właśnie wtedy spalił miasto, a mieszkańców zamienił w niewolników. Co też mi zaplątało się we włosy?

— To gałązka z tego drzewa, po którym wchodziliśmy.

Hefajstion, który nie był zbyt zręczny w palcach, wyplątał ostrożnie gałązkę orzecha z lśniących splotów pachnących suchą trawą i jakimś kosztownym płynem, którego używała do mycia głowy Olimpias. Skończywszy, otoczył Aleksandra ramieniem. Po raz pierwszy zrobił to przed dwoma dniami przypadkiem. Odczekał trochę, zanim spróbował ponownie. Kiedy byli sami, myślał tylko o tym. Nie miał pojęcia, co o tym myśli Aleksander, jeśli w ogóle o tym myślał. Teraz zaakceptował dotyk ręki Hefajstiona i mówił, równie swobodnie jak przedtem, o innych sprawach.

— Stagiryci byli sprzymierzeni z Olintem, ojciec zaś przykładnie karał tych, którzy nie szli z nim na układy. Czy twój ojciec mówił ci o tamtej wojnie?

— Co takiego?... A, tak. Mówił.

— Słuchaj, bo to ważne. Arystoteles udał się do Assos jako gość Hermejasa. Poznali się jeszcze w Akademii. Tamten jest tam tyranem. Wiesz, gdzie leży Assos: naprzeciw Mityleny, i panuje nad cieśninami. Kiedy o tym pomyślałem, zrozumiałem, czemu ojciec wybrał jego. Niech to zostanie między nami.

Spojrzał Hefajstionowi w oczy, jak zawsze, kiedy z czymś mu się zwierzał. Jak zawsze Hefajstion poczuł, że opuszcza go napięcie. Jak zawsze potrzebował paru chwil, by zrozumieć, co do niego mówią.

— ...którzy przebywali w innych miastach albo uciekli z oblężenia. Prosił ojca, żeby odbudował Stagirę i wyzwolił jej obywateli. Tego chce Arystoteles. Ojciec zaś chce przymierza z Hermejasem. To coś w rodzaju handlu końmi. Leonidas także przybył tu za sprawą polityki. Stary Fojniks jest jedynym, któremu idzie o mnie.

Hefajstion zacieśnił uścisk. Miał mieszane uczucia. Mógłby tak ściskać Aleksandra aż do połamania żeber, choć wiedział, że byłoby to szaleństwo, ale mógłby też zabić każdego, kto zerwałby mu włos z głowy.

— Nie wiedzą, że tego się domyślam. Powiedziałem: „Tak, ojcze". Nie mówiłem nawet o tym matce. Chcę sam ocenić tego człowieka, kiedy go zobaczę i zrobić to, co uznam za słuszne. Tylko między nami: matka jest zdecydowanie przeciwna filozofii.

Hefajstion myślał o tym, jak kruche wydają się żebra, i jak dziwnie sprzeczne jest pragnienie, by cieszyć się nimi i by je zgnieść. Milczał i zacieśniał uścisk.

— Ona mówi, że filozofia oddala ludzki rozum od bogów. Powinna wiedzieć, że nigdy nie zaprę się bogów. Wiem, że bogowie istnieją. To równie pewne, jak to, że ty istniejesz... Brak mi tchu.

Hefajstion, który mógłby powiedzieć to samo o sobie, puścił go pośpiesznie. Zdobył się nawet na odpowiedź.

— Może więc królowa go oddali.

— Ach, nie. Tego nie chcę. Z tego wynikłyby kłopoty. Myślę też, że ten człowiek odpowie mi na wiele pytań. Zapisywałem je, odkąd się dowiedziałem, że przybywa tu filozof. Idzie o rzeczy, o których nikt mi tu nie mówi. Mam już trzydzieści pięć pytań.

Nie wycofywał się. Oparłszy się lekko o Hefajstiona, siedział na pochyłym szczycie dachu. Hefajstion pomyślał, że tak wygląda szczęście doskonałe, że tak powinno być, że tak być musi!

— Czy wiesz, że chętnie zabiłbym Leonidasa?

— Tak sobie też myślałem. Chyba jednak przysłał mi go Herakles. Robił dobrze wbrew swej woli i widać w tym rękę boga. Chciał mnie utrzymać w karbach, a nauczył mnie znosić trudy. Nie chodzę w futrach, nie jem, kiedy jestem syty, nie wyleguję się w łóżku. Byłoby trudniej zacząć tę naukę teraz, a tak musiałoby być, gdyby nie on. Nie możesz żądać od żołnierzy, żeby znosili trudy, których sam nie umiesz znieść. Zechcą się przekonać, że nie jestem gorszy od mego ojca.

Mięśnie kryjące żebra stężały. Były twarde jak pancerz.

— Jedyna różnica w tym, że noszę lepsze stroje. To mi się podoba.

— Tego chitonu już nie będziesz nosił. W tę dziurę mógłbym włożyć rękę... Aleksandrze, chyba nie pójdziesz na wojnę beze mnie?

Aleksander usiadł wyprostowany, zmuszając Hefajstiona do cofnięcia ręki. — Jak możesz tak myśleć? Jesteś przecież moim najlepszym przyjacielem.

Hefajstion wiedział już od dawna, że gdyby jakiś bóg dawał mu jeden jedyny w życiu dar, on wybrałby właśnie to. Radość była jak uderzenie pioruna.

— Naprawdę tak myślisz?

— Czy tak myślę? — W głosie Aleksandra słychać było oburzenie.

— Wątpisz w to? Myślisz, że mówię takie rzeczy każdemu? Czy tak myślę — też coś!

Hefajstion pomyślał, że jeszcze przed miesiącem nie zdobyłby się na odpowiedź:

— Czasem trudno uwierzyć w swój szczęśliwy los.

Wzrok Aleksandra złagodniał.

— Przysięgam na Heraklesa — powiedział, podnosząc prawą dłoń.

Pochylił się i obdarzył Hefajstiona dobrze wyćwiczonym pocałunkiem, jakie rozdają dzieci czułe z natury i lubiące czułości dorosłych. Hefajstion ledwie zdążył poczuć zachwyt. Lekkie dotknięcie ust minęło. Zanim zdobył się na odwzajemnienie pocałunku, uwaga Aleksandra zajęta już była czymś innym. Zdawał się patrzeć w niebo.

— Widzisz ten posąg Zwycięstwa? Tam, na najwyższym szczycie? Wiem, jak tam się dostać.

Z tego płaskiego dachu bogini zwycięstwa wydawała się mała jak dziecinna gliniana lalka. Kiedy po zawrotnej wspinaczce dotarli do podstawy posągu, okazało się, że ma ona pięć stóp wysokości. W wyciągniętej nad przepaścią dłoni bogini trzymała złoty wieniec laurowy.

Hefajstion, który o nic nie pytał po drodze, bo nie śmiał o tym nawet pomyśleć, musiał teraz, na życzenie Aleksandra, chwycić w talii brązową boginię.

— A teraz trzymaj mnie za rękę.

Tak zabezpieczony wychylił się w pustkę i ułamał dwa liście z wieńca. Jeden ustąpił łatwo, z drugim były trudności. Hefajstion czuł, że dłonie ma lepkie od potu. Strach zjeżył mu włosy na głowie i zmienił wnętrzności w bryłę lodu. Zdjęty grozą przypatrywał się jednak tej ręce, którą trzymał w dłoni. Wydawała się delikatna przy jego grubych kościach, ale była twarda i żylasta, a jej pięść zaciskała się w pojedynczym akcie woli. Po chwili długiej jak wieczność Aleksander dał się ściągnąć z powrotem. Schodził z liśćmi w zębach. Gdy znaleźli się na dachu, dał jeden Hefajstionowi.

— Chyba już nie wątpisz, że pójdziemy razem na wojnę?

Liść leżał na dłoni Hefajstiona, prawie tak duży jak prawdziwy. Drżał również jak prawdziwy, więc szybko zacisnął go w palcach. Teraz dopiero pojął w pełni całą grozę tej wspinaczki, patrząc na widoczną daleko w dole drobną mozaikę z wielkich kamiennych płyt. Pojął też swą samotność u szczytu tej wędrówki. Wyruszył na nią zdecydowany stawić czoło każdej próbie, jaką zgotuje mu Aleksander, choćby go to miało zabić. Dopiero teraz, gdy krawędzie złoconego liścia z brązu wbijały mu się w dłoń, zrozumiał, że to nie była próba dla niego. On był tylko świadkiem. Zabrano go tam, by trzymał w dłoni życie Aleksandra, którego spytał, czy mówi to, co myśli. To był dowód przyjaźni.

Gdy schodzili po wysokim orzechowym drzewie, przypomniał sobie historię Semele, ukochanej Zeusa. Przychodził on do niej w ludzkiej postaci, ale tego jej było mało. Zapragnęła uścisków objawionego boga. Bóg objawił się jej jako ogień. Została spalona. Teraz on musi przygotować się na dotknięcie ognia.

Do przybycia filozofa pozostawało jeszcze kilka tygodni, ale czuło się już jego obecność.

Hefajstion go nie doceniał. Filozof znał nie tylko kraj. Znał też dwór i miał o nim bieżące wiadomości, miał bowiem rodzinę w Pelli i wielu podróżujących przyjaciół. Król wiedział o tym. Napisał do niego, że — o ile uzna to za korzystne — przydzieli mu jakąś posiadłość, gdzie królewicz i jego przyjaciele będą mogli w spokoju pobierać nauki. Arystoteles czytał między wierszami i zgadzał się z propozycją króla. Chłopca trzeba wydrzeć z pazurów matki, w zamian za co ojciec zostawi ich samym sobie. Było to więcej, niż spodziewał się uzyskać, odpisał więc niezwłocznie. Radził, by umieścić królewicza i jego towarzyszy w pewnej odległości od rozrywek dworu, dodał też po namyśle, że zaleca czyste górskie powietrze. Na wiele mil od Pelli nie było gór godnych tej nazwy.

Na zachód od równiny, na której leżała Pella, u podnóża gór Bermios, znajdował się pewien piękny dwór, który w czasie wojny popadł w ruinę. Filip kupił posiadłość i doprowadził ją do porządku. Dzieliło ją od Pelli ponad dwadzieścia mil. Dobudował do dworu nowe skrzydło i gimnazjon, że zaś filozof prosił o miejsce do przechadzek, kazał urządzić ogród na sposób, który Persowie nazywali „rajem”. Mówiło się, że w tej okolicy leżały kiedyś legendarne ogrody króla Midasa. Wszystko wokół rozkwitało.

Kiedy tylko wydał polecenia, posłał po syna. Nie minie godzina, a żona usłyszy o nich od swych szpiegów i przekaże je chłopcu, wypaczając ich sens.

Wkrótce doszło do rozmowy, podczas której przekazano sobie więcej, niż to ujęto w słowa. Było oczywiste, że idzie o przygotowanie następcy tronu. Aleksander ujrzał, że ojciec przyjmuje to jako rzecz samą przez się zrozumiałą. Czyżby wszystkie gorzkie odprawy i dwuznaczne, obosieczne słowa z przeszłości nie były niczym więcej, niż wprawkami w jego nie kończącej się wojnie z matką? I czy wszystkie te słowa rzeczywiście zostały wypowiedziane? Kiedyś wierzył, że matka mówi mu tylko samą prawdę. Teraz wiedział, że była to próżność.

— Za parę dni chciałbym wiedzieć, których przyjaciół wybierasz sobie na towarzyszy. Zastanów się nad tym.

— Dziękuję, ojcze.

Wspominał godziny rozmów w dusznej atmosferze kobiecych komnat, tłumaczenie plotek i pogłosek, knucie intryg, rozmyślania nad znaczeniem jakiegoś słowa lub spojrzenia, krzyki, łzy, wzywanie bogów na świadków zniewag, zapachy kadzideł, czarodziejskich ziół i palonych ciał ofiar, szepty i zwierzenia, które nie dawały mu spać i przez to na drugi dzień biegał wolniej albo nie trafiał w cel.

— Ci, z którymi teraz przestajesz, będą mile widziani — mówił ojciec — jeśli ich ojcowie się zgodzą. Ptolemeusz, jak sądzę?
  — Tak, oczywiście, Ptolemeusz. I Hefajstion. Mówiłem ci o nim.
  — Pamiętam. Hefajstion, a jakże.
  Starał się mówić lekkim tonem. Nie zamierzał zakłócać stanu rzeczy,
który zdejmował mu ciężar z serca. Były w nim wyryte erotyczne wzory
z Teb: młodzik i mężczyzna, u którego młodzik szukał przykładu. Jeśli
rzeczy miały się tak, jak na to wyglądały, nie istniał nikt, kogo życzyłby
sobie widzieć w roli mężczyzny. Nawet Ptolemeusz, chociaż brat przyrodni i chociaż lubił kobiety, rzucał zbyt długi cień. Przy uderzającej urodzie chłopca, jego upodobanie do starszych od siebie przyjaciół budziło
od pewnego czasu niepokój Filipa. Jednak rzucać się w ramiona chłopca
prawie co do dnia w tym samym wieku? To tylko jeszcze jedno jego dziwactwo! Od tygodni byli nierozłączni. Co prawda, Aleksander nie dawał
niczego po sobie poznać, ale w tym drugim można było czytać jak
w otwartej książce. W tej kwestii nie było jednak wątpliwości, kto jest dla
kogo przykładem. A zatem w tę sprawę nie należy się wtrącać.
  Miał i bez tego dość kłopotów poza granicami królestwa. Zeszłego
roku trzeba było odpierać Ilirów na zachodniej granicy. Kosztowało go
to wiele trosk i trudów, dostał też cięcie mieczem w kolano, po którym
wciąż jeszcze utykał.
  W Tessalii wszystko szło dobrze. Położył kres tuzinowi miejscowych
tyranii, załagodził ze dwadzieścia krwawych waśni, i wszyscy byli mu
za to wdzięczni, oprócz jednego czy dwóch tyranów. Nie powiodło mu
się jednak z Atenami. Nie dał za wygraną nawet po igrzyskach pytyjskich, kiedy to odmówili przysłania zawodników, ponieważ on przewo-
dniczył igrzyskom. Jego agenci zapewniali, że ludowi można było przemówić do rozsądku, gdyby pozwolili na to oratorzy. Główną troską obywateli było utrzymanie ciągłości zasiłków. Polityka, która temu zagra-
żała, nie miała szans powodzenia, nawet gdyby chodziło o obronę kraju. Filokrates został oskarżony o zdradę i ledwie zdążył uciec przed
wyrokiem śmierci. Teraz korzystał z hojnej, stałej pensji, a Filip pokła-
dał nadzieje w ludziach nieprzekupnych, którzy byli za przymierzem,
bo uważali to za najlepsze wyjście. Widzieli, że jeśli jego głównym celem jest podbój Grecji azjatyckiej, ostatnią rzeczą, na której by mu zależało, jest kosztowna wojna z Atenami. Czy by ją wygrał, czy przegrał,
i tak byłby nieprzyjacielem Hellady, a jedynym jego zyskiem byłoby
zabezpieczenie sobie tyłów.
  Wysłał zatem wiosną kolejne poselstwo, proponując rewizję traktatu
pokojowego w rozsądnych granicach. Posłem ateńskim przysłanym

140

z odpowiedzią był stary przyjaciel Demostenesa, niejaki Hegezippos, znany współobywatelom jako Czubaty, bo długie jak u kobiety włosy związywał na czubku głowy wstążką. Zaraz też się okazało, dlaczego został wybrany: do niemożliwych do przyjęcia warunków dołożył od siebie bezkompromisowe grubiaństwo. Filip nawet nie próbował go pozyskać. To właśnie on doprowadził do przymierza Aten z Fokijczykami. Już sama jego obecność była zniewagą. Przyjechał i odjechał. Filip zaś, który dotąd nie zmuszał Fokijczyków do zapłacenia splądrowanej świątyni dorocznego odszkodowania, przypomniał im, że czas zacząć płacić.

W Epirze, gdzie niedawno umarł król, rozgorzała wojna o sukcesję. Król był tam tylko jednym z wielu wodzów plemiennych, zanosiło się więc na chaos, póki nie zostanie ustanowiony hegemon. Filip zamierzał tego dokonać dla dobra Macedonii. Przede wszystkim miał tym razem błogosławieństwo żony, bo upatrzył sobie jej brata Aleksandra. Kiedy ten ujrzy, gdzie leży jego interes, będzie powściągał jej intrygi. Filip śpieszył udzielić mu poparcia jako przyszłemu użytecznemu sprzymierzeńcowi. Żałował, że nie może zostać, by powitać filozofa. Zanim wsiadł na bojowego rumaka, wezwał syna i oznajmił mu to. Nic powiedział nic więcej, miał przecież oczy i długoletnią praktykę w dyplomacji.

— On przybywa jutro w południe — mówiła Olimpias do syna w dziesięć dni później. — Pamiętaj, żebyś był w domu.

Aleksander stał przy małych krosnach, na których jego siostra uczyła się sztuki obrębiania. Opanowała właśnie wzór „jaja i strzałki" i nie mogła się doczekać jego pochwały. Przyjaźnili się ostatnio i nie żałował jej słów podziwu. Teraz jednak obejrzał się jak koń, który strzyże uszami.

— Przyjmę go w Sali Perseusza — rzekła Olimpias.

— Ja go przyjmę, matko.

— Oczywiście, musisz tam być, właśnie to mówiłam.

Aleksander odszedł od krosien. Zapomniana Kleopatra stała z czółenkiem w ręku i patrzyła na ich twarze, odczuwając znajomy dreszcz lęku.

— Nie, matko. Kiedy ojciec wyjechał, to należy do mnie. Przeproszę w jego imieniu i przedstawię Leonidasa i Fojniksa. Potem przyprowadzę tutaj Arystotelesa i przedstawię ci go.

Olimpias wstała z krzesła. Rósł ostatnio szybciej i nie była o tyle wyższa, jak to sobie wyobrażała.

— Czy chcesz mi powiedzieć, Aleksandrze — spytała podniesionym głosem — że mnie tam sobie nie życzysz?

Nastąpiła krótka chwila milczenia.

— Tylko małych chłopców muszą przedstawiać matki. Nie tak staje przed sofistą ktoś, kto dorasta. Mam już prawie czternaście lat. Chcę z nim postępować od początku tak, jak to zamierzam robić potem.

Zadarła podbródek, kark jej zesztywniał.

— Czy powiedział ci to twój ojciec?

— Ojciec nie musi mi mówić, że jestem mężczyzną, to ja mu o tym powiedziałem.

Policzki jej poczerwieniały, jej rude włosy zdawały się poruszać. Szare oczy się rozszerzyły. Wpatrywał się w nie znieruchomiały myśląc, że nie ma w całym świecie oczu kryjących tyle niebezpieczeństw.

— Ach, więc jesteś mężczyzną! A ja twoją matką, która cię urodziła, wyniańczyła, wykarmiła, walczyła o twoje prawa, kiedy król chciał cię wyrzucić jak psa, by zrobić miejsce dla jakiegoś bękarta.

Skupiła na nim wzrok kobiety rzucającej uroki. Nie przeczył jej, wystarczało mu, że chciała go zranić. Słowa latały jak płonące strzały.

— Ja, która poświęciłam ci wszystkie dni swego życia od dnia twego poczęcia, która przeszłam dla ciebie przez ogień i mrok i weszłam do domu umarłych... A ty teraz knujesz z nim, by mnie poniżyć, jakbym była jakąś żoną wieśniaka. Teraz mogę uwierzyć, że jesteś jego synem!

Stał w milczeniu. Kleopatra upuściła czółenko i krzyknęła:

— Ojciec jest złym człowiekiem! Nie kocham go, kocham matkę!

Żadne z nich nie patrzyło w jej stronę. Zaczęła płakać, ale nikt jej nie słuchał.

— Przyjdzie czas, kiedy wspomnisz ten dzień!

Pomyślał, że istotnie, nieprędko o nim zapomni.

— I cóż? Nic mi nie odpowiesz?

— Przykro mi, matko. — Od pewnego czasu przechodził zmianę głosu, który teraz go zawiódł, załamując się.

— Skoro przeszedłem próbę męskości, muszę postępować jak mężczyzna.

Zaśmiała się. Po raz pierwszy słyszał, że śmieje się z niego tak, jak dotąd śmiała się z ojca.

— Próba męskości! Ty głupi chłopcze! Powiedz mi to, kiedy prześpisz się z kobietą!

Zapadło niezręczne milczenie. Kleopatra wybiegła. Olimpias rzuciła się na krzesło, wybuchając płaczem.

Podszedł do niej zaraz, jak tyle razy przedtem, i głaskał ją po włosach. Szlochała na jego piersi, mówiąc o okrucieństwach, jakie wycierpiała, krzycząc, że nie chce oglądać światła dnia, jeśli on od niej się odwraca. On mówił, że ją kocha, i że ona dobrze o tym wie. Zeszło im na takich słowach sporo czasu i w końcu postanowiono, sam nie wie-

142

dział jak, że sofistę powita on sam, z Leonidasem i Fojniksem. Wkrótce potem wyszedł. Nie czuł się ani zwycięzcą, ani zwyciężonym. Czuł tylko wyczerpanie.

U stóp schodów czekał na niego Hefajstion. Znalazł się tam tak, jak zawsze znajdował się pod ręką, kiedy trzeba było podać piłkę w grze albo kubek wody, gdy Aleksander miał pragnienie. Nie było w tym wyrachowania, a tylko nieustanna czujność, dzięki której nie uchodził jego uwagi żaden drobiazg. Teraz, gdy tamten schodził w dół z zaciśniętymi ustami i podkrążonymi oczami, Hefajstion odebrał jakiś zrozumiały dla siebie niemy znak i poszedł za nim. Szli ścieżką prowadzącą do lasu, na polanę, gdzie leżał pień starego dębu, pokryty pomarańczowymi grzybami i koronką bluszczu. Hefajstion usiadł oparty o pień plecami. Aleksander, który odkąd wyszli z pałacu nie przerywał milczenia, podszedł i usiadł, opierając się o jego ramię. Po chwili westchnął, ale jeszcze przez jakiś czas nie padło żadne słowo.

— Mówią, że cię kochają — powiedział w końcu — a pożerają cię żywcem.

Słowa wprowadzały Hefajstiona w zakłopotanie. Łatwiej i bezpieczniej było obywać się bez nich.

— Tak już jest, że dzieci należą do nich, ale mężczyźni muszą iść własną drogą. Tak mówi moja matka. Mówi, że chce, żebym był mężczyzną, ale właściwie tego nie chce.

— Moja chce tego, cokolwiek podoba jej się mówić.

Przysunął się bliżej. Hefajstion pomyślał, że zrobił to niczym zwierzę, które staje się spokojne, gdy się je przytuli. Nie oznaczało to niczego więcej. Miejsce było bezpieczne, ale mówił cicho, jakby ptaki miały uszy:

— Ona potrzebuje mężczyzny, który stałby po jej stronie. Wiesz dlaczego.

— Tak.

— Zawsze wiedziała, że to będę ja. Myślała jednak, że gdy przyjdzie kolej na mnie, pozwolę jej rządzić, dziś to zrozumiałem. Nie rozmawialiśmy o tym, ale ona już wie, że jej odmówię.

Włosy zjeżyły się na głowie Hefajstiona, ale serce przepełniała mu duma. Nigdy nie marzył, że zaproponuje mu się przymierze przeciw tej potężnej rywalce. Postarał się wyrazić swe oddanie, nie ryzykując słów.

— Płakała. Płakała z mojej przyczyny.

Wciąż jeszcze wyglądał dość blado. Trzeba było znaleźć właściwe słowa.

— Kiedy się urodziłeś, też płakała, tak jednak być musiało. To samo jest i teraz.

Nastąpiła długa przerwa. Wtem padło pytanie: — Zdaje się, że mówiłem ci o czymś jeszcze?

Hefajstion skinął głową. Nie rozmawiali o tym od tamtej pory.

— Obiecała, że któregoś dnia powie mi wszystko. Czasem mówi jedno, czasem drugie... Śniło mi się, że chwytam świętego węża i próbuję go zmusić, by przemówił, ale wąż wywija mi się i ucieka.

— Może chciał, żebyś za nim poszedł?

— Nie, on znał jakiś sekret, ale nie chciał go wyjawić. Ona nienawidzi ojca. Chyba tylko mnie w życiu kochała. Chce, żebym był cały jej i żebym nie miał w sobie nic z niego. Czasem zastanawiam się, czy to już wszystko?

W tym słonecznym lesie Hefajstion poczuł nagle, że przebiega go drżenie. Jeśli czegoś mu trzeba, powinien to dostać. — Bogowie sami to objawią. Objawiali to wszystkim herosom. Twoja matka jednak... w każdym razie... ona musi być śmiertelna.

— Tak, to prawda... — urwał i zastanowił się. — Raz, kiedy byłem sam na Olimpie, otrzymałem znak. Ślubowałem, że pozostanie to na zawsze między mną a bogiem.

Poprosił gestem o wybaczenie i westchnął głęboko.

— Czasem zapominam o tym na całe miesiące, czasem znów myślę o tym dniami i nocami. Chwilami wydaje mi się, że oszaleję, jeśli nie dowiem się prawdy.

— To głupie. Jestem teraz przy tobie. Myślisz, że pozwolę ci oszaleć?

— Z tobą mogę o tym mówić, jak długo jesteś przy mnie.

— Przysięgam ci przed Bogiem, że będę przy tobie, dopóki będę żył.

Spojrzeli razem w górę. Ruch wysoko przelatujących chmur był ledwie zauważalny. Na niebie zagościł spokój po długim letnim dniu.

Gdy okręt wpływał do portu, Arystoteles syn Nikomacha, lekarza z rodu Asklepiadów, rozglądał się, próbując przypomnieć sobie obrazy z dzieciństwa. Minęło wiele czasu. Wszystko wyglądało obco. Miał za sobą szybką i wygodną podróż z Mityleny. Był jedynym pasażerem wojennej galery, którą po niego przysłano. Nie zdziwił go też widok konnej eskorty czekającej na nabrzeżu.

Miał nadzieję, że jej dowódca okaże się pomocny. On sam był dobrze poinformowany, ale żadna wiedza nie jest bez znaczenia. Prawda jest sumą wszystkich swych składników.

Jakaś mewa zatoczyła łuk wokół okrętu. Nawykiem wielu lat zanotował w pamięci gatunek, do którego należała, kąt nachylenia lotu, rozstaw skrzydeł, rodzaj pokarmu, po który nurkowała. Kształt fali dziobowej uległ zmianie — wraz ze zmniejszaniem się prędkości — w jakimś matematycznym stosunku. Odłożył i to w pamięci, do odszukania w wolnej chwili. Nie musiał korzystać z tabliczki i rysika. Poprzez gąszcz masztów mniejszych statków nie widział wyraźnie eskorty. Król przysłał chyba kogoś odpowiedzialnego. Przygotował swoje pytania, pytania człowieka uformowanego przez epokę, w której filozofia zazębiała się z polityką, a człowiek rozumny nie mógł wyobrazić sobie szlachetniejszego celu niż uleczenie choroby trawiącej Helladę. Barbarzyńcy byli z definicji nieuleczalnymi przypadkami. Hellada musi zostać uleczona, aby dać przykład światu.

Dwa pokolenia były już do tej pory świadkami, jak wyradzają się wszystkie przyzwoite formy rządów: arystokracji w oligarchię, demokracji w demagogię, władzy królewskiej w tyranię. Opór przeciw naprawie zła rósł w postępie matematycznym, proporcjonalnie do wzrostu liczby tych, którzy mieli udział w złu.

Udowodniono już, że nie da się zmienić tyranii. Aby zmienić oligarchię, trzeba było użyć siły i bezwzględności niszczących duszę człowieka. Aby zmienić rządy demagogii, trzeba było samemu stać się demagogiem. Aby jednak zreformować monarchię, wystarczyło ukształtować jednego człowieka. Oto została mu dana szansa, aby zostać twórcą króla — nagroda, o której marzył każdy filozof.

Platon zaryzykował życiem w Syrakuzach, i to dwukrotnie: raz z tyrańskim ojcem i ponownie z jego synem miernotą. Wolał zrezygnować ze zbierania plonów, niż nie podjąć wyzwania, które sam jako pierwszy nakreślił. Odezwał się w nim arystokrata i żołnierz, a może raczej marzyciel. Lepiej by zrobił, gdyby najpierw zgromadził wiarygodne informacje i oszczędził sobie tej podróży... A jednak nawet ta gorzka myśl przywołała wspomnienie tamtej wspaniałej osobowości myśliciela, ów dawny niepokój. Uczucie, że oto coś wymyka się pomiarom, nie daje się określić i przyporządkować, wracało natrętnie wraz z zapachami lata w ogrodzie Akademii.

No cóż, nie powiodło mu się w Syrakuzach, być może z braku odpowiedniego materiału do pracy, a to niepowodzenie stało się głośne w całej Grecji. U schyłku życia też musiał chyba stracić jasność umysłu, gdy przekazywał Akademię Speuzypowi, temu metafizykowi o jałowym umyśle. W każdym razie, Speuzyp byłby skłonny zrzec się tego zaszczytu i przybyć do Pelli. Król był tu skłonny do współpracy, chłopiec inteligentny, bez złych nawyków i obdarzony silną wolą, a przy tym dziedzic stale rosnącej potęgi. Nic dziwnego, że nęciło to Speuzypa po latach nędzy i niedoli w Syrakuzach. Został jednak odrzucony. Ateńczycy byli tu bez szans: tyle tylko udało się uzyskać Demostenesowi i jego poplecznikom.

Przyjaciele w Mitylenie chwalili odwagę Arystotelesa, który wyruszał do odległego, rządzonego przemocą północnego kraju. Przyjmował te pochwały z powściągliwym uśmiechem. Tu były jego korzenie, w powietrzu tych gór zaznał radości dzieciństwa i zakosztował ich piękna, podczas gdy umysły dorosłych zajęte były jedynie wojną. Co do przemocy, nie była mu obca, skoro żył w cieniu perskiej potęgi. Jeśli tam udało mu się zmienić człowieka z mroczną przeszłością w przyjaciela i filozofa, powiedzie się również z tym nie ukształtowanym jeszcze chłopcem. Nie obawiał się porażki.

Gdy galera przeciskała się przez ruchliwy port, chowając wiosła i przepuszczając jakiś trójrzędowiec, on myślał z czułością o pałacu na stoku wzgórza w Assos, zwróconym ku lesistym górom Lesbos i ku cieśninie, którą tak często przepływał. Myślał o tarasie oświetlonym w letnie wieczory latarniami i o rozmowach, albo pełnym zadumy milczeniu, albo o wspólnym czytaniu jakiejś książki. Hermejas był dobrym lektorem. Jego wysoki głos był dźwięczny i wyrazisty, nie raził piskliwością. Jego stan fizyczny nie wpływał na stan umysłu. Wytrzebiono go jako chłopca, by dłużej zachować urodę, którą tak cenił jego pan. Wyszedł z dołów, nim został władcą. Piął się do światła niczym przysypana ziemią sadzonka. Dał się kiedyś namówić do odwiedzenia Akademii, a potem nigdy nie zerwał z nią związków.

Adoptował siostrzenicę, nie mogąc mieć własnych dzieci. Arystoteles poślubił ją po przyjaźni i spotkała go niespodzianka, bo ona go uwielbiała. Teraz rad był, że okazywał jej za to wdzięczność, niedawno bowiem zmarła. Ta szczupła, ciemnowłosa, zamyślona dziewczyna trzymała jego dłoń, wpatrując się w niego gasnącym spojrzeniem swych krótkowzrocznych oczu i prosiła, by kazał złożyć w jednej urnie swoje i jej prochy. Obiecał jej to i dodał od siebie, że nigdy nie ożeni się ponownie. Zabrał potem tę urnę ze sobą, na wypadek gdyby przyszło mu umrzeć w Macedonii.

Były, oczywiście, inne kobiety. Był dumny, i nie uważał tego za niegodne filozofa, ze swojej zdrowej normalności. Platon zbyt wiele, jego zdaniem, poświęcił dla miłości.

Galera przybijała do nadbrzeża, wykonując zwrot dość ostro, jak zwykle w zatłoczonych portach. Rzucono cumy, załomotał trap. Ludzie z eskorty pozsiadali z koni. Było ich pięciu czy sześciu. Filozof odwrócił się do swych dwóch służących, by mieć pewność co do bagażu. Dziwne poruszenie wśród załogi kazało mu podnieść wzrok. U szczytu trapu stał jakiś chłopiec i rozglądał się wokoło. Dłonie opierał na męskim pasie do miecza opinającym mu biodra. Wietrzyk od lądu rozwiewał jego gęste jasne włosy. Z wyglądu był czujny jak młody pies myśliwski. Kiedy ich oczy się spotkały, chłopiec skoczył w dół, nie czekając na żeglarza, który śpieszył z pomocą, i wylądował tak lekko, że nie zatrzymał się ani na chwilę.

— Czyś ty jest filozof Arystoteles? Obyś był szczęśliwy! Jestem Aleksander syn Filipa. Witaj w Macedonii!

Wymienili zwyczajowe grzeczności, przyglądając się sobie nawzajem. Aleksander zaplanował ten wyjazd na poczekaniu, dostosowując swą strategię do rozwoju wydarzeń. Instynkt nakazywał czujność. Matka zbyt łatwo się zgodziła. Wiedział, że zgadza się z ojcem w tej czy innej sprawie tylko po to, żeby ukryć swój następny ruch. Wszedłszy pod jej nieobecność do komnaty, zobaczył przygotowaną uroczystą szatę. Zanosiło się na nową bitwę, bardziej krwawą niż poprzednia i tak samo nie rozstrzygniętą. Przypomniał sobie wtedy, jak Ksenofont przyparty w Persji do muru zdecydował się uprzedzić przeciwników.

Musiało to być zrobione jak należy, nie mogło przemienić się w jakiś ryzykowny wypad. Poszedł do Antypatra, regenta Macedonii pod nieobecność ojca, i poprosił go, żeby także pojechał. Był on człowiekiem króla, a jego lojalność była niezachwiana. Patrzył z satysfakcją na stan stosunków w rodzinie królewskiej, nie był jednak na tyle głupi, by to okazywać. Teraz znalazł się tu na nabrzeżu, powitanie było więc oficjalne. Przed nim stał filozof.

Był szczupły i niewysoki, zbudowany prawidłowo, ale na pierwszy rzut oka w pamięci zostawała tylko głowa. Miał szerokie i wypukłe czoło, jakby zawartość rozsadzała naczynie. Małe, przenikliwe oczy notowały wszystko, co widziały, bez uprzedzeń i nieomylnie. Usta zaciskały się w linię ściśle określoną, jak definicja. Nosił krótką, starannie utrzymaną brodę, a przerzedzone włosy robiły wrażenie, jakby wypychał je z głowy potężny, rosnący mózg.

Kolejny rzut oka pozwalał stwierdzić, że ubierał się on z jońską elegancją i nosił pierścienie. Ateńczycy uważali, że się stroi. W Macedonii robił wrażenie człowieka wykwintnego i nie przesadnie skromnego. Aleksander podał mu rękę przy wejściu na trap i zaryzykował uśmiech. Kiedy tamten go odwzajemnił, dało się zauważyć, że lubi się uśmiechać, ale że nieczęsto śmieje się na całe gardło. Wyglądał w każdym razie na kogoś, kto umie odpowiadać na pytania.

147

Filozof myślał tymczasem, że taka uroda to dar Boga, i przy tym ożywia ją rozum: ktoś mieszka w tym pięknym domu. To nie będzie przedsięwzięcie równie beznadziejne jak syrakuzańskie podróże nieszczęsnego Platona. Trzeba dopilnować, żeby dowiedział się o tym Speuzyp. Nastąpiły teraz prezentacje, królewiczowi poszło to bardzo zgrabnie. Stajenny podprowadził wierzchowca dla filozofa i przytrzymał mu nogę przy wsiadaniu na sposób perski. Potem chłopiec odwrócił się i jakiś wyższy od niego chłopak postąpił naprzód z ręką na czółku uzdy wspaniałego czarnego rumaka z białą strzałką na czole. Przez cały czas prezentacji Arystoteles wyczuwał niepokój zwierzęcia, teraz zaś ujrzał ze zdziwieniem, że młodzik puszcza je wolno. Koń podbiegł kłusem do królewicza i trącił go pyskiem za uchem, ten zaś pogłaskał go po pysku. Potem koń zgrabnie i z godnością przysiadł na zadzie, zaczekał, aż chłopiec wsiądzie i podniósł się na dotknięcie palca. Była to chwila, gdy chłopiec i koń wyglądali jak wtajemniczeni, którzy właśnie wymienili sekretne słowa.

Filozof odsunął te fantazje na bok. W naturze nie ma tajemnic, a tylko pewne fakty, nie zbadane dotąd jak należy. Postępując wedle tej zdrowej pierwszej zasady, nigdy nie zboczy się z drogi.

Źródło w Miedzy było poświęcone nimfom. Wodę z niego poprowadzono do starej kamiennej pijalni, gdzie głucho pluskała. Poniżej z porosłej paprocią sadzawki spadał strumień, wijący się pośród skał. Słońce nagrzewało brunatne kamienie. Było to świetne miejsce do kąpieli.

Strumyki i podziemne kanały przebiegały przez ogrody. Połyskliwe potoczki wystrzeliwały w wodotryskach albo spadały w małych wodospadach. Rosły tam laur, mirt i jarzębina. W wybujałej trawie rosnącej poza pielęgnowanym sadem wciąż jeszcze kwitły wiosną zdziczałe stare jabłonie. Tam, gdzie wycięto karłowate zarośla, była teraz piękna zielona murawa. Od domu o wyblakłym różowym kolorze wiły się zakolami ścieżki, tu omijając jakąś skałę porośniętą drobnymi górskimi kwiatkami, tam przebiegając po drewnianym mostku albo rozszerzając się przy kamiennym siedzisku w miejscu, gdzie był piękny widok. W lecie las za ogrodem był jedną plątaniną dzikich róż, które były darem nimf dla Midasa. Nocna rosa pachniała dziką różą.

Chłopcy wyjeżdżali o pierwszych kurach, by zapolować przed rozpoczęciem zajęć. Zastawiali sieci i łapali w nie kozły i zające. Pod drzewami pachniał mech, na odsłoniętych stokach czuło się woń stratowanych ziół. O wschodzie słońca pachniało dymem z ogniska i pieczenią. Czuło się zapach końskiego potu i zapach psiej sierści, gdy psy przychodziły łasić się o resztki. Jeśli zdobycz należała do jakiegoś rzadkiego gatunku, albo była w jakiś sposób niezwykła, wracali głodni, przywożąc ją, by zrobić sekcję. Arystoteles nauczył się tej sztuki od ojca, było to dziedzictwo Asklepiadów. Przekonali się, że nie gardzi on nawet owadami. Znał większość z tego, co mu przynosili, ale od czasu do czasu mówił gorączkowo: — A to co takiego, a to co? Potem wyciągał swoje zapiski z pięknymi rysunkami piórkiem i przez cały dzień był w dobrym humorze.

Aleksander i Hefajstion byli najmłodsi. Filozof dał jasno do zrozumienia, że nie życzy sobie, by jakieś dzieci plątały mu się pod nogami, choćby ich ojcowie byli nie wiadomo kim. Wielu chłopców, z którymi przyjaźnił się w dzieciństwie królewicz, było teraz dorosłymi ludźmi. Nikt z tych wybranych nie odrzucił zaproszenia. Wstąpienie do szkoły czyniło ich Towarzyszami królewicza, a ten przywilej otwierał wszelkie możliwości.

Antypater czekał jakiś czas daremnie, ale w końcu zgłosił królowi swego syna Kasandra. Aleksander, któremu Filip przekazał tę wiadomość przed swym wyjazdem, przyjął ją niechętnie.

— Nie lubię go, ojcze, on mnie też nie lubi, czemu więc chce tu przychodzić?

— A jak myślisz? Filotas przecież chodzi.

— Filotas jest moim przyjacielem.

— Tak, mówiłem, że będą tu chodzić twoi przyjaciele, i żadnemu z nich, jak wiesz, nie odmówiłem. Ale nie obiecywałem, że nie przyjmę nikogo poza nimi. Jak mogę przyjąć syna Parmeniona, a odmówić synowi Antypatra? Jeśli wam się nie układa, jest okazja, by to naprawić. Wyjdzie mi to na korzyść. Jest to również sztuka, której muszą się uczyć królowie.

Kasander był rudzielcem o sinobiałej skórze upstrzonej piegami. Był silnie zbudowany i lubił wymuszać uległość na tych, których udało mu się zastraszyć. Uważał Aleksandra za nieznośnego pozera, który dopraszał się porządnego zbesztania, ale chroniła go jego pozycja i gromada pochlebców zgromadzonych wokół niego.

Kasander nie chciał jechać do Miedzy. Niedawno został pobity przez Filotasa, któremu powiedział coś nie przemyślanego, a nie wiedział, że tamten bardzo się wtedy starał, by zaliczono go do kręgu przyjaciół Aleksandra. Filotas nie omieszkał opowiedzieć innym o tym wyczynie. Kasander dostał potem odprawę u Ptolemeusza i Harpalosa, a Hefajstion patrzył na niego jak łańcuchowy pies na kota. Aleksander ignorował go, ale w jego obecności był czarujący wobec wszystkich, których nie lubił. Gdyby kiedyś byli przyjaciółmi, dałoby się to naprawić. Aleksander lubił pojednania i musiałby naprawdę być zły, żeby odrzucić propozycję. Tak jednak, jak rzeczy się miały, zwyczajna niechęć zamieniła się we wrogość. Kasander po serii niepowodzeń zaczął przymilać się do próżnego szczeniaka, którego nauczyłby respektu, gdyby wszystko poszło naturalną koleją.

Na próżno prosił ojca, by mu nie kazał uczyć się filozofii, która źle wpływa na stan umysłu. Mówił, że pragnie tylko być żołnierzem. Nie ośmielił się wyznać, że nie jest lubiany, bo dostałby baty za to, że do tego dopuścił. Antypater cenił sobie własną karierę i miał ambitne plany co do kariery syna. Utkwił w Kasandrze srogie niebieskie oczy pod jasnymi brwiami, które były kiedyś rude jak u syna.

— Zachowuj się tam jak należy i bądź ostrożny z Aleksandrem.

— To przecież tylko chłopiec — powiedział Kasander.

— Nie rób z siebie większego głupca niż jesteś. Cztery czy pięć lat różnicy nic nie znaczy, skoro jesteście mężczyznami. Zapamiętaj, co ci teraz powiem. Ten chłopiec ma olej w głowie, tak jak jego ojciec, a jeśli nie okaże się równie trudnym przeciwnikiem jak jego matka, to ja jestem Etiopem. Nie sprzeciwiaj mu się. Za to płacą temu sofiście. Posyłam cię tam, żebyś na tym skorzystał, a nie żebyś narobił sobie wrogów. Jeśli będziesz się tam awanturował, wygarbuję ci skórę.

Tak więc Kasander pojechał do Miedzy, gdzie nudził się, tęsknił za domem, czuł się samotny i urażony na świat. Aleksander był dla niego uprzejmy, bo, jak mówił ojciec, była to sztuka, której muszą się uczyć królowie. Miał zresztą poważniejsze sprawy na głowie.

Filozof okazał się nie tylko skłonny, ale i skory, by odpowiadać na pytania. Inaczej niż Timantes, najpierw coś robił, a potem objaśniał zalety systemu. Kiedy jednak przychodziło objaśnienie, zawsze było ścisłe i dokładne. Ten człowiek nie cierpiał niedopowiedzeń i niejasności.

Miedza zwrócona była ku wschodowi. Wysokie komnaty o wyblakłych malowidłach ściennych rano były zalane słońcem, a po południu wychłodzone. Kiedy zajmowali się pisaniem, rysowaniem albo badaniem okazów, zajęcia odbywały się wewnątrz, wykłady i dyskusje natomiast podczas spacerów po ogrodach.

Rozmawiali o etyce i polityce, o naturze rozkoszy i o sprawiedliwości, o duszy, dzielności, przyjaźni i miłości. Zastanawiali się nad przyczynami rzeczy. Nauka nie mogła też obyć się bez demonstracji i eksperymentów.

Wkrótce jedna z komnat zapełniła się okazami. Były tam zasuszone kwiaty i rośliny, sadzonki w doniczkach, ptasie jaja z rozwiniętymi zarodkami zakonserwowane w miodzie i dekokty z leczniczych ziół. Wyszkolony niewolnik Arystotelesa pracował tam przez cały dzień. W nocy obserwowali niebo. Gwiazdy były rzeczą najbliższą boskości spośród wszystkich, których mogło dosięgnąć ludzkie oko, piątym elementem, nie do znalezienia na ziemi. Obserwowali wiatry, mgły i chmury i uczyli się przepowiadania pogody. Mierzyli kąty odbicia światła od polerowanego brązu.

Dla Hefajstiona było to nowe życie. Aleksander należał do niego i wszyscy to widzieli. Nawet filozof uznawał jego szczególną pozycję. W szkole często dyskutowano o przyjaźni. Dowiedzieli się, że jest to jedna z rzeczy, z których brakiem najtrudniej się pogodzić, że jest niezbędna, by mieć dobre życie i że sama przez się jest piękna. Między przyjaciółmi niepotrzebna jest sprawiedliwość, bo nie istnieje zło ani nierówność. Filozof opisywał stopnie przyjaźni, od poszukiwania samego siebie do jej najczystszej formy, kiedy to idzie nam wyłącznie o dobro przyjaciela. Przyjaźń jest doskonała, kiedy dzielni ludzie kochają dobro w sobie nawzajem, jako że dzielność daje więcej radości niż piękno, i czas nie ma nad nią władzy.

Mówił dalej o wartości przyjaźni, nie zniżając się do ruchomych piasków Erosa. Jeden czy dwaj młodzi ludzie poruszyli tę sprawę. Hefajstion, który miał trudności z szybkim oblekaniem myśli w słowa, przekonał się, jak zwykle, że ktoś go w tym wyprzedził. Wolał jednak to, niż robienie z siebie głupca. Kasander na przykład wykorzystałby to przeciw Aleksandrowi.

Hefajstion szybko stawał się zaborczy. Wszystko go ku temu skłaniało: doktryna, według której człowiekowi dany jest tylko jeden doskonały przyjaciel, instynktowna pewność, że lojalność Aleksandra dorównuje jego własnej i wreszcie ich uznany status. Arystoteles był człowiekiem, dla którego liczyły się fakty. Od razu zrozumiał, że to związek na dobre i na złe, prawdziwe uczucie, nie zaś niepowściągliwość czy chęć przypodobania się. Nie należało zatem sprzeciwiać się, lecz kształtować ten związek (oby jakiś mądry mąż zrobił kiedyś tyle dla ojca...!) Kiedy więc mówił o przyjaźni, pozwalał oczom zatrzymać się na tych dwóch urodziwych chłopcach. Hefajstion widział dotąd tylko Aleksandra, teraz przekonał się, że byli dobraną parą.

Z Aleksandrem nie można było robić rzeczy, których musiałby się wstydzić. Chodziło tu i o jego pozycję, bo nigdy o niej nie zapominał. Gdyby ją utracił, Hefajstion poszedłby za nim na wygnanie, do więzienia, nawet na śmierć i byłby z tego dumny. Nigdy nie był zazdrosny o Aleksandra, bo nigdy w niego nie wątpił, ale był zazdrosny o własną pozycję i lubił, gdy ją uznawano.

Kasander dobrze o tym wiedział. Hefajstion, który miał oczy w tyle głowy — kiedy chodziło o tamtego — wiedział, że choć Kasander nie pragnie żadnego z nich, nienawidzi w nich tego, że są ze sobą blisko, że sobie ufają i są tak urodziwi. Nienawidził Aleksandra, bo u żołnierzy Antypatra miał pierwszeństwo przed synem Antypatra, bo zdobył swój pas, mając dwanaście lat, bo klękał przed nim Bucefał. Nienawidził Hefajstiona za to, że szedł za Aleksandrem nie dla nagrody. Hefajstion wiedział o tym wszystkim i dawał to poznać Kasandrowi, którego miłość własna domagała się potwierdzenia, że nienawidzi Aleksandra wyłącznie z powodu jego wad.

Najtrudniej mu było znieść to, że Arystoteles udzielał Aleksandrowi prywatnych lekcji sztuki rządzenia. Hefajstion wspomniał o tej zazdrości Kasandra, by pocieszyć Aleksandra, który narzekał, że te lekcje są nudne.

— Myślałem, że to będzie coś nadzwyczajnego. On zna Jonię i Ateny, i Chalcydykę, i nawet trochę Persję. Chciałem dowiedzieć się, jacy są tamtejsi ludzie, ich obyczaje, ich zachowanie. Jemu zaś idzie o to, żeby nauczyć mnie z góry odpowiedzi na wszystkie pytania. Co bym zrobił, gdyby zdarzyło się to czy tamto? Odpowiedziałem, że zaczekam, aż to czy tamto się wydarzy. Wydarzenia są dziełem ludzi, nie sposób je przewidzieć. Myślał pewnie, że jestem uparty.

— Król mógłby cię zwolnić z tych lekcji.

— Nie chcę, to mi się należy. Poza tym, niezgodność zdań skłania do myślenia. On myśli, że to niepewna nauka, ale jednak rodzaj nauki. Wpuść tryka do owcy, a będziesz miał za każdym razem jagnię, choćby nie były identyczne, podgrzej śnieg, a stopnieje. To jest nauka. Twoje doświadczenia powinny być powtarzalne. Tymczasem na wojnie, nawet gdyby ktoś zdołał powtórzyć wszystkie inne warunki, co i tak nie jest możliwe, nie zdoła powtórzyć zaskoczenia. Ani pogody. Ani nastroju żołnierzy. Wojska i miasta składają się z ludzi. Być królem... to coś w rodzaju muzyki.

Urwał i zmarszczył brwi. Hefajstion spytał: — Czy cię prosił, żebyś znowu coś zagrał?

— „Kiedy się po prostu słucha, traci się połowę efektu etycznego".

— Kiedy on nie jest mądry jak bóg, bywa głupi jak jakaś stara baba.

— Powiedziałem mu, że poznałem już efekt etyczny poprzez doświadczenie, ale nie jest ono powtarzalne. Chyba zrozumiał aluzję.

Rzeczywiście, nie było już mowy o muzyce. Ptolemeusz, który nie mieszał się do rozmowy, wziął filozofa na bok i przedstawił mu fakty.

Młody człowiek znosił bez urazy wejście gwiazdy Hefajstiona. Gdyby ten nowy przyjaciel był dorosły, starcie byłoby nieuniknione, ale ojcowska pozycja Ptolemeusza pozostawała niezachwiana. Nadal był nieżonaty, ale został już kilka razy ojcem i poczuwał się do obowiązków wobec swych rozproszonych potomków. Przyjaźń, jaką żywił dla Aleksandra, zaczynała mieszać się z innym uczuciem. Świat namiętnej młodzieńczej przyjaźni był dla niego ziemią nie znaną. Od samego początku pociągały go dziewczęta. Hefajstion niczego mu nie odebrał, tyle że nie mógł już być pierwszym spośród wszystkich. Była to pewna strata, ale nie przejmował się Hefajstionem bardziej, niż musiał. Wkrótce pewnie z tego wyrosną. Tymczasem jednak Aleksander powinien ukrócić tego kłótliwego chłopca. Widać było, że są nierozłączni, że to jedna dusza w dwóch ciałach, jak to ujmowali sofiści, ale Hefajstion był na własne konto awanturniczy i nie znoszący sprzeciwu.

Wkrótce potem znalazło się wytłumaczenie. Miedza, przybytek nimf, była również miejscem schronienia przed dworem, wirem wiadomości oraz wydarzeń i intryg. Oni tu żyli ideami i sobą nawzajem. Ich umysły dojrzewały i przyśpieszano ten proces. Mniej mówiło się o tym, że ich ciała również dojrzewały. W Pelli Hefajstion żył w obłoku mglistych, nie rozwiniętych tęsknot. Tu zmieniły się one w pragnienia i dłużej nie pozostawały już mgliste.

Prawdziwi przyjaciele nie mają przed sobą tajemnic, ale życie Hefajstiona pełne było zatajeń. Aleksander lubił dowody miłości, nawet kiedy był jej pewien, lubił przyjmować i odwzajemniać czułości. Hefajstion nie odważył się na nic więcej.

Gdy komuś tak bystremu trudno jest coś zrozumieć, musi nie mieć na to ochoty. Kiedy ktoś, kto lubi obdarowywać innych, nie proponuje czegoś — pewnie tego nie posiada. Gdyby go zmuszać do zrozumienia, mogłoby mu zabraknąć odwagi. Mógłby to potem wybaczyć, ale nie zapomnieć. „A jednak — myślał Hefajstion — można by czasem przysiąc..." Ale nie była to odpowiednia pora, żeby zaprzątać tym głowę Aleksandra, miał on i bez tego dość kłopotów.

Mieli codziennie zajęcia z logiki formalnej. Król z góry zakazał filozofowi nauczania pokrętnej logomachii erystyki, nauki, którą Sokrates określał jako zastępowanie lepszych racji gorszymi. Trzeba było jednak ćwiczyć umysł w wykrywaniu fałszywego rozumowania i fałszywych analogii, nie rozłożonych terminów średnich, uznawania za słuszną zakwestionowanej sprawy. Czasem wszystko zależało od rozpoznania, kiedy dwie propozycje wykluczały się wzajemnie. Aleksander logikę przyswajał sobie szybko. Hefajstion zachowywał złe przeczucia dla siebie. Tylko on znał tajemnicę niemożliwych alternatyw. Można było z tego wybrnąć przez połowiczną wiarę w dwie rzeczy naraz. Dzielili pokój, widywał więc nocą w świetle księżyca otwarte oczy Aleksandra zmagającego się z sylogizmem swego istnienia.

Jeśli chodziło o Aleksandra, ich sanktuarium nie było nienaruszalne. Sześć razy w miesiącu przybywał kurier od jego matki. Przywoził dary: słodkie figi, kołpak do konnej jazdy, parę sandałów (poprzednia para okazała się za mała, bo rośli coraz szybciej) i gruby list, zawiązany i zapieczętowany. Hefajstion znał treść tych listów. Czytał je. Aleksander mówił, że prawdziwi przyjaciele nie mają przed sobą tajemnic, ale nie ukrywał, że chętnie dzieli się kłopotami. Siedząc na skraju łóżka albo w ogrodowej pergoli, obejmując przyjaciela, by czytać nad jego ramieniem, Hefajstion gryzł wargi, by nie wybuchnąć gniewem.

Te listy pełne były sekretów, intryg i obelg. Kiedy Aleksander chciał dowiedzieć się czegoś o wojnie, którą prowadził ojciec, musiał pytać kuriera. Na czas kampanii na Chersonezie Antypater znów został regentem. Olimpias uważała, że to ona powinna rządzić, a wódz dowodzić garnizonem. Jej zdaniem wszystko robił źle, był kreaturą Filipa, spiskował przeciw niej i przeciw dziedziczeniu tronu przez Aleksandra. Żądała zawsze odpowiedzi przez tego samego kuriera, tak więc cały dzień był dla nauki stracony. Kiedy Aleksander zachowywał obojętność wobec poczynań Antypatra, otrzymywał list pełen wymówek. Gdyby jednak zgodził się z nią, mogłaby pokazać list Antypatrowi, by zdobyć punkty w jakiejś nowej rozgrywce.

Nadszedł w końcu ów nieunikniony dzień, gdy dotarła do niej wieść, że król ma nową dziewczynę.

Tym razem list był wprost okropny. Hefajstion był zdumiony i zakłopotany tym, że Aleksander dał mu go do przeczytania. Chciał przerwać w połowie, ale tamten powiedział: — Czytaj dalej.

Miał minę kogoś, kto cierpi na powracającą chorobę i czuje ukłucie znajomego bólu.

— Muszę do niej jechać — powiedział, gdy Hefajstion skończył.

— Ale co ty możesz zrobić?

— Po prostu tam być. Wrócę jutro albo pojutrze.

— Pojadę z tobą.

— Nie, rozgniewałbyś się, moglibyśmy się pokłócić. Wystarczy tego, co już mamy.

Kiedy filozof usłyszał, że królowa jest chora i syn musi ją odwiedzić, był prawie tak samo zły jak Hefajstion, ale nie dawał tego po sobie poznać. Chłopak nie wyglądał, jakby wybierał się na wagary. Nie wyglądał też później, jakby z nich wracał. W nocy obudził Hefajstiona, krzycząc przez sen: — Nie!

Hefajstion podszedł i położył się przy nim. Aleksander chwycił go z furią za gardło, a potem otworzył oczy, objął go z westchnieniem ulgi, które zabrzmiało jak jęk, i znowu zasnął. Hefajstion leżał przy nim, czuwając i dopiero przed samym świtem wrócił do zimnego łóżka. Rano Aleksander niczego nie pamiętał.

Arystoteles także na swój sposób próbował go pocieszyć i dołożył starań, by wciągnąć swego podopiecznego na powrót w czystą atmosferę filozofii. Zebrani wokół kamiennej ławy z widokiem na chmury i odległe krajobrazy omawiali naturę człowieka wybitnego. Czy ambicja jest u niego wadą? Z pewnością tak, jeśli uwzględnić pospolite żądze i upodobania. Jaką więc część jego osobowości należy brać pod uwagę? Nie ciało z jego namiętnościami, lecz rozumną duszę, której zadaniem jest rządzić resztą niczym król. Kochać tę część osobowości, pożądać dla niej zaszczytów, zaspokajać jej zapotrzebowanie na cnotę i szlachetne czyny, wybierać raczej śmierć w godzinie chwały niż gnuśne życie — oto gdzie leży spełnienie ambicji. Błądzili starzy, nakazując człowiekowi pokorę wobec własnej śmiertelności. Powinien raczej natężać swą naturę, by osiągnąć nieśmiertelność i nie spocząć, póki nie osiągnie najwyższego celu.

Aleksander siedział na jakimś ciemnym głazie przy laurowych zaroślach, obejmując rękami kolana i wpatrując się w daleki widnokrąg. Hefajstion przyglądał mu się badawczo. Czy osiągnął już spokój ducha? Wyglądał raczej jak jeden z tych młodych orłów, o których czytali, że rodzice uczą je patrzeć w słońce w południe. Książka mówiła, że jeśli mrugają oczami, wyrzuca się je z gniazd.

Hefajstion zabrał go później na czytanie Homera, mając więcej zaufania do tego lekarstwa.

Korzystali teraz z nowej książki. Dar Fojniksa kopiowany był parę pokoleń wcześniej przez niezbyt biegłego pisarza z jakiegoś popsutego tekstu. Arystoteles, zapytany o jakiś niejasny fragment, zaciskał usta, oglądając tę książkę. Posłał potem do Aten po dobry, zrewidowany tekst i sam go przejrzał, poszukując błędów. Tekst zawierał nie tylko linijki opuszczone w starej książce, ale też miał wszędzie rytm i sens. Tu i ówdzie dbały o moralność redaktor wyjaśniał w odnośniku, że kiedy Achilles woła o wino: „Szczodrzej!", idzie mu o ilość, a nie o moc tego wina. Uczeń był ogromnie wdzięczny, ale tym razem nauczyciel nie poznał przyczyny. Myślał jedynie o uprzystępnieniu archaicznego poematu, Aleksander zaś o tym, że tak święte pismo powinno być nieskalane.

Spokój filozofa zakłóciła nieco wizyta w teatrze przy okazji jakiegoś święta. Ku jego żalowi wystawiano *Myrmidonów* Ajschylosa, sztukę, w której Achilles i Patrokles są czymś więcej (albo czymś mniej, z jego punktu widzenia) niż doskonałymi przyjaciółmi. W samym środku sztuki, kiedy wieść o śmierci Patroklesa dotarła do Achillesa, uświadomił sobie, że Aleksander siedzi jak zaczarowany, z oczu płyną mu łzy, a Hefajstion trzyma go za rękę. Spiorunowany wzrokiem, odsunął się, czerwony po uszy. Do Aleksandra nic nie docierało. Pod koniec obaj gdzieś znikli. Filozof dopadł ich za sceną. Nie zdołał już powstrzymać królewicza przed uściskaniem aktora, który grał Achillesa, i podarowaniem mu kosztownej bransolety, o którą na pewno zapyta królowa. To było nie na miejscu. Cały następny dzień poświęcony został matematyce jako najlepszej odtrutce.

Nikt go nie powiadomił, że jego szkoła, kiedy nie musi dyskutować o prawie, retoryce, nauce lub godziwym życiu, zajmuje się roztrząsaniem zagadnienia, czy między tymi dwoma doszło do czegoś czy nie. Hefajstion dobrze o tym wiedział, bo niedawno pobił już kogoś, kto zadał mu wprost to pytanie, jako że chodziło o zakład. Czy to możliwe, że Aleksander nie wiedział? Jeśli wiedział, dlaczego nigdy o tym nie mówił? Czy z lojalności dla przyjaźni nie chciał, by uważano ją za nie dopełnioną? Czy może myślał, że już są kochankami, w znaczeniu, jakie sam temu nadawał? Czasami w nocy Hefajstion zastanawiał się, czy nie jest głupcem i tchórzem, nie próbując swego szczęścia. Lecz wyrocznia instynktu dawała znaki, by tego nie robił. Codziennie mówiono im, że wszystko dostępne jest rozumowi, ale on wiedział lepiej. Czymkolwiek było to, na co czekał — narodzinami, ozdrowieniem, boską interwencją — będzie na to czekał, choćby miał czekać wiecznie. Już to, co miał, było bogactwem ponad wszelkie wyobrażenie. Gdyby tę zdobycz utracił, sięgając po więcej, nie przeżyłby takiej straty.

W lwim miesiącu, kiedy zbierano pierwsze winogrona, obchodzili urodziny. Skończyli po piętnaście lat. W tydzień po pierwszych przymrozkach kurier przywiózł list, nie od królowej, lecz od króla. Ojciec pozdrawiał syna i wyrażał nadzieję, że miła mu będzie odmiana po przesiadywaniu z filozofami, skoro tylko skorzysta z zaproszenia do odwiedzenia kwatery głównej. Nie będzie za wcześnie, skoro kiedyś już pośpieszył się z tymi sprawami, by ujrzeć po raz pierwszy oblicze wojny.

Droga wiodła wzdłuż wybrzeża, a także wzdłuż gór, gdy jakieś bagna albo ujście rzeki spychały ją w głąb kraju. Zbudowały ją wojska Kserksesa, posuwając się na zachód. Wojska Filipa naprawiały ją, ciągnąc na wschód. Ptolemeusz poszedł, bo Aleksander uważał, że to mu się należy, Filotas — bo jego ojciec był przy królu, Kasander — bo jeśli szedł syn Parmeniona, to syn Antypatra nie mógł pozostać w tyle, i Hefajstion — co samo przez się było zrozumiałe. Eskortą dowodził Klejtos, młodszy brat Hellanike. Król wyznaczył go do tego, bo Aleksander znał go od bardzo dawna. Prawdę mówiąc, Klejtos był jedną z pierwszych istot, jakie zapamiętał — jako ciemnowłosego młodego człowieka, mocno zbudowanego, który wchodził do pokoju dziecinnego i rozmawiał ponad jego głową z Lanike, albo chodził na czworakach po posadzce i ryczał, udając niedźwiedzia. Teraz był Czarnym Klejtosem, brodatym dowódcą Konnych Towarzyszy, zaufanym i po staroświecku prostolinijnym w zachowaniu. Macedonia znała wiele takich przeżytków z Homerowych czasów, kiedy to najwyższy król musiał przejąć od swych naczelników zdrową część ich sposobu myślenia. Eskortując teraz królewskiego syna, nie zdawał sobie sprawy, że zaczyna go przedrzeźniać, jak kiedyś w pokoju dziecinnym. Aleksander niemal nie był w stanie sobie uświadomić, cóż to właściwie takiego pozostało w jego pamięci, był jednak w ich wzajemnym stosunku cień urazy, i choć śmiech go nie opuszczał, starał się odpłacać Klejtosowi pięknym za nadobne.

Przechodzili w bród strumienie, które — jak powiadano — wypiły kiedyś i osuszyły perskie hordy. Przekroczyli Strymon po moście zbudowanym przez króla Filipa i wspięli się na stok Pangajosu do położonego na tarasach miasta Amfipolis. Tu na Dziewięciodrożu Kserkses kazał pogrzebać żywcem dziewięciu chłopców i dziewięć dziewcząt, aby zadowolić swoich bogów. Teraz między górą a rzeką wznosiła się wielka twierdza. Połyskiwał świeżo ciosany kamień, a spoza murów dymiły piece wytapiaczy złota. Tej warowni Filip nie zamierzał nikomu oddawać. Był to pierwszy z jego podbojów poza rzeką, która stanowiła kiedyś najdalszą granicę Macedonii. Nad nimi piętrzył się Pangajos porośnięty ciemnym lasem i poznaczony śladami robót górniczych. Lśniły w słońcu białe kamieniołomy marmuru, szczodre łono, z którego narodziły się królewskie armie. Gdziekolwiek przechodzili, Klejtos pokazywał im ślady królewskich wojen: porośnięte chwastami pochylnie, na których wciąż jeszcze wieże i katapulty wznosiły się naprzeciw leżących wciąż w ruinie miejskich murów. Zawsze też była pod ręką któraś z królewskich warowni, gdzie znajdowali schronienie na noc.

— Co poczniemy, chłopcy, jeśli on nie pozostawi nam żadnego pola do popisu? — mówił, śmiejąc się Aleksander.

Kiedy grunt nadbrzeżnej równiny był twardy i gładki, chłopcy rozjeżdżali się galopem i wracali, szarżując z rozwianym włosem wzdłuż brzegu, rozpryskując wodę i przekrzykując się ponad krzykami mew.

Raz, kiedy śpiewali, jacyś przejeżdżający obok wieśniacy wzięli ich za weselników prowadzących nowożeńca do domu panny młodej. Bucefał był w świetnej formie. Hefajstion dosiadał pięknego nowego konia, kasztanka z jasną grzywą i ogonem. Przedtem często dawali sobie nawzajem różne rzeczy, ale były to tylko drobne upominki. To był pierwszy kosztowny i rzucający się w oczy dar, jaki dostał od Aleksandra. Bogowie stworzyli tylko jednego Bucefała, ale wierzchowiec Hefajstiona musiał przewyższać wszystkie inne. Kasander podziwiał go dość niedwuznacznie. Oto, mimo wszystko, Hefajstion dorobił się na pochlebstwach czegoś wartościowego. Hefajstion wyczuwał, o co tamtemu chodzi i dałby wiele za okazję do odegrania się, ale żadne słowa nie padły. Awantura była nie do pomyślenia w obecności Klejtosa i eskorty.

Droga biegła w głąb lądu, omijając słone bagniska. Na górskim szczycie usadowiła się strzegąca przejścia skalna cytadela Filippi, wznosząca się dumnie nad równiną. Filip przypieczętował jej zdobycie nadaniem jej swego imienia owego sławnego roku.

— Moja pierwsza kampania — mówił Klejtos. — Byłem przy nim, kiedy kurier przywiózł nowiny. Twój ojciec, Filotasie, pobił wtedy Ilirów i pogonił ich prawie aż do zachodniego morza, królewski koń wygrał w Olimpii, a ty, Aleksandrze, przyszedłeś na świat, jak nam mówiono, z wielkim krzykiem. Dostaliśmy wtedy podwójną rację wina, nie wiem, prawdę mówiąc, dlaczego nie potrójną.

— Ja ci powiem: on wiedział, ile możesz wypić. — Aleksander podjechał do Hefajstiona i mruknął: — Słucham tego w kółko, odkąd skończyłem trzy lata.

— Wszystko to należało kiedyś do Traków — mówił Filotas.

— Tak, Aleksandrze, musisz uważać na swego malowanego na niebiesko przyjaciela, Lambarosa — powiedział Kasander i machnął ręką w stronę północy. — Agrianie liczą chyba, że coś zyskają na tej wojnie.

— Czy tak? — Aleksander uniósł brwi. — Oni dochowują obietnic inaczej niż Kersebleptes, który rozpoczął wojnę, gdy tylko odesłaliśmy mu zakładnika.

Filip miał już dość fałszywych obietnic tego naczelnika i rozbójniczych najazdów. Celem tej wojny było obrócenie jego ziem w prowincję Macedonii.

— Barbarzyńcy są wszyscy tacy sami — rzekł Kasander.

— Miałem w zeszłym roku wiadomość od Lambarosa. Jakiś kupiec napisał mu list. Chce, żebym odwiedził jego miasto.

— W to nie wątpię. Twoja głowa na palu byłaby prawdziwą ozdobą bramy miejskiej.

— Sam mówiłeś, Kasandrze, że to mój przyjaciel. Zechciej o tym pamiętać.

— I zamknąć gębę — dodał scenicznym szeptem Hefajstion. Mieli nocować w Filippi. W czerwonym świetle zachodzącego słońca wyniosły akropol płonął jak portowa latarnia. Aleksander długo patrzył w milczeniu.

Kiedy w końcu dotarli do króla, obozował przed warownią Doriskos, po tej stronie doliny Hebrosu. Za rzeką leżało trackie miasto Kypsela. Przed rozpoczęciem oblężenia miasta trzeba było zdobyć warownię. Zbudował ją Kserkses, by strzegła jego tyłów po przejściu Hellespontu. Tu na nadbrzeżnej równinie kazał zliczyć swe wojsko. Oddział za oddziałem wchodził tu w ogrodzoną przestrzeń, którą zajmowało na początku pierwsze dziesięć tysięcy. Warownia była porządnie zbudowana, budowniczemu nie brakowało niewolników, ale przez półtora stulecia trackich rządów doprowadzono ją do ruiny. Szczeliny w murach wypełniono gruzem, blanki poupychane ciernistymi krzewami wyglądały jak górska zagroda dla kóz. Warownia była oparciem w czasie wojen plemiennych i niczego więcej od niej nie wymagano.

Kiedy się do niej zbliżali, zapadał zmierzch. Spoza murów unosiły się kuchenne zapachy i dolatywało beczenie kóz. Obóz Macedończyków leżał o strzelenie z łuku od murów. Było to porządne miasteczko skórzanych namiotów z przybudówkami wzniesionymi z odwróconych do góry kołami wozów, nakrytych strzechami z trzciny z Hebrosu. Na tle zachodniego nieba rysował się czarny kształt sześćdziesięciostopowej wieży oblężniczej. Jej strażnicy, których broniła przed pociskami z murów zasłona z grubych byczych skór, gotowali sobie u jej stóp wieczerzę. Przy kwaterach jazdy rżały cicho uwiązane konie. Trwała praca przy stanowiskach katapult. Te wielkie machiny zdawały się przysiadać do skoku niczym smoki, wyciągając szyje z belek i rozkładając potężne, giętkie ramiona wystrzeliwujące pociski, które wyrastały im z boków jak skrzydła. Z leżącego na uboczu zagajnika zalatywało nieczystościami. Czuć było dym z ognisk, ryby pieczone na ruszcie i nie myte ciała wielu mężczyzn i kobiet. Wszyscy zajęci byli gotowaniem wieczerzy. Tu i tam jakieś dzieci gaworzyły lub popłakiwały. Ktoś grał na lirze, której przydałoby się nastrojenie. Mieszkańcy wioski uciekli do warowni albo w góry, a ich chaty uprzątnięto dla oficerów. Król mieszkał w domu naczelnika złożonym z dwóch kamiennych izb i przybudówki. Już z daleka spostrzegli królewską latarnię.

Aleksander stanął na czele, uprzedzając w tym Klejtosa. Nie chciał, by go przekazywano jak dzieciaka. Wszystkimi zmysłami chłonął bliskość wojny i różnice między tym obozem a koszarami. Kiedy dotarli do domu naczelnika, w wejściu zamajaczyła krępa postać Filipa. Ojciec i syn uściskali się i przyjrzeli sobie nawzajem w świetle ogniska straży.

— Jesteś wyższy — zauważył król.

Aleksander skinął głową. — Matka przesyła ci pozdrowienia. — Było to przeznaczone dla eskorty. — Ma nadzieję, że dobrze ci się wiedzie.

Zapadło niezręczne milczenie.

— Przywiozłem ci wór jabłek z Miedzy — dodał. — Są w tym roku wyjątkowo smaczne.

Twarz Filipa rozjaśniła się. Jabłka z Miedzy cieszyły się sławą najlepszych. Poklepał syna po ramieniu, powitał jego towarzyszy, skierował Filotasa do kwatery jego ojca i zaprosił do środka.

— Wchodźcie, wchodźcie i jedzcie.

Wkrótce dołączył do nich Parmenion. Jedli przy stole ustawionym na kozłach. Podawali królewscy paziowie, piętnastoletni synowie wielmożów, którzy pełniąc tę służbę, mieli prawo uczyć się manier i sztuki wojennej przy boku króla. Przyniesiono na srebrnej tacy złociste, słodkie jabłka. Dwie lampy paliły się na wysokich słupkach z brązu. W kącie wisiała broń i zbroja króla. Ściany wydzielały jakąś odwieczną woń właściwą rodzajowi ludzkiemu.

— Gdyby to było dzień później — rzekł Filip, wskazując ogryzkiem warownię — przyjmowalibyśmy was tam wewnątrz.

Aleksander pochylił się nad stołem. Opalił się podczas długiej jazdy, policzki mu płonęły, włosy i oczy lśniły w świetle lamp. Był niczym hubka jarząca się od iskry.

— Kiedy atakujemy?

Filip wyszczerzył zęby do Parmeniona. — I co począć z takim chłopakiem?

Mieli ruszyć tuż przed świtem.

Po wieczerzy dowódcy przyszli na odprawę. Do warowni należało zbliżyć się po ciemku. Potem miano wystrzelić ogniste strzały w zarośla na murach, a katapulty i wieża strażnicza miały rozpocząć ostrzał, by oczyścić parapety z obrońców na czas ustawiania drabin oblężniczych. Tymczasem taran zawieszony w swej potężnej kołysce miał uderzyć w bramę, a gdy wieża oblężnicza wyrzuci most zwodzony, rozpocznie się szturm.

Dla dowódców nie było to nic nowego, jeśli nie liczyć paru drobiazgów związanych z położeniem warowni.

— Dobrze. Czas się trochę przespać — zakończył Filip.

Paziowie wnieśli drugie łóżko do tylnej izby. Aleksander patrzył przez chwilę za synem. Przed spaniem wyszedł jeszcze poszukać Hefajstiona.

160

Wyjaśnił mu, że musi dzielić kwaterę z ojcem. Z jakiegoś powodu nie pomyślał o tym wcześniej. Kiedy wrócił, ojciec właśnie się rozebrał i oddał chiton paziowi. Aleksander przystanął na chwilę w progu, a potem wszedł, mówiąc coś, by ukryć skrępowanie. Prawdę mówiąc, nie wiedział, dlaczego czuł głęboki niesmak i zażenowanie.

Do wschodu słońca warownia była zdobyta. Jasne i czyste, złociste światło wznosiło się spoza wzgórz skrywających Hellespont. Świeży wietrzyk dmuchał od morza. Nad warownią wisiała kwaśna woń dymu i spalenizny, krwi i wnętrzności, i brudnych, spoconych ciał.

Drabiny, solidne konstrukcje z nie okorowanej sosny, po których mogli wchodzić dwaj ludzie obok siebie, wciąż jeszcze opierały się o okopcone mury. Tu i tam złamany szczebel świadczył o tłoku i zbyt wielkim obciążeniu. Przed rozbitymi na drzazgi wrotami wisiał taran w kołysce pokrytej skórzanym dachem, a kładka wieży oblężniczej zwieszała się z muru niczym ogromny jęzor.

W środku zakuwano w kajdany Traków, którzy przeżyli bitwę. Mieli pomaszcrować na targ niewolników pod Amfipolis. Dźwięk kajdan przypominał z daleka muzykę. Filip pomyślał, że taki przykład może zachęcić do poddania się mieszkańców Kypseli, kiedy przyjdzie na nich kolej. Po chatach i szopach, które przylgnęły niczym jaskółcze gniazda do wnętrza murów, żołnierze polowali na kobiety.

Król stał na szczycie muru z Parmenionem i kilku gońcami, przez których przesyłał rozkazy. Przyglądał się wszystkiemu odprężony już psychicznie, jak dobry rolnik, który zaorał wielkie pole i zamierza obsiać je przed nadejściem deszczów. Kiedy raz czy drugi jakiś wrzask zmącił ciszę, Aleksander spojrzał na niego, ale on szedł dalej niewzruszony, rozmawiając z Parmenionem. Ludzie dobrze walczyli i zasługiwali na skromny łup, jaki można tu było znaleźć. Doriskos powinno było się poddać, i wtedy nikt by nie ucierpiał.

Aleksander i Hefajstion siedzieli w warowni i rozmawiali o bitwie. Była to niewielka kamienna izba, gdzie stało kilka prostych stołków, leżała jakaś kamienna płyta z wyrytym imieniem i tytułami Kserksesa jako króla królów, pół bochenka czarnego chleba, jakiś martwy Trak i ucięty palec wskazujący z ułamanym czarnym paznokciem. Hefajstion odkopnął go na bok. Był to drobiazg z porównaniu z tym, co już dzisiaj widzieli.

Zdobył swój pas do miecza. Zabił na pewno jednego, który zginął na miejscu. Aleksander uważał, że mógł zabić i trzech.

Sam Aleksander nie brał trofeów ani nie liczył zabitych. Kiedy tylko

161

znaleźli się na murach, dowódca ich grupy został zwalony w dół. Aleksander, nie dając nikomu czasu do namysłu, krzyknął, że trzeba zdobyć wartownię, skąd sypały się pociski na taran. Wyznaczony zastępca dowódcy zawahał się i w tym momencie jego ludzie poszli za Aleksandrem, pociągnięci jego pewnością siebie. Biegli za nim, wspinając się, siekąc i kłując wzdłuż starych murów Kserksesa ich dzikich, pomalowanych na niebiesko obrońców. Wejście okazało się ciasne i była chwila, gdy Aleksander wskoczył pierwszy do środka, a idący za nim zaklinowali się w wejściu, musiał więc walczyć samotnie.

Stał teraz, pokryty krwią i pyłem bitewnym, spoglądając w dół, w to drugie oblicze wojny. Hefajstion zaś myślał, że naprawdę widzi on chyba coś innego. Rozmawiał przytomnie i pamiętał każdy szczegół, gdy w pamięci Hefajstiona zdarzenia rozpływały się już jak sen. Hefajstion zapominał jednak, Aleksander zaś nadal żył tym, co się zdarzyło i nie chciał, by ten nastrój go opuścił. Był jak ludzie, którzy nie chcą odejść z miejsca, gdzie mieli cudowne widzenie.

Dostał przedtem cięcie mieczem w przedramię, a Hefajstion powstrzymał krwawienie oderwanym kawałkiem chitonu. Spojrzał teraz na jasne, czyste morze.

— Chodźmy się wykąpać, zmyć ten brud.

— Dobrze, ale powinienem najpierw zobaczyć Pejtona. Osłaniał mnie, kiedy walczyłem z dwoma, i ten widłobrody dosięgnął go pod tarczą. Gdyby nie ty, zabiliby go jak nic!

Zdjął hełm (obaj byli w zbrojach przydzielonych im naprędce z zapasów zbrojowni w Pelli) i przeciągnął dłonią po wilgotnych włosach.

— Powinieneś zaczekać i sprawdzić, czy idziemy za tobą, zanim rzuciłeś się tam w pojedynkę. Wiesz przecież, że biegasz szybciej niż inni. Miałem ochotę cię udusić, kiedy gnietliśmy się w wejściu.

— Chcieli zepchnąć w dół tę skałę. Zobacz tylko, jaka wielka. Wiedziałem jednak, że jesteś blisko.

Hefajstion odreagowywał nie tylko strach o Aleksandra, ale też wszystko, co widział i czego dokonał. — Skała czy nie skała, wszedłeś tam, widać było ci to pisane. Przeżyłeś tylko dzięki szczęściu.

— To była pomoc Heraklesa — powiedział cicho Aleksander. — Starałem się też wyprzedzać ich ciosy, uderzać szybciej.

Było to łatwiejsze, niż przypuszczał, chociaż spodziewał się, że stałe ćwiczenia z bronią zmniejszą przewagę, jaką mieliby nad nim doświadczeni żołnierze.

Hefajstion czytał w jego myślach.

— Ci Trakowie to chłopi. Walczą dwa lub trzy razy w roku, w bójce albo rabując bydło. Brak im wyszkolenia. Prawdziwi żołnierze zabiliby cię, zanim wszedłbyś do środka.

— Zaczekaj, aż to się komuś uda — powiedział sucho Aleksander. — Wtedy będziesz mógł mówić takie rzeczy.

— Wszedłeś tam beze mnie. Nawet się nie obejrzałeś!

Aleksander zmienił nagle wyraz twarzy i obdarzył przyjaciela uśmiechem.

— Co z tobą? Patrokles wypominał Achillesowi, że nie walczy.

— I został wysłuchany — odparł zmienionym głosem Hefajstion.

W wartowni na dole zawodzenie jakiejś kobiety opłakującej kogoś zmarłego przeszło nagle we wrzask przerażenia.

— Powinien odwołać ludzi — powiedział Aleksander. — Starczy już tego. Wiem, że nie ma tam niczego więcej godnego uwagi, ale...

Popatrzyli na mur. Filip odszedł już, zajęty widać czymś innym.

— Posłuchaj, Aleksandrze. Nie ma się o co gniewać. Kiedy będziesz wodzem, nie będziesz mógł aż tak się narażać. Król jest dzielnym człowiekiem, a przecież tego nie robi. Gdybyś zginął, byłaby to dla Kersebleptesa wygrana bitwa. A kiedy później zostaniesz królem...

Aleksander odwrócił się i utkwił w oczach tamtego owe szczególne spojrzenie towarzyszące przekazywaniu tajemnic. Zniżył głos, choć przy panującym wokół hałasie była to zbędna ostrożność.

— Zawsze będę to robił. Wiem to, czuję to, to prawda, jak Bóg na niebie...

Przerwał im czyjś zdyszany oddech przechodzący w łkanie. Jakaś młoda Traczynka zbiegła z muru i nie oglądając się na boki, rzuciła się do okna nad bramą. Gdy już klęczała na parapecie, jakieś trzydzieści stóp nad ziemią, Aleksander skoczył do niej i chwycił ją za ramię. Wrzasnęła i starała się podrapać go wolną ręką, póki Hefajstion nie złapał jej od tyłu. Przez chwilę wpatrywała się w twarz Aleksandra nieruchomym spojrzeniem zaszczutego zwierzęcia, a potem wywinęła się nagle i przysiadłszy, chwyciła go za kolana.

— Wstań, nie zrobimy ci krzywdy — tracki język Aleksandra wiele zyskał na rozmowach z Lambarosem. — Nie bój się, wstań. Chodźmy stąd.

Kobieta przywarła jeszcze mocniej, zalewając go potokiem słów — stłumionych, bo przyciskała twarz do jego gołej nogi, a ciekło jej przy tym z oczu i z nosa.

— Wstań — powiedział znowu. — My nie... — Zabrakło mu podstawowego słowa. Hefajstion pomógł mu, wykonując powszechnie znany gest, i dodał znak zdecydowanego zaprzeczenia.

Kobieta odstąpiła i przysiadła na piętach, kołysząc się i zawodząc. Rude włosy miała potargane, suknia z surowej, szorstkiej wełny była rozdarta na ramieniu i poplamiona z przodu krwią, widać też było plamy mleka na obfitych piersiach. Zaczęła, zawodząc, szarpać się za włosy. Nagle drgnęła, zerwała się na nogi i przywarła plecami do ściany. Zbliżały się czyjeś kroki i ochrypły, zdyszany głos zawołał: — Wychodź, suko! Widziałem cię!

Wpadł Kasander. Twarz miał purpurową, a z czoła lał się pot. Gnał na oślep i nagle stanął jak wryty.

Dziewczyna skoczyła za plecy Aleksandra i objęła go w pasie, wykrzykując jak zza tarczy przekleństwa, błagania i jakąś niezrozumiałą opowieść o swoich krzywdach. Czuł w uchu jej gorący oddech. Jej wilgotna miękkość zdawała się przenikać pancerz. Był na wpół uduszony mieszaniną woni spoconego ciała, włosów, krwi, mleka, kobiety. Odpychając jej ręce, patrzył na Kasandra z ukrywanym wstrętem.

— Ona jest moja — dyszał Kasander, ledwie nadążając za słowami.

— Ty jej nie chcesz. Jest moja.

— Nie. Ona jest błagalnicą. Jest pod moją opieką.

— Ona jest moja. — Wymówił to słowo w taki sposób, jakby musiało odnieść skutek, gapiąc się na kobietę ponad ramieniem Aleksandra, który z kolei przyglądał mu się, zatrzymując wzrok na spódniczce poniżej pancerza. Starał się powstrzymać obrzydzenie. — Nie!

— Już ją miałem — nalegał Kasander — ale mi się wyrwała.

Miał na twarzy ślady paznokci.

— Więc ją straciłeś. Ja ją znalazłem. Zabieraj się stąd.

Kasander nie we wszystkim zapomniał o przestrogach ojca. Zniżył głos. — Nie powinieneś się do tego wtrącać. Jesteś jeszcze chłopcem. To nie twoja sprawa.

— Nie nazywaj go chłopcem! — rzucił z furią Hefajstion. — Walczył lepiej niż ty, zapytaj kogo zechcesz.

Kasander, który błąkał się i przebijał z trudem przez kłębowisko bitwy zbity z tropu, znękany, przerażony, przypomniał sobie teraz tamtą porywającą obecność przecinającą chaos niczym świecące ogniste ostrze. Z ust kobiety znów popłynął potok trackiej wymowy. Myślała, że wciąż idzie o nią. Kasander przekrzyczał ją.

— Pilnowali go! Robił głupstwa, ale musieli iść za nim, bo jest synem króla! Tak przynajmniej powiadają!

Otumaniony gniewem i wpatrzony wciąż w kobietę, nie zdążył powstrzymać Aleksandra, który skoczył mu do gardła, zbił z nóg i zwalił na nierówną posadzkę. Ten młócił na oślep rękami i nogami. Aleksander trzymał go i dusił, nie zwracając uwagi na kopnięcia i uderzenia. Hefajstion krążył wokół nich, bojąc się wkroczyć bez pozwolenia. Coś przemknęło obok niego, kobieta, o której wszyscy zapomnieli. Porwała stołek o trzech nogach i opuściła go na głowę Kasandra, mijając Aleksandra o cal. Potoczył się na bok, ona zaś w szale wściekłości zaczęła tłuc Kasandra, powalając go za każdym razem, gdy próbował wstać. Waliła oburącz, jakby młóciła zboże. Nerwy Hefajstiona nie wytrzymały. Wybuchnął śmiechem. Aleksander wstał i patrzył na to z kamienną twarzą. To Hefajstion powiedział:

— Trzeba ją powstrzymać, bo go zabije.

— Ktoś zabił jej dziecko, stąd ta krew na niej — rzekł, nie ruszając się, Aleksander. Kasander zaczął ryczeć z bólu.

— Ukamieniują ją, jeśli on umrze. Król jej nie obroni, a ty jej to przyrzekłeś.

— Przestań! — krzyknął po tracku Aleksander. Wyrwali jej stołek. Wybuchnęła płaczem. Kasander wił się na kamiennej posadzce.

— Żyje. — Aleksander odwrócił się. — Trzeba znaleźć kogoś, kto wyprowadzi ją z warowni.

Wkrótce potem do króla doszły słuchy, że jego syn sponiewierał syna Antypatra w bójce o kobietę. Skomentował to bez namysłu:

— Chyba z tych chłopców będą mężczyźni!

Nuta dumy była w jego głosie tak wyraźna, że nikt nic pisnął już ani słowa więcej.

Kiedy odchodzili z wartowni, Hefajstion powiedział, szczerząc zęby:

— Chyba się nie poskarży przed Antypatrem, że stałeś i przyglądałeś się, jak bije go kobieta.

— Może się skarżyć przed kim chce — rzekł Aleksander. — Jeśli ma taką ochotę.

Skręcili w bramę. Z wnętrza któregoś z domów dochodziły jęki. Na sklecionych naprędce posłaniach leżeli tam ranni, a lekarz i jego dwaj służący snuli się między nimi.

— Trzeba jak należy opatrzyć twoją rękę.

Po bójce w wartowni zaczęła znowu krwawić.

— Tam jest Pejton — powiedział Aleksander, zaglądając w ciemność, w której brzęczały muchy. — Muszę mu najpierw podziękować.

Stąpał ostrożnie między matami i derkami. Przed otwory w dachu wpadało trochę światła. Pejton, dość młody jeszcze żołnierz, który w bitwie wyglądał jak Homerowy bohater, leżał osłabły z upływu krwi z twarzą ściągniętą bólem, a jego oczy poruszały się niespokojnie. Aleksander ukląkł przy nim i ścisnął go za rękę. Wkrótce tamtemu wróciły rumieńce, kiedy przypomniano mu, czego dokonał. Zaczął się przechwalać i nawet próbował żartować.

Kiedy Aleksander wstał, jego oczy nawykły już do mroku. Widział, że wszyscy patrzą na niego: z zazdrością, z przygnębieniem, z nadzieją i w oczekiwaniu, że ich udział w bitwie będzie zapamiętany. Nie odszedł, póki nie porozmawiał z każdym z nich.

Najstarsi ludzie nie pamiętali tak srogiej zimy. Wilki schodziły do wiosek i porywały psy łańcuchowe. Bydło i pastuszkowie ginęli z zimna na dolnych stokach zimowych pastwisk. Gałęzie jodeł trzaskały pod ciężarem śniegu, a góry były nim pokryte tak grubo, że tylko urwiska i przepaści pozostały ciemne. Aleksander nie odmówił noszenia futrzanego płaszcza, który przysłała mu matka. Kiedy raz schwytali w sidła lisa w ciemnym gąszczu dzikiej róży pod Miedzą, okazało się, że ma on białe futro. Arystoteles był z niego bardzo zadowolony.

W domu dym z piecyków szczypał w oczy, a w nocy było tak zimno, że młodzi ludzie sypiali, tuląc się do siebie tylko po to, żeby się ogrzać. Aleksander uważał, że nie powinni się rozpieszczać (król wciąż przebywał w Tracji, tam zaś zima nadciągała wprost ze scytyjskich stepów). Zgodził się jednak z Hefajstionem, żeby nikt nie pomyślał, że się kłócą.

Nawet droga do Pelli była zasypana śniegiem. Przybycie karawany mułów było prawdziwym świętem.

— Na wieczerzę będzie pieczona kaczka — powiedział Filotas.

Aleksander skinął głową. — Coś nie jest w porządku z Arystotelesem.

— Leży w łóżku?

— Nie, chodzi o złe wiadomości. Widziałem się z nim w sali z okazami. Matka przysłała mi rękawice. Nie trzeba mi dwóch par, a jemu nikt nie daje prezentów. Czytał tam jakiś list. Wyglądał okropnie, jak jakaś tragiczna maska.

— Chyba posprzeczał się z jakimś innym sofistą.

Aleksander poszedł opowiedzieć o wszystkim Hefajstionowi. — Pytałem go, czy mogę w czymś pomóc. Powiedział, że nie. Obiecał, że powie nam o wszystkim, kiedy przyjdzie do siebie, i że babskie lamentowanie nie byłoby godne tak szlachetnego przyjaciela. Wyszedłem, żeby mógł się wypłakać.

W Miedzy zimowe słońce zachodziło szybko za górę, podczas gdy na wschodzie wyżyny Chalcydyki wciąż jeszcze stały w jego blasku. Śnieg leżący wokół domu rozjaśniał zmierzch. Nie była to jeszcze pora posiłku. W wielkim megaronie o łuszczących się malowidłach ściennych, niebieskich i różowych, młodzi ludzie skupili się wokół kosza z żarem, rozmawiając o koniach, kobietach i przyjaciołach. Aleksander i Hefajstion, okryci płaszczem z wilczych skór przysłanych przez Olimpias, siedzieli przy oknie, bo jeszcze nie zapalono lamp. Czytali *Cyropedię* Ksenofonta, która była obecnie ulubioną, po Homerze, książką Aleksandra.

— *Widać też było* — czytał Hefajstion — *jak jej łzy spływają to po szatach, to nawet aż do samych stóp. Najstarszy z nas tak przemówił: „Bądź dobrej myśli, niewiasto! Słyszeliśmy wprawdzie, że i twój małżonek jest piękny i dzielny, teraz jednak, wiedz o tym, wybieramy cię dla męża, który ani wyglądem nie jest od tamtego pośledniejszy, ani rozumem lub władzą mniejszy. Raczej, jak my przynajmniej sądzimy, jeśli kto, to Cyrus przed innymi zasługuje, aby być podziwianym, i do niego należeć będziesz". Kiedy to niewiasta usłyszała, rozdarła na sobie szatę od góry i poczęła lamentować, a wraz z nią i służebne krzyk podniosły. Przy tym ukazało się prawie całe jej oblicze, ukazała się szyja i ręce; a wiedz dobrze, Cyrusie, że* — *jak wydało się mnie i wszystkim innym, którzy ją widzieli* — *nigdy jeszcze taka kobieta nie zrodziła się w Azji z ludzi śmiertelnych. Ale i ty musisz koniecznie ją zobaczyć. Wtedy rzekł Cyrus: „Na Boga, właśnie tym mniej, jeśli jest taka, jak ty powiadasz"**.

— Oni wciąż mnie pytają, dlaczego Kasander nie wraca — powiedział Hefajstion.

— Oznajmiłem Arystotelesowi, że pokochał wojnę i zaniechał filozofii. Nie wiem, co powiedzieć jego ojcu. Nie mógł wrócić z nami, bo złamała mu dwa żebra.

Wyciągnął spod płaszcza inny zwój. — To mi się podoba: *Zważ, że wódz i zwykły żołnierz niejednako znoszą takie same trudy, choć mają takie same ciała. Wysoka ranga wodza i świadomość, że jego uczynki nie będą niezauważone, ułatwiają mu zadanie.*

— Czy prawdziwy Cyrus mógł być taki, jak go przedstawia Ksenofont?

— Perscy wygnańcy zwykli mówić, że był wielkim wojownikiem i szlachetnym królem.

Hefajstion zajrzał do zwoju. — *Starał się oduczyć swoich towarzyszy plucia, wycierania nosa, albo gapienia się na...*

— No cóż, Persowie byli w jego czasach dzikimi góralami. W oczach Medów musieli wyglądać jak Klejtos w oczach jakiegoś Ateńczyka... Podoba mi się jego zwyczaj częstowania przyjaciół, kiedy kucharze podawali mu jakiś przysmak.

— Chciałbym, żeby już była pora wieczerzy. Jestem głodny.

---

* Ksenofont, *Cyropedia*, tłum. Seweryn Hammer, w: *Wybór pism*, Ossolineum 1966, IV 11.

Aleksander ściągnął na siebie większą część płaszcza, wspominając, jak tulił się w nocy z powodu zimna.

— Mam nadzieję, że Arystoteles zejdzie na dół. Na górze musi być lodownia. Powinien coś zjeść.

Wszedł niewolnik z lampą w ręku i kijem do zapalania. Pozapalał wszystkie stojące lampy, a potem sięgnął płomieniem do wiszących. Młody Trak, którego przyuczał do służby, pozamykał okiennice i ostrożnie zaciągnął grube wełniane zasłony.

— *Władca* — czytał Aleksander — *powinien być lepszy od swych poddanych, ale to nie wszystko. Powinien rzucać na nich czar...*

Na schodach rozległy się kroki, ale zatrzymały się, póki niewolnicy nie odeszli. W przytulnej atmosferze wieczoru schodzący na dół Arystoteles wyglądał niczym ożywiony trup. Oczy miał zapadnięte, zaciśnięte usta zdawały się ukazywać szczerzącą zęby czaszkę.

Aleksander odrzucił płaszcz, rozrzucając zwoje, i pośpieszył do niego przez komnatę. — Prosimy do ognia. Niech ktoś poda krzesło! Usiądź, ogrzej się. Powiedz nam, proszę, co się stało. Kto umarł?

— Mój przyjaciel i gospodarz, Hermejas z Atarneusu.

Nie był w stanie wymówić jednego słowa więcej. Aleksander zawołał, by podano grzane wino z korzeniami. Wszyscy stłoczyli się wokół filozofa, który siedział wpatrzony w ogień, nagle postarzały. Na chwilę wyciągnął ręce, by je ogrzać, potem złożył je na powrót na kolanach, jakby ten gest przywołał jakieś straszliwe myśli.

— To był Rodyjczyk Mentor, wódz króla Ochosa — zaczął mówić i znowu urwał. Aleksander wyjaśnił pozostałym: — To brat tego Memnona, który ponownie podbił Egipt.

— Dobrze służy swemu panu. — Głos także mu się postarzał, był cienki i piskliwy. — Barbarzyńcy są do tego stworzeni. W niczym nie zmienia to ich położenia. Ale Hellen, który zniża się do służenia im... Heraklit powiada: „Gdy najlepszy się psuje, staje się najgorszy". Zgrzeszył przeciw naturze. Jest gorszy od swoich panów.

Twarz miał pożółkłą, najbliżsi widzieli, że drży. Aby mu dać czas, Aleksander powiedział: — Nigdy nie lubiliśmy tego Memnona, prawda, Ptolemeuszu?

— Hermejas zapewnił swym poddanym sprawiedliwość i godziwe życie. Król Ochos zazdrościł mu jego ziem i nie mógł znieść jego przykładu. Jacyś wrogowie, chyba sam Mentor, przekazali królowi plotki, w które chętnie uwierzył. Potem Mentor, udając przyjacielską troskę, ostrzegł Hermejasa o niebezpieczeństwie i zaprosił na naradę w tej sprawie. Ten zaś uwierzył i pojechał. W swoim otoczonym murami mieście mógłby stawiać opór długo i doczekać się pomocy... pewnego potężnego sprzymierzeńca, z którym zawarł układy.

Hefajstion spojrzał na Aleksandra, ale ten słuchał z uwagą.

— Przybył do Mentora jako gość i przyjaciel, a ten posłał go w kajdanach Wielkiemu Królowi.

Młodzi ludzie wykrzyknęli ze zgrozą, ale szybko uciszyli się, by słuchać dalej.

— Mentor zabrał mu pieczęć i przyłożył ją do przygotowanych już rozkazów, które otwierały przed jego wojskami wszystkie twierdze Atarneusu. Dziś należą do Ochosa i wszyscy tamtejsi Grecy wraz z nimi. Co do Hermejasa...

Z paleniska wypadła głownia. Hefajstion wsunął ją z powrotem pogrzebaczem. Arystoteles zwilżył wargi językiem. Nie poruszył splecionymi dłońmi, ale kostki palców pobielały.

— Jego śmierć była postanowiona, ale to im nie wystarczało. Król Ochos chciał usłyszeć, jakie tajne układy zawarł on z innymi władcami. Posłał więc po biegłych w takich sprawach i kazał zmusić go do mówienia. Podobno pracowali nad nim dzień i noc.

Przeszedł do opowiadania o tym, co zostało zrobione, starając się panować nad głosem, jakby to była lekcja anatomii.

Młodzi ludzie słuchali w milczeniu. Słychać było tylko ich oddechy świszczące, gdy wciągali powietrze przez zaciśnięte zęby.

— Mój uczeń Kallimach, którego wszyscy znacie, przysłał mi wieści z Aten. Pisze, że gdy Demostenes zawiadomił Zgromadzenie o pojmaniu Hermejasa, nazwał to darem losu, mówiąc, że „Wielki Król usłyszy teraz o tajnych planach króla Filipa nie od nas, lecz z ust człowieka, który je układał". On wiedział lepiej niż inni, jak w Persji załatwia się takie sprawy. Cieszył się jednak za wcześnie. Hermejas nic im nie powiedział. Kiedy w końcu zrobili wszystko, co mogli, on zaś jeszcze żył, przybili go do krzyża. Tym, którzy mogli go usłyszeć, powiedział: „Nie uczyniłem nic, co nie byłoby godne filozofa".

Rozległ się głęboki pomruk. Aleksander stał jak skamieniały. W końcu, kiedy nikt nie zabierał głosu, powiedział:

— Bardzo żałuję. Naprawdę, bardzo żałuję.

Podszedł do Arystotelesa, otoczył go ramieniem i pocałował w policzek. Tamten wciąż patrzył w ogień.

Służący przyniósł grzane wino. Pociągnął łyk, pokręcił głową i odstawił puchar. Nagle wyprostował się i zwrócił ku nim. W blasku ognia padającym od dołu, rysy jego twarzy wyglądały jak rzeźba z gliny przygotowana do odlania w brązie.

— Jedni z was będą dowodzić na wojnie, inni będą władać zdobytymi krajami. Pamiętajcie zawsze o jednym: ciało nie jest nic warte bez rozumu, który nim rządzi. Jego zadaniem jest praca nad podtrzymaniem tego rozumu. Taka jest właśnie rola barbarzyńcy w naturalnym, nakazanym przez Boga porządku rzeczy. Niektórych można oswoić, tak jak ujarzmia się konie, i mogą zostać wykorzystani jak rośliny albo zwierzęta — do celów, których nie potrafią sobie wyobrazić. Taka jest ich wartość. Są niewolnikami z natury. Każda rzecz ma swoje przeznaczenie, a to właśnie jest ich przeznaczeniem. Pamiętajcie o tym.

Wstał z krzesła, rzuciwszy udręczone spojrzenie na kosz z żarem o poczerwieniałych prętach. Aleksander oświadczył: — Gdybym w swoje ręce dostał kiedyś tych Persów czy Greków, którzy zrobili to twemu przyjacielowi, przysięgam, że go pomszczę.

Arystoteles nie oglądając się, podszedł do ciemnych schodów i wszedł po nich, znikając im z oczu.

Pojawił się ochmistrz oznajmiając, że podano wieczerzę. Omawiając głośno zasłyszaną nowinę, młodzi ludzie ruszyli do jadalni. W Miedzy nie przestrzegano ceremoniału. Aleksander i Hefajstion zwlekali, wymieniwszy spojrzenia.

— A więc to on doprowadził do układu — rzekł Hefajstion.

— Ułożył to z moim ojcem. Teraz musi czuć się okropnie.

— Wie przynajmniej, że jego przyjaciel umarł za filozofię.

— Miejmy nadzieję, że w to wierzy. Człowiek umiera za swe ambicje.

— Myślę, że Wielki Król tak czy owak zabiłby Hermejasa, żeby zająć jego miasta.

— Albo też zrobił to, bo zwątpił w jego wierność. Czemu go torturował? Przypuszczali, że o czymś wie.

Blask ognia udzielał się włosom i białkom oczu Aleksandra. — Gdybym kiedy dostał w ręce Mentora, każę go ukrzyżować.

Hefajstion poczuł dreszcz, gdy wyobraził sobie tę piękną, żywą twarz przyglądającą się niewzruszenie czemuś takiemu. — Chodźmy lepiej na wieczerzę. Bez ciebie nie zaczną.

Kucharz wiedział, ile potrafią zjeść młodzi ludzie w taki chłód, na każdego przypadała więc cała kaczka. Pierwsze kęsy odcinano z piersi. Smakowity zapach rozszedł się po sali. Aleksander wstał z biesiadnego łoża, które dzielił z Hefajstionem, zabierając postawiony przed nim talerz.

— Jedzcie, nie czekajcie. Zobaczę tylko, co z Arystotelesem. Musi coś zjeść przed nocą — powiedział do Hefajstiona. — Rozchoruje się, jeśli na dodatek będzie pościł w tym chłodzie. Każ im posłać mu z kuchni, co tam mają.

Kiedy wrócił, talerze były wytarte do czysta. — Zjadł trochę. Chyba już wcześniej poczuł zapach. Zjadłby może i więcej, ale... biedak nie panuje nad sobą. Spostrzegłem to już, kiedy wygłaszał tę mowę o naturze barbarzyńcy. Nazywać kogoś takiego jak Cyrus niewolnikiem z natury, tylko dlatego, że urodził się Persem!

Blade słońce wstawało teraz wcześniej i przygrzewało mocniej. Ze stromych zboczy z rykiem zsuwały się lawiny, kładąc pokotem wielkie sosny niczym trawę. Potoki pieniły się w swych wąwozach, tocząc z łoskotem wielkie głazy. Pasterze brnęli w mokrym śniegu sięgającym wyżej kolan, ratując wcześnie urodzone jagnięta. Aleksander miał pod ręką swój futrzany płaszcz, na wypadek gdyby musiał po niego sięgnąć. Młodzi ludzie sypiali już w pojedynkę, odsunął się więc od Hefajstiona, choć uczynił to nie bez żalu. Hefajstion zamienił po kryjomu poduszki, zabierając ze sobą zapach włosów Aleksandra.

Król Filip wrócił z Tracji, gdzie pozbawił tronu Kersebleptesa, zostawił w jego twierdzach garnizony i obsadził dolinę Hebrosu macedońskimi kolonistami. Ci, którzy prosili o ziemie w tej dziczy, byli przeważnie ludźmi niepożądanymi lub nazbyt pożądanymi gdzie indziej. Wojskowy dowcip głosił, że król powinien nazwać swoje nowe miasto nie Filippopolis, lecz Miastem Łotrów. W każdym razie to założenie dobrze służyło swemu celowi. Zadowolony z zimowych dokonań Filip wrócił do Ajgaj obchodzić Dionizje.

W opuszczonej Miedzy zostali tylko niewolnicy. Młodzi ludzie jechali ze swym nauczycielem do Ajgaj szlakiem wzdłuż górskiego pasma. Tu i ówdzie musieli zjeżdżać na równinę, by przebyć w bród wezbrane strumienie. Na długo przedtem zanim zobaczyli Ajgaj, czuli, jak na leśnym szlaku ziemia drży pod uderzeniem spadających wód.

Stary zamek pełen był świateł, jaskrawych barw i połysku wosku. Teatr był gotów do wystawiania sztuk. Półksiężycowata półka skalna, na której wznosiło się Ajgaj, sama przypominała wielki teatr. Patrzyły na nią dzikie góry, których obecność można było odgadnąć tylko w wietrzne noce, gdy ponad odgłosem spadającej wody przelatywały głosy wyzwania, przerażenia, samotności i miłości.

Król i królowa już urządzili się w zamku. Przekraczając jego próg i odczytując znaki, które nauczył się rozumieć przez wiele lat, Aleksander uznał, że ich stosunki są poprawne, przynajmniej wobec ludzi. Niełatwo jednak było zastać ich razem, kogo więc powinien najpierw powitać po swej pierwszej dłuższej nieobecności?

Powinien to być król. Nakazywał to obyczaj, którego ominięcie byłoby oczywistym nietaktem, w dodatku nie sprowokowanym. Filip zadał sobie w Tracji wiele trudu, by nie sprawić synowi przykrości. Nie było żadnych dziewcząt, ani nawet żadnych spojrzeń na przystojnych przybocznych paziów, którzy uważali się za wybrańców. Po bitwie ojciec pięknie go pochwalił i obiecał, że następnym razem dostanie własny oddział. Byłoby niewybaczalnym prostactwem obrażać go po tym wszystkim. Zresztą Aleksander chciał z nim się zobaczyć. Miał mu wiele do powiedzenia.

Król urzędował w starodawnej wieży, najstarszej części zamku, zajmując jej górne piętro. Przy topornych drabiniastych schodach, naprawianych od wielu stuleci, wciąż tkwił w murze ciężki pierścień. Dawni królowie, którzy mieli tu sypialnię, uwiązywali do niego łańcuchowego psa z rasy wielkich molosów, które przewyższały człowieka, kiedy stawały na tylnych łapach. Król Archelaos zbudował okap nad paleniskiem, ale poza tym niewiele zmienił w Ajgaj. Jego miłością był pałac w Pelli. Urzędnicy Filipa zajmowali przedpokój u stóp drabiny. Aleksander kazał się zapowiedzieć i ruszył na górę.

Ojciec wstał zza stołu, przy którym pisał, i zaczął klepać go po plecach. Ich powitania nigdy nie były proste. Aleksander zasypał go pytaniami. Jak zdobyto Kypselę? Odesłano go do szkoły, gdy armia stała wciąż pod miastem.

— Czy weszliście od strony rzeki, czy przez wyłom w tym ślepym zaułku przy skałach?

Filip oszczędził mu reprymendy za odwiedzenie bez pozwolenia skalnego gniazda młodego Lambarosa w drodze powrotnej, to już zostało zapomniane.

— Próbowałem podkopu od strony rzeki, ale tam był piasek. Ustawiłem więc wieżę oblężniczą, żeby mieli się nad czym zastanawiać, kiedy podkopywałem mur od północnego wschodu.

— Gdzie ustawiłeś tę wieżę?

— Na tym wzniesieniu, gdzie... — Filip sięgnął po tabliczkę, stwierdził, że jest całkiem zapisana i spróbował naszkicować sytuację w powietrzu.

— Zaczekaj! — Aleksander pobiegł do kosza z drewnem przy palenisku i wrócił z pełnymi garściami szczap.

— Spójrz, tu jest rzeka — ułożył sosnowy patyk — a tu północna wieża. Postawił klocek pionowo. Filip sięgnął po drugi i ułożył mur przy wieży. Zaczęli ochoczo układać kawałki drewna.

— Nie, to za daleko. Brama była tutaj.

— Ojcze, a twoja wieża?... Ach, tu, rozumiem. A tu był podkop?

— Teraz drabiny, podaj te patyki. Tu był oddział Klejtosa. Parmenion...
— Zaczekaj, zapomnieliśmy o katapultach. — Aleksander sięgnął w głąb kosza, szukając szyszek. Filip porozstawiał je.
— Tak więc Klejtos był częściowo osłonięty, podczas gdy ja... Zapadła nagła jak cios miecza cisza. Odwróconemu plecami do drzwi Aleksandrowi dość było spojrzeć na twarz ojca. Łatwiej było wskoczyć do wartowni w Doriskos, niż teraz się odwrócić, zatem odwrócił się bezzwłocznie. Matka miała na sobie purpurową szatę obrębioną bielą i złotem. Włosy były spięte złotą opaską i oplecione welonem z jedwabnego byssu z Kos, przez który przeświecały czerwienią niczym ogień przez dym. Nie spojrzała nawet na Filipa. Jej płonący wzrok szukał nie wroga, lecz zdrajcy.
— Kiedy skończysz tę grę, Aleksandrze, znajdziesz mnie w mojej komnacie. Nie śpiesz się. Czekałam pół roku, mogę więc poczekać jeszcze parę godzin.
Odwróciła się sztywno i wyszła. Aleksander stał nieruchomo. Filip odczytał to po swojej myśli. Uniósł z uśmiechem brwi i wrócił do planu bitwy.
— Wybacz ojcze. Lepiej będzie, jeśli już pójdę.
Filip był dyplomatą, ale rozgoryczenie wielu lat i obecne rozdrażnienie pozbawiły go wyczucia chwili, w której wielkoduszność opłaciłaby się najbardziej. — Możesz chyba poczekać, aż skończę mówić?
Twarz Aleksandra przybrała wyraz oczekiwania na rozkazy. — Słucham, ojcze.
Z furią, jakiej nigdy nie okazywał w pertraktacjach z wrogami, Filip wskazał mu krzesło. — Siadaj!
Wyzwanie zostało rzucone — i to nieodwołalnie.
— Przepraszam, muszę teraz zobaczyć się z matką. Żegnaj, ojcze. — Zawrócił ku drzwiom.
— Wracaj! — warknął Filip. Aleksander obejrzał się.
— Chcesz zostawić mi cały ten bałagan na stole? Przyniosłeś to, więc sprzątnij!
Aleksander zawrócił do stołu. Starannie ułożył drewno w stosik, podszedł do kosza i wrzucił je tam. Strącił przy tym ze stołu jakiś list. Nie zwracając na to uwagi, rzucił Filipowi zabójcze spojrzenie i wyszedł z komnaty.
Pokoje kobiet nie zmieniły się od początku istnienia zamku. Stąd wzywano je na ucztę Amyntasa, by witały perskich posłów. Aleksander wszedł po wąskich schodach do małego przedpokoju. Jakaś dziewczyna, której jeszcze dotąd nie widział, wychodziła, oglądając się przez

173

ramię. Miała piękne, miękkie, czarne włosy, zielone oczy i jasną cerę, a cienka czerwona suknia opinała ją ciasno w stanie. Drgnęła na odgłos jego kroków. Jej długie rzęsy uniosły się, a otwarta jak u dziecka twarz ukazała podziw, rozpoznanie, lęk. Spytał: — Czy jest tam moja matka? Pytanie było niepotrzebne, ale zadał je, bo miał na to ochotę.

— Tak, panie mój — odpowiedziała nerwowo. Zastanawiał się, dlaczego wyglądała na przestraszoną. Gdyby spojrzał w jakieś lustro, ujrzałby odpowiedź. Zrobiło mu się jej żal i uśmiechnął się. Jej twarz zajaśniała, jakby ją oświetliło blade słońce.

— Czy mam jej powiedzieć, Aleksandrze, że tu jesteś?

— Nie, ona mnie oczekuje. Możesz odejść.

Zwlekała jeszcze chwilę, patrząc na niego, jakby uważała, że nie dość dla niego zrobiła. Była nieco starsza od niego, może o rok. Wreszcie ruszyła w dół po schodach.

Stał chwilę przed drzwiami, patrząc za nią. Robiła wrażenie kruchej i gładkiej w dotyku. Pomyślał o jaskółczym jajku. Nie malowała bladoróżowych ust. Spotkanie z nią było jak spróbowanie czegoś słodkiego po doznanym smaku goryczy. Zza ścian dolatywał śpiew chóru mężów ćwiczących przed Dionizjami.

— Pamiętałeś więc, żeby tu przyjść — rzekła matka, gdy tylko zostali sami. — Szybko nauczyłeś się radzić sobie beze mnie!

Stała przy oknie osadzonym w grubym kamiennym murze. Padające z ukosa światło dotykało wypukłości policzka i przeświecało przez cienki welon. To dla niego wystroiła się, umalowała i kunsztownie uczesała. Widział to, tak jak ona widziała, że znowu urósł, że kości jego twarzy stwardniały, że głos zatracił ostatnie ślady dzieciństwa. Wrócił jako mężczyzna i jak mężczyzna okazał się niewierny. Wiedział, że za nią tęsknił. Wiedział, że prawdziwi przyjaciele nie mają sekretów, chyba że z przeszłości, zanim się spotkali. Gdyby płakała, mógłby ją pocieszyć, ale ona nie poniży się przed mężczyzną. Kiedyś mógłby podbiec do niej i przytulić się do jej boku, ale zbyt drogo zapłacił za zdobycie praw mężczyzny. Żaden śmiertelnik nie zrobi z niego znów dziecka.

Tak więc, zaślepieni poczuciem własnej wyjątkowości, toczyli swą kłótnię jak para kochanków, a ryk wodospadów Ajgaj tętnił im w uszach jak krew.

— Jak mogę do czegoś dojść, jeśli nie nauczę się wojować? Gdzie miałbym się tego uczyć? On jest moim wodzem! Po co go obrażać bez powodu?

— Ach, więc teraz nie masz już powodów? Kiedyś moje powody były twoimi!

174

— Co takiego? Co on zrobił?

Tak długo był nieobecny, że nawet samo Ajgaj wyglądało inaczej, niczym obietnica nowego życia.

— O co chodzi? Powiedz!

— Mniejsza z tym. Czemu miałbyś się tym martwić? Idź zabawić się z przyjaciółmi. Hefajstion będzie czekał.

Musiała kogoś wypytywać. On zawsze był ostrożny.

— Chciałem tylko postąpić właściwie. Także ze względu na ciebie, wiesz o tym. Można by pomyśleć, że mnie nienawidzisz.

— Ja tylko liczyłam na twoją miłość. Teraz jestem mądrzejsza.

— Powiedz, co takiego zrobił?

— Mniejsza z tym. To nie ma znaczenia, chyba tylko dla mnie.

— Matko!

Znów ujrzała zmarszczkę przecinającą mu czoło, tym razem głębszą, a dwie pomniejsze biegły w dół między brwiami. Nie mogła już patrzeć na niego z góry, jego oczy były na poziomie jej oczu. Przystąpiła do niego i przytuliła policzek do jego policzka.

— Nie bądź dla mnie tak okrutny!

Gdyby wstąpili w tę wzbierającą rzekę, przebaczyłaby mu wszystko, wszystko mogło być jak dawniej. Nie pozwolił jej jednak na to. Zanim dostrzegła jego łzy, oderwał się od niej i zbiegł po wąskich schodach.

Wzrok miał zmącony i na zakręcie z kimś się zderzył. Była to ciemnowłosa dziewczyna.

— Ach! — wykrzyknęła. Stała drżąca i słaba jak gołąbka. — Przepraszam, panie mój!

Położył dłonie na jej szczupłych ramionach. — To moja wina. Chyba nie zrobiłem ci krzywdy?

— Ależ nie!

Stali tak chwilę, zanim zakryła oczy rzęsami i poszła schodami w górę. Sprawdził oczy dłońmi. Były ledwie trochę wilgotne.

Hefajstion, który szukał go wszędzie, znalazł go po godzinie w małej komnatce z oknem wychodzącym na wodospady. Przy wezbranej wodzie łoskot był tu ogłuszający, a posadzka zdawała się drgać jak zderzające się w dole kamienie. Stały tu skrzynie i półki pełne starych rejestrów i aktów własności, traktatów i długich drzew genealogicznych sięgających do herosów i bogów. Było też kilka książek pozostawionych przez Archelaosa albo innym zrządzeniem losu.

Aleksander siedział skulony w głębokiej niszy okiennej jak zwierzę w jaskini. Obok niego porozkładane były rękopisy.

— Co tu robisz?

175

— Czytam.

— Nie jestem ślepy. O co chodzi? — Hefajstion podszedł, by mu spojrzeć w twarz. Była w niej zajadłość i skrytość rannego psa, gotowego gryźć rękę, która chce go pogłaskać.

— Ktoś mi powiedział, że tu wszedłeś. Nigdy tu jeszcze nie byłem.

— To archiwum.

— Co czytasz?

— Ksenofonta *O polowaniu.* Pisze, że kieł dzika jest tak gorący, iż przypala psią sierść.

— Nigdy o tym nie słyszałem.

— To nieprawda. Położyłem włos na takim kle, żeby to sprawdzić.

— Podniósł kolejny zwój.

— Zaraz będzie tu ciemno.

— Wtedy zejdę na dół.

— Nie chcesz, żebym został?

— Chcę po prostu poczytać.

Hefajstion przyszedł mu powiedzieć, że ich sypialnie urządzono starożytnym obyczajem: królewicz w małej wewnętrznej komnacie, obok Towarzysze w sali sypialnej, od niepamiętnych czasów poświęconej temu celowi. Teraz zrozumiał, bez zadawania pytań, że zmiana tego układu nie uszłaby uwagi królowej. Ryk i jęk wodospadu i wydłużone cienie mówiły o smutku i żalu.

W Ajgaj panowała gorączka Dionizjów, tym większa, że brał w nich udział król, tak często nieobecny z powodu wojen. Kobiety biegały od domu do domu, mężczyźni zbierali się, by ćwiczyć swe falliczne tańce. Karawany wozów zaprzężonych w muły przybywały z winnic do zamkowych składów. Komnaty królowej przypominały ukryty, brzęczący rój. Aleksandrowi zabroniono wstępu, nie z powodu niełaski, ale dlatego, że był mężczyzną. Kleopatra była tam w środku, choć nie była jeszcze kobietą. Poznała już pewnie wszystkie tajemnice, była jednak za młoda, aby iść z nimi na górę.

W przeddzień święta obudził się wcześnie i ujrzał w oknie blask świtu. Odzywały się pierwsze ptaki, a szum wody był tu odległy. Słychać było uderzenia topora jakiegoś drwala i ryk krów przyzywających dojarkę. Wstał, ubrał się, pomyślał o obudzeniu Hefajstiona, spojrzał jednak na tylne schody, które pozwalały na wyjście w pojedynkę. Zbudowano je, by królewicz mógł sprowadzać w sekrecie kobiety. Pomyślał, że mogłyby one niejedno opowiedzieć, kiedy schodził cicho w dół i przekręcał klucz w mocnym zamku.

W Ajgaj nie było ogrodu, tylko stary sad ogrodzony zewnętrznym murem. Na czarnych bezlistnych drzewach pojedyncze pąki pękały pod naporem nie rozwiniętych jeszcze kwiatów. W pajęczych sieciach wśród wysokiej trawy wisiały krople rosy jak kryształowe paciorki. Różowiły się szczyty gór wciąż jeszcze okryte śniegiem. Chłodne powietrze ożywało za sprawą wiosny i fiołków. Ich zapach sprowadził go na brzeg, gdzie rosły ukryte w bujnej trawie. Kiedy był dzieckiem, zbierał je dla matki. Mógłby narwać ich i zanieść kobietom matki, kiedy ją będą czesały. Dobrze, że był sam, przy Hefajstionie czułby się skrępowany.

Miał pełne ręce chłodnych, mokrych kwiatów, kiedy spostrzegł kogoś przemykającego przez sad. Była to dziewczyna w grubej brunatnej pelerynie narzuconej na przejrzystą, jasną suknię. Poznał ją od razu i poszedł ku niej. Było w niej, jak w pąkach śliw, światło okryte ciemnością. Kiedy wyszedł spoza drzew, wzdrygnęła się i pobladła. Cóż za lękliwa dziewczyna!

— O co chodzi? Nie zjem cię. Podszedłem tylko powiedzieć ci „dzień dobry".

— Dzień dobry, panie mój.

— Jak ci na imię?

— Gorgo, panie mój.

Nadal była blada ze strachu. Musiała być niezwykle skromna. Co mówi się dziewczynom? Wiedział tylko, co podobno mówili jego przyjaciele i żołnierze.

— Dalej, uśmiechnij się Gorgo, a dostaniesz kwiaty.

Posłała mu spod opuszczonych rzęs nieśmiały uśmiech, kruchy i tajemniczy niczym hamadriada wymykająca się ze swego drzewa. Przez chwilę chciał dzielić kwiaty, by zachować trochę dla matki. Ależ by wyszedł na głupca!

— Trzymaj! — powiedział, a gdy je brała, pochylił się i pocałował ją w policzek. Przechyliła go na chwilę do jego ust, potem cofnęła się, nie patrząc na niego i kręcąc głową. Rozchyliła gruby płaszcz, wsunęła fiołki między piersi i umknęła, znikając wśród drzew.

Stał, patrząc za nią, widząc znów jak chłodne, kruche łodyżki wsuwają się w ciepłą, jedwabistą fałdę. Jutro Dionizje. *I święta ziemia kazała wyrosnąć pod nimi świeżej młodej trawie i okrytym rosą krokusom, hiacyntom i koniczynie, i powstało grube, miękkie łoże.*

Nie powiedział Hefajstionowi o niczym.

Gdy poszedł przywitać się z matką, spostrzegł, że coś się wydarzyło. Szalała niczym świeżo podsycony ogień, ale nie on był tego przyczyną.

177

Zadawała sobie pytanie, czy mu o tym powiedzieć. Pocałował ją, lecz nie zadawał pytań. Wczorajszy dzień mu wystarczył.

Przez cały czas jego przyjaciele opowiadali sobie o dziewczynach, które zamierzali zdobyć nazajutrz, jeśli uda im się je pochwycić na górze. Rzucił kilka starych żartów, ale zachował swe myśli dla siebie. Kobiety miały wyjść z przybytku na długo przed świtem.

— Co robimy jutro? — spytał Hefajstion. — Po ofiarowaniu, oczywiście?

— Nie wiem. Robienie sobie planów na Dionizje przynosi pecha.

Hefajstion rzucił mu zaskoczone, ukradkowe spojrzenie. Nie, to nie było możliwe. Aleksander był markotny, odkąd tu przybyli, i nie bez powodu. Trzeba mu pozwolić, by się z tym uporał.

Wieczerza była wczesna. Wszyscy mieli wstać przed pianiem kogutów, a w wigilię Dionizjów nikt nie siedział długo przy winie, nawet w Macedonii. Wiosenny zmierzch zapadł wcześnie, gdy słońce skryło się za górskie grzbiety na zachodzie. W zamku były pomieszczenia, w których zapalano lampy już późnym popołudniem. Posiłek w wielkiej sali minął w nastroju oczekiwania. Filip skorzystał ze swej trzeźwości, by usadzić przy sobie Arystotelesa. Kiedy indziej ten zaszczyt nie byłby mile widziany, bo filozof nie lubił pić. Po wieczerzy wszyscy poszli do łóżek.

Aleksander nigdy nie kładł się wcześnie. Postanowił, że odwiedzi Fojniksa, który mieszkał w zachodniej wieży i często czytał do późnej nocy. Zamek był zatłoczony jak królikarnia, ale znał z dzieciństwa drogi na skróty. Za pomieszczeniem, w którym trzymano zapasowe sprzęty na użytek gości, były schody prowadzące na górę. Pomieszczenie nie było oświetlone, ale jakaś ścienna lampa spoza niego prześwietlała je na przestrzał. Już prawie tam wszedł, gdy usłyszał coś i spostrzegł jakiś ruch.

Stał w cieniu, nieruchomo i w milczeniu. W plamie światła zwrócona ku niemu twarzą Gorgo wiła się i wyrywała z ramion stojącego za nią mężczyzny. Jedna ciemna owłosiona dłoń ściskała jej biodra, druga pierś, a z krtani dziewczyny wydobywał się zdyszany, cichy chichot. Suknia zsunęła się z ramienia pod natarczywą dłonią i kilka zwiędłych fiołków wypadło na kamienne płyty. Twarz mężczyzny ukazała się, sięgając do jej ucha. Była to twarz jego ojca.

Ukradkiem, jak na wojnie, wycofał się. Jej jęki zagłuszały odgłos jego kroków. Wyszedł przez najbliższe drzwi w chłodną, pełną szumu wody noc.

Na górze, w kwaterze straży królewicza, Hefajstion leżał bezsennie, czekając, aż Aleksander pójdzie spać, by mu życzyć dobrej nocy. W inne wieczory wchodzili tu wszyscy razem, ale dziś nikt nie widział go od wieczerzy. Poszukiwanie wyglądałoby śmiesznie. Hefajstion leżał w ciemności, patrząc na smugę światła pod grubymi starymi drzwiami wewnętrznej komnaty i wypatrując cieni stóp. Nie poruszał się żaden cień. Osunął się w końcu w sen, ale śnił, że nadal czuwa.

Wczesnym rankiem, jeszcze po ciemku, Aleksander wszedł bocznym wejściem, by się przebrać. Prawie wypalona lampa słabo migotała. Rozebrał się w porannym chłodzie. Palce miał prawie zesztywniałe. Włożył skórzaną tunikę, buty i nogawice, których używał do polowania. Chciał, by mu było ciepło już na początku wspinaczki.

Wychylił się z okna. Tu i ówdzie, kołysząc się wśród drzew i migocąc, jak migocą gwiazdy w prądach powietrznych nad śniegami, świeciły pierwsze pochodnie.

Wiele czasu minęło, odkąd szedł za nimi do gaju. Na obrzędy na górze nie poszedł za nimi jeszcze nigdy. Nie umiałby podać powodu, dlaczego tam idzie teraz, choć to niedozwolone. Nie miał dokąd iść.

Zawsze był szybkim i cicho stąpającym myśliwym. Niecierpliwił się, gdy inni hałasowali. O tak wczesnej porze niewielu mężczyzn było już na nogach. Słyszało się ich z daleka, jak śmiali się i rozmawiali. Wiedzieli, że kiedy tylko zechcą, u podnóża góry dopadną swą zdobycz, jakieś chętne, pijane maruderki. Przemknął obok nich nie zauważony. Wkrótce zostawił wszystkich daleko w dole, idąc w górę przez bukowy las szlakiem przetartym w niepamiętnych czasach. Dawno temu przeszedł po jakichś Dionizjach całą tę ścieżkę, aż do udeptanego miejsca tańców, idąc po śladach stóp, nici pozaczepianych na cierniach, gałązek winorośli i bluszczu, podartych futer i krwi.

Ona o tym nie wiedziała. Nawet w późniejszych latach nigdy jej o tym nie powiedział. To była jego tajemnica. Był przy niej, niewidzialny jak bogowie, kiedy odwiedzają śmiertelników. Wiedział o niej rzeczy, których nie wiedział żaden mężczyzna.

Zbocze zrobiło się strome. Ścieżka wiła się na boki, on zaś przemierzał jej zakręty w świetle zachodzącego księżyca i w pierwszych blaskach świtu. W dole w Ajgaj piały koguty, a ten słaby, dolatujący z dala dźwięk wydawał się groźny, niczym jakieś upiorne wyzwanie. Na ścieżce biegnącej nad nim zakosami sznur pochodni wił się jak ognisty wąż.

Świt wstał znad Azji i musnął ośnieżone szczyty. Daleko przed sobą usłyszał przedśmiertny pisk jakiegoś młodego zwierzęcia, a potem bachiczny okrzyk.

Porośnięty drzewami wąwóz przecinał stromy stok góry. Z wąskiej rozpadliny wypadał tu spieniony potok. Ścieżka skręcała w lewo, pamiętał wszakże, co było dalej, i zatrzymał się, by pomyśleć. Wąwóz zmierzał w górę, gdzie oskrzydlał miejsce tańców. Wspinaczka przez dziewiczy las po drugiej stronie będzie trudna, ale zapewni świetne ukrycie, poza ich zasięgiem i zarazem w pobliżu, bo rozpadlina była tam wąska. Chyba nie zdąży tam dojść przed ofiarowaniem, ale zobaczy jej taniec. Przeprawił się przez lodowatą wodę, czepiając się głazów. Sosnowy las był gęsty, nie tknięty ludzką stopą. Drzewa leżały, gdzie je powalił czas, stopy grzęzły w poczerniałym igliwiu sprzed tysiąca lat. Na koniec ujrzał migotanie pochodni, drobnych niczym świetliki, po czym jasny płomień ognia palącego się na ołtarzu. Ich śpiew przypominał płomienie, przygasał i podnosił się w nowym miejscu, jakby głosy zapalały się jeden od drugiego.

Pierwsze promienie słońca zabłysły nad krawędzią wąwozu. Porastały ją wyrosłe tu w słońcu niskie zarośla mirtu, mącznika i żarnowca. Skradając się na czworakach, jak lampart podchodzący pod zdobycz, wczołgał się za ich zasłonę.

Po drugiej stronie leżała odkryta przestrzeń. Było to miejsce tańców, tajemna łąka zakryta z dołu, odsłaniająca się tylko bogom i szczytom gór. Porastały ją drobne żółte kwiatki, a na obrzeżach okalały jarzębiny. Na ołtarzu dymiło ciało ofiarnego zwierzęcia i buchała jasnym płomieniem żywica, kobiety zaś rzucały w ogień niedopałki swych pochodni. Wąwóz opadał pod nim na sto stóp, lecz szeroki był tylko na rzut oszczepem. Widział wyraźnie ich wilgotne od rosy, splamione krwią szaty i różdżki zwieńczone szyszkami. Nawet z daleka widać było w ich twarzach oczekiwanie na przybycie boga.

Matka stała przy ołtarzu, trzymając opleciony bluszczem tyrs. Jej rozpuszczone włosy spływały spod wieńca z bluszczu na suknię, skórę rysia i białe ramiona. Zobaczył ją więc: dokonał tego, co dozwolone jest jedynie bogom.

Trzymała jedną z tych oplatanych flaszek z winem, używanych w czasie tego święta. W jej twarzy nie było ani obłędu, ani pustki, jak w niektórych innych twarzach, lecz jasność, czystość i uśmiech. Podbiegła do niej, tańcząc, Hyrmina z Epiru, powiernica jej sekretów, ona zaś podniosła do ust flaszkę i szepnęła coś tamtej do ucha.

Tańczyły wokół ołtarza, odbiegając od niego i przybiegając z krzykiem. Potem matka odrzuciła swój tyrs i zaśpiewała jakieś magiczne słowa w starotrackim, jak nazywały nieznany język, którym posługiwano się przy obrzędach. Teraz wszystkie odrzuciły różdżki, odeszły od ołtarza i połączyły dłonie w krąg. Matka skinęła na jakąś dziewczynę spoza kręgu. Dziewczyna podeszła powoli, popychana. Wydała mu się znajoma. Nagle dała nura pod ich złączonymi dłońmi i zaczęła biec ku krawędzi wąwozu, ogarnięta zapewne szaleństwem, w które wpadały menady. Gdy się zbliżyła, rozpoznał w niej Gorgo. Boskie szaleństwo wyglądało podobnie jak paniczny strach. Wytrzeszczała oczy i otwierała w krzyku usta. Taniec urwał się i kilka kobiet pobiegło za nią. Takie rzeczy niewątpliwie się zdarzały. Biegła z całych sił, wyprzedzając tamte kobiety, póki nie potknęła się i upadła. Podniosła się wprawdzie natychmiast, ale już ją chwyciły. Zaczęła wrzeszczeć w bachicznym szale. Tamte biegły z nią z powrotem, a gdy kolana ugięły się pod nią, ciągnęły ją po ziemi. Matka czekała, uśmiechając się. Dziewczyna leżała u jej stóp, nie płacząc i nie błagając, tylko piszcząc przeraźliwie, jak zając w szczękach lisa.

Było już po południu. Hefajstion nawoływał i obchodził podnóże góry. Zdawało mu się, że czynił tak od wielu godzin, ale nie trwało to aż tak długo. Z początku nie zaczynał poszukiwań, nie wiedząc, co też mógłby znaleźć, ale gdy słońce wzbiło się wysoko, ogarnął go strach.

— Aleksandrze! — zawołał. Skalna ściana urwiska na końcu polany odrzuciła echem: „...andrze!" Jakiś strumień wpadał tu z wąwozu, rozlewając się między kamieniami. Na jednym z nich siedział Aleksander, patrząc wprost przed siebie.

Hefajstion podbiegł, ale on nie podniósł się, ledwie spojrzał. „Stało się" — pomyślał Hefajstion. „Kobieta go odmieniła. Teraz już za późno!"

Aleksander patrzył na niego, wytężając wzrok, jakby miał trudności z rozpoznaniem jego osoby i starał się go sobie przypomnieć.

— Aleksandrze, o co chodzi? Co się stało? Upadłeś? Rozbiłeś sobie głowę? Powiedz!

— A ty po co obiegasz tę górę? — spytał Aleksander matowym głosem. — Szukasz dziewczyny?

— Nie, szukam ciebie.

— Poszukaj trochę wyżej, w wąwozie. Znajdziesz tam dziewczynę, ale już martwą.

Hefajstion miał już na ustach pytanie: „Czy ją zabiłeś?", bo nic nie wydawało się niemożliwe, kiedy patrzyło się na twarz tamtego; nie ośmielił się jednak odezwać.

Aleksander przetarł czoło grzbietem uwalanej ziemią dłoni i zamrugał oczami. — Nie, ja tego nie zrobiłem. — Rozciągnął usta w wymuszonym uśmiechu. — To była śliczna dziewczyna. Ojciec był tego zdania i matka także. To się stało, kiedy wpadły w boski szał. Miały tam młode rysie i jelenia, i nie wiadomo co jeszcze. Zaczekaj, jeśli chcesz, strumień ją tu przyniesie.

— Żałuję, że to widziałeś — powiedział cicho Hefajstion.
— Wrócę i poczytam sobie książkę. Ksenofont mówi, że kieł dzika kurczy się od żaru ich ciała, że przypalają się fiołki.
— Aleksandrze, masz tu, napij się. Od wczoraj jesteś na nogach. Mam też trochę wina... Popatrz, mam tu wino. Czy na pewno nie jesteś ranny?
— O, nie. Nie pozwoliłem się schwytać. Pamiętam tamtą sztukę.
— Słuchaj, wypij to, rób co mówię! Pij! Po pierwszym łyku Aleksander wziął flaszkę od Hefajstiona i wypił ją do dna.
— Tak już lepiej! — Instynkt nakazywał Hefajstionowi zachowywać się, jakby nic się nie stało. — Mam też trochę jedzenia. Nie powinieneś podglądać menad. Wszyscy wiedzą, że to przynosi nieszczęście. Nic dziwnego, że czujesz się marnie. Masz cierń w nodze. Siedź spokojnie, wyciągnę go.
— Na polu bitwy widziałem gorsze rzeczy — powiedział nagle Aleksander.
— Tak, trzeba się przyzwyczajać do widoku krwi.
— Temu żołnierzowi na murze w Doriskos wnętrzności wypadały z rany, a on starał się wepchnąć je z powrotem.
— Czy tak? Musiałem chyba odwrócić wzrok.
— Nie trzeba odwracać wzroku. Miałem dwanaście lat, kiedy zabiłem swojego człowieka. Sam mu uciąłem głowę. Chcieli to za mnie zrobić, ale kazałem im podać sobie topór.
— Wiem o tym.
— Zstąpiła z Olimpu na równinę trojańską, jak mówi książka, stąpając krokiem płochliwych gołębic, i nałożyła na głowę hełm śmierci.
— Ty nie odwracasz wzroku, wszyscy to wiedzą. Byłeś na nogach przez całą noc... Aleksandrze, czy słuchasz? Słyszysz, co mówię?
— Cicho, one śpiewają.
Siedział, obejmując kolana, z oczami zwróconymi ku górze. Hefajstion widział białka tych oczu pod tęczówkami. Trzeba go było znaleźć. Nie mógł być sam.
Zaczął mówić, spokojnie i stanowczo:
— Jesteś teraz ze mną. Obiecałem ci, że tu będę. Posłuchaj, Aleksandrze: pomyśl o Achillu, jak go matka zanurzyła w Styksie. To było straszne, jakby umierał, jakby zamieniał się w kamień, ale potem już nie można go było zranić. To już skończone, to minęło. Jesteś teraz ze mną.
Wyciągnął rękę. Ręka Aleksandra dotknęła jej, śmiertelnie zimna, a potem zamknęła się na niej w miażdżącym uścisku, aż mu dech zaparło, z bólu, ale także z ulgi.

— Jesteś ze mną. Kocham cię. Znaczysz dla mnie więcej niż wszystko. Mogę za ciebie umrzeć. Kocham cię.

Siedzieli tak przez jakiś czas ze ściśniętymi dłońmi. Po chwili uścisk zelżał, twarz Aleksandra utraciła sztywność maski i była już tylko zbolała. Niezdecydowanie spoglądał na złączone dłonie.

— Dobrze mi zrobiło to wino. Nie jestem już tak bardzo zmęczony. Trzeba się uczyć obywać bez snu. To się przydaje na wojnie.

— Spróbujmy uczyć się tego razem.

— Trzeba się uczyć obywać bez wszystkiego, ale wyrzec się ciebie byłoby trudno.

— Będę przy tobie.

Ciepłe wiosenne słońce przechylone już na południe zalewało blaskiem polanę. Śpiewał drozd. Hefajstion tłumaczył sobie znaki: zapowiadały zmianę — śmierć, narodziny, interwencję jakiegoś boga. To, co się narodziło, było splamione krwią po trudnym porodzie, było zbyt wątłe, by je brać w ręce, ale żyło i może jeszcze urosnąć.

Musieli wracać do Ajgaj, ale nie było pośpiechu, niech ma jeszcze trochę spokoju. Aleksander pogrążył się w jakimś śnie na jawie, uciekając od swoich myśli. Hefajstion przyglądał mu się nieugiętym wzrokiem cierpliwego lamparta zaczajonego przy sadzawce. Daleki odgłos lekkich kroków, schodzących w dół leśną ścieżką, zaspokajał jego głód.

ROZDZIAŁ SZÓSTY

Kwiaty śliw opadły, pokrywając ziemię zroszoną wiosennym deszczem, minął czas fiołków, a na winorośli zawiązywały się pąki. Filozof stwierdził, że część jego uczniów ma po Dionizjach trudności ze skupieniem się, co nawet w Atenach nie było niczym niezwykłym, ale królewicz jest skupiony i pilny i dobrze sobie radzi z etyką i logiką. Czasem tylko zachowywał się dziwnie, kiedy bowiem złożył czarnego kozła w ofierze Dionizosowi, uchylał się od odpowiedzi na pytania. Należało się obawiać, że filozofia nie wypleniła w nim przesądów, ale być może jego milkliwość świadczyła o właściwej samoocenie.

Aleksander i Hefajstion stali oparci o poręcz jednego z prostych mostków przerzuconych nad Strumieniem Nimf.

— Teraz chyba zawarłem już pokój z tym bogiem — mówił Aleksander — i dlatego mogłem ci o wszystkim opowiedzieć.

— Czy tak nie jest lepiej?

— Tak, ale wpierw musiałem zapanować nad tym we własnych myślach. To był gniew Dionizosa, który prześladował mnie, póki nie pogodziłem się z bogiem. Kiedy myślę o tym logicznie, widzę, że byłoby niesprawiedliwością oburzać się na to, co zrobiła matka, tylko dlatego, że ona jest kobietą, gdy tymczasem ojciec zabija ludzi tysiącami. Ty i ja zabijaliśmy na wojnie ludzi, którzy w niczym nam nie zawinili, chyba że przypadkiem. Kobiety nie mogą rzucać wyzwania swoim wrogom, tak jak my, mogą tylko mścić się jak kobiety. Zamiast je winić, powinniśmy być wdzięczni bogom, że uczynili nas mężczyznami.

— Tak, powinniśmy — rzekł Hefajstion.

— Zrozumiałe, że był to gniew Dionizosa za sprofanowanie jego misteriów. Musisz wiedzieć, że od dzieciństwa byłem pod jego opieką, ale później częściej składałem ofiary Heraklesowi niż jemu. Gdy nadużyłem jego cierpliwości, okazał gniew. Nie zabił mnie, jak Penteusza w tamtej sztuce, bo byłem pod jego opieką, ale ukarał mnie. Mogło być gorzej, gdyby nie ty. Byłeś jak Pylades, który został z Orestesem nawet wtedy, kiedy przybyły po niego Erynie.

— Oczywiście, zostałem z tobą.

— Powiem ci coś jeszcze: być może w czasie Dionizjów pomyślałbym o tej dziewczynie... ale jakiś bóg mnie ustrzegł.

— Ustrzegł cię, bo sam się powstrzymałeś.

— Tak. Wszystko to zdarzyło się, bo mój ojciec nie mógł się powstrzymać, nawet dla dobrego imienia własnego domu. Zawsze robi to samo, wszyscy o tym wiedzą. Ludzie, którzy powinni go szanować, bo może ich pokonać w bitwie, szydzą z niego za jego plecami. Nie zniósłbym tego, gdybym wiedział, że tak o mnie mówią, gdybym wiedział, że nie jestem panem samego siebie.

— Ludzie nigdy nie powiedzą tego o tobie.

— Nigdy nie pokocham nikogo, gdybym miał się tego wstydzić, to wiem na pewno. Popatrz na te ryby! — Wskazał brunatną, przejrzystą wodę. Pochylili się nad drewnianą poręczą, stykając się głowami. Ławica ryb pomknęła lotem strzały w cień brzegu. Aleksander wyprostował się.

— Żadna kobieta nie podbiła serca Cyrusa Wielkiego.

— Nie — przyznał Hefajstion. — Nawet ta najpiękniejsza, jaka zrodziła się z ludzi śmiertelnych w Azji, jak o tym pisze książka.

Aleksander otrzymał listy od obojga rodziców. Żadne nie okazało zaniepokojenia jego niezwykle spokojnym zachowaniem po Dionizjach, choć każde z osobna wyczuwało jakieś przeżycie, patrzył na nich z góry. Dionizje odmieniały jednak wielu chłopców i należało raczej się martwić, jeśli nie korzystali oni z okazji.

Ojciec pisał, że Ateńczycy wysłali kolonistów na Chersonez Tracki, ale odmówili opłacania wspierającej ich floty w obawie przed zmniejszeniem zasiłków dla obywateli. Flota z konieczności utrzymywała się z piractwa i rozbójniczych napadów na wybrzeża, jak w czasach Homera. Rabowano macedońskie statki i gospodarstwa. Macedoński poseł, który miał wykupić jeńców, był torturowany i wymuszono za niego okup: dziewięć talentów.

Olimpias, chociaż raz zgodna z Filipem, miała do opowiedzenia podobną historię. Eubejski kupiec Anaksynos, jej dostawca towarów z południa, został uwięziony w Atenach z rozkazu Demostenesa, ponieważ gospodarzowi domu, w którym mieszkał, złożył wizytę Ajschynes. Torturowano go, póki nie wyznał, że jest szpiegiem Filipa, za co skazano go na śmierć.

— Zastanawiam się, jak długo przyjdzie nam czekać na wojnę — powiedział Filotas.

— Jesteśmy w stanie wojny — odrzekł Aleksander. — Pytanie tylko, gdzie stoczymy bitwę. Spustoszenie Aten byłoby grzechem, to jak spustoszenie świątyni. Prędzej czy później musimy jednak uporać się z Ateńczykami.

— Musicie? — spytał kulawy Harpalos, który patrzył na wojowników ze swego otoczenia jak na przyjazną, ale obcą rasę. — Im głośniej szczekają, tym lepiej widać, że mają spróchniałe zęby.

— Nie aż tak spróchniałe, by ich zostawiać za plecami, kiedy przeprawimy się do Azji.

Wojna o greckie miasta w Azji nie była teraz tylko fantazją, przygotowania do niej już się rozpoczęły. Co roku trakt budowany z podbitych ziem zbliżał się do Hellespontu. Ostatnią przeszkodą były Perynt i Bizancjum, twierdze nad przewężeniem mórz. Gdyby zostały zdobyte, Filip musiałby jedynie zabezpieczyć sobie tyły.

Gdy stało się to jasne, ateńscy mówcy znów zaczęli przemierzać Grecję, szukając sprzymierzeńców, których Filip nie zdołał jeszcze przekonać, zastraszyć albo przekupić. Flocie w Tracji posłano trochę pieniędzy i obsadzono załogą port na wyspie Tazos, leżący w pobliżu trackiego wybrzeża.

W ogrodach Miedzy młodzi ludzie zastanawiali się we własnym gronie, kiedy znów zakosztują boju, lub też pod okiem filozofa omawiali naturę i atrybuty duszy.

Hefajstion, który jeszcze nigdy niczego nie sprowadzał spoza kraju, zamówił z niemałym trudem w Atenach kopię *Myrmidonów* i podarował ją Aleksandrowi. Pod okrytym kwiatami krzakiem bzu przy Sadzawce Nimf omawiali naturę i atrybuty miłości.

Dla leśnych zwierząt był to czas godowy. Arystoteles przygotowywał rozprawę o parzeniu się zwierząt i rodzeniu się młodych. Jego uczniowie, zamiast polować, kryli się po krzakach i robili notatki. Harpalos zabawiał się z przyjacielem, konstruując wyszukane opisy zachowania się zwierząt, tak dobrze wymyślone, że prawie prawdziwe. Filozof dziękował im gorąco i wszystko spisywał. Sam nie mógł ryzykować przeziębienia, przesiadując godzinami w wilgotnych zaroślach, uważał bowiem, że zbyt jest potrzebny ludzkości.

Pewnego pięknego dnia Hefajstion powiedział Aleksandrowi, że znalazł norę lisicy, która chyba będzie miała małe. W pobliżu burze wyrwały z korzeniami stare drzewo i w głębokim wykrocie można było ukryć się i podglądać. Późnym popołudniem poszli do lasu, unikając ścieżek uczęszczanych przez innych, ale o tym żaden z nich nie wspomniał, ani też nie podał drugiemu powodu.

Osłaniały tę jamę uschłe korzenie zwalonego drzewa, a jej dno było grubo usłane zeszłorocznymi suchymi liśćmi. Po jakimś czasie nadbiegła brzemienna lisica, przemykając w cieniu z pisklęciem kuropatwy w pysku. Hefajstion ledwie uniósł głowę. Aleksander, który miał zamknięte oczy, nie otworzył ich, kiedy przechodziła, chociaż słyszał szelest. Wystraszyła się, słysząc ich oddechy, i pomknęła do nory niczym czerwona smuga.

Wkrótce potem Arystoteles wyraził chęć przeprowadzenia sekcji jakiejś ciężarnej lisicy, oni jednak nie wydali strażniczki swojej tajemnicy. Przyzwyczaiła się do nich i po pewnym czasie wynosiła bez obawy lisięta, karmiła je i pozwalała im się bawić. Hefajstion lubił lisięta, bo zmuszały Aleksandra do uśmiechu. Po miłości robił się milczący, odpływając w jakiś własny tajemny mrok. Przywołany, nie okazywał zniecierpliwienia, był jednak zbyt miły, jakby miał coś do ukrycia.

Obaj zgadzali się, że wszystko to zostało zapisane w ich losach, zanim jeszcze się urodzili. Hefajstion stale miał uczucie, że zdarzył się cud, i że spędza dni i noce otoczony jakimś połyskliwym obłokiem. Wprawdzie w takich właśnie chwilach na obłok padał cień, mógł jednak wtedy wskazać bawiące się lisięta, a zamyślone, głęboko osadzone oczy poruszały się i zapalały, i znów wszystko było dobrze. Nad sadzawkami i strumieniami kwitły niezapominajki i irysy, a w słonecznych zagajnikach sławne dzikie róże z Miedzy roztaczały swe zapachy.

Młodzi ludzie odczytywali te znaki, dobrze znane ich własnej młodości, i rozliczali swoje zakłady. Filozof, mniej biegły w tych sprawach i nieskory do uznania swej przegranej, spoglądał niepewnie na tych dwóch pięknych chłopców idących czy też siedzących nieodmiennie ramię przy ramieniu. Nie ryzykował pytań, bo w jego tezie nie było miejsca na odpowiedzi.

Oliwki okryły się drobnymi bladozielonymi kwiatkami, których słaby, słodki, woskowy zapach unosił się wszędzie dookoła. Z jabłoni opadły fałszywe owocki i zaczęły zawiązywać się na nich prawdziwe jabłka, drobne i zielone. Lisica prowadziła swoje młode do lasu, był już czas, by uczyły się rzemiosła, z którego będą się utrzymywać.

Hefajstion także stał się cierpliwym i zręcznym myśliwym. Póki jego zdobycz dawała się przywabiać, nie wątpił, że żarliwe uczucie, którym tak chętnie go darzono, ma za podłoże prawdziwą namiętność. Przekonał się, że to nie takie proste.

Jeszcze raz mówił sobie, że gdy bogowie okazują szczodrość, człowiek nie powinien prosić o więcej. Niczym dziedzic wielkiej fortuny, któremu na początku wystarcza świadomość, że ją posiada, wpatrywał się w tę twarz przed sobą, w rozwiane, opadające swobodnie włosy, w czoło już poznaczone ledwie widocznymi zmarszczkami, w pięknie oprawione oczy, wyraźnie zarysowane, a przecież wrażliwe usta, w śmiały łuk złocistych brwi. Wydawało się, że może tak siedzieć bez końca, że to mu wystarczy. Wydawało się tak na początku.

— Bucefał potrzebuje przeszkolenia. Przejedźmy się.

— Znowu zrzucił koniucha?

— Nie, chodzi tylko o szkolenie. Upomniałem tamtego.

Koń pozwalał się dosiadać stajennym, kiedy jednak zakładano mu nagłówek ze srebrnymi płytkami, filigranowy napierśnik i derkę obszytą złotą frędzlą, pojmował, że ma go dosiadać bóstwo i karał wtedy świętokradców. Koniuch wciąż jeszcze nie wstawał z łóżka.

Jechali ku trawiastym wyżynom przez poczerwieniałe od młodych liści bukowe lasy. Hefajstion narzucał wolne tempo wiedząc, że Aleksander nie chce przemęczać Bucefała. Na skraju zagajnika zsiedli z koni i stanęli, spoglądając na góry Chalcydyki wznoszące się między równiną a morzem.

— Znalazłem w Pelli książkę Platona — powiedział Aleksander — której Arystoteles nam nie pokazywał. Chyba musi być o nią zazdrosny.

— Co to za książka? — Hefajstion uśmiechał się, sprawdzając zamocowanie uzdy swego konia.

— Nauczyłem się kawałka na pamięć. Posłuchaj:

Cóż za ster mam na myśli? Oto wstyd i wstręt do postępków podłych i ambicję skierowaną do czynów pięknych. Bo bez tego nie dokona wielkich i pięknych dzieł ani państwo, ani prywatny człowiek. Kiedy człowiek kocha, a wyda się jakiś jego szpetny postępek albo się pokaże, że dał się użyć do jakiejś podłej rzeczy, bo się nie bronił przez tchórzostwo, wtedy najgorzej człowieka boli, gdy go oblubieniec zobaczy; wolałby już, żeby go widział ojciec albo przyjaciele, albo ktokolwiek inny*.
A jeszcze dalej powiada: *Więc, gdyby to można było stworzyć państwo lub wojsko złożone z miłośników i oblubieńców, z pewnością nie znaleźliby lepszego pierwiastka porządku społecznego jak wzajemne powstrzymywanie się od postępków złych, chęć odznaczenia się w oczach drugiego i współzawodnictwo wzajemne. Tacy, choćby ich było mało, zwyciężyliby cały świat**.*

— To piękne!

— On był za młodu żołnierzem, jak Sokrates. Arystoteles chyba mu zazdrościł. Ateńczycy nigdy nie stworzyli hufca miłośników. Zostawili to Tebańczykom. Czy wiesz, że nikt jeszcze nie pobił Świętego Hufca?

— Chodźmy do lasu.

— To jeszcze nie koniec. Sokrates ma ostatnie słowo. Mówi w nim, że największa i najwspanialsza miłość jest sprawą duszy.

— Cóż — odparł szybko Hefajstion — wszyscy wiedzą, że był on najszpetniejszym człowiekiem w Atenach.

---

* Platon, *Uczta*, tłum. Władysław Witwicki, PWN 1957, VI D.
** Tamże, VI E.

— Piękny Alkibiades narzucał mu się jednak, on zaś mówił wtedy, że kochać czyjąś duszę jest największym zwycięstwem, niczym potrójny wieniec na igrzyskach.

— Byłoby to największym zwycięstwem dla tego, komu by na tym najbardziej zależało — rzekł wolno Hefajstion. Spoglądał z cierpieniem w oczach na góry Chalcydyki. W służbie bezlitosnego boga zastawił taką oto pułapkę, a miłość nauczyła go przemyślności. Obrócił się do Aleksandra. Ten stał, wpatrując się w chmury i naradzając się w samotności ze swym duchem opiekuńczym.

W poczuciu winy Hefajstion chwycił go za ramię.

— Jeśli tak myślisz, jeśli tego naprawdę chcesz...

Tamten uniósł brwi, uśmiechnął się i odrzucił włosy do tyłu.

— Powiem ci coś...

— Tak?

— ...jeśli mnie dogonisz!

Zawsze był pierwszy na mecie. Zniknął, nim przebrzmiał jego głos. Hefajstion kluczył między świetlistymi brzozami i ciernistymi modrzewiami i dobiegł tak do skalistego zbocza. U jego stóp leżał bez ruchu i z zamkniętymi oczami Aleksander. Z bijącym sercem Hefajstion przypadł bez tchu i ukląkł przy nim, szukając skaleczeń. Nie było żadnych.

Aleksander otworzył oczy z uśmiechem.

— Ciszej, bo wystraszymy lisy.

— Chyba cię za to zabiję! — powiedział w uniesieniu Hefajstion.

Słońce przesiane poprzez gałęzie modrzewi przesunęło się ku zachodowi, krzesząc topazowe błyski ze ściany ich skalnego legowiska. Aleksander leżał z ramieniem pod głową, przyglądając się rozkołysanym modrzewiowym kitkom.

— O czym myślisz? — spytał Hefajstion.

— O śmierci.

— Ludzie bywają po tym smutni. Tak jest, kiedy mija podniecenie. Nie chciałbym jednak tego nie kończyć, a ty?

— Nie, prawdziwi przyjaciele powinni być dla siebie wszystkim.

— Czy tego właśnie chcesz?

— Powinieneś to wiedzieć.

— Nie mogę znieść twego smutku.

— Wkrótce minie. To chyba zazdrość jakiegoś boga.

Ujął pochyloną nad nim głowę Hefajstiona i położył ją na swym ramieniu. — Paru z nich okryło się wstydem, dokonując niewłaściwego wyboru. Nawet bogowie mogą nam czegoś zazdrościć.

Obłok pragnienia, okrywający umysł Hefajstiona, gdzieś się rozwiał.

189

W jakiejś chwili przeczucia ujrzał w myśli szereg młodych ludzi króla Filipa, ich pospolitą urodę, ich zmysłowość, kojarzącą się z ostrą wonią potu, ich zazdrości, ich intrygi, ich butę. On sam został wybrany spośród wszystkich ludzi na świecie, by stać się tym, czym nie byli tamci. W jego dłonie złożona została w zaufaniu duma Aleksandra. Nic ważniejszego już mu się nie przydarzy, jak długo będzie żył. Gdyby ktoś pragnął czegoś więcej, musiałby stać się nieśmiertelny. Łzy pociekły mu z oczu i spadły na szyję Aleksandra, który pomyślał, że i ten drugi czuje smutek po zbliżeniu, i z uśmiechem pogłaskał go po włosach.

Wiosną następnego roku Demostenes pożeglował na północ do Peryntu i Bizancjum, warownych miast nad przewężeniem mórz. Filip zawarł z nimi wcześniej traktaty pokojowe. Za cenę pozostawienia w spokoju miały mu nie przeszkadzać w pochodzie. Demostenes skłonił oba miasta do wymówienia mu traktatów. Ateńskie wojska przebywające na Tazos prowadziły nie wypowiedzianą wojnę z Macedonią.

Na polu ćwiczeń na równinie pellijskiej, która jeszcze za ludzkiej pamięci była mielizną, falangi ćwiczyły zwroty i kontrmarsze ze swymi długimi saryssami o tak dobranej długości, że ostrza trzech szeregów rozwiniętego szyku mogły naraz uderzać nieprzyjaciela w jednej ciągłej linii. Konnica prowadziła swoje ćwiczenia bojowe, a jeźdźcy pomagali sobie udami, kolanami i chwytając za grzywy, by utrzymać się w siodle po starciu z przeciwnikiem.

W Miedzy Aleksander i Hefajstion pakowali swój rynsztunek przed jutrzejszą pobudką o świcie i przeszukiwali sobie włosy.

— Tym razem nic. — Hefajstion odłożył grzebień. — Można się ich nabawić w zimie, kiedy ludzie cisną się do siebie.

Siedzący u jego kolan Aleksander odegnał swego psa, który próbował lizać go po twarzy. Zamienili się miejscami.

— Pchły można potopić, ale wszy są niczym skradający się po lasach Ilirowie. Nie zabraknie ich nam w czasie kampanii, ale można przynajmniej zacząć ją bez nich. Chyba nie masz... zaczekaj... Dobrze, to wszystko.

Wstał, sięgając po flaszkę stojącą na półce.

— Skorzystamy znowu z tego. To zdecydowanie najlepszy środek. Muszę z nim zapoznać Arystotelesa.

— To śmierdzi!

— Nie, powąchaj tylko. Dodałem wonności.

Przez cały ubiegły rok zajmował się sztuką lekarską. Niewiele spośród licznych teorii sprawdzało się w działaniu, była jednak pewna użyteczna umiejętność, którą nie gardzili nawet wojowniczy książęta na polach pod Troją. Malarze przedstawiali przecież Achillesa opatrującego rany Patroklesa.

Jego gorliwość wprawiała w zakłopotanie Arystotelesa, którego zainteresowania były raczej akademickie. Sztuka ta była jednak dla niego ojcowskim dziedzictwem, mimo wszystko, uczył jej więc z przyjemnością. Aleksander prowadził notatnik o maściach i wywarach, w którym były też wzmianki o gorączkach, ranach i złamaniach.

— Pachnie lepiej — przyznał Hefajstion — i chyba je odpędza.

— Moja matka zna jakieś odpowiednie zaklęcie, ale kończy się to zawsze wyłapywaniem ich własnymi rękami.

Pies siedział smutny przy pakunkach, które rozpoznał po zapachu. Aleksander brał niedawno udział w działaniach wojennych, dowodząc własnym oddziałem, jak mu to wcześniej obiecał król. Dom przez cały dzień rozbrzmiewał odgłosami wecowania przypominającymi cykanie świerszczy. Młodzi ludzie szykowali się do wymarszu, ostrząc swe oszczepy, sztylety i miecze.

Hefajstion myślał o nadchodzącej wojnie, nie czując strachu. Pozbył się go albo zdławił w głębinach myśli. Nie bał się nawet, że Aleksander mógłby zginąć. Tylko tak można było żyć przy jego boku. Sam Hefajstion będzie unikał śmierci, ponieważ jest potrzebny. Trzeba więc myśleć o zabijaniu nieprzyjaciół i poza tym ufać bogom.

— Obawiam się tylko jednego — powiedział Aleksander, wsuwając i wysuwając miecz z pochwy, aż ostrze zaczęło ślizgać się niczym jedwab po nawoskowanej skórze — że południe wystąpi przeciw nam, zanim będę gotów.

Sięgnął po pędzel z nagryzionego patyka, którym czyścił złocenia.

— Daj mi to, przy okazji oczyszczę i twoje. — Hefajstion pochylił się nad ozdobnym zakończeniem pochwy i nad rzemienną plecionką. Aleksander szybko pozbywał się oszczepów. Jego bronią w walce wręcz był teraz miecz. Hefajstion wymamrotał jakieś zaklęcie przynoszące szczęście.

— Chciałbym zostać wodzem, zanim wkroczymy do Grecji.

Hefajstion znad rękojeści ze skóry rekina powiedział: — Tym się nie przejmuj. Czas zaczyna biec coraz prędzej.

— Idą już za mną w bitwie, jeśli trzeba ich popchnąć do działania. To wiem. Ale nie uznaliby jeszcze takiej nominacji za właściwą. Za rok, dwa... w każdym razie, już teraz pójdą za mną.

Hefajstion zastanawiał się. Nigdy nie mówił Aleksandrowi tego, co tamten chciał usłyszeć, jeśli mogły z tego wyniknąć kłopoty. — Tak,

191

pójdą za tobą. Widziałem to ostatnim razem. Kiedyś myśleli, że po prostu przynosisz szczęście. Teraz mówią, że wiesz, o co chodzi.

— Znają mnie od dawna.

Aleksander zdjął hełm z wieszaka i potrząsnął białym grzebieniem z końskiego włosia.

— Kiedy się ich słucha, można pomyśleć, że cię wychowali. Hefajstion zbyt mocno nacisnął pędzel, złamał go i musiał od nowa nagryzać koniec.

— Niektórzy z nich wychowali. — Aleksander wyczesał grzebień hełmu i podszedł do zwierciadła. — Chyba ten będzie dobry. Metal jest dobry, pasuje i ludzie mnie w nim rozpoznają.

W Pelli nie brakowało pierwszorzędnych płatnerzy. Przybywali na północ z Koryntu, mając pewność, że dobrze tu zarobią.

— Kiedy zostanę wodzem, sprawię sobie taki hełm na pokaz. Hefajstion spojrzał mu nad ramieniem w twarz odbitą w lustrze. — O to mogę się założyć. Stroisz się niczym kogut. Aleksander odwiesił hełm. — Jesteś zły. Dlaczego?

— Zostań wodzem, a będziesz miał własny namiot. Od jutra aż do powrotu nie będziemy już nigdy sami.

— Ach, tak, wiem, ale taka jest wojna.

— Trzeba do tego przywyknąć, jak do pcheł.

Aleksander odwrócił się szybko, czując wyrzuty sumienia. — Nasze dusze zjednoczą się jeszcze bardziej, gdy będziemy zdobywali wieczną sławę. *Boski Patroklu, coś jest najmilszy sercu mojemu!**

Uśmiechnął się, spoglądając w oczy Hefajstiona, który ufnie odpowiedział uśmiechem. — Miłość jest pokarmem duszy, lecz dusza, tak samo jak ciało, je, żeby żyć. Nie żyje po to, żeby jeść.

— Nie — zgodził się Hefajstion. Po co żył? To była jego sprawa.

— Dusza żyje po to, żeby działać.

Hefajstion skinął głową. Odłożył miecz i zajął się sztyletem o rękojeści w kształcie delfina, zakończonej gałką z agatu.

Pella rozbrzmiewała odgłosami wojny. Wietrzyk przyniósł Bucefałowi woń bojowych rumaków i ich głosy. Rozdymał nozdrza i cicho rżał.

Król Filip kazał ustawić na placu parad drabiny oblężnicze oparte o wysokie rusztowanie. Ćwiczył żołnierzy we wspinaniu się na nie

---

* Homer, *Iliada*, tłum. I. Wieniewski, op. cit., XI 597.

w porządku, bez tłoku i przepychania się, bez kłucia bronią towarzyszy i bez nadmiernej zwłoki. Wysłał do syna wiadomość, że on sam przyjmie go po ćwiczeniach, królowa zaś przyjmie go zaraz. Kiedy go uścisnęła, przekonała się, że jest od niej wyższy. Miał pięć stóp i siedem cali. Zanim kości się ustalą, urośnie może o cal, nie więcej. Mógł jednak złamać w dłoniach dereniowe drzewce włóczni. Mógł bez jedzenia przejść dziennie trzydzieści mil w trudnej do przebycia okolicy (na próbę zrobił to raz i bez picia). Stopniowo przestał martwić się swoim wzrostem. Wysocy żołnierze z falangi, którzy swobodnie władali dwudziestostopową saryssą, lubili go takim, jakim był.

Choć matka była tylko o cal niższa, złożyła mu głowę na ramieniu, słaba i czuła jak gołąbka. — Jesteś mężczyzną. Naprawdę jesteś już mężczyzną.

Opowiedziała mu o wszystkich niegodziwościach jego ojca. Nie było to dla niego nic nowego. Głaskał ją po głowie i zgadzał się z jej oburzeniem. Myślami był już na wojnie. Pytała go, jaki jest ten Hefajstion, czy jest ambitny, o co prosi, czy on sam poczynił już jakieś obietnice. Tak, że będą przy sobie w bitwie. Czy można tak komuś zaufać? Roześmiał się, poklepał ją po ramieniu i ujrzał w jej oczach to prawdziwe pytanie, czekające, na sposób zapaśników, na chwilę słabości, która jej pozwoli je zadać. Patrzył na nią, nadrabiając miną — i nie zapytała. To go uczyniło czułym i wybaczającym. Pochylił się nad jej włosami, wdychając ich zapach.

Filip siedział w swej malowanej pracowni przy stole pełnym pism. Przybył tu wprost z pola ćwiczeń. W komnacie czuć było kwaśną woń potu, końskiego i ludzkiego. Przy powitalnym pocałunku zauważył, że jego syn po przejechaniu zaledwie czterdziestu mil zdążył się już wykąpać, by zmyć z siebie brud. Prawdziwym wstrząsem było jednak odkrycie na jego podbródku miękkiej, złocistej szczeciny. Zdumiony i zaskoczony Filip przekonał się, że chłopiec nie był, mimo wszystko, opóźniony w rozwoju zarostu. On się po prostu golił!

Co opętało Macedończyka, i do tego królewskiego syna, by małpować schyłkowe zwyczaje południa? Gładki jak panna! Dla kogo to robi? Filip był dobrze poinformowany o tym, co dzieje się w Miedzy. Parmenion ułożył to z Filotasem, który przysyła mu co jakiś czas sprawozdania. Co innego zadawać się z synem Amyntora, nieszkodliwym i urodziwym młodzikiem, którym właściwie sam Filip chętnie by się zajął, co innego zaś wyglądać jak czyjś faworyt. Sięgnął myślą do gromady młodych ludzi, których przybycie oglądał, i uświadomił sobie, że byli tam i starsi, także nie noszący brody. Musiała to być jakaś moda. Przez chwilę miał niejasne uczucie, że zanosi się na przewrót, ale odepchnął tę myśl. Niezależnie od dziwactw tego chłopca, żołnierze mu ufali i dopóki sprawy stały tak, jak stały, nie pora było mieszać się do jego spraw. Filip wskazał synowi krzesło obok siebie.

— Jak wiesz, posunęliśmy się naprzód — przedstawił stan przygotowań. Aleksander słuchał z łokciami na kolanach i ułożonymi rękami. Widać było, że myślami wybiega naprzód.

— Perynt to twardy orzech do zgryzienia, ale równie dobrze możemy zająć Bizancjum. Będą wspierać Perynt, otwarcie lub nie. To samo zrobi Wielki Król. Z tego, co słyszałem, wątpię, czy jest w stanie prowadzić wojnę, ale wyśle wsparcie. Zawarł w tej sprawie układ z Atenami. Przez chwilę w ich twarzach odbijała się ta sama myśl. Było tak, jakby mówili o jakiejś wielkiej pani, surowej nauczycielce ich dzieciństwa, którą widziano dziś szlifującą bruki w dzielnicy portowej. Aleksander spojrzał na wspaniały brąz Polikleta przedstawiający Hermesa jako wynalazcę liry. Znał tę rzeźbę przez całe życie: ten szczupły młodzik o pięknej budowie i muskulaturze biegacza... Pod boskim chłodem narzuconym mu przez rzeźbiarza zawsze zdawał się ukrywać głęboki smutek, jakby wiedział, do czego w końcu przyjdzie.

— Dobrze więc, ojcze, kiedy wyruszamy?

— Parmenion i ja za siedem dni. Ty nie, mój synu. Ty zostaniesz w Pelli.

Aleksander wytrzeszczył oczy i usiadł sztywno wyprostowany.

— W Pelli? Co masz na myśli?

Filip uśmiechnął się szeroko. — Wyglądasz kropka w kropkę jak ten twój koń, który boi się własnego cienia. Nie bądź tak szybki w błędnych sądach. Nie będziesz tu siedział bezczynnie.

Ściągnął z pokrytej bliznami dłoni ciężki pierścień starożytnej roboty. W sygnecie z sardonyksu wyrzeźbiony był Zeus siedzący na tronie z orłem na dłoni. Była to królewska pieczęć Macedonii.

— Zaopiekujesz się tym — podrzucił pierścień w górę i złapał. — Dasz sobie radę?

Z twarzy Aleksandra znikła zaciętość. Przez chwilę miał dość głupią minę. Pod nieobecność króla pieczęć powierzano regentowi.

— Masz już dobrą zaprawę wojenną — mówił ojciec. — Kiedy osiągniesz odpowiedni wiek do awansu, zostaniesz dowódcą jazdy, powiedzmy za dwa lata. Tymczasem musisz nauczyć się zarządzania. Rozszerzanie granic nie ma sensu, jeśli w królestwie panuje chaos. Pamiętasz, z czym musiałem się uporać, zanim mogłem ruszyć dokądkolwiek, nawet przeciw Ilirom, których mieliśmy w granicach. Nie myśl, że to nie

194

może się powtórzyć. Musisz poza tym chronić moje linie zaopatrzenia. Powierzam ci poważne zadanie. Ujrzał w oczach syna wyraz, jakiego nie widział od czasu końskiego targu.

— Tak, ojcze, wiem. Dziękuję ci. Postaram się, żebyś tego nie żałował.

— Antypater też zostaje. Jeśli zechcesz, zasięgaj jego rady, ale to zależy od ciebie. Pieczęć jest pieczęcią.

Póki wojska nie wyruszyły, Filip co dzień zwoływał narady: z dowódcami garnizonów, poborcami podatkowymi, ludźmi, których powołani do Towarzyszy naczelnicy klanów wyznaczyli na swych zastępców wraz z naczelnikami i książętami, którzy z różnych powodów zwyczajowo zostawali w kraju. Jednym z nich był Amyntas, syn Perdikkasa, starszego brata Filipa. Był dzieckiem, kiedy zginął jego ojciec. Filipa wybrano wtedy regentem. Zanim Amyntas doszedł do wieku męskiego, Macedończycy uznali, że odpowiadają im rządy Filipa. Starożytnym obyczajem tron był w królewskiej rodzinie obieralny. Król obszedł się z Amyntasem łaskawie, uznając go za królewskiego bratanka i dając mu za żonę swą córkę z pierwszego małżeństwa. Książę od dzieciństwa pogodził się z losem. Teraz przychodził na narady. W tym krępym, czarnobrodym człowieku każdy obcy rozpoznałby syna Filipa. Zasiadający po prawicy ojca Aleksander rzucał mu czasem ukradkowe spojrzenia, zastanawiając się, czy jego bierne poddanie się losowi jest szczere.

Kiedy wojska wyruszyły, Aleksander odprowadził ojca do nadbrzeżnej drogi, uścisnął go i zawrócił do Pelli. Bucefał parskał niespokojnie, gdy konnica odjeżdżała bez niego. Filip rad był, że wspomniał synowi o ochronie linii zaopatrzenia. Sprawił mu przyjemność, a szlak był i tak dobrze strzeżony.

Pierwsze działanie Aleksandra miało charakter osobisty. Zakupił cienką złotą blaszkę, którą podłożył pod obrączkę królewskiego sygnetu, by ją dopasować do palca. Wiedział, że w symbolach jest magia, tak w ich doskonałości, jak w ich skazach.

Antypater okazał się niezmiernie pomocny. Był człowiekiem, dla którego liczą się fakty, nie życzenia. Wiedział o starciu syna z Aleksandrem, nie wierzył w wersję Kasandra o tym zdarzeniu i trzymał go z dala od królewicza. O ile bowiem Antypater znał się na ludziach, ten potrzebował tylko czyjegoś niezręcznego popchnięcia w jakiejś przełomowej chwili, by odkryć w sobie niezmiernie niebezpiecznego człowieka. Trzeba mu było służyć, i to dobrze, albo zostać zniszczonym. W czasach młodości Antypatra, zanim Filip umocnił królestwo, trzeba było co dnia liczyć się z możliwością napadu ze strony jakiegoś książątka z sąsiedztwa, hordy najeźdźców iliryjskich albo bandy rabusiów. On sam już dawno dokonał wyboru.

Filip poświęcił swego pierwszego sekretarza, pozostawiając go młodemu regentowi. Aleksander podziękował mu grzecznie za pierwszy przygotowany przez niego wyciąg z korespondencji i poprosił o oryginały. Wyjaśnił, że w ten sposób poznaje bliżej piszących listy. Kiedy spotykał się z czymś niezrozumiałym, stawiał pytania. Kiedy zaś wszystko było jasne, naradzał się z Antypatrem.

Nie było między nimi różnicy zdań, aż do dnia, gdy pewien żołnierz został oskarżony o gwałt, przysięgał jednak, że kobieta sama tego chciała. Antypater skłonny był uznać jego dość przekonujące tłumaczenie, ale postanowił zapytać o zdanie regenta, groziła bowiem krwawa zemsta rodowa. Z pewną nieśmiałością przedstawił tę niesmaczną historię w pracowni Archelaosa, a młodzian o gładkiej buzi oświadczył bez namysłu, że Sotion, jak wie o tym cała falanga, kiedy jest trzeźwy, zdoła przekonać stado wilków, ale pijany nie odróżni własnej siostry od prośnej maciory i z obiema postąpi tak samo.

W kilka dni po odejściu króla na wschód wszystkie garnizony spod Pelli zostały powołane na ćwiczenia. Aleksander chciał sprawdzić nowe sposoby użycia lekkiej jazdy przeciw chroniącej skrzydła piechocie. Poza tym, jak powiadał, ludzie nie mogą porosnąć mchem.

Żołnierze nie przejmowali się ćwiczeniami, niezależnie od tego, czy pozostawienie ich w domu przyjęli z ulgą, czy rozczarowaniem. Zanim jednak młodzik w polerowanej zbroi na lśniącym czarnym koniu dojechał do połowy szyku, pośpiesznie wyrównywali szeregi i starali się bez zbytniego powodzenia ukryć braki. Paru zostało odesłanych z upomnieniem wprost do koszar. Pozostałych czekał ciężki dzień. Później weterani, którzy najgłośniej narzekali na początku, kpili sobie z narzekań nowicjuszy. Ten młodzik pogonił ich trochę, ale widać było, że zna się na rzeczy.

— Wyglądają całkiem nieźle — mówił Aleksander do Hefajstiona.

— Najważniejsze, że wiedzą teraz, kto nimi dowodzi.

Nie żołnierze jednak przekonali się o tym pierwsi.

— Kochanie — powiedziała Olimpias — musisz załatwić coś dla mnie, zanim twój ojciec wróci. Wiesz, jak on we wszystkim robi mi na złość. Dejnias wyświadczył mi wiele przysług, ostrzegał przed wrogami, chronił przyjaciół. Twój ojciec wstrzymał awans jego syna. To zwykła złośliwość. Dejniasowi zależy na dowództwie w konnicy. Jest bardzo użyteczny.

— Czy tak? A gdzie służy? — spytał Aleksander, który myślami był na ćwiczeniach w górach.

196

— Służy? Mam na myśli Dejniasa. To on jest użyteczny.

— Aha. A jak się nazywa ten syn?

Olimpias spojrzała na niego z wyrzutem, ale zajrzała do notatek.

— Hejraks? Więc on chce dać dowództwo Hejraksowi?!

— Odmowa to afront dla takiego męża jak Dejnias. On to czuje.

— On czuje, że nadeszła właściwa chwila. Chyba Hejraks go prosił.

— Dlaczego nie, jeśli twój ojciec był mu niechętny z mego powodu?

— Nie, matko. Chodziło o mnie.

Odwróciła się, by mu spojrzeć w twarz. Zdawała się badać go wzrokiem, jakby był kimś obcym i niebezpiecznym.

— Byłem z Hejraksem w akcji i powiedziałem ojcu, co widziałem. Z tego powodu jest teraz tu, a nie w Tracji. Jest uparty, ma za złe innym, że są bystrzejsi, a gdy sprawy idą źle, stara się zwalić winę na innych. Ojciec przeniósł go do służby w garnizonie, żeby go nie degradować. Ja bym to zrobił.

— Ach! Odkąd to ojciec jest dla ciebie wzorem? Czy ja się nie liczę, bo pozwolił ci nosić pieczęć? Bierzesz jego stronę przeciw mnie?

— Biorę stronę żołnierzy. Mogą zginąć z ręki wroga, ale nie ma powodu, żeby ginęli przez jakiegoś głupca jak Hejraks. Gdybym mu dał dowództwo, przestaliby mi ufać.

Odpowiedziała atakiem na mężczyznę w nim, z miłością i nienawiścią.

Kiedyś, dawno temu, w oświetlonej pochodniami jaskini na Samotrace, kiedy miała piętnaście lat, spojrzała w oczy mężczyzny, nie wiedząc jeszcze, czym są mężczyźni.

— Mówisz głupstwa. Co oznacza, twoim zdaniem, ten pierścień na twym palcu? Jesteś tylko uczniem Antypatra, Filip zostawił cię tu, byś się przyglądał, jak on rządzi. Co ty wiesz o ludziach?

Była gotowa do walki, do łez i do splamionego krwią pokoju. On przez chwilę nie mówił nic. Nagle uśmiechnął się szeroko.

— Dobrze, matko. Mali chłopcy powinni zostawić ważne sprawy mężczyznom i nie mieszać się do nich.

Póki wpatrywała się w niego, zrobił trzy szybkie kroki i otoczył ją ramieniem.

— Droga matko! Wiesz, że cię kocham. Zostaw te wszystkie sprawy i pozwól mi zająć się nimi. Dopilnuję wszystkiego. Nie musisz już o nic się martwić.

Przez chwilę opierała mu się. Oświadczyła, że jest złym i okrutnym chłopcem, że sama nie wie, co powie Dejniasowi. Zmiękła jednak w jego ramionach. Wiedział, że jego siła sprawia jej przyjemność.

Zaniechał polowań, by nie oddalać się z Pelli. Pod jego nieobecność

Antypater mógłby podejmować decyzje na własną rękę. Odczuwał jednak brak ruchu i przeszukawszy wozownie, znalazł rydwan przystosowany do wyścigów z zeskakiwaniem. Kiedyś chciał uczyć się tej sztuki, ale przeszkodziła w tym Miedza. Był to dwukonny rydwan z drewna orzechowego i gruszy, brązowy uchwyt dla zeskakującego był na odpowiedniej wysokości. Nie były to wyścigi dla wielkoludów. Kazał zaprząc dwa weneckie kuce, wezwał królewskiego woźnicę i zaczął ćwiczyć zeskakiwanie i wskakiwanie w biegu. Było to dobre ćwiczenie, i w dodatku w duchu Homera. Zeskakujący zawodnik był ostatnim dziedzicem bohatera z rydwanu, który jechał na pole bitwy, by walczyć tam pieszo. Poświęcał wszystkie wolne godziny na naukę tej starodawnej sztuki i w końcu opanował ją znakomicie. Przeszukano stare składy rydwanów, by przyjaciele mogli z nim się ścigać. Bawiło go to, ale nigdy nie urządził zawodów. Nie robił tego, odkąd zrozumiał, że są tacy, co pozwoliliby mu wygrać.

Z Propontydy nadeszły wiadomości. Filip, jak to przewidywał, przekonał się, że Perynt stanowi twardy orzech do zgryzienia. Miasto wznosiło się na niedostępnym od morza przylądku, potężnie obwarowanym od strony lądu. Peryntyjczycy, którym dobrze się wiodło na tych stromych skałach, od lat budowali się wzwyż. Cztero- i pięciopiętrowe domy, wznoszące się rzędami niczym ławy w teatrze, przewyższały parapety murów i pełne były procarzy i oszczepników. By dać osłonę swoim żołnierzom, Filip musiał budować wieże oblężnicze stustopowej wysokości i wysokie platformy dla katapult. Jego żołnierze zburzyli część muru tylko po to, by ujrzeć mur wewnętrzny, utworzony z pierwszego szeregu domów wypełnionych kamieniami, gruzem i ziemią. Zgodnie z jego obawami także Bizantyjczycy wspierali nieprzyjaciela. Ich szybkie trójrzędowce z nawigatorami znającymi świetnie miejscowe wody (Macedonia nigdy nie była morską potęgą) dowoziły żołnierzy i otwierały drogę statkom zaopatrzeniowym Wielkiego Króla. Dotrzymywał on układu z Atenami.

Król Filip, który dyktował te listy, był sprawozdawcą zwięzłym i wprawnym. Przeczytawszy jeden z nich, Aleksander długo chodził po komnacie, gryząc się tym, że umknęła mu wielka kampania. Nawet pieczęć była słabą pociechą.

Któregoś ranka ćwiczył na torze rydwanów, gdy ujrzał, że Harpalos daje mu znaki. Posłaniec z pałacu przyniósł jakąś wiadomość. Musiała być pilna. Zeskoczył z wozu, przebiegł przy nim kilka kroków dla zachowania równowagi, i podszedł do nich pokryty kurzem. Nogi do kolan miał grubo ubielone. Z brudnej maski twarzy świeciły oczy, które przez kontrast wydawały się turkusowe. Przyjaciele trzymali się z dala, nie przez szacunek, lecz w trosce o czystość swoich szat.

Posłaniec oznajmił, że z północnej granicy przybył kurier i czeka na królewicza.

Aleksander posłał sługę biegiem po świeży chiton, rozebrał się i wyszorował pod fontanną na podwórzu stajni. Zjawił się w sali posłuchań, zanim jeszcze Antypater skończył wypytywać kuriera. Zwój był nadal zapieczętowany. Kurier ledwie uszedł z życiem z wyżyny nad Strymonem, gdzie Macedonia przenikała się z Tracją w labiryncie spornych wąwozów, gór, lasów i pastwisk.

Antypater zamrugał ze zdziwienia oczami na widok niesamowitej szybkości, z jaką zjawił się Aleksander. Posłaniec mrugał oczami z wyczerpania, kleiły mu się one z braku snu. Aleksander spytał go o imię.

— Siadaj. Musisz być śmiertelnie zmęczony.

Klasnął w dłonie i kazał mu podać wina. Zanim je przyniesiono, przeczytał wiadomość Antypatrowi. Kiedy posłaniec wypił, zapytał, co ma do powiedzenia.

Majdowie byli góralami ze szczepu tak starożytnego, że ciągnący na południe Achajowie, Dorowie, Macedończycy i Celtowie omijali za każdym razem dziką ojczyznę tego ludu w nadziei na lepsze zdobycze gdzie indziej. Lud ten przetrwał w górach, w surowym klimacie Tracji, twardy jak dzikie kozy, trzymający się obyczajów starszych niż epoka brązu. Kiedy ich bogowie-karmiciele byli — mimo ofiar z ludzi — niełaskawi, Majdowie najeżdżali spokojne kraje w sąsiedztwie. Filip pobił ich już kiedyś i przyjął od nich przysięgę lenniczą, ale z upływem lat wspomnienie o nim zatarło się i przeszło do legendy. Liczebność ich wzrosła. Dochodzący do męskiego wieku chłopcy musieli okrwawić swe włócznie. Ruszyli więc na południe jak fala powodzi w łożysku rzeki. Zagrody zostały złupione i spalone. Osadników macedońskich i lojalnych Traków wycięto, głowy ich zabrano jako trofea, a kobiety uprowadzono.

Antypater, który słuchał tego już po raz drugi, przyglądał się siedzącemu w królewskim krześle młodzikowi, czekając na okazję do wystąpienia z uspokajającym zapewnieniem. Ten jednak siedział pochylony w przód, utkwiwszy wzrok w posłańcu.

— Nie tak prędko — powiedział. — Chcę zapisać parę rzeczy.

Kiedy zjawił się pisarz, podyktował mu, uzgadniając to i owo z posłańcem, wiadomości o ruchach Majdów i pobieżny opis kraju, dodając do tego własnoręcznie naszkicowaną w wosku mapę. Po sprawdzeniu i tego, kazał przygotować tamtemu kąpiel, nakarmić i położyć do łóżka, a potem odesłał pisarza.

— Myślałem — powiedział, przebiegając wzrokiem tabliczki — że powinniśmy wyciągnąć z niego to wszystko od razu. Kiedy się wyśpi, poczuje się lepiej, ale nigdy nie wiadomo, mógłby i umrzeć. Chcę, żeby wypoczął, zanim wyruszę, bo zabieram go jako przewodnika.

Brwi Antypatra, nasuwające myśl o posiwiałym lisie, zbiegły się nad groźnie wyglądającym nosem. Czuł, że zanosi się na coś takiego, ale wolał w to nie wierzyć.

— Aleksandrze, wiesz, jak chętnie zabrałbym cię z sobą. Nie możemy jednak obaj naraz opuścić Macedonii, kiedy król przebywa na wojnie.

Aleksander oparł się plecami o krzesło. Posklejane kurzem i wilgotne po prowizorycznej kąpieli włosy zwisały mu na czoło. Paznokcie i palce u nóg były brudne. W chłodnych oczach nie było śladu naiwności.

— Ależ oczywiście, Antypatrze. Nawet nie pomyślałem o czymś podobnym. Zostawię ci pieczęć na czas mej nieobecności.

Antypater nabrał tchu i zastanowił się na chwilę. Aleksander wyprzedził go z nieugiętą kurtuazją. — Nie mam jej przy sobie. Byłem na ćwiczeniach. Dostaniesz ją, gdy opuszczę Pellę.

— Aleksandrze! Zważ tylko...

Aleksander, który czujnie przyglądał się przeciwnikowi, jakby to był pojedynek, zrobił ruch na znak, że jeszcze nie skończył. Była to chwila przełomowa: Antypatrowi głos zamarł w ustach.

— Mój ojciec i ja jesteśmy szczęśliwi — mówił uroczystym tonem Aleksander — mogąc powierzyć królestwo takiemu mężowi.

Wstał, rozstawiwszy nogi, z dłońmi na pasie, i odrzucił w tył splątane włosy. — Pójdę, Antypatrze. Pogódź się z tym, bo nie mamy czasu. Wyruszam jutro o świcie.

Antypater, który również wstał, chcąc nie chcąc, próbował wykorzystać przewagę wzrostu, ale bez powodzenia.

— Jeśli chcesz, zrobisz to. Wpierw jednak pomyśl. Jesteś dobrym dowódcą w polu, to wiadomo. Ludzie cię lubią, zgoda. Nie prowadziłeś jednak nigdy kampanii, nie planowałeś strategii. Co z zaopatrzeniem? Czy znasz tamten kraj?

— Do tego czasu oni już zejdą w dolinę Strymonu, po to wyruszyli. O zaopatrzeniu pomówimy na radzie wojennej. Zwołuję ją za godzinę.

— Czy zdajesz sobie sprawę, Aleksandrze, że jeśli przegrasz, pół Tracji zapłonie jak krzew ognisty? Linie dostaw twego ojca zostaną przecięte, a ja będę musiał bronić zachodu przed Ilirami, gdy ta nowina się rozejdzie.

— Ilu ci na to trzeba ludzi?

— Nie wystarczy ludzi w Macedonii, jeśli przegrasz.

Aleksander przechylił głowę nieco w lewo. Jego spojrzenie, skierowane gdzieś poza głowę Antypatra, nieco się rozbiegało.

— A także, jeśli przegram, ludzie przestaną mi ufać i nigdy nie zostanę wodzem. A poza tym, mój ojciec może oświadczyć, że nie jestem jego synem i nigdy nie zostanę królem. Wygląda na to, że muszę wygrać.

Antypater pomyślał, że Kasander nie powinien był wchodzić tamtemu w drogę... Skorupka tego jajka zaczyna pękać.

— A co ze mną? Co on mi powie, jeśli pozwolę ci iść?

— Jeśli przegram? Że powinienem był posłuchać twojej rady. Zapisz ją, a ja potwierdzę podpisem, że mi jej udzieliłeś. Wygram czy przegram, ojciec to przeczyta. Chyba to uczciwe postawienie sprawy?

Antypater spojrzał ostro spod krzaczastych brwi. — Mógłbyś to wykorzystać przeciw mnie.

— Oczywiście, że mógłbym. To twoje ryzyko, Antypatrze. Nie możesz go uniknąć. Ja ryzykuję.

— Stawka jest wysoka — uśmiechnął się Antypater, pamiętając, że musi uważać. — Stawiałem już na gorsze konie. Mów, czego ci trzeba?

Aleksander spędził cały dzień na nogach, z przerwą na radę wojenną. Mógł na chwilę usiąść, kiedy wysyłał rozkazy, ale lepiej mu się myślało, gdy chodził. Może pozostał mu ten zwyczaj po dyskusjach w czasie przechadzek w Miedzy. Nie miał jeszcze czasu zobaczyć się z matką. Poszedł do niej, kiedy wszystko było gotowe, ale nie zabawił długo. Miała skłonność do robienia zamieszania, chociaż z pewnością w ten sposób spełniały się jej pragnienia. Sama to później zrozumie. Tymczasem poszedł pożegnać się z Fojniksem. Należało też trochę się przespać.

Poranek w obozie pod Peryntem był spokojny. W nocy walczono na murze i ludzie odpoczywali. Słychać było uspokajające odgłosy: rżenie mułów, głosy żołnierzy obsługujących machiny, wołania i szczęk broni. Jakiś ranny w głowę krzyczał nieprzytomnie na szpitalnej pryczy. Jakiś dowódca oddziału machin, któremu kazano dopilnować, by oblężeni nie zaznali spokoju, rozkazywał swoim, by podnieśli łoże o klin i posmarowali ślizg. Potem rozległ się szczęk od stosu ciężkich pocisków, z których każdy opatrzony był krótkim przesłaniem: OD FILIPA.

Filip kazał zbudować sobie dużą drewnianą chatę. Skoro nie byli w pochodzie, nie było sensu pocić się pod cuchnącą skórą. Po doświadczeniach wielu kampanii urządzał się wygodnie. Podłogę pokrywały trzcinowe maty miejscowej roboty, na wozach przyjechały krzesła, podstawy do lamp, wanna i łóżko na tyle szerokie, by król mógł mieć w nim towarzystwo.

Siedział z Parmenionem przy sosnowym stole roboty obozowych cieśli i czytał wiadomość:

„Wezwałem też wojska z Pydny i Amfipolis i wyruszyłem od Termy na północ. Na początku zamierzałem iść Wielką Drogą Wschodnią do Amfipolis, żeby rozpoznać ruchy nieprzyjaciela i wydać stosowne zarządzenia, zanim pójdę w górę rzeki. W Termie dotarł do mnie jednak jeździec z kraju Agrianów. Wysłał go Lambaros, mój przyjaciel, którego byłem gościem, dotrzymując w ten sposób obietnicy".

— Przyjaciel, którego był gościem? Co on ma na myśli? — spytał Filip. — Ten chłopiec był zakładnikiem. Pamiętasz, Parmenionie? Założyłbym się o talent, że Agrianie przyłączą się do Majdów.

— A co mi mówiłeś — przypomniał Parmenion — jak to królewicz uciekł między dzikusów, kiedy go odesłałeś do szkoły? Pamiętam, jak wtedy przeklinałeś.

— Ależ tak! Wypadło mi to z pamięci. Zwariowana eskapada! Miał szczęście, że mu nie poderżnęli gardła. Nie brałem zakładników od tych, którzy siedzieli cicho. Przyjaciel! Zobaczmy, co dalej.

„Usłyszawszy o twoim pobycie na wschodzie, przysłał mi wiadomość, że Majdowie schodzą w dolinę Strymonu, niszcząc wszystko po drodze. Zapraszali Agrianów do przyłączenia się do nich, ale król Teres dotrzymuje przysiąg wymienionych, gdy odesłałeś mu syna".

— Obyś się na tym nie sparzył! Ale to właśnie tamten chłopiec przysłał wiadomość. Ile może mieć teraz lat? Ze siedemnaście.

„Radził mi maszerować szybko w górę rzeki, aż do Wrót Nurtu, jak nazywają przełom i wzmocnić obsadę starej warowni, zanim tamci zejdą na równinę. Postanowiłem zatem nie tracić czasu na marsz do Amfipolis. Posłałem tam Kojnosa z rozkazami, aby mi przyprowadził stamtąd wojsko. Sam powiodłem swoich przez grzbiet Kruzji i przeszedłem w bród Strymon pod Siris, gdzie przybył na spotkanie Kojnos z wojskiem, świeżymi końmi i zapasami. My sami podróżowaliśmy bez obciążenia. Kiedy oznajmiłem żołnierzom, co grozi naszym kolonistom na równinie, nie żałowali nóg. Drogi bywały trudne, szedłem więc z nimi pieszo i zachęcałem do pośpiechu".

Filip podniósł wzrok. — Sekretarz to upiększył, ale jest to nadal prawdziwa opowieść.

„Przeszliśmy przez Kruzję i przebyli w bród Strymon w południe trzeciego dnia..."

— Co takiego? — wytrzeszczył oczy Parmenion. — Przez Kruzję? To przecież sześćdziesiąt mil!

— Szedł bez obciążenia i zachęcał do pośpiechu.

„Kojnos wykonał dokładnie wszystkie moje polecenia. Jako dowódca działał szybko i zręcznie. Oceniam go wysoko. Przemówił też do rozumu Stasanorowi, dowodzącemu w Amfipolis, który uważał, że powinienem zmarnować trzy dni marszu, by zasięgnąć jego rady".

— Dopisał to własną ręką — uśmiechnął się szeroko Filip.

„Dzięki temu, że Kojnos dobrze się spisał, dostałem swój tysiąc żołnierzy..."

Parmenion zrobił głupią minę. Nie zdobył się na komentarz.

„Amfipolis zostało bez załogi, ale nadal miałem dość ludzi na wypadek, gdyby do Majdów przyłączyły się inne plemiona. Każdy dzień ich powodzenia zwiększał na to szanse. Wystawiałem też posterunki przy ogniskach sygnałowych od strony morza, skąd mogli uderzyć Ateńczycy".

— Że też udało mu się znaleźć kogoś takiego jak Kojnos, kto podjął się tego zadania. — Kręcił głową Parmenion.

„Zanim dotarliśmy do Strymonu, Majdowie opanowali warownię przy Wrotach Nurtu, zeszli na równinę i zaczęli pustoszyć gospodarstwa. Część ich przeszła na zachodni brzeg Strymonu. Pozabijali strażników i niewolników w kopalni srebra i wywieźli sztaby srebra do swego kraju. Uznałem wtedy, że nie dość będzie wyrzucić ich z równiny, i że trzeba nawiedzić z wojną ich osiedla".

— Czyżby wiedział, gdzie one leżą? — spytał z niedowierzaniem Parmenion.

„Po dokonaniu przeglądu wojsk złożyłem ofiary stosownym bogom i Heraklesowi. Wróżby były pomyślne. Jeden z wiernych nam Pajonów opowiadał też, że na porannych łowach widział, jak młody lew zaskoczył wilka żywiącego się ścierwem. Żołnierze byli radzi z dobrego znaku, a ja nagrodziłem złotem tego człowieka".

— Zasłużył na to — rzekł Filip. — Był najsprytniejszy z wróżbitów.

„Zanim zacząłem natarcie, wysłałem pięciuset naszych górali, żeby pod osłoną lasów zajęli z zaskoczenia warownię przy Wrotach. Mój przyjaciel Lambaros zapewniał mnie, że zostali tam najgorsi wojownicy, bo najlepsi nie rezygnują z udziału w łupach, żeby zabezpieczać tyły. Moi ludzie przekonali się, że to prawda. Znaleźli ciała naszej załogi i dowody, że Majdowie znęcali się nad rannymi. Zgodnie z rozkazami postrącali Majdów z urwiska w rzekę, obsadzili warownię i oba zbocza wąwozu. Dowodził nimi Kefalon, dzielny oficer. Niektórzy z kolonistów z doliny odesłali swe rodziny i zostali, by walczyć. Pochwaliłem ich odwagę, dałem im broń i obiecałem zwolnienie na rok z podatków".

— Młodzi ludzie nie zastanawiają się nigdy, skąd się biorą pieniądze — rzekł król. — Założę się, że on nawet nie wie, ile wynoszą te podatki.

„Poprowadziłem swe siły na północ, w górę doliny, z wysuniętym prawym skrzydłem, żeby odciąć nieprzyjaciół od wyżyny. Działając z zaskoczenia, zniszczyliśmy rozproszone bandy rabusiów, resztę zaś gnaliśmy na północny wschód niczym owczarki zaganiające stado, żeby się nie rozproszyli pośród wzgórz bez wydawania nam bitwy. Trakowie stawiają wszystko na pierwsze natarcie i nie lubią się bronić".

„Zebrali się, jak na to liczyłem, na klinie utworzonym przez rzekę i jezioro. Oni mieli nadzieję na zabezpieczenie im tyłów przez rzekę, ja liczyłem na wepchnięcie ich do rzeki. Mieli za plecami bród, ale głęboki i zdradliwy. Musieliby zamoczyć cięciwy i porzucić ciężkie zbroje, gdyby chcieli wracać przez Wrota, nie wiedząc, że są one w naszych rękach".

Następowało pracowite wyliczenie działań. Filip mamrotał, zapominając, że Parmenion nastawia ucha. Wpędzeni w pułapkę, stłoczeni, ogarnięci paniką Majdowie przedzierali się zgodnie z planem przez rzekę w żelazny potrzask wąwozu. Aleksander odesłał do Amfipolis większą część pożyczonej załogi, a pod jej strażą licznych jeńców.

„Następnego dnia ruszyłem w górę rzeki. Część Majdów przedostała się przez góry innymi drogami, nie chciałem im pozwolić na to, by przyszli do siebie. Tak przybyłem do kraju Agrianów. Mój przyjaciel Lambaros wyszedł mi na spotkanie z oddziałem konnicy, złożonym z przyjaciół i krewnych. Ojciec pozwolił mu jechać z nami na wojnę dla wypełnienia ślubów. Pokazali nam dogodne przejścia, a potem bardzo dobrze spisali się w bitwie".

— Teres wie, skąd wiatr wieje — rzekł Filip — ale ten chłopak nie czekał na nic. Dlaczego? W Pelli był jeszcze dzieckiem, nie pamiętam nawet, jak wyglądał.

Mamrotał dalej, czytając o karkołomnej górskiej kampanii. Sprzymierzeńcy zaprowadzili Aleksandra do skalnego gniazda wrogów. On sam uderzył na główny szaniec, a jego górale wdrapali się na nie strzeżone urwisko z lewej.

„Ludzie z doliny chcieli pozabijać wszystkich za swe krzywdy, ale kazałem oszczędzić kobiety i dzieci, które nie skrzywdziły nikogo. Odesłałem je do Amfipolis. Zrobisz z nimi to, co uznasz za najlepsze".

— Rozsądny chłopak — rzekł Parmenion. — Te krzepkie góralki osiągają dobre ceny. Pracują lepiej niż mężczyźni.

Filip przeglądał opis dalszych działań i pochwały (Hefajstion, syn Amyntora, wyróżnił się w walce). Nagle wystraszył Parmeniona krzykiem: — Co takiego?!

— I cóż takiego? — spytał po chwili Parmenion.

Filip podniósł wzrok znad pergaminu i powiedział opanowanym głosem:

— Został tam, żeby założyć miasto.

— Tak się napisało pisarzowi. Napisał coś więcej?

— Majdowie mają dobre pastwiska, a na stokach można uprawiać winorośl. Przeniósł więc ich stare miasto, po naradzie ze swym przyjacielem Lambarosem. Z moich obliczeń wynika, że mają do spółki trzydzieści trzy lata.

— Co najwyżej — mruknął Parmenion.

— Wybrał odpowiednich kolonistów: Agrianów oczywiście, lojalnych Pajonów, kilku Macedończyków, którzy nie mieli własnej ziemi. Pyta, czy znam godnych zaufania ludzi, którym chciałbym nadać ziemię. Może przyjąć dwudziestu.

Parmenion, który uznał, że tylko głupiec odzywałby się w takiej chwili, chrząknął, by wypełnić czymś ciszę.

— Oczywiście, nadał też miastu imię. Aleksandropolis!

Wpatrywał się w pergamin. Parmenion patrzył na tę przebiegłą, pokrytą bliznami, starzejącą się twarz, na siwiejące czarne brwi i brodę, na tego starego byka, który wciąga w nozdrza powietrze nowej wiosny i pochyla wyszczerbione w bojach rogi. „I ja się posunąłem" — pomyślał. Razem znosili trackie zimy, dzielili się mętną wodą w spiekocie, winem po bitwie. Dzielili się kobietą, kiedy byli młodzi. Nigdy nie była pewna, który jest ojcem dziecka. Dzielili nawet ten żart. Parmenion odchrząknął znowu.

— Ten chłopiec zawsze powtarzał — zauważył szorstko — że nie zostawisz mu nic do zrobienia, z czym mógłby związać swe imię. Skorzystał z okazji, która mu się nadarzyła.

Filip uderzył pięścią w stół. — Jestem z niego dumny — oświadczył. Przysunął sobie nie zapisaną tabliczkę i szybkimi, głębokimi pociągnięciami naszkicował plan bitwy.

— To był zgrabny plan i właściwe dyspozycje. A kiedy tamci rozciągnęli się i powstała wyrwa, dajmy na to, tutaj? Czy jazda pognała tam z miejsca? Ależ nie! Trzymał rękę na wszystkim, stąd, z przedniej linii. A kiedy tamci torowali sobie drogę, zmienił kierunek ruchu swoich wojsk, ot tak! — Strzelił palcami.

— Ten mój chłopiec pokaże nam jeszcze niejedno, Parmenionie. Na Boga, znajdę mu tych dwudziestu osadników.

— Zacznę więc pytać. Nie wypijemy za to?

— Dlaczego nie?

Zawołał o wino i zaczął zwijać list. — A to co? Zaczekaj! Nie doczytałem do końca.

„Odkąd przebywam na północy, słyszę zewsząd o Tryballach, którzy mieszkają w górach Hajmos, że są nierządni, wojowniczy, i że zagrażają spokojnym krajom. Skoro już jestem w Aleksandropolu, mógłbym wydać im wojnę i zaprowadzić tam porządek. Chcę cię prosić o zgodę na ściągnięcie wojsk z Macedonii. Proponuję..." Przyniesiono i rozlano wino. Parmenion wypił tęgi łyk, nie czekając na króla, który zresztą nie zwrócił na to uwagi. — Tryballowie! Czego chce ten chłopak? Wepchnąć ich do Istru?

Filip opuścił żądania wojskowych uzupełnień i czytał dalej: „Ci barbarzyńcy mogą nam szkodzić, jeśli napadną nas z tyłu, kiedy przeprawimy się do Azji, gdyby zaś zostali ujarzmieni, rozszerzymy nasze granice na północ aż do Istru, który jest naturalną linią obronną, będąc — jak powiadają — największą z rzek po Nilu i po oblewającym ziemię Oceanie".

Dwaj ogorzali mężowie spoglądali po sobie, jakby uzgadniali odczytanie wróżebnych znaków. Filip przerwał ciszę i odrzuciwszy głowę w tył, ryknął śmiechem, klepiąc się po kolanie. Parmenion z ulgą przyłączył się do niego.

— Simmiasie! — krzyknął w końcu król. — Poszukaj kuriera królewicza. Świeży koń dla niego na jutro!

Odstawił wino. — Muszę mu nakazać powrót, zanim rozpocznie mobilizację. Nie chcę chłopca rozczarować. Wiem, co zrobię! Zaproponuję mu, żeby ułożył z Arystotelesem konstytucję swego miasta. Cóż to za chłopiec, prawda? Cóż za chłopiec!

— Cóż za chłopiec! — powtórzył Parmenion. Zajrzał do pucharu i ujrzał własne odbicie w ciemnej powierzchni wina.

Długa kolumna wojska, falang i oddziałów konnicy maszerowała przez równinę nad Strymonem na południe. Aleksander prowadził na czele własnego oddziału. Hefajstion jechał przy nim.

Powietrze pełne było głosów: piskliwych, przykrych wrzasków, lamentujących i skrzeczących niczym zginane drzewo. Były to przemieszane z krakaniem kruków krzyki kawek, które krążyły, spadały i walczyły o wybrane kąski.

Osadnicy pochowali swoich zmarłych. Żołnierze spalili swoich na pogrzebowych stosach. W ogonie kolumny, za wyłożonymi słomą wozami szpitalnymi, jechał wóz pełen urn miejscowej roboty, owiniętych również słomą. Na każdej było wymalowane jakieś imię.

Straty nie były duże, bo zwycięstwo przyszło szybko. Żołnierze mówili o tym w marszu, wpatrując się w tysiące porozrzucanych ciał wrogów. Pozostawiono ich tam, gdzie padli, a ostatnią posługę oddawała im natura, nocami wilki i szakale, za dnia bezpańskie psy i ptaki. Gdy kolumna przechodziła obok, podnosiły się wrzeszczącą chmurą i zawisały nad swym żerem. Tylko wtedy można było dostrzec nie ogryzione kości i krwawe strzępy ciał porozdzieranych przez wilki, którym pilno było dostać się do wnętrzności. Wietrzyk unosił odór i odgłosy. Za kilka dni kości zostaną oczyszczone. Właściciel gruntu nie będzie musiał robić nic więcej, niż zgarnąć je i spalić albo zagrzebać w jakimś dole. Nad martwym koniem tańczyły sępy, podlatując i opadając z na wpół rozłożonymi skrzydłami. Bucefał wydał stłumiony kwik i odskoczył. Aleksander dał znak kolumnie, by iść dalej, zsiadł z konia i poprowadził go spokojnie ku zwałowi cuchnących ciał. Pogładził go po pysku i wyszedł naprzód, by wystraszyć sępy, a gdy wrzeszczały i trzepotały skrzydłami, powrócił do niego z uspokajającymi słowami. Bucefał tupał i parskał z obrzydzeniem, ale uspokoił się. Postali tam parę chwil, po czym Aleksander dosiadł konia i pojechał wolno na swoje miejsce.

— Ksenofont radzi — rzekł do Hefajstiona — by tak postępować, jeśli koń czegoś się boi.

— Nie myślałem, że w Tracji jest tyle kawek. Czym one się żywią, kiedy nie ma wojny? — Hefajstion poczuł mdłości i chciał odwrócić od tego myśli.

— W Tracji zawsze jest wojna, ale spytam o to Arystotelesa.

— Czy nadal żałujesz, że nie pobiliśmy Tryballów? — zniżając głos, spytał Hefajstion.

— Oczywiście. Byliśmy przecież w połowie drogi. W końcu i tak trzeba będzie z nimi się uporać i wtedy zobaczymy Ister.

Jakieś ciała zawalały drogę, dał więc znak, by oddziałek jazdy wyjechał naprzód. Zepchnięto zwłoki w sieć myśliwską i ściągnięto na bok.

— Dalej naprzód! — rozkazał Aleksander. — Sprawdźcie, czy droga wolna. Tak, żal mi, ale nie gniewam się o to. To prawda, co mi pisze ojciec. Jego wojska są teraz zbyt zajęte. Przysłał mi bardzo piękny list. Zbyt szybko go czytałem, kiedy ujrzałem, że to odwołanie.

— Aleksandrze, tamten chyba żyje — wskazał Hefajstion.

Sępy naradzały się wokół czegoś niewidocznego, skacząc naprzód, a potem odskakując z urazą albo z zaskoczeniem. Ukazała się ręka, odganiająca je z wysiłkiem.

— Po tak długim czasie? — zdziwił się Aleksander.

— Spadł deszcz.

Aleksander odwrócił się i skinął na pierwszego jeźdźca, którego spojrzenie napotkał, ten zaś podjechał, wpatrując się z uwielbieniem w chłopca.

— Polemonie, jeśli dla tamtego nie za późno na pomoc, każ go zabrać. Gdzieś tutaj dzielnie walczyli. Jeśli za późno, dobij go.

— Tak jest, Aleksandrze — odrzekł żołnierz, a gdy zobaczył uśmiech uznania, odjechał rozpromieniony. Wkrótce znów dosiadł konia, a sępy z okrzykami zadowolenia zbiły się w gromadę.

Daleko z przodu świeciło błękitne morze. Hefajstion pomyślał z ulgą, że wkrótce opuszczą to pole bitwy. Oczy Aleksandra błądziły po pełnej ptaków równinie i po niebie ponad nią.

Co do Hadesu tak wiele dusz bohaterów potężnych
Strącił, a ciała ich wydał na pastwę sępom drapieżnym
Oraz psom głodnym. Tak Zeusa dokonywała się wola*.

Rytm heksametru zgadzał się doskonale ze stąpaniem Bucefała. Hefajstion wpatrywał się w milczeniu w Aleksandra. Tamten jechał przed siebie, pogodzony ze swym niewidzialnym towarzyszem.

Pieczęć Macedonii została jeszcze jakiś czas w rękach Antypatra. Kolejny kurier przywiózł Aleksandrowi wezwanie do obozu ojca. Skręcił na wschód ku Propontydzie, zabierając ze sobą towarzyszy.

W królewskiej kwaterze pod Peryntem, która przemieniła się już w dobrze urządzony dom, ojciec i syn siedzieli przy ustawionej na sosnowych kozłach skrzyni z morskim piaskiem i kamykami, usypując góry, wygrzebując palcami wąwozy, zaznaczając rysikami rozmieszczenie konnicy, lekkozbrojnych, falang i łuczników. Tu nikt im w tym nie przeszkadzał, chyba tylko czasem nieprzyjaciel. Paziowie Filipa zachowywali się przyzwoicie. Brodaty Pauzaniasz, którego uroda należała już do przeszłości, mianowany został ostatnio somatofilaksem, dowódcą straży przybocznej. Przyglądał im się beznamiętnie i nie przerywał, chyba że chodziło o alarm. Wkładali wtedy zbroje, Filip klnąc jak weteran, Aleksander ochoczo. Oddziały, do których go przydzielono, witały go owacjami. Od czasu ostatniej kampanii nosił też przezwisko: Bazyliszek, Mały Król.

Jego legenda poprzedzała go. Prowadząc grupę zwiadowców przeciw Majdom, wyszedł znienacka zza skały na dwóch z nich i wysłał obu na tamten świat, zanim idący za nim złapali oddech. Żaden z tamtych nie zdążył krzyknąć. Przez całą noc przetrzymywał w swym namiocie dwunastoletnią Traczynkę, która przybiegła do niego ścigana przez żołnierzy. Nie tknął jej palcem i obdarował ją ślubnym wianem. Wbiegł

---

* Homer, *Iliada*, tłum. K. Jeżewska, op. cit., I 3.

między czterech wielkich Macedończyków, kłócących się z dobytymi mieczami i rozdzielił ich gołymi rękami. W czasie burzy w górach, gdy pioruny waliły jak grad i wydawało się, że ich wszystkich bogowie chcą zgładzić, wytłumaczył, że to dobry znak, utrzymał porządek i zmusił ich do śmiechu. Ktoś, kto własnym płaszczem Bazyliszka tamował mu krew, mówił, że ta krew miała barwę szlachetniejszą niż purpura. Ktoś inny umarł w jego ramionach. Ktoś jeszcze inny miał go za naiwnego i próbował na nim starych żołnierskich sztuczek, a potem gorzko tego pożałował. Trzeba z nim uważać, jeżeli ma coś przeciw tobie, ale jeśli postawić sprawę uczciwie, uczciwie ją rozpatrzy.

Kiedy w świetle spadających ogni widzieli go, jak biegnie ku drabinom błyszczący niczym ważka i pozdrawia ich, jakby zbierali się na ucztę, ubiegali się o miejsce przy jego boku. Dobrze było mieć go na oku, bo myślał szybciej niż wszyscy inni.

Mimo to oblężenie nie posuwało się naprzód. Mając w pamięci przykład Olintu, Peryntyjczycy zdecydowali się zginąć, jeśli będą wzięci w kleszcze. Do wzięcia w kleszcze było jednak daleko. Obrońcy byli zaopatrywani z morza, odpierali z powodzeniem ataki i sami często robili wypady. Stali się też przykładem dla innych. Z Chersonezu nadeszła wiadomość, że po południowej stronie Wielkiej Drogi Wschodniej zaczynają się burzyć zależne od Macedonii miasta, Ateńczycy długo zachęcali je do buntu, ale nie wpuściły one za swe mury ateńskich wojsk, które rzadko płaciły i żywiły się kosztem bronionego kraju. Teraz miasta nabrały odwagi. Macedońskie posterunki zostały opanowane, a twierdze były zagrożone. Zaczęła się wojna.

— Oczyściłem ci jedną stronę tej drogi, ojcze — powiedział Aleksander, kiedy nadeszła ta wiadomość. — Pozwól mi teraz oczyścić drugą stronę.

— Kiedy tylko przyjdą nowe oddziały. Użyję ich tutaj. Ty będziesz potrzebował ludzi, którzy znają kraj.

Planował atak z zaskoczenia na Bizancjum, by przeciąć dostawy dla Peryntu. Zaangażował się w tę kosztowną wojnę bardziej, niż mu to odpowiadało, i musiał wynająć więcej najemników. Mieli przybyć z Argos i z Arkadii, z państw sprzyjających mu, bo żyjących od wielu pokoleń w cieniu Sparty. Nie podzielano tam uraz i obaw Aten. Potrzebne były jednak na to pieniądze. Oblężenie pochłaniało je niczym piasek wodę.

W końcu najemnicy przybyli — sami silni, krępi mężowie podobni z budowy do Filipa. Jego argiwskie pochodzenie wciąż jeszcze było widoczne, tworząc most między pokoleniami. Dokonał przeglądu i naradził się z ich dowódcami, z którymi, na dobre i złe, najemnicy byli nierozłączni. Stanowiło to słabe ogniwo w systemie dowodzenia, byli to jednak dobrze wyszkoleni żołnierze zasługujący na swoją zapłatę. Aleksander odmaszerował ze swoimi na zachód. Ci, którzy służyli pod nim w Tracji, spoglądali już na innych z góry. Była to szybka kampania. Rebelia dopiero dojrzewała. Kilka zastraszonych miast wygnało swoich niedoszłych powstańców i przyrzekło lojalność. Bardziej zaangażowani cieszyli się jednak, słysząc, że bogowie pokarali Filipa obłędem, skoro powierzył swoje wojsko szesnastolatkowi. Ich odpowiedzi były wyzywające. Aleksander podjeżdżał kolejno pod ich twierdze, zakładał pod nimi obozy, wyszukiwał słabe miejsca w umocnieniach, a jeśli takich miejsc nie było, tworzył je, używając podkopów, pochylni i wyłomów. Nauczył się tego pod Peryntem, a teraz doskonalił tę sztukę. Opór wkrótce ustał, pozostałe miasta otworzyły bramy na jego warunkach.

Wyjeżdżając z Akantu, obejrzał Kanał Kserksesa, przekopany wzdłuż góry Atos dla perskiej floty, by umożliwić jej ominięcie burz, z których ta góra słynęła. Jej wielki ośnieżony szczyt wznosił się nad porośniętymi lasem stokami. Armia wracała na północ wzdłuż brzegu pięknej zatoki. U podnóży lesistych wzgórz wznosiły się tu ruiny jakiegoś miasta. Na rozwalonych murach rosły jeżyny, tarasy winnic pozapadały się od zimowych deszczów. W opuszczonych gajach oliwnych panoszyły się chwasty, stado kóz oskubywało korę, a jacyś nadzy chłopcy zrywali oliwki z dolnych gałęzi.

— Jak nazywało się to miasto?

Żołnierz pojechał o to spytać, a gdy chłopcy uciekli z wrzaskiem, dopadł ostatniego, który miotał się jak ryś schwytany w sieć. Zaciągnięty przed wodza ujrzał, że nie jest on starszy niż jego brat, a gdy ów dziwny wódz zapytał o nazwę tego miejsca, odpowiedział:

— Stagira.

Kolumna jechała dalej. Aleksander rzekł do Hefajstiona:

— Muszę pomówić o tym z ojcem. Czas, by staruszek dostał swoją zapłatę.

Hefajstion skinął głową. Sam już widział, że szkolne lata dobiegły kresu.

Kiedy podpisano traktaty, przekazano zakładników i obsadzono twierdze załogami, Aleksander wrócił do Filipa, nadal stojącego pod Peryntem.

Król czekał z wyruszeniem przeciw Bizancjum na jego powrót. Musiał mieć pewność, że wszystko poszło dobrze. Wyruszał sam, zostawiając na miejscu Parmeniona. Bizancjum było jeszcze silniejszą twierdzą niż Perynt, chronioną z trzech stron przez Propontydę i Złoty Róg, a od strony lądu przez potężne mury. Król liczył na zaskoczenie. Omówili kampanię przy sosnowych kozłach. Filip często zapominał, że nie rozmawia z dorosłym, chyba że przypominała o tym jakaś nieostrożna uwaga chłopca. Teraz było to rzadkością. Ich wzajemne zrozumienie żywiło się skrytą dumą z akceptacji przez tego drugiego.

— Jak tam Argiwi? — spytał Aleksander przy południowym posiłku.

— Zostawię ich tutaj. Parmenion musi sobie z nimi radzić. Chyba przybyli tu straszyć swym wyglądem jakieś obywatelskie zaciągi, jak w miastach na południu. Nasi uważają ich za nowicjuszy i dają im to odczuć. Bo i cóż to za jedni, żołnierze czy panny na wydaniu? Mają dobrą zapłatę, dobre kwatery i dobre jedzenie, ale nic im nie odpowiada. Na ćwiczeniach są nadąsani, nie podoba im się saryssa. Idzie o to, że nie dają sobie z nią rady, a nasi z nich się śmieją. Mogą tu zostać i używać krótkiej włóczni, do tej roboty to wystarczy. Kiedy odejdę ze swoimi, oni tu będą wodzić rej i dojdą do siebie, jak mówią ich dowódcy.

— Słuchaj! — powiedział Aleksander. Pytanie o Argiwów podsunęły mu oddalone odgłosy kłótni, które teraz były głośniejsze.

— Niech ich Hades pochłonie! Co tam znowu?

Słychać było wyzwiska wykrzykiwane po grecku i po macedońsku.

— Wystarczy byle głupstwo, żeby się sprzeczali tak jak teraz. — Filip odepchnął krzesło i wytarł palce o gołe udo. — Walka kogutów, kłótnia o chłopca... Parmenion jest na zwiadach. — Hałas narastał. Obie strony otrzymały posiłki. — Nie ma innej rady, tylko samemu ich rozdzielić. — Ruszył, kulejąc, ku drzwiom.

— Ojcze, to nie wygląda dobrze. Dlaczego nie włożysz zbroi?

— Co takiego? To już byłaby przesada! Uspokoją się na sam mój widok. To całe nieszczęście, że nie słuchają tych samych oficerów.

— Pójdę z tobą. Jeśli oficerowie nie mogą ich uspokoić...

— Nie, nie. Nie jesteś mi potrzebny. Jedz. Simiasie, podgrzejesz mój posiłek.

Wyszedł jak stał, bez zbroi i tylko z mieczem, który stale nosił. Aleksander stał i spoglądał za nim z drzwi.

Między miastem a miasteczkiem namiotów oblegających rozciągała się szeroka, wolna przestrzeń, poprzecinana wąskimi wykopami, które prowadziły do wież oblężniczych i umocnionych posterunków. Tu musiała zacząć się awantura między pełniącymi służbę a zmianą straży, która rozszerzyła się wzdłuż całej linii, bo stronnictwa uformowały się szybko. Było tam już kilkuset żołnierzy, Greków, którzy znajdowali się bliżej, i mniej licznych Macedończyków. W powietrzu latały wyzwiska obu narodów. Ponad tym hałasem rozbrzmiewały głosy oficerów, grożących sobie nawzajem gniewem króla i obiecujących różne nieprzyjemności. Filip przeszedł kilka kroków, rozejrzał się i zawołał na nadjeżdżającego żołnierza. Ten zsiadł i przytrzymał mu nogę. Król podjechał do tamtych i krzyknął, żeby się uciszyli. Rzadko mówił takim tonem. Tłum rozdzielił się, by go przepuścić. Kiedy go otoczyli, Aleksander spostrzegł, że koń się wystraszył. Paziowie przy stole rozmawiali. Skarcił ich spojrzeniem: powinni czekać na rozkazy. Następna chata była kwaterą przybocznych. Wiele głów wychylało się z drzwi.

— Bierzcie zbroje! Pośpieszcie się! — krzyknął.

Filip zmagał się z koniem. Jego głos, najpierw władczy, stał się gniewny. Koń stanął dęba. Rozległ się ryk oburzenia i przekleństwa, musiał dosięgnąć kogoś kopytem. Nagle zwalił się z kwikiem wraz z królem, który trzymał się go uparcie. Koń i człowiek zniknęli w wirze wzniesionych rąk i okrzyków.

Aleksander podbiegł do wieszaków na zbroje, porwał swą tarczę i hełm — nie było czasu na zakładanie pancerza — i krzyknął na przybocznych:

— Zabili pod nim konia! Biegiem!

Pobiegł, nie oglądając się za siebie i z miejsca wyprzedzając wszystkich. Macedończycy wysypywali się ze swoich szop. Każda chwila była droga. Z początku wepchnął się po prostu w tłum, który go przepuścił. Tworzyli go gapie albo bierni uczestnicy, którzy nie mieli własnego zdania i mogli pójść za każdym, kto je miał.

— Przepuśćcie mnie do króla.

Słyszał słabnący kwik konającego konia. Nie słyszał głosu ojca.

— Na bok, zróbcie przejście. Z drogi, szukam króla.

— Szuka swego taty... — To było pierwsze wyzwanie. Barczysty Argiwa z przyciętą równo brodą zagrodził mu drogę, szczerząc zęby.

— A cóż to za kogucik?

Zakrztusił się przy ostatnim słowie. Wytrzeszczył oczy, a z otwartych ust buchnęła krew. Aleksander uwolnił swój miecz szarpnięciem niczym wytrawny szermierz.

W powstałej luce ujrzał leżącego na boku, drgającego jeszcze konia, i ojca leżącego bez ruchu z nogą pod koniem. Stał nad nim z uniesioną włócznią jakiś Argiwa, niezdecydowany i czekający na zachętę. Aleksander przebił go mieczem.

Tłum zafalował i zakołysał się, gdy Macedończycy natarli od jego skraju. Aleksander stanął nad ciałem ojca, oparłszy nogę o sztywniejącego już konia.

— Do króla! — krzyknął, przyzywając odsiecz. Wokół niego wahający się mężowie argiwscy zagrzewali się nawzajem do zadania ciosu. Skoro nie miał nikogo przy sobie, był łatwym celem.

— Oto król. Zabiję pierwszego, kto go tknie.

Niektórzy zlękli się. Skierował wzrok na męża, na którego spoglądali inni. Ten wysuwał buńczucznie szczękę i mamrotał coś, ale mrugał niepewnie oczami.

— Odejdźcie stąd! Oszaleliście? Myślicie, że wyjdziecie z Tracji żywi, jeśli zabijecie jego albo mnie?

Któryś powiedział, że wychodzili z gorszych miejsc, ale nikt się nie ruszył.

— Otoczyli was nasi ludzie, a port jest w ręku wroga. Życie wam niemiłe?

Coś go tknęło, by się obrócić, musiał to być dar Heraklesa. Nie widział twarzy tego, który podnosił włócznię, ale widział odsłoniętą szyję. Jedno pchnięcie przecięło tchawicę. Tamten zatoczył się, chwytając skrwawionymi palcami świszczącą ranę. Aleksander odwrócił się, by stawić czoło innym, ale wówczas na scenie zaszła zmiana. Ujrzał plecy królewskich paziów, którzy zwarli tarcze, odpychając Argiwów. Nadszedł Hefajstion, przebijając się jak pływak przez falę, i osłonił mu plecy. Było już po wszystkim, a trwało to tyle czasu, ile zajęłoby mu dokończenie napoczętej ryby.

Spojrzał po sobie. Nie był nawet draśnięty. Za każdym razem był szybszy o cios. Hefajstion mówił coś do niego, on zaś odpowiedział uśmiechem. Promieniejący, spokojny, otaczał się swą tajemnicą: poznał boskie uczucie zabicia strachu. Strach leżał martwy u jego stóp.

Jakieś donośne głosy nawykłe do rozkazywania przecięły zamieszanie. To wódz Argiwów i zastępca Parmeniona ryczeli z wprawą na swych żołnierzy. Niezdecydowani natychmiast zmienili się w widzów, środek poszedł w rozsypkę, odsłaniając porzuconych zabitych i rannych. Wszystkich, którzy byli w pobliżu powalonego króla, zatrzymano i odprowadzono. Koń został odciągnięty. Ruchawka była skończona. Gdy znów rozległy się nawoływania, wołali ci, którzy nic nie widzieli, i pytali, co się dzieje, albo przekazywali pogłoski.

— Aleksandrze!... Gdzie jest nasz chłopiec? Czy go te sukinsyny zabiły?

Z drugiej strony doleciał minorowy kontrapunkt. — Król! Zabili króla! Król nie żyje! — I wyższy ton, jakby w odpowiedzi. — Aleksander!

Stał pośród całego tego zgiełku niczym ośrodek ciszy, spoglądając w oślepiająco błękitne niebo.

Były też inne głosy, u jego kolan. — Panie, jak się czujesz? Panie? Zamrugał oczami jak obudzony ze snu, potem ukląkł przy innych i dotknął ciała. — Ojcze? Ojcze?

Od razu poczuł, że król oddycha.

We włosach miał krew. Miecz był do połowy wyciągnięty. Musiał po niego sięgać, gdy został uderzony, zapewne gałką rękojeści przez kogoś, komu nie starczyło odwagi na użycie ostrza. Oczy miał zamknięte i zwisał im bezwładnie z rąk. Aleksander, pomny lekcji Arystotelesa, odciągnął powiekę zdrowego oka. Zamknęła się, drgając lekko.

— Dajcie tu tarczę. Wsuńcie go na nią ostrożnie. Uniosę mu głowę. Argiwom kazano odmaszerować. Wkoło tłoczyli się Macedończycy, pytając, czy król żyje.

— Jest ogłuszony. Nie ma innych ran. Wkrótce poczuje się lepiej. Moschionie! Niech herold to ogłosi. Sippiasie! Każ katapultom oddać salwę. Wrogowie gapią się na nas z murów. Wybiję im z głowy uciechę. Leonnacie, będę przy ojcu, dopóki nie przyjdzie do siebie.

Położyli króla na łóżku. Aleksander ułożył mu głowę na poduszce, wyjmując spod niej zakrwawioną rękę. Filip jęknął i otworzył oczy.

Starsi dowódcy stali przy nim, uważając, że to ich prawo. Teraz zaczęli go zapewniać, że wszystko w porządku, a żołnierze znów są karni. Aleksander posłał pazia po wodę i gąbkę.

— To twój syn, królu — powiedział ktoś. — Twój syn cię uratował.

— Czy tak? Dobry chłopiec! — rzekł słabym głosem Filip i obrócił głowę.

— Ojcze, czy widziałeś, kto cię uderzył?

— Nie. — Głos Filipa okrzepł trochę. — Zaszedł mnie od tyłu.

— Mam nadzieję, że to ten, którego zabiłem. — Szare oczy wpatrywały się z uwagą w twarz ojca.

Filip zamrugał oczami i westchnął. — Dobry chłopiec. Nie pamiętam niczego sprzed obudzenia się tutaj.

Paź przyniósł misę z wodą. Aleksander starannie zmył gąbką krew ojca ze swej ręki i odwrócił się. Paź czekał z misą, nie wiedząc, co począć, a potem podszedł do króla, by mu przetrzeć czoło i włosy. Przypuszczał, że o to właśnie chodziło królewiczowi.

Wieczorem Filip mógł już wydawać rozkazy, choć kręciło mu się w głowie, gdy się ruszał. Argiwi mieli odmaszerować do Kypseli, zmienić załogę. Aleksandra witano wszędzie owacjami. Ludzie starali się go dotknąć: na szczęście albo żeby przeszła na nich jego dzielność, albo po prostu, by go dotknąć. Oblężeni zachęceni zamieszaniem w obozie weszli o zmierzchu na mur i zaatakowali wieżę oblężniczą. Aleksander poprowadził udane przeciwnatarcie. Lekarz ogłosił, że król wraca do zdrowia. Czuwał przy nim jeden z paziów. O północy Aleksander poszedł spać. Choć jadał z ojcem, miał własną kwaterę. Był teraz wodzem. Ktoś poskrobał do drzwi w umówiony sposób. Zrobił miejsce na łóżku. To Hefajstion przyszedł porozmawiać, jak wcześniej się umówili. Omawiali ostatnią walkę, cicho, z głowami na poduszce. Kiedy milkli, słyszeli odgłosy obozu i wybijanie godzin straży nocnych na odległych murach Peryntu.

— O co chodzi? — spytał szeptem Hefajstion.

W słabym świetle z okna widział lśnienie oczu Aleksandra, zbliżających się do jego oczu.

— On mówi, że nic nie pamięta, a przecież przyszedł do siebie już wtedy, gdy go podnosiliśmy.

— Zapomniał — rzekł Hefajstion, który sam kiedyś oberwał kamieniem, rzuconym z trackiego muru.

— Nie, udawał, że nie żyje.

— Doprawdy? Trudno jednak mieć mu to za złe. W tym zamęcie nie mógłby nawet usiąść. Myślał, że zlękną się i odejdą na widok tego, co zrobili.

— Zajrzałem mu do oka i wiem, że mnie widział, ale nie dał mi żadnego znaku, chociaż wiedział, że już po wszystkim.

— Najprawdopodobniej stracił znów przytomność.

— Przyglądałem mu się. Był przytomny. Nie chce przyznać, że coś pamięta.

— Cóż, jego prawo, jest królem. — Hefajstion w istocie lubił Filipa, który zawsze traktował go grzecznie i taktownie, i z którym mieli wspólnego nieprzyjaciela, czy raczej nieprzyjaciółkę. — Ludzie mogą potem wszystko pokręcić, sam wiesz, jak plączą się opowieści.

— Mnie mógł powiedzieć. — Oczy Aleksandra połyskujące tuż nad głową Hefajstiona utkwione były w jego oczach. — Nie chce się przyznać, że wtedy skłamał, wiedząc, że zawdzięcza mi życie. Nie chce tego przyznać. Nie chce o tym pamiętać.

„Kto to wie?" — pomyślał Hefajstion. „Kto się kiedy o tym dowie? On jednak o tym wie i tego już nic nie zmieni". Ramię Aleksandra przerzucone przez ramię Hefajstiona połyskiwało jak matowy brąz.

— On ma swoją dumę. Powinieneś wiedzieć, jak to jest.

— Wiem, ale na jego miejscu ja bym przemówił.

— Po co?

Dłoń prześlizgnęła się po ramieniu z brązu na splątane włosy. Aleksander oparł się o nią niczym zwierzę, które pozwala się pogłaskać.

Hefajstion przypomniał sobie, jak dziecinny był on na początku. Raz wydawało mu się, że to było wczoraj, kiedy indziej, że minęło pół życia.

— On to wie i ty to wiesz. Nic już tego nie zmieni.

Poczuł, że Aleksander oddycha głęboko.

— Nic. Masz rację. Zawsze wszystko rozumiesz. Dał mi życie, tak przynajmniej mówi. Tak czy owak, teraz ja mu je dałem.

— Tak, teraz jesteście kwita.

Aleksander wpatrywał się w czarne szczyty krokwi.

— Bogom nie można dorównać hojnością, ale dobrze jest nie mieć długów wobec ludzi.

Jutro złoży ofiarę Heraklesowi. Jednak już teraz czuł, że musi zaraz kogoś uszczęśliwić. Na szczęście nie musiał daleko szukać.

— Przestrzegałem go — mówił Aleksander — żeby nie odkładał na później rozprawy z Tryballami.

Siedzieli z Antypatrem przy wielkim stole w pracowni Archelaosa nad listem pełnym złych nowin.

— Czy to niebezpieczna rana? — spytał Antypater.

— Nie mógł się nawet podpisać. To tylko jego pieczęć i poświadczenie Parmeniona. Chyba nawet nie skończył dyktować. Koniec wygląda mi na robotę Parmeniona.

— Na twoim ojcu rany dobrze się goją. To rodzinne.

— Co robią jego wróżbici? Odkąd wyjechałem, nic mu się nie udaje. Może powinniśmy zasięgnąć rady Delf albo Dodony, czy nie trzeba ułagodzić jakiegoś boga?

— Wtedy rozniosłoby się po całej Grecji, że szczęście go opuściło. Nie podziękowałby nam za to.

— To prawda, lepiej tego nie robić. Ale spójrz tylko, jak było z Bizancjum. Zrobił wszystko jak należy. Zdążył tam dojść, gdy ich najlepsze wojska były pod Peryntem, wybrał pochmurną noc, podszedł pod same mury. I nagle chmury się rozbiegły, wyjrzał księżyc i wszystkie psy w mieście zaczęły szczekać. Szczekanie na rozstajach... zapalono pochodnie...

— Na rozstajach? — spytał po chwili Antypater.

— A może — ożywił się Aleksander — pomylił się z pogodą? Pogoda nad Propontydą płata figle. Jeśli jednak odstąpił od obu oblężeń, dlaczego nie dał swoim ludziom odpocząć? To ja mogłem dać nauczkę Scytom.

— Miał ich pod bokiem i właśnie wypowiedzieli traktat. Gdyby zresztą chodziło tylko o nich, stałby nadal pod Bizancjum. Ale to jego ludzie

216

podwinęli ogony, trzeba było dać im jakieś porządne zwycięstwo i łup, i dał im i jedno, i drugie.

Aleksander skinął głową. Dobrze rozumieli się z Antypatrem, Macedończykiem ze starej szkoły, wiernym królowi do szpiku kości, i to przede wszystkim królowi, nie człowiekowi. To Parmenion był oddany bardziej człowiekowi niż królowi.

— Dał. I został z tysiącem sztuk bydła, tłumem niewolników, wozami pełnymi łupów tam, na północnej granicy, gdzie rabusie zlatują się szybciej niż sępy. Ogony nie ogony, jego ludzie byli zmęczeni. Gdyby mi pozwolił pójść z Aleksandropolis na północ, nie byłoby dziś kłopotów z Tryballami.

Nazwa już się przyjęła, koloniści się osiedlili.

— Agrianie poszliby za mną, już się zgodzili... Ale co się stało, to się nie odstanie. Szczęście, że miał przy sobie lekarza.

— Powinienem mu złożyć życzenia, kiedy kurier będzie odjeżdżał.

— Oczywiście. Nie zawracajmy mu głowy naszymi sprawami (od kogo mogłyby teraz pochodzić wskazówki i rozkazy, od Filipa czy od Parmeniona?). Powinniśmy poradzić sobie sami.

Uśmiechnął się do Antypatra, którego lubił też i za to, że dawał mu się oczarowywać i nie był tego świadom.

— Z wojną sobie poradzimy. Co innego z tą sprawą na południu. To dla niego wiele znaczy. On to widzi inaczej, więcej o tym wie. Byłoby głupio robić coś bez niego.

— Oni tam pracują dla niego lepiej niż my.

— W Delfach? Kiedy miałem dwanaście lat, byłem tam na igrzyskach, a potem już nigdy. Więc jeszcze raz, żebym dobrze zrozumiał: w tym nowym skarbcu Ateńczyków umieszczono napisy, zanim został poświęcony?

— Tak, oczywista bezbożność. Tak brzmi formalne oskarżenie.

— Ale prawdziwą przyczyną jest treść napisu: TARCZE ZDOBYTE NA PERSACH I TEBANACH WALCZĄCYCH PRZECIW GRECJI... I po co było robić z Teban jakichś Medów, zapominając, że byli sprzymierzeńcami Ateńczyków?

— Bo oni się nienawidzą.

— A jeśli nawet? Ten napis rozjuszył Teban. Kiedy zebrała się Święta Liga, niezręcznie było im samym się wychylać. Znalazło się więc jakieś zależne państewko, które oskarżyło Ateńczyków o bezbożność...

— Amfissa, w pobliżu Delf, w górze rzeki.

— Gdyby to oskarżenie się powiodło, Liga musiałaby ogłosić wojnę z Atenami. Ateńczycy wysłali trzech delegatów. Gorączka powaliła dwóch z nich. Trzecim był Ajschynes.

— Może go pamiętasz? Przed siedmiu laty był jednym z wysłanników pokoju.

— Pewnie, że znam Ajschynesa, to mój stary przyjaciel. Czy wiesz, że był kiedyś aktorem? Musiał być dobry w wymyślaniu dowcipów, bo gdy Rada już miała rozstrzygnąć sprawę, przypomniał sobie nagle, że mieszkańcy Amfissy zasiewają jakieś pole, które kiedyś poświęcono Apollonowi. Tak więc wdarł się między nich, przekonał ich, by go wysłuchali i odpowiedział oskarżeniem Amfissy o bezbożność. Zgadza się? Potem wygłosił wielką orację i Delfijczycy, zapomniawszy o Atenach, ruszyli pustoszyć pola Amfissy. Tamci stawili opór i uświęcone osoby kilku członków Rady nieco ucierpiały. Było to jesienią, po żniwach.

Teraz była zima. W pracowni panował jak zwykle chłód i przeciąg. Antypater pomyślał, że królewicz nie zwraca na to uwagi tak samo jak król.

— Teraz Liga zbiera się w Termopilach, aby osądzić Amfissę. Ojciec nie będzie w stanie tam pojechać. Jestem pewien, że chciałby, abyś go zastąpił. Zrobisz to?

— Czemu nie? — zgodził się z ulgą Antypater. Chłopiec wiedział, gdzie leżą granice jego możliwości. — Postaram się przekonać, kogo się da i odwlec decyzje do przyjazdu króla, jeśli to będzie możliwe.

— Miejmy nadzieję, że znaleźli mu jakiś ciepły kąt. Tracja w zimie to nie miejsce dla rannego. Będziemy musieli uzgadniać z nim wszystko. Jak myślisz, co się wydarzy?

— W Atenach nic. Nawet jeśli Liga potępi Amfissę, Demostenes powstrzyma Ateńczyków. To oskarżenie było osobistym sukcesem Ajschynesa, którego on nienawidzi jak zarazy. Wiesz chyba, że oskarżał go o zdradę, po tym jak tu razem posłowali?

— Tak, a jednym z zarzutów było to, że zaprzyjaźnił się ze mną.

— Ach ci demagodzy! Miałeś przecież wtedy dziesięć lat! W każdym razie, oskarżenie upadło, a teraz Ajschynes wraca z Delf jako bohater narodowy. Demostenes najadł się piołunu. Główną przyczyną będzie jednak to, że Amfissa wspiera Teby, a on nie chce ich zrażać.

— Przecież Ateńczycy nienawidzą Teban!

— On by wolał, żeby nas nienawidzili bardziej. Na jego miejscu każdy rozsądny człowiek zabiegałby o układ wojskowy z Tebami. Z Tebanami może mu się udać. Wielki Król posłał mu istną fortunę, żeby mu kupował sprzymierzeńców przeciw nam. Z Ateńczykami będzie jednak miał kłopot. Nienawiść sięga zbyt głęboko.

Aleksander zamyślił się. — To już cztery pokolenia minęły od czasu, gdy odpierali Persów. Dziś mają nas za jakichś Medów, podobnie jak

i Teban. Gdyby Wielki Król przeprawił się teraz z Azji, oni tam oskarżaliby się nawzajem, a my odpieralibyśmy go w Tracji.
— Ludzie zmieniają się i w krótszym czasie. My urośliśmy w ciągu jednego pokolenia dzięki twojemu ojcu.
— On zaś ma dopiero czterdzieści trzy lata. Pójdę trochę poćwiczyć, na wypadek gdyby nie zostawił mi nic do roboty.

Idąc się przebrać, spotkał matkę, która spytała o nowiny. Poszli do jej komnaty i opowiedział jej tyle, ile uznał za właściwe. Komnata była ciepła, wygodna i pełna kolorów. Blask ognia tańczył na malowanych płomieniach Troi. Spojrzał ukradkiem na ruchomy kamień przy palenisku. Matka uznała, że syn zamyka się w sobie i zarzuciła mu uleganie Antypatrowi, który nie cofa się przed niczym, by jej szkodzić. Słyszał to od niej już nieraz i odpowiedział jak zwykle.

Wychodząc, spotkał na schodach Kleopatrę. Miała teraz czternaście lat i była podobniejsza do Filipa niż kiedykolwiek. Kształt twarzy i gęste, kędzierzawe włosy były jego, ale oczy już nie. Były smutne jak u nie kochanego psa. Inne żony rodziły mu ładniejsze córki. Ona była nieładna, a w jej wieku to już się liczyło, w oczach matki zaś nosiła na twarzy maskę wroga.

— Chodź ze mną. Chcę z tobą pomówić.

W pokoju dziecinnym walczyli o pierwszeństwo. Teraz nie poniżyłby się do walki. Ona chciała, by zwrócił na nią uwagę i bała się tego jednocześnie, nie czując się na siłach rozmawiać z nim jak z równym.

— Chodźmy do ogrodu — rzekł, a gdy zadrżała i stuliła ramiona, dał jej swój płaszcz. Stali pośród bezlistnych róż, pod ścianą przy tylnym wejściu do królowej. Na grządkach leżał jeszcze śnieg. Nie chciał jej straszyć, mówił więc łagodnie. Wiedziała, że nie idzie tu o nią, ale i tak się bała.

— Wiesz, co przydarzyło się ojcu pod Bizancjum?

Skinęła głową.

— Psy go zdradziły. Psy i sierp księżyca.

W jej smutnych oczach widział lęk, ale nie było w nich winy. Żadne z dzieci Olimpias nie szukało w tym drugim niewinności.

— Wiesz, o co mi chodzi. Znasz te obrządki. Czy widziałaś, że je odprawiała?

Zaprzeczyła w milczeniu ruchem głowy. Gdyby się odezwała, wynikłaby pewnie jedna z ich rodzinnych kłótni. Jego oczy przeszukiwały ją niczym zimowy wiatr, ale jej lęk skrywał wszystko inne. Nagle złagodniał i spoważniał. Ujął jej rękę przez płaszcz.

— Nie powtórzę nikomu, co mi powiesz. Na Heraklesa! Tej przysięgi nigdy nie złamałem.

Spojrzał na kapliczkę w ogrodzie. — Musisz mi powiedzieć, muszę to wiedzieć.

Jej dłoń poruszyła się w jego dłoni.

— Wszystko było tak samo jak zawsze. Jak wtedy, gdy nic z tego nie wynikało. Jeśli było coś więcej, ja tego nie widziałam. Naprawdę, Aleksandrze, to wszystko, co wiem.

— Tak, tak, wierzę ci — rzekł niecierpliwie. Potem znów ścisnął jej dłoń. — Nie pozwól jej na to. Nie ma teraz do tego prawa. Ja go uratowałem pod Peryntem. Gdyby nie ja, już by nie żył.

— Dlaczego to zrobiłeś? — Wiele pozostało nie wypowiedziane. Jej oczy zawisły na tej twarzy, która nie była twarzą Filipa, na niedbale przyciętych, lśniących włosach.

— Gdybym tego nie zrobił, okryłbym się hańbą.

Umilkł. Pomyślała, że szuka odpowiednich dla niej słów.

— Nie płacz — powiedział i musnął końcem palca policzki pod jej oczami. — To wszystko, co chciałem wiedzieć. Nic na to nie mogłaś poradzić.

Prowadził ją do wejścia, ale tu stanął i rozejrzał się wkoło.

— Jeśli ona zechce posłać mu lekarza, lekarstwa, słodycze, cokolwiek innego, muszę o tym wiedzieć. Odpowiadasz za to. Jeśli tego nie dopilnujesz, będziesz winna.

Pobladła wstrząśnięta i zaskoczona. To go powstrzymało.

— Aleksandrze, nie. Z tego, o czym mówisz, nigdy nic nie wynikło. Ona sama musi to wiedzieć. Kiedy nie może już zapanować nad sobą, oczyszcza w taki sposób duszę. I tylko tyle.

Popatrzył na nią z czułością, ale pokręcił przecząco głową.

— Kiedyś miała to na myśli. — Posłał jej jedno z tych spojrzeń, które zapowiadały wyjawienie tajemnicy. — Pamiętam — powiedział cicho.

Widział, że jej oczy smutnego psa umykają przed tym nowym brzemieniem, dodał więc: — Ale to było dawno. Chyba jest tak, jak mówisz. Dobra z ciebie dziewczyna.

Pocałował ją w policzek i uścisnął jej ramiona, odbierając płaszcz. Patrzyła od wejścia, jak odchodzi przez zamarły ogród.

Zima przeciągała się. W Tracji król powoli wracał do zdrowia i mógł już podpisywać listy drżącą ręką starego człowieka. Zapoznał się z nowinami z Delf i polecił Antypatrowi wspierać dyskretnie Amfissę. Tebanie, choć zobowiązywali się wobec Macedonii, byli niepewnymi sprzymierzeńcami. Knuli z Persami i w razie potrzeby można było z nimi się pożegnać. Przewidywał, że państwa Ligi będą głosowały za wojną, w nadziei, że ciężar jej prowadzenia spadnie na kogo innego. Macedonia powinna, nie narzucając się, pozostawać w przyjaznej gotowości do przyjęcia kłopotliwego obowiązku. To mogło mu dać w ręce klucz do południa.

W połowie zimy Rada głosowała za wojną. Wszystkie państwa wystawiły symboliczne siły i żadne nie chciało przekazać dowództwa nad nimi w ręce rywali. Dowództwo nad tą armią rekrutów podrzucono więc przewodniczącemu Rady, którym był Tessalczyk Kotyfos. Filip uratował Tessalczyków przed anarchią i nadal byli mu za to wdzięczni. Nie było wątpliwości, do kogo w razie potrzeby zwróci się Kotyfos.

— Zaczęło się — rzekł Aleksander do przyjaciół, opłukując się w fontannie przy stadionie. — Gdyby tylko wiedzieć, jak długo potrwa!

Ptolemeusz zauważył, wysuwając głowę z ręcznika: — Kobiety powiadają, że garnek nigdy się nie zagotuje, kiedy mu się przyglądasz.

Aleksander, dążąc do nieustannej gotowości, zmusił ich dziś do wysiłku. Ptolemeusz miał nową kochankę, z którą chciałby widywać się dłużej.

— Powiadają też — odparł Hefajstion — że gdy nie masz go na oku, może wykipieć.

Ptolemeusz spojrzał na niego poirytowany. On dostawał to, co chciał dostać.

W każdym razie dostawał to, czego nie zamieniłby na żaden inny los i świat mógł o tym wiedzieć. Reszta była jego tajemnicą, doszedł do tego, na jakich warunkach może tę resztę mieć. Duma, nieskazitelność, powściągliwość, poświęcenie się rzeczom wyższym; takie słowa umożliwiały mu spotkania z płynącą z głębi duszy niechęcią. Tkwiła zbyt głęboko, by można było o to pytać. Być może czary Olimpias pozostawiły jakiś ślad na jej synu, a może sprawił to przykład ojca. Hefajstion myślał, że może w tej jednej dziedzinie nie pragnie on mistrzostwa i cała reszta jego natury toczy wojnę z tą jej częścią. Już prędzej i chętniej powierzyłby komuś własne życie. Kiedyś w ciemności mruknął po macedońsku: „Jesteś pierwszy i ostatni", głosem pełnym ekstazy, choć może był to raczej żal nie do zniesienia. Można by sądzić, że prawdziwym spełnieniem miłości była dla niego rozmowa, kiedy leżeli razem.

Mówił o człowieku i o losie, o tym, co usłyszał we śnie od gadających węży, o sposobach użycia konnicy przeciw piechocie i łucznikom, cytował Homera, opowiadającego o bohaterach, Arystotelesa o powszechnym rozumie, Solona o miłości. Rozmawiał o taktyce Persów i o trackim szale bitewnym, o swoim zmarłym psie i o tym, jak piękną rzeczą jest przyjaźń. Omawiał marsz Dziesięciu Tysięcy Ksenofonta, etap po etapie, od Babilonu do morza. Powtarzał plotki z kuchennych schodów pałacu, ze sztabu i z falangi, i zwierzał się z sekretów polityki rodziców. Rozważał naturę duszy, za życia i po śmierci, i naturę bogów. Rozmawiał o Heraklesie i Dionizosie, i o pragnieniu, które pozwala osiągnąć wszystko.

Słuchając tego w łóżku, pod osłoną skalnych urwisk, w lesie o świtaniu, gdy ramię tamtego obejmowało go wpół albo głowa opierała się o ramię, Hefajstion zdawał sobie sprawę, że mówi mu się wszystko. Z dumą i z lękiem, z czułością, udręką i poczuciem winy tracił wątek, walczył z sobą i chwytał znów uciekającą myśl, by się przekonać, że coś mu jednak umknęło. Sypały mu się w ręce zadziwiające skarby — i przelatywały mu przez palce, gdy jego umysł zbaczał ku jakiemuś mroczącemu go, błahemu pożądaniu. W każdej chwili mogło paść pytanie, co on o tym myśli. Był przecież kimś więcej niż słuchaczem. Świadom tego skupiał się na nowo i na nowo porywały go słowa tamtego, czasem wbrew woli. Aleksander umiał przekazywać swe wyobrażenia, jak niektórzy potrafią przekazywać pożądanie. Czasem gdy był ożywiony i wdzięczny za zrozumienie, owo pragnienie, które pozwala osiągnąć wszystko, podsuwało mu właściwe słowo albo właściwe dotknięcie. Wydawał wtedy głębokie westchnienie i mruczał coś w macedońskiej mowie swego dzieciństwa. Wszystko było dobrze albo tak dobrze, jak tylko mogło być.

Przepadał za obdarowywaniem innych, bogów i ludzi, kochał bohaterskie czyny, kochał Hefajstiona, któremu wybaczał to, że stawia go — nieodwołalnie już — w obliczu swych ludzkich potrzeb.

Opadała go później głęboka melancholia, którą znosił bez skarg niczym ranę. Niczego nie ma się za darmo. Jeśli później rzucał oszczepem daleko od celu albo wygrywał wyścig o dwie długości, a nie o trzy, Hefajstion podejrzewał go, choć nie dawał tego poznać, o żal za utraconą dzielnością.

Pogrążony w marzeniach, z których jak żelazo z ognia wyłaniała się później jasna i stanowcza myśl, leżał w trawie z ramieniem pod głową albo siedział, złożywszy dłonie na przełożonej przez kolana myśliwskiej włóczni, albo chodził po komnacie, albo wyglądał z okna z nieco zadartą i lekko pochyloną na lewe ramię głową. Oczy widziały to, o czym myślał. W takim zapatrzeniu twarz wyrażała rzeczy, których nigdy nie przekazał żaden rzeźbiarz. Za opuszczonymi zasłonami ukryta lampa paliła się wysokim płomieniem. Widziało się jej blask albo oślepiający błysk przez jakąś szparę. Hefajstion myślał, że w takich razach nawet jakiś bóg musiałby trzymać się z dala, Aleksandra trzeba było zostawić w spokoju. To jednak było jasne od początku.

I Hefajstion, kiedy już raz to pojął, opanował do pewnego stopnia umiejętność kierowania energii erotycznej ku innym celom. Jego własne ambicje były ograniczone, już osiągnął to, co było najważniejsze: cieszył się zaufaniem, był kochany.

Przyjaciele nie mają przed sobą tajemnic, ale jedną zachował dla siebie: że Olimpias go nienawidzi i że ta nienawiść jest odwzajemniona. Aleksander nie mówił o tym. Musiała chyba rozumieć, że w tej sprawie trafiłaby na opór twardy jak skała. Kiedy mijała bez pozdrowienia Hefajstiona, tłumaczył to sobie zwykłą zazdrością. Szczęśliwemu kochankowi trudno litować się nad kimś, kogo trawi zazdrość. Nie odczuwał litości, nawet wtedy, gdy myślał, że idzie tylko o to. Potem potrzebował czasu, by uwierzyć własnym oczom. Podsuwała Aleksandrowi kobiety. Pewnie nienawidziła tych rywalek Hefajstiona tak samo jak jego. A jednak pokojówki, przybywające na dwór śpiewaczki i tancerki, młode żony, których nie strzeżono dość pilnie, i dziewczyny, które nie śmiały narazić się na jej gniew, snuły się teraz wokół Aleksandra i robiły słodkie oczy. Hefajstion czekał, aż Aleksander pierwszy zacznie o tym mówić.

Któregoś wieczoru, tuż po zapaleniu lamp, Hefajstion ujrzał go na wielkim dziedzińcu, jak wymykał się z sideł znanej młodej piękności. Spojrzał w jej tęskne oczy, powiedział coś krótko i odszedł z chłodnym uśmiechem, który znikł na widok Hefajstiona. Szli przez chwilę obok siebie, a potem Hefajstion widząc, że Aleksander jest rozdrażniony, rzucił: — Nie wyszło z Doris?

Aleksander patrzył przed siebie zachmurzony. Świeżo zapalone latarnie rzucały głębokie cienie i ostre blaski w malowany portyk.

— Ona chce, żebym się ożenił młodo — odrzekł szorstko.

— Ożenił? — Hefajstion wytrzeszczył oczy. — Czy mógłbyś ożenić się z Doris?

— Nie bądź głupi! — zirytował się Aleksander. — Ona jest mężatką, a przy tym to dziwka, Harpalos jest ojcem jej dziecka.

Szli dalej w milczeniu. Aleksander przystanął przy kolumnie.

— Matka życzy sobie, żebym zadawał się z dziewczynami. Chce mieć pewność, że można mnie ożenić.

— Ależ nikt nie żeni się w twoim wieku. Nie jesteś dziewczyną.

— Ona już się zdecydowała. Chce, żebym i ja się zdecydował.

— Ależ dlaczego?

Aleksander spojrzał na niego, nie dziwiąc się, a raczej zazdroszcząc mu naiwności.

— Chce wychować mego syna. Mogę zginąć w jakiejś bitwie i nie zostawić dziedzica.

Hefajstion zrozumiał wszystko. Był przeszkodą w czymś więcej niż

223

miłość i posiadanie. Przeszkadzał w przejęciu władzy. Latarnie migotały. Nocny wietrzyk dmuchał mu chłodem w kark. W końcu spytał:
— Zrobisz to?
— Czy się ożenię? Nie, sam o tym zdecyduję, kiedy kogoś wybiorę i kiedy będę miał czas o tym pomyśleć.
— Będziesz musiał utrzymywać dwór, a to straszna robota. — Spojrzał na zmarszczone brwi Aleksandra i dodał: — Dziewczyny możesz mieć i rzucać je, kiedy tylko zechcesz.
— Tak właśnie myślę. — Popatrzył na Hefajstiona z wdzięcznością nie do końca uświadomioną. Pociągnął go za rękę w cień kolumny.
— Nie przejmuj się tym. Ona nie odważy się zrobić nic, żeby cię ze mną rozdzielić. Za dobrze mnie zna.
Hefajstion skinął głową, nie chcąc przyznać, że rozumie, co to oznacza. W istocie, sam zaczął ostatnio zwracać uwagę na to, kto mu nalewa wino.
W chwilę później Ptolemeusz zwrócił się na boku do Aleksandra:
— Proszono mnie, żebym wydał dla ciebie przyjęcie i zaprosił kilka dziewcząt.
Ich oczy spotkały się.
— Nie wiem, czy znajdę czas.
— Byłbym wdzięczny, gdybyś przyszedł. Dopilnuję, żeby cię nie zaczepiały. Mają śpiewać i zabawiać nas rozmową. Przyjdziesz?
Sprowadzanie heter na wieczerzę nie było zwyczajem północy. Kobiety należące do mężczyzny były jego prywatną sprawą. Ucztę kończył Dionizos, nie Afrodyta. Ostatnio jednak modni młodzi ludzie zaczęli urządzać prywatne przyjęcia na wzór grecki. Na tę wieczerzę przyszło czterech gości, a dziewczęta siadały na ich łożach biesiadnych i bawiły ich rozmową. Śpiewały przy lirze, napełniały im winem puchary, poprawiały przekrzywione wieńce. Można było odnieść wrażenie, że dzieje się to w Koryncie. Aleksandrowi gospodarz przydzielił najstarszą z nich, Kalliksejnę, heterę sławną z urody i rozumu.
Podczas gdy jakaś naga akrobatka wywijała salta, a na innych łożach biesiadnych dochodzono do porozumienia, szczypiąc się i łaskocząc, ona mówiła mu swym aksamitnym głosem o urokach Miletu, gdzie niedawno przebywała, i o perskim ucisku, jaki znosi to miasto. Ptolemeusz dobrze ją przygotował. Raz, przechyliwszy się z wdziękiem, pozwoliła sukni opaść, ukazując tyle chwalone piersi, ale — jak mu obiecano — jej zachowanie pozostało bez zarzutu. Cieszył się jej towarzystwem, a odchodząc ucałował te słodkie usta, od których przybrała imię.
— Nie wiem — zwierzał się w łóżku Hefajstionowi — czemu matka

chce, żebym został niewolnikiem kobiet. Można by sądzić, że dość się napatrzyła przy moim ojcu.

— Wszystkie matki szaleją na punkcie wnuków — rzekł pobłażliwie Hefajstion. Aleksander był po przyjęciu podniecony i myślał o miłości.

— Pomyśl tylko o wielkich ludziach, których kobiety przywiodły do zguby. Spójrz, co działo się w Persji — i opowiedział jakąś posępną historię z Herodota. Hefajstion dał należyty wyraz swemu oburzeniu. Spał potem słodko.

— Królowa cieszyła się — powiedział nazajutrz Ptolemeusz — że podobało ci się przyjęcie.

Nigdy nie mówił więcej, niż należało, a tę cechę Aleksander cenił. Posłał Kalliksejnie naszyjnik ze złotych kwiatów.

Zima zaczęła ustępować. Jednocześnie przybyli dwaj kurierzy z Tracji. Pierwszego z nich zatrzymały wzburzone strumienie. Pierwszy list donosił, że król zaczyna chodzić. Dostał morzem wieści z południa. Armia Ligi po wielu kłopotach odniosła częściowe zwycięstwo. Amfissa przyjęła warunki pokoju, odwoła swoich przywódców i pozwoli na powrót opozycjonistów z wygnania. Ten warunek był powszechnie znienawidzony, bo wracający wygnańcy rozniecali dawne spory. Amfissa nie wypełniła jeszcze warunków.

Z listu drugiego kuriera wynikało jasno, że Filip działał przez swych agentów na południu. Donosili oni, że Amfissa utrzymuje dotychczasowy rząd i nie zwraca uwagi na upomnienia. Wygnańcy nie ważą się wracać. Kotyfos, wódz Ligi, napisał do Filipa w zaufaniu, pytając, czy byłby gotów podjąć wojnę, gdyby Liga została zmuszona do działania.

Wraz z tym listem przyszedł drugi, podwójnie zapieczętowany, do Aleksandra jako regenta. Chwalił jego dobre rządy i donosił, że choć Filip będzie mógł wkrótce wrócić do kraju, sprawy nie mogą czekać. Król chciał, by zmobilizowano wszystkie wojska w kraju. Nie wolno przy tym zbudzić podejrzeń, że ma to związek z południem. O tym może wiedzieć tylko Antypater. Trzeba znaleźć jakiś inny pretekst. W Ilirii zbierają się klany, trzeba więc rozgłosić, że zagrożona jest granica zachodnia i dlatego postawiono wojsko w stan gotowości. Potem były zwięzłe uwagi o szkoleniu i pracy sztabu, a na końcu ojcowskie błogosławieństwo.

Aleksander zerwał się do działania niczym ptak wypuszczony z klatki. Kiedy jeździł po okolicy, szukając miejsca na manewry, słyszano, jak śpiewał w takt uderzeń kopyt Bucefała. Antypater pomyślał, że gdyby jakaś dziewczyna, w której kochał się od lat, obiecała mu nagle, że za niego wyjdzie, nie mógłby być bardziej rozpromieniony.

Zwoływano rady wojenne. Zawodowi wojskowi naradzali się z plemiennymi wielmożami, którzy dowodzili pospolitym ruszeniem. Olimpias pytała Aleksandra, co go tak często zatrzymuje poza pałacem i dlaczego wydaje się tak zajęty. Odpowiedział, że zanosi się na działania przeciw Ilirom na zachodniej granicy.

— Chciałam z tobą pomówić, Aleksandrze. Słyszałam, że po tym, jak ta Tessalka Kalliksejna zabawiała cię przez cały wieczór, podarowałeś jej coś, a potem już po nią nie posłałeś. Takie kobiety są jak artyści, Aleksandrze. Hetera o jej pozycji ma swą godność. Co sobie o tobie pomyśli?

Obrócił się do niej, zupełnie zaskoczony. Zapomniał, że ktoś taki istnieje.

— Myślisz, że mam teraz czas na zabawy z dziewczętami?

Bębniła palcami w złoconą poręcz krzesła.

— W lecie kończysz osiemnaście lat. Ludzie będą gadać, że nie interesują cię kobiety.

Patrzył na *Plądrowanie Troi*, na płomienie i krew, i na krzyczące kobiety, przewieszone przez plecy wojowników i wymachujące rękami.

— Dam im coś innego, o czym będą mogli gadać.

— Dla Hefajstiona zawsze masz czas.

— Pomaga mi. Myśli o moim zadaniu.

— O jakim zadaniu? Nic mi nie mówisz. Filip przysłał ci jakiś tajny list i nawet mi o tym nie powiedziałeś. Co napisał?

Dokładnie i bez zająknienia przedstawił jej opowieść o wojnie iliryjskiej. Spostrzegła w jego oczach urazę i to nią wstrząsnęło.

— Okłamujesz mnie — powiedziała.

— Jeśli tak myślisz, dlaczego pytasz?

— Jestem pewna, że Hefajstionowi powiedziałeś wszystko.

Prawda nie wyszłaby Hefajstionowi na zdrowie, dlatego powiedział:

— Nie.

— Ludzie gadają. Jeśli o tym nie wiesz, posłuchaj. Dlaczego golisz się jak jakiś Grek?

— Czy nie jestem Grekiem? To coś nowego! Powinnaś mi powiedzieć wcześniej.

Niczym dwaj zapaśnicy, którzy walcząc, zatoczyli się na krawędź urwiska i ze zwykłego strachu zwalniają uścisk, przestali.

— Po tym poznaje się twoich przyjaciół. Kobiety pokazują ich palcami: Hefajstiona, Ptolemeusza, Harpalosa...

Roześmiał się. — Zapytaj Harpalosa, czemu go sobie pokazują.

Rozzłościła ją jego cierpliwość, gdy instynkt mówił jej, że rani go do krwi.

— Twój ojciec planuje dla ciebie małżeństwo. Czas, żebyś mu dowiódł, że będziesz mężem, a nie żoną.

Po chwili ciszy postąpił bardzo wolno naprzód z lekkością jakiegoś złocistego kota, aż stanął przed matką, patrząc na nią w dół. Otworzyła usta, a potem je zamknęła i cofnęła się w swym podobnym do tronu krześle, póki nie powstrzymało jej wysokie oparcie. Dostrzegł to i rzekł cicho:

— Nigdy więcej mi tego nie powiesz.

Nie poruszyła się jeszcze z miejsca, gdy usłyszała tętent kopyt oddalającego się galopem Bucefała. Przez dwa dni nie zbliżał się do niej. Niepotrzebnie rozkazywała, by go do niej nie wpuszczano. Potem była uczta i każde z nich znalazło dar od drugiego. Rozłam został załagodzony, tyle że żadne o tym nie mówiło ani nie prosiło o wybaczenie.

Zapomniał o tym, gdy nadeszła wiadomość z Ilirii. Na wieść o tym, że król Filip zbroi się przeciw nim, uspokojone już szczepy zaczęły się burzyć, od granicy do zachodniego morza.

— Niczego innego się nie spodziewałem — rzekł po cichu Antypater do Aleksandra. — Ccną dobrego kłamstwa jest to, że dają mu wiarę.

— To pewne, że nie wolno ich wyprowadzać z błędu, mogą więc w każdej chwili przekroczyć granicę. Muszę się zastanowić. Jutro powiem ci, jakie oddziały muszę zabrać.

Antypater powstrzymał się od mówienia po próżnicy. Nauczył się już, kiedy to robić.

Aleksander wiedział, jakich mu trzeba oddziałów. Zastanawiał się tylko, jak bez budzenia podejrzeń uniknąć angażowania zbyt wielu wojsk w zadanie, do którego niby to je powołano. Wkrótce rzeczywistość podsunęła sposób. W warowni w Termopilach stała od czasu wojny fokijskiej macedońska załoga. Właśnie została „zastąpiona", siłą i bez pytania o zgodę, przez silny oddział Teban. Tłumaczyli, że Teby muszą się bronić przed Świętą Ligą, która najwyraźniej im zagraża, atakując sprzymierzoną Amfissę. To zagarnięcie warowni było tak zbliżone do aktu wrogości, jak tylko można się spodziewać po formalnym sprzymierzeńcu. Rzeczą naturalną było teraz pozostawienie w kraju części zebranych wojsk.

Ilirowie zapalili wojenne ognie. Aleksander wyciągnął stare mapy i zapiski ojca, wypytywał weteranów o kraj Ilirów, który był górzysty i pocięty wąwozami, i ćwiczył żołnierzy w marszach po bezdrożach. Któregoś dnia wrócił w zapadającym zmierzchu, wykąpał się, pozdrowił przyjaciół, zjadł wieczerzę i poszedł spać wprost do swego pokoju. Od razu zrzucił z siebie ubranie. Wraz z chłodem ciągnącym od okna

227

doleciał gorący podmuch wonności. Wysoka, stojąca lampa świeciła mu w oczy. Przeszedł obok niej. Na łóżku siedziała młoda dziewczyna. Wpatrywał się w nią w milczeniu. Westchnęła i spuściła oczy, jakby ostatnią rzeczą, jakiej się tu spodziewała, był rozebrany mężczyzna. Potem wolno wstała, rozplotła dłonie i podniosła głowę.

— Jestem tu — powiedziała jak dziecko powtarzające wyuczoną lekcję — bo się w tobie zakochałam. Nie odsyłaj mnie, proszę.

Podszedł do niej pewnym krokiem. Pierwszy wstrząs minął, nie należy okazywać wahania. Ta nie przypominała wymalowanych heter z ich łatwym wdziękiem pokrytym patyną częstego używania. Miała około piętnastu lat, jasną cerę i piękne jasne włosy, opadające swobodnie na ramiona. Jej twarz miała kształt serca, oczy były ciemnoniebieskie, małe piersi twarde i spiczaste. Suknia ze śnieżnobiałego byssu ukazywała różowe sutki. Nie umalowane usta miały świeżość kwiatów. Zanim jej dotknął, poczuł, że ona się boi.

— Jak tu weszłaś? Przed drzwiami stoi strażnik.

Znowu złożyła dłonie. — Ja... długo próbowałam się do ciebie dostać. Skorzystałam z pierwszej okazji.

Trzęsła się ze strachu. Wydawało się, że powietrze wokół niej drży.

Nie oczekiwał sensownej odpowiedzi. Dotknął jej włosów, które okrywały ją jak jedwab. Drżała niczym niedawno potrącona basowa struna w kitarze. Nie z namiętności, ze strachu. Ujął w dłonie jej ramiona i poczuł, że uspokaja się trochę, niczym wystraszony pies. To nie jego się bała, ale on był tego powodem.

Byli młodzi, ich niewinność i ich znajomość rzeczy przemawiały jednocześnie, bez ich woli. Stał trzymając ją w dłoniach, nie zwracając już na nią uwagi, ale nadsłuchując. Nie słyszał nic, a jednak cała komnata zdawała się oddychać.

Pocałował ją w usta, wzrost miała odpowiedni dla niego. Potem powiedział szorstko: — Ten strażnik musiał zasnąć, jeśli pozwolił ci wejść. Sprawdźmy, czy nie ma tu nikogo więcej.

Przerażona chwyciła go kurczowo. Znów ją pocałował i uśmiechnął się porozumiewawczo. Potem poszedł w drugi koniec komnaty, przesuwając tam z hałasem zasłony okienne, jedną po drugiej. Zajrzał do wielkiej skrzyni i zatrzasnął jej wieko. Zasłonę przy tylnych drzwiach zostawił na koniec. Kiedy wreszcie ją odsunął, nie było za nią nikogo. Zasunął rygiel z brązu.

Wróciwszy do dziewczyny, poprowadził ją do łóżka. Był zły, ale nie na nią. Rzucono mu wyzwanie.

Jej cienką białą suknię spinały na ramionach złote pszczoły. Rozpiął zapinki, a potem pasek, i wszystko opadło na posadzkę. Była biała jak mleko, jakby jej ciało nigdy nie widziało słońca, całkiem biała, poza różowymi sutkami i tym złocistym puchem, którego nigdy nie malują malarze. Biedne, słabe, blade stworzenie, o które przez dziesięć lat walczyli bohaterowie pod Troją. Położył się obok niej. Była młoda i wystraszona. Będzie mu wdzięczna za zwłokę i za czułość, nie było więc pośpiechu. Jej zlodowaciała ze strachu dłoń zaczęła przesuwać się w dół jego ciała, wahająca się i niedoświadczona, pamiętająca pouczenia. Nie dość, że ją tu posłano, by sprawdzić, czy on jest mężczyzną, to jeszcze kazano temu dziecku pomagać mu! Uświadomił sobie, że obchodzi się z nią jak najczulej, jak z jednodniowym szczenięciem, by ją chronić przed swym gniewem. Spojrzał na lampę, pomyślał jednak, że gaszenie jej byłoby czymś w rodzaju ucieczki, jakimś haniebnym kotłowaniem się w ciemności. Jego ramię leżało na jej piersiach, mocne, brązowe, podrapane przez górskie jeżyny. Jakże wydawała się krucha! Nawet prawdziwy pocałunek musiałby zostawić na niej sińce. Ukryła twarz w jego ramieniu. Bez wątpienia wzięta z poboru, to nie ochotniczka. Myśli pewnie, co ją czeka, jeżeli zawiedzie.

„A jeśli nie zawiedzie?" — pomyślał. „Co ją czeka w najlepszym razie?" Krosna, łóżko, kołyska, dzieci, zaścielanie łóżek nowożeńców, pogawędki przy palenisku i przy wiejskiej studni, gorzka starość i śmierć. Nigdy żadnych cudownych zapałów, związków połączonych więzami honoru, żadnego ognia z niebios, płonącego na ołtarzu, na którym złożono w ofierze strach. Obracał jej twarz w dłoni. Dla tego straconego życia to stworzenie, patrzące na niego w bezradnym oczekiwaniu, zostało obdarzone ludzką duszą. Dlaczego tak zrządził los? Wstrząsnęło nim współczucie i przeszyło ognistymi strzałami.

Myślał o zdobywanych miastach, o płonących krokwiach, o kobietach wybiegających z dymu tak jak szczury i zające wybiegają, kiedy pada pod sierpami ostatni łan żyta, a chłopcy czekają z kijem w ręku. Pamiętał ciała porzucone przez mężczyzn, którym nie wystarczyło prawo zwycięzcy do ich posiadania, co wystarczało dzikim bestiom. Musieli mieć coś do pomszczenia, jakąś nienasyconą nienawiść, własną albo czyjąś. Jego dłoń kreśliła lekko na jej gładkim ciele tamte oglądane kiedyś rany. Nie krzywdził jej, bo nie rozumiała, co robi. Całował ją, by ją uspokoić. Nie drżała już tak bardzo wiedząc, że wypełni swą misję. Wziął ją ostrożnie, z największą łagodnością, pomyślawszy o krwi.

Później usiadła cicho sądząc, że on śpi, i zaczęła wysuwać się z łóżka. Był tylko zamyślony.

— Nie odchodź — powiedział. — Zostań ze mną do rana.

Wolałby leżeć samotnie, nie cisnąć się z tym obcym, miękkim ciałem, ale po co narażać ją na wypytywanie o takiej porze? Nie płakała, tylko wzdragała się trochę, była bowiem dziewicą. Oczywiście, jakżeby nie? Miała przecież dostarczyć dowodu. Zły był o to i żal mu jej było. Żaden bóg nie wyjawił mu, że ona przeżyje go o lat pięćdziesiąt, chwaląc się do końca tych lat, że pozbawiła dziewictwa Aleksandra. Noc robiła się chłodna, naciągnął jej derkę na ramiona. Jeśli ktoś czekał na jej powrót, tym lepiej. Niech poczekają.

Wstał, zdmuchnął lampę i leżał, patrząc w ciemność, czując, że dusza zapada w ów letarg, który był ceną spełnienia obowiązku wobec śmiertelnej natury. Umierać, choćby na krótko, powinno się za coś wielkiego. Jednakże i to mogło być uznane za coś w rodzaju zwycięstwa.

Obudził go śpiew ptaków i pierwsze światło dnia. Zaspał. Ludzie, z którymi miał się widzieć, musieli już być na ćwiczeniach. Dziewczyna jeszcze twardo spała z lekko otwartymi ustami, co nadawało jej wyraz raczej płochy niż smutny. Nawet nie zapytał, jak ona się nazywa. Potrząsnął nią lekko. Zamknęła usta i otworzyła swe ciemnoniebieskie oczy. Była rozczochrana, gładka i ciepła.

— Musimy już wstawać. Mam coś do roboty. Chciałbym, żebyśmy mogli zostać dłużej — dodał z grzeczności.

Przetarła oczy, a potem uśmiechnęła się do niego. Serce w nim urosło. Ciężka próba była skończona i dobrze mu poszło. Na prześcieradle pozostała ta czerwona plamka, którą stare ciotki pokazują rano weselnym gościom. Poradzić jej, by to wzięła z sobą? Byłoby to praktyczne, ale niegrzeczne. Miał lepszy pomysł.

Włożył chiton, podszedł do szkatuły, w której trzymał swoje klejnoty i wyjął woreczek ze skóry koźlęcia, stary i znoszony, wyszywany złotem. Wręczono mu go niedawno z wielkimi ceremoniami. Była w nim duża złota brosza: dwa łabędzie o szyjach splecionych w godowym tańcu. Robota była starożytna, a łabędzie ozdobione koronami. „Przechodziła przez dwieście lat od królowej do królowej. Pilnuj jej dobrze, Aleksandrze. To dziedzictwo twojej narzeczonej..."

Odrzucił wyszywany woreczek, zaciskając usta, ale odwrócił się z uśmiechem. Dziewczyna zapięła właśnie ramiączka sukni i zawiązywała pasek.

— Masz tu coś na pamiątkę.

Przyjęła broszę z szeroko otwartymi oczami, czując jej ciężar.

— Powiedz królowej, że sprawiłaś mi wielką przyjemność, ale w przyszłości będę wybierał sam. Potem pokaż jej to i pamiętaj, powtórz, co mówiłem.

W wietrznej wiosennej pogodzie maszerowali na zachód od wybrzeża i w górę do Ajgaj. Tam, na starożytnym ołtarzu Zeusa Aleksander złożył ofiarę z białego byka bez skazy. Wróżbici, grzebiąc się w parujących wnętrznościach, wywróżyli dobre znaki z wątroby. Minęli jezioro Kastoria wezbrane od topniejących śniegów. Na wpół zatopione wierzby potrząsały zielonymi kędziorami nad poruszaną wiatrem błękitną wodą. Potem przez zbrązowiałe po zimie zarośla weszli na kamienistą wyżynę Rysich Wzgórz, kraj Lynkestydów. Tu włożył już hełm i skórzaną osłonę ręki, w której trzymał wodze. Kazał ją sporządzić według opisu Ksenofonta. Gdy po śmierci starego Ajroposa objął dziedzictwo młody Aleksander, nie było z nim żadnych kłopotów, wspierał też Filipa w jego ostatniej wojnie iliryjskiej. Mimo to był to kraj stworzony do zasadzek, a Lynkestydzi byli Lynkestydami jak świat światem.

Wypełniali jednakże obowiązki lenników. Oto już byli, wszyscy trzej bracia, na silnych, kudłatych, górskich kucach, uzbrojeni na wojnę i na czele swoich górali. Byli to brodaci, wysocy mężowie, już nie chłopcy, których spotykał kiedyś w czasie wielkich świąt. Wymienili pozdrowienia ze skrupulatną grzecznością, byli przecież dziedzicami załagodzonej starodawnej wróżdy. Od wielu pokoleń ich rody były połączone więzami pokrewieństwa, małżeńskimi, rywalizacji i wojen. Lynkestydzi byli tu kiedyś królami. Przez całe pokolenia ubiegali się o najwyższe królestwo. Nie byli jednak dość silni, by powstrzymać Ilirów. Filip był silny i to rozstrzygnęło sprawę.

Aleksander przyjął od gospodarzy formalny poczęstunek: chleb i wino, i zaprosił ich na naradę ze swoimi dowódcami na skalnym występie pokrytym porostami i kwitnącym mchem.

Tamci, ubrani w praktyczne stroje pogranicza: skórzane tuniki naszywane żelaznymi blaszkami i trackie hełmy o kształcie czapki, nie spuszczali wzroku z tego gładko wygolonego młodzika, który postanowił zachować wygląd chłopca, skoro już i tak przewyższył mężów, i którego zbroja świeciła w oczy wszystkimi wytwornościami południa. Jego pancerz został ukształtowany tak, by opinał każdy mięsień; był przy tym pięknie inkrustowany, ale tak gładki, że na ornamentach nie zatrzymywało się ostrze. Jego hełm miał wysoki biały grzebień, nie po to, by mu dodać wzrostu, ale by jego ludzie widzieli go w bitwie. Musieli być przygotowani na zmianę planów, kiedy wymagała tego sytuacja. Wyjaśnił to Lynkestydom, bo nie wojowali jeszcze razem. Nie wierzyli w niego, zanim tu przybyli. Kiedy go ujrzeli, wierzyli jeszcze mniej, ale gdy zobaczyli pokryte bliznami twarze czterdziestoletnich wojowników chłonących każde jego słowo, w końcu uwierzyli.

Zajęli pośpiesznie wyżyny nad przełęczami, wyprzedzając nieprzyjaciela, i ruszyli do Heraklei, o której żyzną dolinę stoczono tyle wojen. Lynkestydzi byli tu u siebie niczym bociany na dachach. Zabawiali swoich ludzi miejscowymi żartami i oddawali cześć przybytkom starodawnych bogów nie znanych gdzie indziej. Lud patrzył na Aleksandra jak na postać z baśni i przypisywał swoim panom zasługę sprowadzenia go tutaj.

Pośród tarasów winnic o kamiennych murach z dobrą czerwoną ziemią, wojsko jechało w górę na następny wyniosły grzbiet, a potem w dół obok jeziora Prespa, w zaklęśnięciu między górami i dalej, póki nie uśmiechnęło się pod nimi błękitne jezioro Lychnitis, przejrzyste jak niebo, obrzeżone topolami, białymi akacjami i gajami jesionów, foremne, z zatokami i skalistymi przylądkami. Z bliższego brzegu unosiły się dymy wojny. Iliria wkroczyła do Macedonii.

Obrońcy małej górskiej wartowni na przełęczy witali swego naczelnika okrzykami, a do krewnych służących w wojsku mówili, zniżając głos:

— Człowiek żyje tylko raz i nie czekalibyśmy tak długo, kiedy nadciąga ta horda, ale słyszeliśmy, że przybywa syn czarownicy. Czy to prawda, że spłodził go z królową wąż-demon? Że nie ima się go oręż? Że jest w czepku urodzony?

Chłopi, dla których wielkim wydarzeniem, prawie świętem, było odwiedzenie najbliższego rynku, odległego o dziesięć mil, nigdy nie widzieli ogolonego mężczyzny i pytali ludzi ze wschodu, czy to nie eunuch. Ci, którzy docisnęli się bliżej, przekazywali innym, że to nieprawda z tą odpornością na zranienie, bo ma blizny, choć jest młody. Ci jednak, którzy spojrzeli mu w oczy, potwierdzali, że jest zaczarowany. Nie pozwolił też żołnierzom zabić wielkiej żmii, pełznącej przed nim drogą, nazywając ją wysłanniczką Fortuny. Przyglądali mu się czujnie, ale z nadzieją.

Bitwę stoczono nad jeziorem, pośród srebrzystych topoli, sadów i jesionowych gajów, na zboczach upstrzonych żółtymi malwami i niebieskimi od irysów, które deptali i plamili krwią walczący. Lazurowe wody jeziora zostały zmącone i zbrukane krwią. Bociany i czaple uciekały z trzcin. Padlinożercy śledzili swych spadających z nieba pobratymców, by rzucać się na stosy ciał zwalone na trawiastych brzegach lub na ciała unoszące się w wodzie pod skałami pokrytymi drobnymi kwiatkami.

Lynkestydzi słuchali rozkazów i walczyli na chwałę swego rodu. Rozpoznali — choć jej nie planowali — zgrabną taktykę, dzięki której iliryjscy najeźdźcy zostali wpędzeni między urwiska a jezioro. Włączyli się potem do pogoni w ośnieżonych górach na zachodzie i w wąwozach, gdzie Ilirowie, którzy zajęli tam pozycje, zostali wypędzeni ze swych kryjówek na śmierć lub niewolę.

Widząc jego zajadłość w bitwie, Lynkestydzi dziwili się, że brał jeńców. Myśleli, że przezwisko Bazyliszek oznacza koronowanego smoka, którego wzrok zabija. A jednak, gdy oni sami nie oszczędzili nikogo z pokonanych odwiecznych wrogów, on przyjmował obietnicę pokoju, jak gdyby tamci nie byli barbarzyńcami.

Iliryjscy górale byli wysocy, smukli, ciemnowłosi i twardzi jak nie wyprawiona skóra. Nie różnili się zbytnio od Lynkestydów, którzy dawniej często zawierali z nimi związki małżeńskie. Kossos, naczelnik, który przewodził najazdowi, został wpędzony w gardziel wąwozu i wzięty żywcem. Przyprowadzono go związanego przed Aleksandra nad wartki strumień pieniący się przy brzegach brunatną pianą. Był on młodszym synem wielkiego Bardylisa, starego wroga króla Filipa. Był postrachem granicy, dopóki trzymał włócznię w ręku, a dożył dziewięćdziesięciu lat. Teraz ten pięćdziesięciolatek o siwej brodzie, twardy i wyprostowany jak włócznia, ukrywając zdziwienie, patrzył na tego chłopca o oczach mężczyzny, siedzącego na koniu, który sam jeden wart był najazdu na granicę.

— Spustoszyłeś nasze ziemie, zagarnąłeś bydło, złupiłeś nasze miasta i zniewoliłeś nasze kobiety. Jak myślisz, na co zasługujesz?

Kossos słabo znał macedoński, ale tyle zrozumiał. Nie trzeba mu było tłumacza. Patrzył długo w twarz młodego człowieka i odrzekł:

— Jeśli powiem, co uważam za właściwe, możemy nie dojść do porozumienia. Zrób ze mną, synu Filipa, co sam uznasz za właściwe.

Aleksander skinął głową. — Rozwiązać go i oddać mu miecz!

Tamten stracił w tej bitwie dwóch ze swych dwunastu synów. Pięciu innych wzięto do niewoli. Aleksander zwolnił trzech bez okupu, dwóch zaś zatrzymał jako zakładników.

Przybył tu, by uspokoić granicę, nie zaś by wszczynać nowe waśnie. Chociaż wtargnął w głąb Ilirii, nie próbował przesuwać granicy poza jezioro Lychnitis, gdzie ją wywalczył dawno temu Filip i gdzie, nadając kształt ziemi, nakreślili ją sami bogowie. Wystarczy to jedno.

Była to jego pierwsza prawdziwa wojna, którą sam prowadził. Poszedł w nie znany kraj i poradził sobie z tym, co tam zastał. Wszyscy uważali to za wielkie zwycięstwo. Zachował dla siebie tajemnicę, że była to przykrywka większej wojny. Będąc sam na sam z Hefajstionem, powiedział: — To będzie podstawa do wzięcia odwetu na Kossosie.

W przejrzystych wodach jeziora Lychnitis opadł już muł po bitwie, a szczupaki i węgorze oczyściły je z unoszących się w nim zwłok. Zdeptane lilie spały, by za rok wystrzelić zielenią, kwiaty białych akacji spadały na wietrze jak śnieg, kryjąc ślady krwi. Wdowy lamentowały. Sieroty poznały głód.

Ludzie godzili się z losem niczym z pomorem bydła albo z gradem nie w porę obtłukującym oliwki. Szli, nawet wdowy i sieroty, składać dziękczynne ofiary w świątyniach. Ilirowie, znani zbóje i handlarze niewolników, mogli przecież wygrać. Bogowie, przyjmując łaskawie ofiary, poskąpili ludziom wiedzy, że byli oni tylko środkiem, a nie kresem. Czując raczej żal niż radość, człowiek pragnął wiedzy, że świat kręci się wokół niego.

Po paru tygodniach powrócił z Tracji król Filip. Okręty ateńskie przemierzały morze wzdłuż wybrzeży, nie były mu więc dane wygody morskiej podróży. Większą część drogi przebył w lektyce, ale na ostatnie okrążenie przed Pellą dosiadł konia, by pokazać, że go na to stać. Trzeba mu było pomóc przy zsiadaniu. Aleksander widząc, że chodzenie sprawia ojcu ból, podszedł, by mu podać ramię. Weszli razem do pałacu wśród stłumionego szmeru komentarzy: chory, przygarbiony mąż, który postarzał się o dziesięć lat i któremu ubyło dziesięć funtów, i promienny młodzik, który obnosił zwycięstwo niczym młody jeleń obnosi wiosenny puch na rogach.

Olimpias radowała się z okna tym widokiem. Mniej była zadowolona, kiedy po krótkim odpoczynku króla, Aleksander wszedł do jego komnaty i spędził tam dwie godziny.

W kilka dni później król zdołał zejść na wieczerzę w wielkiej sali. Aleksander pomagał mu ułożyć się na biesiadnym łożu. Spostrzegł przy tym, że czuć było jeszcze ropiejącą ranę. Będąc czysty do przesady, upomniał sam siebie, że to zaszczytna rana, widząc zaś, że inni patrzą na niezdarne gramolenie się króla, powiedział:

— Nie przejmuj się ojcze, każdy twój krok jest świadectwem twej dzielności.

Zgromadzonym bardzo się to podobało. Minęło już pięć lat od wieczoru z kitarą i niewielu o nim pamiętało.

Wśród domowych wygód i dzięki prawidłowej kuracji Filip szybko wracał do zdrowia. Kulał jednak o wiele mocniej. Znów dostał pchnięcie w tę samą nogę, tym razem w ścięgno pod kolanem. Rana zaczęła w Tracji gnić. Leżał przez wiele dni w gorączce bliski śmierci. Ubytek zmartwiałego ciała był tak wielki, że można było, jak mówił Parmenion, włożyć w zaklęśnięcie pięść. Nieprędko wsiądzie bez pomocy na konia, o ile w ogóle to się uda. Kiedy już jednak wsiadł, trzymał się na koniu znakomicie, z nogami wyprostowanymi jak w szkole jeździeckiej. Po paru tygodniach przejął szkolenie wojska. Chwalił dobrą dyscyplinę, jaką zastał, i zachował dla siebie spostrzeżenie, że pojawiła się masa nowinek. Niektóre z nich były nawet godne uwagi.

W Atenach zerwano marmurową tablicę upamiętniającą zawarcie pokoju z Macedonią, formalnie wypowiadając wojnę. Demostenes przekonał prawie wszystkich obywateli, że Filip jest upojonym władzą barbarzyńcą, który uważa ich za dostarczycieli łupu i przyszłych niewolników. To, że przed pięciu laty byli zdani na jego łaskę i nie wyrządził im szkody, było wyłącznie jego zasługą. Chciał mieć w Ateńczykach sprzymierzeńców w wojnie fokijskiej. Demostenes zatrzymał ich jednak w kraju głosząc, że Filipowi idzie o zakładników. Kiedy Fokion, wódz który znakomicie spisywał się w walce z Macedonią, uznał propozycje Filipa za szczere, ledwie uniknął oskarżenia o zdradę. Uratowała go tylko jego powszechnie znana uczciwość. Porównywano go nawet z Arystydesem Sprawiedliwym. Demostenes uważał to za uciążliwość. Nie miał wątpliwości, że wydaje pieniądze przysłane przez Persów w interesie Miasta, ale choć przez jego ręce przechodziły wielkie sumy, nie musiał przed nikim się opowiadać. Zatrzymanie sobie prowizji też było rzeczą naturalną. Mógł nie troszczyć się o byt i poświęcić się całkowicie służbie publicznej. Cóż mogło być lepszego? Musiał jednak liczyć się z Fokionem.

W Wielkiej Wojnie ze Spartą Ateńczycy walczyli o chwałę i o imperium, i skończyli pobici, utraciwszy wszystko. Walczyli o wolność i demokrację, a skończyli pod rządami najstraszliwszej tyranii w swych dziejach. Żyli jeszcze starcy, którzy głodowali w zimowym oblężeniu, a ci w wieku średnim słyszeli o tym z pierwszej ręki, najczęściej od ludzi zrujnowanych. Przestali już wierzyć w wojnę. Zdecydowaliby się na nią tylko w jednym przypadku: gdyby chodziło o przetrwanie. Krok za krokiem prowadzono ich do przekonania, że Filip chce ich zniszczyć. Czyż nie zniszczył Olintu? W końcu zrezygnowali z zasiłków, przeznaczając te sumy na flotę, i podnieśli podatki od zamożności, proporcjonalnie do stanu posiadania.

Dzięki swej flocie Ateny czuły się bezpieczniejsze niż Teby. Niewielu zdawało sobie sprawę, że dowodzą nią miernoty. Demostenes przyjął założenie, że decyduje liczba okrętów. Przewaga na morzu uratowała Perynt, Bizancjum i zbożowy szlak Hellespontu. Filip będzie musiał przebijać się na południe drogą lądową. Demostenes był teraz najpotężniejszym człowiekiem w Atenach, symbolem ich ocalenia. Przymierze z Tebami miał w zasięgu ręki. Teby zwlekały i miały wątpliwości. Filip potwierdził ich władzę nad Beocją, podczas gdy Ateny, opowiadając się za demokracją i samorządem dla Beotów, dążyły do ich osłabienia. Teby panowały też nad lądową drogą do Attyki. To im dodawało znaczenia w oczach Filipa, ale ta siła przetargowa zniknęłaby, gdyby zawarł odrębny pokój z Atenami. Naradzali się więc zakładając, że sprawy potoczą się jak zawsze i nie chcąc przyjąć do wiadomości, że wydarzenia są dziełem ludzi, a ludzie się zmieniają.

W Macedonii Filip odzyskiwał siły. Wytrzymywał już pół dnia na koniu, a wkrótce i cały dzień na wielkim polu przy jeziorze Pella, gdzie konnica wykonywała złożone manewry. Teraz były już dwie konne drużyny, Filipa i Aleksandra. Ojca i syna widziano jadących razem i pogrążonych w rozmowie. Złota głowa pochylała się ku szpakowatej. Pokojówki królowej Olimpias były blade i zdenerwowane, a jedna z nich została pobita i leżała przez dwa dni.

W środku lata, gdy zboże było wysokie i zielone, znów zebrała się w Delfach Rada. Kotyfos oznajmił, że mieszkańcy Amfissy wciąż nie dotrzymują zobowiązań, a ich skazani na wygnanie przywódcy nie są wydaleni. Jego niedoświadczone wojsko nie jest w stanie powalić Amfissy na kolana. Zaproponował więc Radzie, aby o podjęcie się prowadzenia świętej wojny poprosić króla Filipa z Macedonii, walczącego już za sprawę boga przeciw bezbożnym Fokijczykom.

Antypater, obecny przy tym jako poseł, wstał, by oświadczyć, że jest upoważniony do wyrażenia zgody w imieniu króla. Co więcej, Filip będzie prowadził tę wojnę na własny koszt, z czystej pobożności. Ułożono wyrazy wdzięczności i szczegółowe pełnomocnictwa, które jakiś miejscowy mistrz pióra skończył przepisywać dokładnie wtedy, gdy kurier Antypatra, pędząc rozstawnymi końmi, przybył do Pelli.

Aleksander grał z przyjaciółmi w piłkę na boisku. Stał właśnie w środku koła, próbując przechwycić piłkę, i złapał ją, podskoczywszy na cztery stopy w górę. Tymczasem Harpalos, skazany jak zwykle na przyglądanie się z boku, usłyszał poruszenie na zewnątrz i krzyknął, że przybył kurier z Delf. Król zażywał właśnie kąpieli, Aleksander zaniósł mu tam list, tak śpieszno mu było go przeczytać.

Filip stał w szerokiej miednicy, naparzając zranioną nogę, a paź wcierał w nią jakąś cuchnącą maść. Ciało miał jeszcze zapadnięte, pokryte bliznami. Dawno temu złamany obojczyk, kiedy to pod królem zabito konia, zrósł się nierówno. Król wyglądał jak stare drzewo, o które bydło ściera sobie rogi. Aleksander wiedział instynktownie, która rana pochodzi od jakiej broni.

— Otwórz mi go — rzekł Filip. — Mam mokre ręce.

Opuścił powieki na wypadek, gdyby wieści były złe, ale nie było to potrzebne.

Kiedy Aleksander przybiegł z powrotem na boisko, gładko ogoleni młodzi ludzie chlapali się w fontannie, wylewając na siebie wiadra wody, by się ochłodzić i zmyć kurz. Widząc wyraz jego twarzy, zamarli w ruchu, niczym grupa wyrzeźbiona przez Skopasa.

— Stało się! — zawołał. — Ruszamy na południe.

ROZDZIAŁ SIÓDMY

U dołu malowanych schodów opierał się na włóczni strażnik przyboczny. Był to Keteus, krępy, siwobrody weteran pod sześćdziesiątkę. Najwyraźniej królowej nie zależało na młodych strażnikach, odkąd król przestał ją odwiedzać. Młody człowiek w czarnym płaszczu przystanął w podcieniu o czarno- -białej mozaikowej posadzce. Nigdy jeszcze nie był w pokoju matki o tak późnej porze.

Słysząc odgłos stąpania, strażnik podrzucił tarczę i pochylił włócznię pytając, kto idzie. Aleksander odsłonił twarz i wszedł po schodach. Na skrobanie w drzwi nie było odpowiedzi. Wyciągnął sztylet i zastukał rękojeścią.

Wewnątrz słychać było jakąś senną krzątaninę, a potem zapadła cisza.

— To ja, Aleksander. Otwórz!

Jakaś mrugająca oczami, rozczochrana kobieta wytknęła głowę, obciągając na sobie suknię, za nią, niczym myszy szeleściły głosy kobiet. Chyba już wcześniej musiały pomyśleć, że to król.

— Pani śpi. Już późno, Aleksandrze. Już dawno po północy.

Spoza niej rozległ się głos matki: — Wpuść go.

Stała przy łóżku, zawiązując pasek nocnej szaty z kremowej wełny obrzeżonej ciemnym futrem. Ledwie ją widział w migocącym świetle nocnej lampy, od której zaspana pokojówka starała się zapalić knoty potrójnej stojącej lampy. Palenisko było wyprzątnięte do czysta, było przecież lato.

Zapalił się pierwszy z trzech knotów. Matka powiedziała: — Wystarczy.

Jej rude włosy mieszały się na ramionach z czarnym, gładkim futrem. Padające z ukosa światło ukazało zmarszczki między brwiami i linie obiegające kąciki ust. Kiedy obróciła się ku światłu, widziało się tylko piękne rysy, gładką skórę i zaciśnięte wargi. Miała trzydzieści cztery lata.

Jedna lampa nie rozjaśniała kątów komnaty.

— Czy jest tu Kleopatra? — spytał.

— O tej porze? Jest w swoim pokoju. Chcesz ją widzieć?

— Nie.

— Wracajcie do łóżek — poleciła kobietom.

Gdy drzwi za nimi się zamknęły, przykryła łóżko wyszywaną narzutą i dała mu znak, by usiadł przy niej, ale nie ruszył się z miejsca.

— O co chodzi? — spytała cicho. — Pożegnaliśmy się już przecież. Powinieneś spać, jeśli wyruszasz o świcie. O co chodzi? Dziwnie wyglądasz. Miałeś jakiś sen?

— Czekałem. To nie będzie jakaś mała wojna, to początek wielkich rzeczy. Myślałem, że przyślesz po mnie. Musisz wiedzieć, po co tu przyszedłem.

Odsunęła włosy z czoła, zasłaniając dłońmi oczy.

— Chcesz, żebym ci wróżyła?

— Nie chcę wróżb, matko. Chcę prawdy.

Zbyt wcześnie opuściła dłonie. Jego oczy zawładnęły jej oczami.

— Czym jestem? — zapytał. — Powiedz mi, kim jestem.

Wytrzeszczyła oczy ze zdumienia. Zrozumiał, że spodziewała się jakiegoś innego pytania.

— Mniejsza o to, co robiłaś, nie obchodzi mnie to. Odpowiedz mi na pytanie.

W ciągu tych paru godzin od ich poprzedniego spotkania twarz mu się wyciągnęła. Omal nie spytała: „Czy to wszystko?"

To była już odległa przeszłość, przesłonięta zdarzeniami; mroczne drżenie, ognisty, trawiący ją sen, wstrząs obudzenia, słowa starej czarownicy sprowadzonej tu w sekrecie nocą z jej jaskini. Jak to było? Nie wiedziała już. Wydała na świat dziecię smoka, ono zaś pytało: „Kim jestem?" To ja powinnam je o to spytać.

Chodził po komnacie szybko i lekko jak wilk w klatce. Nagle zatrzymał się przed nią, pytając:

— Jestem synem Filipa, czyż nie tak?

Zaledwie wczoraj widziała ich razem jadących na plac ćwiczeń. Filip mówił coś, uśmiechając się szeroko. Aleksander odrzucił w tył głowę i roześmiał się. Uspokoiła się i z przeciągłym spojrzeniem spod powiek rzekła:

— Nie udawaj, że mógłbyś w to uwierzyć.

— A zatem? Przyszedłem to usłyszeć.

— Takich rzeczy nie powinno się wydzierać sobie dla kaprysu o północy. To sprawa poważna. Istnieją moce, które trzeba przebłagać...

Jego oczy zdawały się przenikać ją na wskroś.

— Jaki znak dał ci mój demon? — spytał cicho.

Ujęła jego dłonie, przyciągnęła go bliżej i zaczęła szeptać. Kiedy skończyła, odchyliła się, by na niego spojrzeć. Pogrążony w sobie, ledwie o niej pamiętał, zmagając się z tym, co usłyszał. Z jego wzroku nie mogła niczego wyczytać.

— I to wszystko?

— Chciałeś czegoś więcej? Jeszcze nie jesteś zadowolony? Spoglądał w ciemność poza lampą. — Bogowie wiedzą wszystko. Cała trudność w tym, jak ich zapytać. Postawił ją na nogi i przez parę chwil trzymał w wyciągniętych rękach, wpatrując się w nią ściągniętymi brwiami. Opuściła oczy pierwsza. Jego palce zacisnęły się, potem objął ją szybko i mocno i wypuścił z objęć. Kiedy wyszedł, otoczyła ją ciemność. Zapaliła dwie pozostałe lampy i w końcu zasnęła przy palących się wszystkich trzech. Aleksander przystanął u drzwi Hefajstiona, otworzył je cicho i wszedł. Tamten spał twardo z odrzuconym ramieniem w kwadracie księżycowego światła. Aleksander wyciągnął rękę i cofnął ją po chwili. Zamierzał, gdyby zdobył pewność, obudzić Hefajstiona i powiedzieć mu wszystko. Wszystko było jednak nadal mroczne i niepewne. Ona też była śmiertelna, trzeba czekać na pewniejsze słowa. Po co go budzić? Jutro czeka ich długa jazda. Księżyc świecił wprost w zamknięte oczy. Aleksander zaciągnął cicho zasłonę do połowy, żeby tamtemu nie przeszkadzały potęgi nocy.

W Tessalii dołączyła do nich sprzymierzona konnica. Przybyli, zwalając się bezładnie ze wzgórz, wrzeszcząc i podrzucając długie włócznie, popisując się sztuką jeździecką. W tym kraju ludzie uczą się jeździć konno, gdy tylko zaczynają chodzić. Aleksander uniósł brwi, ale Filip powiedział, że w bitwie tamci zrobią, co im się każe, i zrobią to dobrze, a to widowisko należy do tradycji.

Armia ciągnęła na południe, ku Delfom i Amfissie. Po drodze dołączali do niej lennicy Świętej Ligi. Ich wodzom udzielano na powitaniu krótkich instrukcji. Przywykłszy do łączenia sił małych, rywalizujących ze sobą państewek, zatargów o pierwszeństwo, długich kłótni o to, który z wodzów obejmie naczelne dowództwo, ze zdumieniem ujrzeli, że weszli w skład posuwającej się trzydziestotysięcznej armii. Każdy z tych trzydziestu tysięcy piechurów i dwóch tysięcy jeźdźców znał swoje miejsce i wiedział, co ma robić.

Nie było żadnych oddziałów z Aten. Ateńczycy zasiadali w radzie Ligi, ale kiedy wzywano Filipa, nie był obecny żaden Ateńczyk, żeby się temu sprzeciwić. Demostenes namówił ich wcześniej do powstrzymania się od udziału w obradach. Głos przeciw Amfissie mógłby urazić Teby. Dalej nie sięgał w swych przewidywaniach.

Armia dotarła do Termopil, gorących wrót między górami a morzem. Aleksander, który poprzednio był tu, mając lat dwanaście, poszedł z Hefajstionem wykąpać się w gorących źródłach, od których wzięło nazwę to przejście. Złożył też wieniec na kurhanie Leonidasa, przy marmurowym lwie.

— Nie był chyba dobrym wodzem — zauważył później. — Gdyby dopilnował, by Fokijczycy zrozumieli swoje rozkazy, Persowie nigdy nie obeszliby tego przejścia. Te południowe kraje nie potrafią działać razem. Trzeba jednak oddać cześć jego odwadze.

Tebańczycy nadal mieli w swych rękach warownię ponad przejściem. Filip zagrał w ich własną grę, prosząc uprzejmie, by odeszli i pozwolili się zastąpić. Patrzyli w dół, gdzie długi wąż wojska wypełniał nadbrzeżną drogę i rozszerzał się w oddali, a potem biernie zabrali swój sprzęt i odeszli do Teb.

Teraz armia znalazła się na wielkiej drodze na południe. Po prawej widzieli góry, kręgosłup Hellady, nagie i niegościnne, obdarte z zieleni przez człowieka, jego topory i jego stada, niepodobne do lesistych gór Macedonii. Tylko w dolinach między tymi wyniosłymi pustkowiami była ziemia i woda, które żywiły ludzki ród.

— Kiedy znów to widzę — rzekł Aleksander do Hefajstiona — zaczynam rozumieć południowców. Brakuje im ziemi, każdy tu zazdrości sąsiadowi i wie, że sąsiad zazdrości jemu. I każdy kraj ma swą górską granicę. Są jak psy, które biegają wzdłuż ogrodzenia, szczekając na siebie.

— Ale gdy pies natknie się na dziurę, nie przełazi przez nią, by się gryźć, i odchodzi. Psy mają czasem więcej rozumu niż ludzie — zauważył Hefajstion.

Droga do Amfissy skręcała prosto na południe. Idąca na czele grupa Parmeniona poszła już wcześniej naprzód, by zająć twierdzę Kytinion i zabezpieczyć tę drogę, jako zapowiedź, że celem Filipa jest prowadzenie świętej wojny. Główna część armii maszerowała jednak dalej na południowy wschód, ku Tebom i Atenom.

— Spójrz! — Aleksander wskazał przed siebie. — Tam jest Elateja. Murarze już tam są. Wzniesienie murów pójdzie szybko, bo kamienie zostały na miejscu.

Elateja była warownią Fokijczyków, którzy obrabowali świątynię, i została zniszczona podczas poprzedniej świętej wojny. Panowała nad wielką drogą i była odległa o dwa dni szybkiego marszu od Teb i o trzy od Aten.

Tysiąc niewolników kierowanych przez wprawnych murarzy szybko ustawiło z powrotem dobrze ociosane kamienie. Wojsko zajęło warownię i wyżyny wokół niej. Filip założył tu swoją kwaterę główną i wysłał posła do Teb.

Posłanie głosiło, że przez całe lata Ateńczycy prowadzili z nim wojnę, najpierw skrycie, potem otwarcie, nie mógł się już dłużej powstrzymywać. Wrogami Teb byli oni jeszcze dawniej, a jednak teraz próbują wciągnąć i Teby do wojny z nim. Musi on zatem prosić Teban, by się opowiedzieli. Czy dotrzymają przymierza i pozwolą jego armii przejść na południe?

Królewski namiot został ustawiony wewnątrz murów. Koczujący w ruinach pasterze uciekli przed wojskiem. Filip kazał wieźć dla siebie łoże biesiadne, by pozwolić nodze odpocząć po ciężkich dniach. Aleksander siadł przy nim na krześle. Paziowie podali wino i odeszli.

— To załatwi sprawę raz na zawsze — powiedział Filip. — Przychodzi czas, kiedy trzeba zaryzykować i rzucić kości. Myślę, że szanse są bardzo nierówne, i to na niekorzyść wojny. Jeśli Tebanie mają olej w głowie, opowiedzą się po naszej stronie. Ateńczycy ockną się wtedy i ujrzą, do czego doprowadzili ich demagodzy. Stronnictwo Fokiona dojdzie do głosu i przeprawimy się do Azji, nie wylawszy w Grecji ani kropli krwi.

Aleksander obracał puchar w dłoniach. Pochylił się, wąchając wino. Trackie było lepsze, ale dał je Tracji sam Dionizos.

— No tak, ale... spójrz, co się działo, kiedy ty leżałeś, a ja zbierałem wojsko. Rozgłosiliśmy, że się zbroimy przeciw Ilirom i wszyscy w to uwierzyli, a zwłaszcza sami Ilirowie. A co z Ateńczykami? Demostenes wmawiał im przez całe lata, że przyjdziemy. I oto jesteśmy. A co się stanie z nim, jeśli stronnictwo Fokiona dojdzie do głosu?

— Nie zdoła zdziałać nic, jeśli Teby opowiedzą się po naszej stronie.

— W Atenach mają dziesięć tysięcy wyszkolonych najemników.

— Ach, tak, ale to Tebanie zdecydują. Znasz ich konstytucję. Nazywają to umiarkowaną oligarchią, ale prawo głosu mają wszyscy, których stać na zbroję hoplity. I oto masz: w Tebach głosują ci, którzy muszą walczyć w każdej wojnie, jaką prowadzą.

Zaczął wspominać z nostalgią swoje lata zakładnika. Czas okrył mgłą zapomnienia trudne chwile, miały dziś smak utraconej młodości. Walczył raz kiedyś pod wodzą Epaminondasa, przemycony przez przyjaciół do armii. Znał Pelopidasa.

Aleksander pomyślał, słuchając tego, o Świętym Hufcu, który Pelopidas raczej wziął pod jedną komendę, niż od nowa utworzył. Bohaterskie ślubowania znano tu od dawna, od czasów Heraklesa i Jolaosa, przy których ołtarzu je składano. Mężowie z Hufca, podwójnie ceniąc honor, nigdy się nie cofali: szli naprzód, stali w miejscu albo ginęli. Aleksander miał ochotę dowiedzieć się o nich czegoś więcej i opowiedzieć Hefajstionowi, wolałby jednak pytać o to kogoś innego.

— Zastanawiam się — rzucił zamiast tego — co teraz dzieje się w Atenach.

Do Aten wiadomość dotarła o zachodzie słońca w dniu zajęcia Elatei. Członkowie Rady Miasta jedli swój obywatelski posiłek w sali Rady z kilkoma zwycięzcami olimpijskimi, emerytowanymi wodzami i innymi mężami godnymi tego zaszczytu. Na Agorze wrzało. Pogłoski wyprzedziły kuriera z Teb. Potem przez całą noc ulice wyglądały jak w środku dnia. Krewni biegli do krewnych, kupcy do Pireusu, obcy ludzie przekonywali się żarliwie, kobiety biegały z przesłoniętymi twarzami do kobiecińców w domach, gdzie miały przyjaciółki. O brzasku dnia miejski trębacz zwołał Zgromadzenie. Na Agorze podpalono ogrodzenia i kramy, by zawiadomić przedmieścia. Ludzie śpieszyli na wzgórze Pnyks z kamienną mównicą. Przekazano im nowinę, że Filip rusza na południe, a Teby nie stawią oporu.

Starzy ludzie wspominali ów czarny dzień z ich dzieciństwa, ów początek upokorzenia, głodu i tyranii, gdy przybyli pierwsi maruderzy z Koziej Rzeki nad Hellespontem, gdzie unicestwiona została flota, przegrana Wielka Wojna i zapoczątkowana agonia. Cierpki chłód jesiennego poranka przenikał do szpiku kości. Prowadzący obrady zawołał: — Czy ktoś chce przemówić?

Zapadła długa cisza. Wszystkie oczy zwróciły się w jedną stronę. Nikt nie ośmielił się stanąć między ludem a jego wybrańcem. Gdy ujrzeli, że wspina się na platformę, nie było owacji, bo było na to za zimno, ale rozległ się głęboki pomruk, niczym głos modlitwy.

W pracowni Demostenesa przez całą noc paliła się lampa. Ludzie, którzy chodzili po ulicach, nie mogąc zasnąć, czerpali z tego światła otuchę. Przed świtem mowa była napisana. Miasto Tezeusza, Solona i Peryklesa w kluczowym punkcie swych losów zwracało się do niego. Był gotów.

Powiedział najpierw, że Filip nie ma pewności, co zrobią Teby. Gdyby ją miał, nie siedziałby w Elatei, ale stał tu pod murami, on, który zawsze dążył do ich zburzenia. Urządził tymczasem pokaz siły, by dodać ducha swym przekupnym przyjaciołom z Teb i nastraszyć patriotów. Teraz na nich kolej, by zapomnieć w końcu o dawnej nienawiści i zaproponować przez posłów korzystne warunki przymierza, zanim ludzie Filipa wykonają swoją złą robotę. On sam nie odmówi, jeśli zostanie wezwany. Tymczasem niech zdolni do walki zakładają zbroje i ruszają do Eleuzis na drogę tebańską. Będzie to gwarancja gotowości.

Kiedy skończył, wzeszło słońce i ponad pochyłością wszyscy ujrzeli skąpany w blasku szczyt Akropolu, stare marmury okryte patyną i nowe białe świątynie, barwy i złoto. Jeden wielki okrzyk obiegł wzgórze. Ci, którzy byli zbyt daleko, by coś słyszeć, przyłączyli się do niego, pewni, że ogłoszono ratunek.

Demostenes wrócił do domu i napisał dyplomatyczną notę do Teb, nie szczędząc pogardy Filipowi. „Działając tak, jak można było się spodziewać po kimś jego rasy i natury, zuchwale wykorzystując szczęśliwy los, zapominając, jak skromne były jego początki..." Gryzł w zamyśleniu pióro. Rysik ślizgał się po wosku.

Za oknem jacyś młodzi ludzie, dla których wojna była nowością, szli zameldować się u dowódców swoich demów, przekrzykując się i rzucając jakieś młodzieńcze żarty, których on już nie rozumiał. Gdzieś płakała jakaś kobieta. Ależ tak, to było tu, w tym domu. To musiała być jego córka. Czyżby miała po kim płakać? Dowiadywał się o tym po raz pierwszy. Zamknął drzwi, bo płacz był złym znakiem, a do tego rozpraszał mu myśli.

Gdy w Tebach zebrało się Zgromadzenie, nie brakowało nikogo, kto mógł się utrzymać na nogach. Macedończycy, jako formalni sprzymierzeńcy, zostali wysłuchani jako pierwsi.

Przypomnieli przysługi, jakie Filip wyświadczył Tebom, jego pomoc w wojnie fokijskiej, poparcie dla hegemonii Teb w Beocji, wyliczyli dawne krzywdy, wyrządzone Tebom przez Ateńczyków, ich starania, by osłabić Teby, ich przymierze z bezbożnymi Fokijczykami, którzy złotem Apollona opłacali najemników (a przy tym korzystali z tebańskich złotych tarcz, świętokradczo znieważając i Teby, i boga).

Filip nie prosił, by Tebanie podnieśli broń przeciw Atenom. Mogą to zrobić, jeśli zechcą, i korzystać z owoców zwycięstwa, on jednak nadal uważać ich będzie za przyjaciół, jeśli tylko pozwolą mu przejść.

Zgromadzenie zastanawiało się nad tym. Mieli za złe Filipowi niespodziewanie zajęcie Elatei. Jeśli był przyjacielem, miał zbyt długie ręce. Teraz za późno było pytać ich o zdanie. Co do reszty, wszystko było zgodne z prawdą. Wielkie problemy władzy pozostały nie wypowiedziane. Cóż będą warci dla Filipa, jeśli upadną Ateny? A jednak miał już władzę nad Tessalią i nie wyrządził tam żadnej szkody. Oni sami walczyli w długiej wojnie fokijskiej. Teby pełne były synów poległych w tej wojnie, owdowiałych matek i osieroconych dzieci. Czy nie dość już tego?

Antypater przerwał i usiadł. Usłyszał przychylny pomruk, prawie oklaski. Sekretarz wezwał teraz posłów ateńskich. Demostenes wszedł na mównicę wśród wyczekującej ciszy. Większość była mu nieprzychylna. Nie Macedonia, lecz Ateny były od pokoleń zagrożeniem. Nie

244

było domu, który nie złożyłby daniny krwi w nie kończącej się wojnie granicznej. Jedna struna, która z pewnością odpowie, została potrącona: powszechna nienawiść do Sparty. Przypomniał więc, jak po Wielkiej Wojnie, gdy Sparta narzuciła Atenom Trzydziestu Tyranów (takich samych zdrajców jak ci, którzy chcą dziś pokoju z Filipem), Teby udzieliły schronienia wyzwolicielom. Tych Trzydziestu to przy Filipie dzieci. Zapomnijmy o przeszłości, pamiętajmy tylko o tym szlachetnym postępku. Umiejętnie odmierzając czas, przedstawił propozycje Aten. Zwierzchnictwo Teb nad Beocją nie będzie podawane w wątpliwość. Gdyby Beoci buntowali się, Ateny wyślą wojsko, by ich poskromić. Oddają też Plateje, odwieczną kość niezgody. Nie przypominał słuchaczom, że Plateje, wdzięczne Atenom za obronę przed Tebami, przyłączyły się do nich pod Maratonem i zostały nagrodzone ateńskim obywatelstwem po wsze czasy. Nie czas było dzielić włos na czworo. Plateje będą oddane bez walki. Ponadto w razie wojny z Filipem Teby będą dowodzić siłami lądowymi, Ateny zaś poniosą dwie trzecie kosztów.

Nie było wybuchu entuzjazmu. Tebańczycy spoglądali z powątpiewaniem na siebie nawzajem, nie na niego. Wymykali mu się z rąk.

Postąpił naprzód, podnosząc dłoń, przywołał zmarłych bohaterów, Epaminondasa i Pelopidasa, pola chwały pod Leuktrami i Mantineją, czyny Świętego Hufca. Jego donośny głos zniżył się do aksamitnej nuty ironii — jeśli to wszystko nie ma już znaczenia, ma tylko jedną prośbę do Aten: o prawo do przejścia, aby same mogły stawić czoło tyranowi.

W tym miejscu ich złapał. Odezwała się stara rywalizacja. Udało mu się ich zawstydzić, słyszał to w ich głosach. Z dwóch stron jednocześnie wezwano do głosowania: mężowie ze Świętego Hufca przypomnieli sobie o honorze. Kamyki posypały się do urn. Rachmistrze puścili w ruch liczydła. Tebanie przegłosowali zerwanie układu z Macedonią i zawarcie przymierza z Atenami.

Wracał do swej kwatery, ledwie dotykając stopami ziemi. Oto niczym Zeus ważył na szalach losy Grecji. Gdyby nawet czekała ich ciężka próba, kiedyż to nowe życie rodziło się bez bólów? O nim zaś będą już zawsze mówić, że był człowiekiem na miarę chwili.

Filipowi przyniesiono tę wiadomość, gdy następnego dnia jadł posiłek z Aleksandrem. Odesłał paziów, zanim otworzył list. Jak większość ludzi swej epoki, nie opanował sztuki czytania samymi tylko oczami. Musiał słyszeć swój głos. Aleksander, czekając w napięciu i niepewności, zastanawiał się, dlaczego ojciec nie nauczy się czytać po cichu, tak jak on. Była to tylko sprawa praktyki. Chociaż i on poruszał wargami przy czytaniu, Hefajstion zapewniał go, że niczego nie słyszy.

Filip czytał spokojnie i bez gniewu, tylko linie jego twarzy pogłębiły się, tworząc bruzdy. Położył zwój przy talerzu.

— Cóż, jeśli tego chcą, będą to mieli.

— Szkoda, ojcze, ale widać tak musiało być.

Czy nie dostrzegał, że bez względu na wynik głosowania w Tebach Ateny go nienawidziły? Nie było sposobu, by wjechał w ich bramy, chyba że jako zwycięzca. Jak mógł tak długo piastować to nierealne marzenie? Lepiej zostawić je w spokoju i pomyśleć o rzeczywistości. Skorzystają zatem z drugiego planu wojny.

Ateny i Teby gorączkowo szykowały się, by powstrzymać marsz Filipa na południe. Zamiast tego poszedł na zachód, między górskie grzbiety i wąwozy na obrzeżach masywu Parnasu. Wezwano go, by wyrzucił świętokradców z Amfissy ze świętego pola, zatem to zrobi. Co do Teb, to — powiedzmy — chciał wypróbować lojalność wątpliwego sprzymierzeńca, z góry znając wynik próby.

Powołani na wojnę młodzi ludzie z Aten przygotowywali się do wymarszu na północ, do Teb. Wróżby były złe: ogień na ołtarzach tlił się, wróżbitom nie podobał się wygląd wnętrzności. Demostenes widząc, iż podnosi się przeciw niemu martwa ręka zabobonu, rozgłosił, że te znaki są dziełem przekupionych przez Filipa wróżbitów, którzy mieli przeszkodzić wojnie. Na zmianę biegu wydarzeń było już zbyt późno, a mimo to Fokion — wróciwszy z jakiejś misji — nalegał, by miasto wysłało posłów do Delf. Demostenes śmiał się z tego: cały świat wie, że Filip przekupił Pytię.

Teby przyjęły Ateńczyków tak jak Lynkestydzi Aleksandra, z ostrożną grzecznością. Wódz tebański kazał swym połączonym siłom strzec przejść na południe i zagradzać Filipowi drogę w Amfissie. Na dzikich, kamienistych wyżynach Parnasu i w wąwozach Fokidy obie armie prowadziły zwiady i manewrowały. Liście na drzewach pożółkły, a potem opadły. Na szczytach wzgórz spadł pierwszy śnieg. Filip miał zajęcie. Odbudowywał warownie bezbożnych Fokijczyków, oni zaś z wdzięczności udostępnili je jego wojskom. Uzyskali w zamian zawieszenie kar płaconych obrabowanemu bogu.

Nie kusiła go wielka bitwa. Potyczka w wąwozie rzeki i druga na przełęczy zostały przerwane, gdy ujrzał swe wojska wciągane w niedogodne do bitwy miejsca. Ateny okrzyknęły oba starcia zwycięstwami i urządziły uroczystości dziękczynne.

Pewnego zimowego wieczoru ustawiono namiot Filipa pod ścianą urwiska nad rzeką pieniącą się w kamiennej gardzieli i wezbraną od śniegu. Miejsce było osłonięte od wiatru. Na stokach między rzeką a urwiskiem rąbano sosnowy las na ogniska. Zapadał zmierzch. Prądy czystego górskiego powietrza przebijały się przez mieszaninę woni: dymu z ognisk, gotowanej kaszy i fasoli, koni, nie dosuszonych skór namiotowych i wielu tysięcy nie domytych mężczyzn. Filip i Aleksander siedzieli na składanych skórzanych krzesłach, susząc mokre buty przy swoim żarzącym się ognisku. Ojciec cuchnął, a ta jego woń mieszała się Aleksandrowi z innymi swojskimi zapachami wojny. On sam był też brudny, ale w granicach przyzwoitości. Kiedy nie dawało się wejść do strumienia, nacierał się śniegiem. Przywiązywał wagę do tych rzeczy i nie zdawał sobie sprawy, że daje początek legendzie jakoby jego ciało wydzielało z natury bardzo miły zapach. Większość żołnierzy nie kąpała się wcale od miesięcy. Ich żony wyszorują ich, kiedy wrócą do małżeńskiego łoża.

— Czy ci nie mówiłem, że Demostenes straci cierpliwość jeszcze przed zimą? Właśnie dowiedziałem się, że ich wysłał w pole.

— Co takiego? Ilu?

— Wszystkich. Dziesięć tysięcy.

— Czy ten człowiek oszalał?

— Nie, ale to polityk. Wyborcom nie podobało się, że wojska najemne żyją na ich koszt w Attyce, podczas gdy obywatele odeszli na wojnę. Cały czas o nich myślałem. Są dobrze wyszkoleni i ruchliwi. O wiele za ruchliwi. W tym zwarciu dziesięć tysięcy dodatkowych żołnierzy to bardzo wiele. Teraz możemy uporać się najpierw z nimi. Wysłano ich do Amfissy.

— Zaczekamy więc, aż tam się znajdą. A potem?

Filip wyszczerzył pożółkłe zęby w blasku ogniska.

— Wiesz, jak się wymknąłem spod Bizancjum? Spróbujemy tego jeszcze raz. Dostaniemy złe wieści z Tracji, bardzo złe wieści: rewolta, Amfipolis zagrożone, wszyscy są potrzebni do obrony granic. Napiszę w odpowiedzi, że odchodzimy wszystkimi siłami na północ. Mój kurier zostanie schwytany albo może sprzeda ten list. Zwiadowcy nieprzyjaciela zobaczą nas odchodzących na północ. Zalegniemy pod Kytinionem i będziemy czekać.

— A potem przez Grawię i atak o świcie?

— Kradzionym marszem, jak powiada twój przyjaciel Ksenofont.

Ukradli ten marsz, zanim wiosenna odwilż zatopiła przejścia przez rzeki. Ateńscy najemnicy spełniali swój obowiązek, dopóki mieli jeszcze nadzieję. Potem, jako zawodowcy, odeszli na wybrzeże albo pytali o warunki poddania. Większość pytających zaciągnęła się do Filipa, gdzie zaraz opatrzono im rany i posadzono do dobrego, gorącego posiłku.

Amfissa poddała się bezwarunkowo. Jej rząd poszedł, zgodnie z dekretem Świętej Ligi, na wygnanie. Święte Pole oczyszczono z bezbożnych upraw i pozostawiono ugorem, by znów służyło bogu.

W pierwszych ciepłych wiosennych dniach, w teatrze w Delfach, ze stromymi, orlimi urwiskami Fedriadów za plecami, wielką świątynią Apollona z przodu i rozległą zatoką poza nią, Liga uwieńczyła króla Filipa złocistym wieńcem laurowym. Jego samego i jego syna wychwalano w długich mowach i w odach recytowanych przez chóry. Jakiś rzeźbiarz wykonał szkice do ich posągów, które miały ozdobić świątynię. Aleksander przechadzał się później z przyjaciółmi po zatłoczonym deptaku. Cisnął się tu i szumiał tłum z całej Grecji, a nawet z Sycylii, Italii i Egiptu. Bogaci ofiarodawcy szli ze swymi darami wystawionymi na pokaz na głowach niewolników, kozły beczały, gołębice pohukiwały w wiklinowych klatkach. Pojawiały się i znikały twarze: spragnione czegoś, pobożne, radosne i ściągnięte niepokojem. Był to jeden z tych dni, w których przemawiała wyrocznia.

Pośród hałasu Hefajstion nachylił się do ucha Aleksandra. — Czemu nie miałbyś i ty, skoro już tu jesteś?

— Nie teraz.

— Zyskałbyś może spokój ducha.

— Nie, to nieodpowiednia chwila. W takim miejscu trzeba chyba podejść do wróżki niespodziewanie.

W teatrze wystawiano jakieś okazałe widowisko. Pierwszym aktorem był Tettalos, sławny odtwórca bohaterskich ról. Był to przystojny i ognisty młody człowiek, którego tessalska krew miała jakąś celtycką domieszkę. Pobyt w Atenach przydał jego ognistości dobrej techniki, a wrodzonej zapalczywości dobrych manier. Często grywał w Pelli i był ulubionym aktorem Aleksandra, przed którym wyczarowywał niezwykłe wizje duszy bohatera. Teraz, grając w *Ajasie* Sofoklesa podwójną rolę: Ajasa i Teukrosa, dowiódł, że było nie do pomyślenia, by jeden mógł przeżyć obrazę honoru, a drugi nie dochować wierności zmarłemu. Aleksander poszedł później z Hefajstionem za scenę. Tettalos ściągnął już maskę Teukrosa i ocierał pot z twarzy. Miał wyraziste rysy i krótkie, kędzierzawe, ciemne włosy. Słysząc głos Aleksandra, odrzucił ręcznik i zwrócił ku niemu roziskrzone orzechowe oczy.

— Dziś grałem tylko dla ciebie. Cieszę się, że ci się podobało.

Rozmawiali chwilę o ostatnich wędrówkach Tettalosa. Na koniec tamten rzekł:

— Bywam w wielu miejscach, gdybyś więc potrzebował kogoś zaufanego, obojętnie w jakiej sprawie, byłbym zaszczycony.

Nie musiał więcej mówić. Aktorzy, słudzy Dionizosa, byli nietykalni, często więc pełnili rolę posłów, a jeszcze częściej tajnych agentów.

— Dziękuję, Tettalosie. Pomyślę wtedy przede wszystkim o tobie.

Kiedy szli potem w stronę stadionu, Hefajstion odezwał się:

— Wiesz, że on wciąż się w tobie kocha?

— Owszem, mogę jednak traktować go uprzejmie. To rozsądny człowiek, nie zrozumie mnie źle. Któregoś dnia mogę go potrzebować, nigdy nie wiadomo.

Przy pięknej wiosennej pogodzie Filip zszedł nad Zatokę Koryncką i zajął Naupaktos panujące nad wyjściową cieśniną. W lecie przemierzał kraj za Parnasem, umacniając warownie, podtrzymując przymierza, budując drogi i wypasając konie swej jazdy. Od czasu do czasu udawał, że rusza na wschód, gdzie Ateńczycy i Tebanie gęsto obsadzili przejścia. Potem maszerował z powrotem, zostawiając tamtych zmęczonych bezczynnością, i urządzał swym ludziom ćwiczenia albo igrzyska, by mieć pewność, że im to nie grozi.

Nawet teraz wysłał jeszcze raz posłów do Aten i Teb z propozycją omówienia warunków pokoju. Demostenes oznajmił, że Filip wpada w desperację, dwukrotnie odparty zbrojnie. Potwierdza to jego propozycja. Jedno porządne pchnięcie wystarczy, by skończyć z nim na południu.

Późnym latem, kiedy między drzewami w oliwnych sadach Attyki i Beocji jęczmień dojrzewał w oczach, Filip cofnął się do Elatei, pozostawiając w swych warowniach załogi. Wysunięte oddziały Aten i Teb stały o dziesięć mil na południe. Do czasu odrzucenia jego propozycji drażnił ich tylko, nie czyniąc nic więcej. Teraz zaszedł ich z boków, grożąc odcięciem drogi odwrotu. Już na drugi dzień zwiadowcy donieśli, że tamci odeszli, zajął więc i obsadził przejście.

Bardzo to poprawiło nastroje konnicy. Polerowali zbroje i szczotkowali konie. Zbliżająca się bitwa musi teraz rozegrać się na równinie.

Jęczmień pobielał, oliwki dojrzały. Nadszedł lwi miesiąc według macedońskiego kalendarza. Król wydał w warowni urodzinową ucztę na cześć Aleksandra, który kończył osiemnaście lat.

Elateja stała się teraz wcale przytulnym miejscem. Na ścianach królewskiej kwatery wisiały wełniane kobierce. Ułożono posadzki z płytek. Goście śpiewali, a Filip zwrócił się do syna:

— Nie powiedziałeś jeszcze, co chciałbyś dostać.

— Ty wiesz, ojcze — uśmiechnął się Aleksander.

— Zasłużyłeś na to i nie będziesz długo czekać. Ja obejmę prawe skrzydło, bo tak było od zawsze. Konnicą dowodzisz ty.

Aleksander odstawił powoli swój złoty puchar. Jego oczy, błyszczące i rozszerzone od wina i od wizji przyszłości spojrzały w mroczne, kalekie oczy Filipa.

— Gdybyś miał tego kiedyś żałować, ojcze, niech nie doczekam tej chwili!

Wzniesiono toast za to mianowanie. Raz jeszcze przypomniano wróżebne znaki z dnia narodzin: olimpijskie zwycięstwo w wyścigu koni i zwycięstwo nad Ilirami.

— I ten trzeci znak — rzekł Ptolemeusz. — Ten pamiętam najlepiej. Byłem wtedy w wieku, kiedy wierzy się w cuda. To był dzień, kiedy spalono wielką świątynię Artemidy w Efezie. Pożar nad Azją!

— Jak to się stało? — spytał ktoś. — Nie było wtedy przecież wojny. Czy to był piorun, czy może kapłan przewrócił lampę?

— Nie, ktoś to zrobił celowo. Znałem to imię, Hejro... Hero... nie, to było coś dłuższego. Nearchu, nie pamiętasz?

Nikt nie pamiętał.

— A czy wiadomo, dlaczego to zrobił? — spytał Nearchos.

— O, tak. Sam to chętnie powiedział, zanim go zabili. Zrobił to, żeby na zawsze pamiętano jego imię.

Nad wzgórzami Beocji zajaśniał świt. Słońce lata spaliło na brąz wrzosowiska i zarośla, wśród których porozrzucane były wielkie głazy. Ze wzgórz zstępowali na równinę ludzie, spaleni słońcem jak te wrzosowiska i kamienie, kolczaści jak cierniste krzewy. Spływali ze stoków i zatrzymywali się niczym muł w dolinach rzek. Mułu przybywało i z wolna zaczynał płynąć dalej.

Konnica kłusowała po najłagodniejszych pochyłościach, troszcząc się o nie podkute kopyta koni. Słychać było stłumiony tętent, gdy konie wybierały drogę wśród wrzosów. Gołe uda jeźdźców ściskały gołe grzbiety koni. Tylko broń szczękała i podzwaniała cicho.

Kefisos bulgotał po kamieniach w swym letnim korycie. Na wschód od rzeki, u stóp tarasowatych zboczy, wznosiło się miasteczko Cheroneja. Bladoróżowe domki okrywał jeszcze fioletowy cień.

Ludzka powódź zwalniała biegu, przystawała i rozlewała się na boki po równinie. Przed nią rozciągała się tama. Jej gruba linia najeżyła się ostrzami i zamigotała w pierwszych skośnych promieniach słońca. Ta zapora składała się z ludzi.

Między powodzią a tamą leżała otwarta przestrzeń nie tkniętych jeszcze pól nawadnianych przez rzekę. Wokół oliwek ścierniska po zżętym jęczmieniu zdobiły maki i wyka. Słychać było pianie kogutów, beczenie owiec, ryk bydła i krzyki chłopców i kobiet wyganiających stada w góry. Powódź i tama czekały. W szerokiej gardzieli przejścia armia z północy rozbiła swój obóz nad rzeką. Konnica poszła z jej biegiem, by nie mącić innym wody przy pojeniu koni. Żołnierze odpinali od pasów kubki i jedli swój południowy posiłek: płaskie placki, jabłko albo cebulę, okruch czarnej soli z dna torby. Dowódcy szukali usterek w drzewcach włóczni i rzemieniach oszczepów i badali ducha wojska. Widzieli, że ludzie są napięci jak naciągnięty łuk i czują, że dzieje się coś ważnego. Było ich trzydzieści tysięcy pieszych i dwa tysiące konnych, i tyle samo było wrogów, więc była to największa bitwa w ich życiu. Wiedzieli, że wokół siebie mają znajomych: dowódcę, który był w kraju dziedzicem ze dworu, sąsiada z wioski, współplemieńców i krewnych, którzy zaświadczą o ich dzielności. Od południa zjeżdżały mozolnie w dół tabory z namiotami i siennikami. Dziś wyśpią się jak należy, bo król zajął wszystkie przełęcze i nikt nie zdoła obejść ich pozycji. Ci przed nimi mogą tylko siedzieć i czekać, aż przyjdzie mu ochota, by coś zrobić.

Aleksander podjechał do zaprzęgu wołów ciągnącego królewskie namioty.

— Mój ustawcie tam.

Młody dąb ocieniał brzeg rzeki i piaszczyste rozlewisko przy brzegu. Słudzy ucieszyli się, że oszczędzi im to noszenia wody. Lubił się kąpać, nie tylko po bitwie, ale i przed nią, jeśli tylko mógł. Jakiś złośliwiec powiedział, że jego próżność każe mu troszczyć się o wygląd własnych zwłok.

Król zasiadł w swym namiocie, udzielając posłuchania Beotom, którzy chcieli przekazać mu wszystko, co wiedzieli o planach nieprzyjaciela. Tebanie uciskali ich, Ateńczycy zaś zaprzysięgli przymierze, a potem otwarcie sprzedali ich Tebanom, nie mieli więc nic do stracenia, korzystając z okazji. Przyjął ich z otwartymi ramionami, wysłuchał uważnie wszystkich starych zawiłych skarg, obiecał naprawienie krzywd i własną ręką notował wszystko, co mieli do powiedzenia. Przed zapadnięciem zmierzchu pojechał z Aleksandrem, Parmenionem i następnym w kolejności dowodzenia macedońskim wielmożą Attalosem na wzgórze, żeby się rozejrzeć. Królewska straż przyboczna jechała z tyłu pod dowództwem Pauzaniasza.

Pod nimi rozciągała się równina, którą jakiś dawny poeta nazwał kiedyś „tanecznym kręgiem wojny", tyle razy spotykały się na niej wrogie armie. Oddziały sprzymierzonych rozciągnęły się na trzymilowym fron-

251

cie, od rzeki do podnóża gór. Unosił się nad nimi dym wieczornych ognisk, tu i ówdzie błyskających płomieniem. Nie ustawieni jeszcze w szyku bitewnym gromadzili się niczym ptaki różnych gatunków: każde miasto i państwo osobno. Ich lewe skrzydło, ustawione naprzeciw prawego macedońskiego, opierało się mocno i pewnie o wznoszący się grunt. Filip wpatrywał się uważnie w to miejsce swoim zdrowym okiem.

— To Ateńczycy. Będę musiał ich jakoś stamtąd ruszyć. Jeden tylko stary Fokion nadaje się do czegoś jako wódz, więc dali go do floty. Był za mądry, żeby Demostenes mógł to znieść. Mamy szczęście. Chares wojuje według książki... Hm, tak, muszę przypuścić porządny atak, zanim zacznę ustępować. Kupią to od starego wodza, który już niejedno spisał na straty.

Pochylił się z uśmiechem, by klepnąć Aleksandra po ramieniu.

— To by nie pasowało do Małego Króla.

Aleksander zmarszczył brwi, a potem twarz mu się rozjaśniła. Odwzajemnił uśmiech i wrócił do oceny długiej, żywej zapory poniżej, jak budowniczy, który musi zmienić bieg rzeki, przygląda się zawadzającej skale. Zbliżył się do nich koniem Attalos, wysoki, o zapadłych policzkach, rozwidlonej żółtej brodzie i bladoniebieskich oczach, ale właśnie cicho odjeżdżał.

— Zatem w środku mamy wybierki — rzekł Aleksander. — Koryntian, Achajów i tak dalej. A po prawej...

— Naczelne dowództwo. Dla ciebie, synu: Tebanie. Jak widzisz, wydzieliłem ci królewski kąsek.

Rzeka połyskiwała w świetle jasnego nieba między stożkami topól i cienistymi równinami. Przy niej zakwitły płomienie ognisk strażniczych Teban, ułożone w regularny wzór. Aleksander patrzył w skupieniu i przez chwilę widział w świetle tych odległych ogni ludzkie twarze, malejące w miarę rozpościerania się wielkiego malowidła.

Wszystkie wnet bramy rozwarto i wojsko nimi runęło
Piesze i konne. Dokoła gwałtowna wrzawa wybuchła*.

— Zbudź się, chłopcze — mówił Filip. — Widzieliśmy wszystko, co trzeba. Czas na wieczerzę.

Parmenion zawsze jechał z nimi, a tego wieczoru także Attalos, świeżo przybyły z Fokidy. Aleksander ujrzał z przykrością, że na straży stoi Pauzaniasz. Oglądanie tych dwóch w jednym pomieszczeniu przyprawiało go zawsze o ból zębów. Pozdrowił Pauzaniasza szczególnie serdecznie.

---

* Homer, *Iliada*, tłum. K. Jeżewska, op. cit., II 809-810.

To właśnie Attalos, przyjaciel i krewny zabitego rywala, zaplanował tamtą paskudną zemstę. Aleksander nieraz głowił się, dlaczego Pauzaniasz, któremu nigdy nie brakowało odwagi, przyszedł z żądaniem pomsty do króla, zamiast wziąć odwet samemu. Czyżby chciał wypróbować lojalność Filipa? Kiedyś, zanim się zmienił, miał w sobie tę urodę dawnych wieków, która mogła być schronieniem aroganckiej homeryckiej miłości. Attalos był jednak naczelnikiem potężnego klanu, był przyjacielem króla, był użyteczny, a śmierć tamtego chłopca też była gorzką stratą. Wyperswadowano ten pomysł Pauzaniaszowi i podparto awansem jego nadwątlony honor. Minęło sześć lat, śmiał się częściej, mówił więcej i łatwiej było z nim obcować, ale tylko do czasu, gdy Attalos został wodzem. Teraz znów unikał ludzkich oczu i trudno było wydobyć z niego więcej niż dziesięć słów. Ojciec nie powinien był tego robić. To wyglądało na nagrodę. Ludzie już gadają...

Ojciec mówił o bitwie. Aleksander otrząsnął się z myśli o tych dwóch, ale pozostał niesmak, jak po zepsutym jedzeniu.

Wykąpał się w piaszczystym rozlewisku i położył na łóżku, powtarzając w myślach plan bitwy, punkt po punkcie. Nie zapominał o niczym. Wstał potem, ubrał się i poszedł cicho między ogniskami straży do namiotu, który Hefajstion dzielił z dwoma czy trzema innymi. Zanim dotknął klapy namiotu, Hefajstion wstał cicho, narzucił na siebie płaszcz i wyszedł. Stali chwilę rozmawiając, a potem rozeszli się do łóżek. Aleksander spał twardo aż do porannej zmiany straży.

A wrzawa podniosła się sroga.

Po ścierniskach wokół oliwek, przedzierając się przez winnice, z których uciekli robotnicy w połowie zbiorów, obalając podpórki i depcząc grona w krwawe wino, kołysała się, mieszała i kotłowała stłoczona masa ludzka, nabrzmiewająca i pękająca jak pęcherze, wzbierająca i opadająca jak drożdże.

Wrzawa była ogłuszająca. Ludzie krzyczeli do siebie nawzajem albo do wrogów, albo do siebie samych, albo wrzeszczeli w jakiejś okrutnej męce nie znanej dotąd ich ciałom. Tarcze zderzały się z sobą, konie kwiczały, każda część sprzymierzonej armii wznosiła własny okrzyk bitewny. Dowódcy wykrzykiwali rozkazy, trąby grały. Ponad tym wszystkim wisiała wielka chmura rdzawego, duszącego pyłu.

Po lewej, gdzie Ateńczycy utrzymywali podnóże gór stanowiące oparcie sprzymierzonych wojsk, Macedończycy uderzali w nich zażarcie z dołu swymi długimi saryssami. Dzięki zróżnicowanej długości tworzyły one w pierwszych trzech szeregach jedną linię, najeżoną ostrzami niczym jeżozwierz. Ateńczycy starali się przyjmować ich ciosy na tarcze. Najdzielniejsi przeciskali się między drzewcami, zadając pchnięcia krótką włócznią albo rąbiąc mieczem, czasem ulegając, a czasem wyrąbując szczerbę w szeregu. Na skraju linii bojowej stał Filip, siedząc na swym krępym i silnym bojowym koniu, a przy nim — w oczekiwaniu — gońcy. Na co czekali, wszyscy dokoła wiedzieli. Szyk falował i napierał na linię, jakby od jej przerwania zależało życie i honor. Choć hałas wszędzie był straszliwy, w ich szeregach było nieco ciszej, kazano im bowiem nasłuchiwać hasła.

W centrum długi front chwiał się w jedną i drugą stronę. Oddziały sprzymierzonych, obce swym sąsiadom, a czasem rywalizujące ze sobą, dzieliły wspólnie wiedzę, że przerwanie linii oznacza śmierć i niesławę. Ranni walczyli, dopóki — jeżeli mieli szczęście — tarcze nie zwarły się przed nimi, albo padali i byli tratowani przez towarzyszy, którzy nie mogli opuścić zasłony ani przystanąć. Gorący tłum miotał się w gorącym pyle, pocąc się, klnąc, siekąc i kłując, dysząc i jęcząc. Tam, gdzie jakiś głaz wyrastał z ziemi, bijatyka wznosiła się i opadała niczym morska kipiel, spryskując go szkarłatnym pyłem.

Na ich północnym krańcu, gdzie rzeka strzegła flanki, rozciągała się równa jak sznur paciorków nieskazitelna linia tarcz Świętego Hufca Tebańskiego. Z poszczególnych par wojowników tworzyła się w boju jedna metalowa sztaba: tarcza każdego żołnierza zachodziła na żołnierza z lewej. Starszy z każdej pary, erastes, stał po prawej, po stronie włóczni, młodszy, eromenos, po stronie tarczy. Honorowa była prawa strona, tak dla oddziału, jak dla wojownika, choć więc młodszy mógł być silniejszy, nigdy nie prosił przyjaciela o ustąpienie miejsca. Wszystkim tu rządziły starożytne prawa. Byli tu niedawno zaprzysiężeni kochankowie, którzy chcieli pokazać swą wartość, i były pary, które przesłużyły w Hufcu dziesięć lat, brodaci ojcowie rodzin, w których dawna miłość zmieniła się w braterstwo broni. Hufiec był zbyt sławny, by się go wyrzekać, gdy mijało oczarowanie. Śluby składało się do końca życia i było to ślubowanie wojownika.

Hufiec błyszczał nawet w tej kurzawie. Beockie hełmy z brązu i okrągłe tarcze z oplotem na krawędziach były tak wypolerowane, że lśniły jak złoto. Bronią Hufca były sześciostopowe włócznie o żelaznych ostrzach i krótkie miecze, których używano do pchnięć. Miecze nadal spoczywały w pochwach, bo jeszcze nie połamano włóczni.

Parmenion, którego falanga stała naprzeciw nich, zrobił wszystko, co mógł, by ich powstrzymać. Od czasu do czasu posuwali się naprzód potężnym pchnięciem i poszliby dalej, gdyby nie obawa, że stracą styczność z Achajami, stojącymi obok nich w szyku. Przypominali jakiś znakomity stary oręż, który można rozpoznać i po ciemku. Prędzej, Filipie! Ci tutaj mają dobrą szkołę. Miejmy nadzieję, że wiedziałeś, co dajesz swemu chłopcu do zgryzienia. Miejmy nadzieję, że ma dość mocne zęby. Tuż za ciężko pracującą falangą, o strzelenie z łuku, czekała konnica. Zgrupowani byli w kolumnę zwartą niczym pocisk z katapulty, ostrzem stożkowatej głowicy był zaś pojedynczy jeździec.

Konie niepokoiły się hałasem, zapachem krwi niesionym wiatrem, udzielało im się napięcie wyczuwalne w ciałach jeźdźców, pył drażnił nozdrza. Ludzie rozmawiali z sąsiadami, wołali do przyjaciół, strofowali albo uspokajali konie i starali się dojrzeć coś z przebiegu bitwy przez chmurę kurzu, w której wzrok gubił się już po dziesięciu stopach. Mieli przypuścić atak na linię hoplitów, ten koszmar każdego jeźdźca. Jazda przeciw jeździe, to co innego. Ten drugi może spaść z konia równie łatwo jak ty, pchnięty włócznią albo nazbyt wychylony. Można go zajechać i ciąć krzywym mieczem. Ale pędzić na dobrze wymierzone włócznie? To przeciw naturze konia. Dotykali twardych napierśników z suszonych byczych skór, które nosiły ich rumaki. Sprawili je sobie sami Towarzysze, ale radzi byli, że posłuchali chłopca.

Wysunięty naprzód jeździec zegnał muchę z oka swego konia. Czuł poprzez uda jego siłę, świadomość zbliżającej się furii, jego ślepą wiarę, jego koński rozum. Tak, tak. Ruszymy, kiedy powiem. Pamiętaj, kim jesteśmy.

Hefajstion w następnym krótkim szeregu dotknął pasa. Może zapiąć go ciaśniej? Nie, nic go tak nie drażniło, jak żołnierz dopinający w szyku rynsztunek. Muszę go dogonić, zanim ich dopadnie. Ma rumieńce. Często je miewa przed bitwą. Nie wiadomo, czy to nie gorączka. Miał ją przez dwa dni, zanim zdobyto warownię, i nie powiedział ani słowa. Mogłem mu nosić wodę. Spałem sobie spokojnie.

Jakiś goniec podjechał przez zdeptane ściernisko i pozdrowił Aleksandra w imieniu króla. Wiadomość była ustna.

— Łykają przynętę. Bądź gotów.

Na wzgórzu nad bladoróżowym miasteczkiem, w dziesiątym szeregu Ateńczyków stał Demostenes z oddziałem swojej fyli. Na czele byli młodzi, za nimi najsilniejsi z tych w wieku średnim. Szyk przesuwał się i napinał na całą swą głębokość, jak ludzkie ciało, gdy prawe ramię natęża się w jakimś ruchu. Dzień robił się gorący. Wydawało się, że stoją tak od wielu godzin, kolebiąc się i patrząc w dół, ta niepewność była jak ból zębów. Na przedzie ludzie padali rażeni włóczniami w brzuch czy w pierś. Wstrząs zdawał się przebiegać przez zwarte szeregi, aż tam, gdzie stał on. Ilu już padło? Ile szeregów zostało jeszcze przed nim? Nie powinno go tu być. Wyrządzam szkodę Miastu, ryzykując życiem na wojnie. Gniotący się tłum został nagle pchnięty naprzód. To już drugi raz w krótkim czasie. Niewątpliwie wróg ustępuje placu. Było jeszcze dziewięć szeregów między nim a tymi długimi saryssami, ale ich linia się zachwiała. Wiecie przecież, mężowie ateńscy, że nosiłem tarczę i włócznię na polu cheronejskim, nie dbając o własne życie i o własne sprawy, chociaż ktoś mógłby je nazwać ważnymi. Moglibyście nie bez słuszności wytknąć mi, że narażam przez to waszą pomyślność... Zdławiony krzyk bólu dobiegł z pierwszego szeregu, który niedawno był drugim. Mężowie ateńscy... Coś się zmieniło w huku bitwy. Krzyk uniesienia przebiegł jak płomień przez zbitą masę ludzką. Zaczęła się poruszać, już nie dźwigając się z wysiłkiem, ale prąc jak osuwający się górski stok. Nieprzyjaciel w odwrocie! Przed oczami zabłysła chwała Maratonu, Salaminy, Platejów. Ludzie na przedzie wrzeszczeli. — Na Macedonię! — Zaczął biec z innymi, krzycząc wysokim, ostrym głosem. — Łapać Filipa! Brać go żywcem! — Trzeba go przeprowadzić w łańcuchach przez Agorę, a potem kazać mu mówić, wymieniać imiona zdrajców. Na Akropolu stanie nowy posąg obok Harmodiosa i Arystogejtona: DEMOSTENES OSWOBODZICIEL. Krzyczał do tych, którzy biegli szybciej. — Na Macedonię! Brać go żywcem! — Śpiesząc się, by to zobaczyć, omal nie potknął się o ciała młodych ludzi, którzy padli w pierwszym szeregu.

Tebańczyk Teagenes, wódz naczelny sprzymierzonej armii, jechał za linią ku środkowi, poganiając konia. Długi front trząsł się od wykrzykiwanych wiadomości, zbyt zniekształconych, by im wierzyć. Wreszcie nadjechał jeden z jego zwiadowców. Meldował, że Macedończycy naprawdę się cofają.

— Jak? — spytał Teagenes. — W nieładzie?

W dobrym szyku, ale odstępują dosyć szybko. Już się całkiem wycofali z wyżyny, a za nimi idą Ateńczycy. Za nimi? Co takiego? Opuścili więc pozycję bez rozkazu? No cóż, z rozkazem czy bez, są już na równinie i ścigają samego króla.

Teagenes klął i bił się pięściami w udo. Filip! Cóż za głupcy, obrzydliwi, postrzeleni, zarozumiali ateńscy głupcy. Co tam zostało z ich szyku? Luka musi być wielka jak hipodrom! Odesłał zwiadowcę z rozkazem, by ją zapełnić za wszelką cenę i osłonić lewą flankę. Nigdzie indziej wróg nie ustępował, odgryzali się jeszcze ostrzej.

Rozkaz dotarł do dowódcy Koryntian. Jak lepiej osłonić flankę, niż wchodząc na wzniesienie, gdzie stali przedtem Ateńczycy? Opuszczeni przez Koryntian Achajowie poczuli się odsłonięci i rozciągnęli szyk w stronę tamtych. Teagenes rozciągnął z kolei swoich. Niech ci ateńscy oratorzy zobaczą, jak się zachowuje prawdziwy żołnierz. Stojący na swym honorowym miejscu na prawym skrzydle Święty Hufiec natychmiast zmienił szyk. Ustawili się parami.

Teagenes dokonał przeglądu tego długiego ludzkiego łańcucha, nie umocowanego teraz na jednym końcu i osłabionego na całej swej długości. Gąszcz wysokich jak drzewa saryss przesłaniał tyły wroga. Szeregi nie wplątane w walkę trzymały je pionowo, by nie razić swoich. Chmura pyłu też robiła swoje. Uderzyła go nagła myśl niczym cios w żołądek: nic nie słychać o młodym Aleksandrze. Gdzie on się podziewa? Został w Fokidzie? Walczy gdzieś w tłoku nie zauważony? Powiedzcie to głupiemu! A zatem? Gdzie on jest?

Z przodu walka przycichła. Po poprzednim hałasie cisza wydała się groźna niczym przerwa w trzęsieniu ziemi. Zaraz potem głęboka, najeżona włóczniami falanga zaczęła odchylać się na boki, ociężale, lecz gładko, niczym jakieś ogromne drzwi. Stały otworem. Tebanie nie wchodzili w nie. Czekali na to, co miało nadejść. Święty Hufiec, obracając się, zanim tarcze zwarły się w linię, pozostał ustawiony parami, już na zawsze.

Na ściernisku, wśród zdeptanych maków, Aleksander podniósł w górę miecz i podał ton peanu.

Silny, szkolony przcz Epikratesa głos, długo rozbrzmiewał nad wielkim kwadratem jeźdźców. Podjęli pean, lecz słowa zatraciły się po chwili w ogłuszającym, dzikim krzyku chmary spadających w dół jastrzębi. Ten krzyk poderwał konie lepiej niż ostrogi. Zanim zjawili się w polu widzenia Teban, ci poczuli już, jak drży pod nimi ziemia.

Czuwający nad swym wojskiem niczym pasterz na górskim szlaku Filip czekał na wiadomość.

Macedończycy cofali się niechętnie, uważnie walcząc o każdy krok w tył. Filip jeździł wokoło, kierując ich odwrót gdzie należało. Kto by w to uwierzył? Gdyby żył Ifikrates albo Chabrias... Ale tam u nich wodzów wyznaczają teraz oratorzy. Tak szybko poszło, tak szybko! Jedno pokolenie... Przysłonił oczy ręką, wpatrując się w linię. Wiedział tylko, że szarża się rozpoczęła, nic więcej.

No cóż, on żyje. Gdyby zginął, wieść leciałaby szybciej niż ptak. Przekleństwo z tą nogą! Wolałbym chodzić między ludźmi, przywykli do tego. Zawsze byłem włócznikiem. Nie myślałem, że wychowam wodza jazdy. Zresztą, ten młot potrzebuje jeszcze kowadła. Kiedy uda mu się przeprowadzić taki zaplanowany odwrót w walce jak ten... Zrozumiał przeznaczone dla niego instrukcje. Wszystko w porę. Ale to tylko połowa mnie, on ma to spojrzenie swojej matki.

Myśli zmieniły się w splątane obrazy jak kłębowisko węży. Ujrzał tę

257

dumną głowę leżącą we krwi, żałobę, grobowiec w Ajgaj, wybór nowego następcy, wstrząsana drgawkami twarz półgłówka Arridajosa. Byłem pijany, kiedy go spłodziłem. Ptolemeusz... za późno, by go teraz uznać. Byłem wtedy chłopcem, co mogłem zrobić?... Ale cóż to jest czterdzieści cztery lata? Stać mnie jeszcze na potomstwo. Jakiś krępy, czarnowłosy chłopiec podbiega, wołając „Ojcze!"... Okrzyki zbliżały się, kierując jakiegoś jeźdźca do króla.

— Przebił się, panie! Przełamał linię! Tebanie stoją, ale są odcięci od rzeki. Prawe skrzydło się zwinęło. Nie mówiłem z nim. Kazał jechać wprost do ciebie, kiedy to zobaczę, bo czekasz na tę wieść, ale widziałem go tam, widziałem biały grzebień!

— Bogom niech będą dzięki! Za taką wieść nie minie cię nagroda. Przyjdź potem do mnie.

Wezwał trębacza. Przez chwilę ogarniał wzrokiem pole. Było gotowe do żniw, tak jak być powinno. Jego rezerwy konnicy pojawiły się na wyżynie, której nie zdążyli jeszcze zająć Koryntianie. Jego cofająca się piechota rozciągnęła się w kształt sierpa. Na ostrzu sierpa znaleźli się upojeni radością Ateńczycy.

Kazał atakować.

Grupa młodych ludzi nadal stawiała opór. Znaleźli kamienną zagrodę dla owiec wysoką prawie po pierś, ale saryssy przechodziły górą uderzając. Jakiś osiemnastolatek klęczał w pyle, przyciskając wypływające z oczodołu oko.

— Powinniśmy stąd odejść — ponaglał jakiś starszy mężczyzna, stojący w samym środku. — Odetną nas. Rozejrzyjcie się tylko wkoło.

— Zostaniemy tutaj — powiedział młody człowiek, który objął dowództwo. — Odejdź, jeśli chcesz. To nam nie zrobi różnicy.

— Po co tracić życie? Nasze życie należy do Miasta. Powinniśmy wrócić i poświęcić życie odbudowie Aten.

— Barbarzyńcy! Barbarzyńcy! — wrzasnął młody człowiek do żołnierzy na zewnątrz. Odpowiedzieli jakimś dzikim okrzykiem bojowym. Kiedy znalazł chwilę czasu, zwrócił się do starszego mężczyzny.

— Odbudowa Aten? Raczej zginiemy razem z nimi. Filip zetrze je z powierzchni ziemi. Demostenes stale to powtarzał.

— To nic pewnego. Można się układać... Spójrz, prawie nas otoczyli. Oszaleliście? Życie wam niemiłe?

— To nawet nie będzie niewola, tylko zagłada. Tak mówił Demostenes. Sam słyszałem.

Jakaś saryssa wystrzeliła z gąszczu innych i ugodziła go w podbródek, poprzez usta dosięgając mózgu.

— To szaleństwo, szaleństwo — mówił ów starszy mężczyzna. — Nie biorę w tym udziału.

Rzuciwszy tarczę i włócznię, przelazł przez mur na tyły zagrody. Tylko jeden żołnierz, wyłączony z walki ze złamana ręką, widział, jak tamten zrzuca hełm.

Pozostali walczyli dalej, póki nie zjawił się jakiś macedoński dowódca wołając, że jeśli się poddadzą, król daruje im życie. Wtedy złożyli broń. Gdy ich prowadzono między umierającymi i martwymi, by dołączyli do gromady jeńców, któryś zapytał:

— Kim był ten typek, co to uciekł, a biedny Eubios cytował mu Demostenesa?

Odpowiedział mu żołnierz ze złamaną ręką, który milczał już od dłuższej chwili:

— To był Demostenes.

Gdy jeńcy znaleźli się pod strażą, wynoszono na tarczach rannych, zaczynając od zwycięzców. Zajęło to wiele godzin i wielu zostało tam aż do zmroku. Pokonani zdani byli na łaskę tego, kto ich znalazł. Wielu nie dożyło poranka, bo ich nie znaleziono. Martwych też dotyczyło prawo pierwszeństwa. Pokonani leżeli, dopóki nie wystąpiły o nich miasta. Ich ciała stanowiły formalne potwierdzenie, że zwycięzca dzierży pole bitwy.

Filip jechał ze swym sztabem z południa na północ wzdłuż pokrytego szczątkami wybrzeża bitwy. Jęki umierających dolatywały jego uszu niczym kapryśne podmuchy wiatru w górskich lasach Macedonii. Ojciec i syn nie mówili wiele, czasem tylko jakiś ślad walki nasuwał pytania. Filip starał się odtworzyć sobie wydarzenia ze wszystkimi szczegółami. Aleksander przebywał z Heraklesem. Zejście z takich wyżyn wymaga czasu. Starał się jednak asystować ojcu, który uściskał go przy spotkaniu i chwalił go w bardzo stosownych słowach.

Dotarli w końcu do rzeki. Przy jej brzegu nie było porozrzucanych ciał ludzi dopadniętych w ucieczce. Ci tutaj leżeli zwartą gromadą, zwróceni twarzą na zewnątrz i odwróceni od rzeki, która przez pewien czas chroniła ich tyły. Filip spoglądał na tarcze z oplotem na krawędziach. Potem spojrzał na Aleksandra.

— Tędy się przebiłeś?

— Tak. Między nimi i Achajami. Achajowie nieźle stawiali opór, ale tych trudniej było uśmiercić.

— Pauzaniaszu, każ ich policzyć.

— To niepotrzebne, przekonasz się — rzekł Aleksander. Liczenie trwało jakiś czas. Wielu leżało pod zabitymi przez siebie Macedończykami i trzeba było rozdzielać ciała. Było ich trzysta. Cały Hufiec tu leżał.

— Wzywałem ich do poddania się — mówił Aleksander. — Odkrzyknęli, że nie znają tego słowa i że chyba musi być macedońskie. Filip skinął głową i pogrążył się w myślach. Jeden z przybocznych, którzy liczyli ciała, położył jedne zwłoki na drugich i rzucił jakimś sprośnym żartem.

— Dajcie im spokój — powiedział głośno Filip. Niepewne śmieszki zgasły. — Hańba temu, kto źle o nich mówi!

Zawrócił konia, a za nim Aleksander. Nikt nie spostrzegł, że Pauzaniasz splunął na najbliższe zwłoki.

— Cóż — rzekł Filip — wykonaliśmy dziś kawał roboty. Zasłużyliśmy chyba na wino.

Noc była piękna. Podniesiono boki królewskiego namiotu. Stoły i ławy wychylały się na zewnątrz. Byli tu wszyscy dowódcy, wszyscy dawni przyjaciele, naczelnicy szczepów i wysłannicy sprzymierzeńców, którzy towarzyszyli w kampanii.

Wino było z początku mocno rozcieńczone, bo ludzie byli spragnieni. Kiedy pragnienie ugaszono, zaczęło krążyć nie rozcieńczone. Każdy, kto czuł taką potrzebę albo uważał to za wskazane, wznosił toast i pił zdrowie króla.

W rytm starych macedońskich pieśni biesiadnych goście zaczęli klaskać, klepać się po udach i walić w stoły. Na głowach mieli wieńce z połamanej winorośli. Po trzeciej chóralnej pieśni Filip wstał i zarządził komos.

Ustawili się w chwiejny rząd. Kto miał pod ręką pochodnię, zaczynał nią wymachiwać. Komu kręciło się w głowie, chwytał za ramię następnego. Zataczając się i kulejąc, Filip poszedł pod ramię z Parmenionem stanąć na czele. Twarz w świetle pochodni lśniła czerwienią, powieka opadała, wykrzykiwał słowa pieśni niczym rozkazy. W winie prawda. Ukazało mu ono wielkość jego czynów, spełnienie dalekosiężnych planów, upadek nieprzyjaciół, potęgę i władzę przed nim. Odrzucając subtelności południa niczym krępujący go płaszcz, łącząc się w duchu z góralskimi przodkami i koczowniczymi praprzodkami, był oto naczelnikiem Macedonii, ucztującym z rodakami po tym największym ze wszystkich najazdów granicznych.

Rytm pieśni podsunął mu pomysł. — Cicho! Posłuchajcie tego:

Demostenes stawia wniosek!
Demostenes stawia wniosek!
Demostenes syn Demostenesa
Z demu Pajonia stawia wniosek!
Euoj Bakchos! Euoj Bakchos!
Demostenes stawia wniosek!

Przeleciało to po pochodzie jak ogień po hubce, łatwe do zapamiętania i jeszcze łatwiejsze do zaśpiewania. Tupiąc i krzycząc, posuwał się komos wśród księżycowej nocy przez pola oliwek nad rzeką. Nieco w dół jej biegu trzymano w ogrodzeniach jeńców, by nie mącili wody zwyciężcom. Wyrwani hałasem z ciężkiego snu lub niewesołych myśli, wstawali i patrzyli w milczeniu na pochód albo na siebie. Blask pochodni odbijał się w milczących szeregach oczu. Hefajstion szedł bliżej końca komosu, wśród młodszych. W cieniu oliwek wymknął się z ramion wesołych sąsiadów i poszedł wzdłuż pochodu, rozglądając się, póki nie dostrzegł Aleksandra. On też się rozglądał wiedząc, że spotka Hefajstiona.

Przystanęli pod starą oliwką o dziwacznie pokręconym pniu, grubym jak koński tułów. Hefajstion dotknął pnia. — Ktoś mi mówił, że one żyją tysiąc lat.

— Ta będzie miała co wspominać. — Aleksander sięgnął do czoła, ściągnął wieniec z winorośli i podeptał. Był całkiem trzeźwy. Hefajstion był pijany, kiedy zaczynał się komos, ale to go szybko otrzeźwiło.

Poszli dalej razem. Światła i hałas nadal meandrowały wokół ogrodzeń z jeńcami. Aleksander szedł pewnym krokiem w dół rzeki. Wybierali drogę między połamanymi włóczniami, saryssami i oszczepami, obchodząc martwe konie i umarłych. W końcu Aleksander zatrzymał się przy brzegu, jak się tego spodziewał Hefajstion.

Tych ciał nikt jeszcze nie obdzierał. Lśniące tarcze, trofea zwycięzców, połyskiwały w świetle księżyca. Zapach krwi był tu silniejszy, bo ranni dłużej tu walczyli. Rzeka pluskała cicho między kamieniami.

Jedno ciało leżało osobno twarzą w dół, nogami ku rzece: ciało młodego człowieka o ciemnych, szorstkich, kędzierzawych włosach. Martwa ręka wciąż ściskała hełm, który stał przy nim odwrócony. Woda nie wylała się, bo pełznął, kiedy go dosięgła śmierć. Krwawy trop, po którym wracał, prowadził do stosu zwłok. Aleksander podniósł hełm ostrożnie, by nie wylać wody i poszedł tym szlakiem do końca. Ten drugi też był młody. Wytoczył kałużę krwi z przeciętej wielkiej żyły na udzie. Otwarte usta ukazywały spieczony język. Aleksander przykląkł z wodą i dotknął go, a potem odłożył hełm.

— Tamten już zesztywniał, ale ten tu jeszcze nie ostygł. Długo czekał.

— Wiedział, że warto — rzekł Hefajstion.

Nieco dalej leżały dwa ciała jedno na drugim, oba twarzami ku nieprzyjacielowi. Starszy był mocno zbudowanym mężczyzną z porządnie przyciętą brodą, młodszy, na którego zwalił się konając, nie nosił brody. Płat skóry wisiał mu z policzka, cięcie krzywego miecza odsłoniło czaszkę. Druga strona pięknej twarzy była nietknięta.

Aleksander przykląkł, jakby poprawiał strój, i przycisnął zwisający płat skóry. Przylgnęła, lepka od krwi. Obejrzał się na Hefajstiona.

— Ja to zrobiłem. Pamiętam. Zamierzył się włócznią na Bucefała. Zrobiłem to.

— Nie powinien był zrzucać hełmu. Chyba zerwał mu się pasek pod brodą.

— Tego drugiego nie pamiętam.

Ten został przebity włócznią i włócznię tę wyrwano w czasie bitwy, pozostawiając wielką szarpaną ranę. Twarz zastygła w grymasie agonii. Musiał umierać w pełni przytomny.

— Ja go pamiętam — powiedział Hefajstion. — Skoczył na ciebie, kiedy powaliłeś tego pierwszego. Byłeś już zajęty innym, więc go wziąłem na siebie.

Zapadło milczenie. Małe żabki skrzeczały na płyciznach rzeki. Jakiś nocny ptak śpiewał potoczyście. Z dala dolatywał niewyraźny śpiew komosu.

— To wojna — rzekł Hefajstion. — Oni wiedzą, że mogli zrobić to samo z nami.

— O, tak. Tak, to zależy od bogów.

Ukląkł przy ciałach i spróbował je ułożyć porządnie, ale były sztywne jak drewno. Oczy otwierały się ponownie, kiedy zamykał powieki. W końcu ułożył ciało mężczyzny obok młodzika z zesztywniałym ramieniem w poprzek niego. Zdjął swój krótki płaszcz i rozpostarł go, zakrywając ich twarze.

— Aleksandrze, powinieneś chyba wracać do komosu. Król cię szuka.

— Klejtos zaśpiewa mu głośniej niż ja.

Rozejrzał się po nieruchomych kształtach, plamach krwi poczernionych w świetle księżyca i połyskujących słabo tarczach i hełmach.

— Tu jestem wśród przyjaciół.

— Powinieneś się tam pokazać. To komos zwycięstwa. Ty pierwszy złamałeś ich szyk. To ma dla niego znaczenie.

— Wszyscy wiedzą, co zrobiłem. Teraz zależy mi tylko na jednym: żebym mógł mówić, że mnie tam nie było. — Wskazał kołyszące się pochodnie.

— Chodźmy więc — rzekł Hefajstion. Zeszli do wody i zmyli krew z rąk. Hefajstion rozpiął swój płaszcz i okryli się nim obaj. Szli dalej w cień wierzb rosnących nad wodą.

Filip zakończył ten wieczór na trzeźwo. Kiedy tańczył przed jeńcami, niejaki Demades, ateński eupatryda, odezwał się tonem pełnym godności:

— Los dał ci, królu, rolę Agamemnona. Czy nie wstyd ci grać Tersytesa?

Filip nie był aż tak pijany, by nie przyjąć tego rodzaju upomnienia Greka przez Greka. Zatrzymał komos, kazał wykąpać i ubrać Demadesa, ugościł go wieczerzą w swym namiocie i nazajutrz wysłał do Aten jako swego posła. Nawet po pijanemu miał dobre oko do ludzi. Demades należał do stronnictwa Fokiona, które szukało pojednania, choć na wezwanie stanęło do walki. Za jego pośrednictwem król przekazał Atenom swoje warunki pokoju. Odczytano je osłupiałemu ze zdumienia Zgromadzeniu.

Ateny miały uznać hegemonię Macedonii: ten warunek przypominał spartańskie sprzed sześćdziesięciu lat. Spartanie jednak poderżnęli gardła wszystkim jeńcom nad Kozią Rzeką, trzem tysiącom ludzi. Spartanie obalili przy muzyce fletów Długie Mury i ustanowili tyranię. Filip zwalniał wszystkich swoich jeńców bez okupu, nie wkraczał do Attyki i pozostawiał im wybór rządu.

Przyjęli te warunki i miały im zostać zwrócone w stosownej formie szczątki ich poległych. Spalono ich na wspólnym stosie, bo ciała nie przetrwałyby tych paru dni, kiedy zawierano pokój. Stos był potężny, bo do spalenia było ponad tysiąc ciał. Jeden oddział nosił przez cały dzień drewno, drugi zwłoki. Stos dymił od wschodu do zachodu słońca i oba oddziały skończyły pracę, padając z nóg. Popioły i kości zebrano w dębowych skrzyniach. Czekały na honorowy orszak.

Teby poddały się bezwarunkowo. Straciły wszystko i były bezsilne. Ateny były jawnym wrogiem, Teby wiarołomnym sprzymierzeńcem. Filip osadził swą załogę w cytadeli, stracił lub skazał na wygnanie antymacedońskich przywódców i wyzwolił Beotów spod władzy miasta. Nie było żadnych rozmów, a zabitych szybko pozbierano. Hufcowi przyznano należne bohaterom prawo do wspólnego grobu i pozostali razem. Zasiadł przy nich Lew z Cheronei na swe długie czuwanie.

Kiedy posłowie wrócili z Aten, Filip zawiadomił jeńców ateńskich, że są wolni i mogą odejść. Zasiadł właśnie do południowego posiłku w swym namiocie, kiedy dowódca odpowiedzialny za odesłanie tamtych poprosił o przyjęcie go.

— Co tam? Jakieś kłopoty?

— Panie, oni proszą o zwrot rzeczy.

Filip odłożył umaczany w zupie placek. — Proszą o co?

— O rzeczy z ich obozu, pościel i tym podobne.

Macedończycy wytrzeszczyli oczy. Filip ryknął śmiechem. Chwycił poręcze krzesła, wysuwając naprzód czarną brodę.

— Czy oni myślą, że wygraliśmy z nimi w kulki? Każ im się zabierać!

Kiedy pośród narzekań rozpoczęło się ich wyjście, Aleksander zadał pytanie: — Czemu nie poszliśmy dalej? Nie zniszczylibyśmy Miasta, bo oni opuściliby je na sam twój widok.

Filip pokręcił głową. — Nigdy nie wiadomo. Nikt nigdy nie zdobył ich Akropolu, kiedy była na nim załoga.

— Nigdy? — Oczy Aleksandra zabłysły.

— A kiedy już ktoś go zdobył, to był nim Kserkses. O, nie!

— Rzeczywiście, nie.

Nie mówili o komosie ani o zniknięciu Aleksandra. Każdy liczył na wyrozumiałość drugiego.

— Dziwię się jednak, że nie żądałeś wydania Demostenesa.

— Wtedy zostałby bohaterem, a tak będzie zwykłym człowiekiem... Wkrótce sam zobaczysz Ateny. Pojedziesz jako mój poseł z prochami ich zmarłych.

Aleksander myślał przez chwilę, że to żart. Jak to możliwe, że oszczędziwszy Atenom najazdu i okupacji, ojciec nie chce tam wjechać jako wspaniałomyślny zwycięzca? Nie chce, by mu dziękowano? Wstydzi się komosu? Polityka? A może miał nadzieję na coś innego?

— Posyłając ciebie, wyświadczam im grzeczność. Gdybym sam pojechał, wytykaliby mi pychę. Może nadarzy się lepsza okazja.

Tak, wciąż jeszcze żywił to marzenie. Pragnął, by sami otworzyli mu bramy. Kiedy wygra wojnę w Azji i wyzwoli greckie miasta, wyda w Atenach ucztę zwycięstwa, nie jako zdobywca, lecz jako honorowy gość.

— Dobrze, ojcze. Pojadę.

W porę przypomniał sobie o podziękowaniu.

*

Wjechał do Keramejku między wieżami Dipylonu. Po obu stronach były groby wielkich i szlachetnych: stare malowane stele nagrobne wyblakłe od słońca i nowe, na których wisiały zeschłe wieńce z przywiązanymi włosami żałobników. Marmurowi jeźdźcy kłusowali w bohaterskiej nagości, szlachetne panie przy stolikach z lustrami wspominały swą urodę. Jakiś żołnierz wychylał się z morza, w którym leżały jego kości. Ci zachowywali spokój. Pomiędzy nimi tłoczył się i wytrzeszczał oczy hałaśliwy tłum żyjących. Do czasu wykończenia grobowca prochy miały być przechowane w wielkim namiocie. Wniesiono je tam szeregiem na marach. Kiedy ruszał dalej wśród tłumu uniżonych twarzy, za jego plecami podniósł się przeraźliwy lament. Kobiety obległy podwyższenie z prochami, by opłakiwać poległych. Bucefał poderwał się pod nim: spoza któregoś grobu ktoś rzucił grudą ziemi. Koń i jeździec poznali już gorsze rzeczy i teraz nie raczyli się obejrzeć. Jeżeli byłeś w bitwie, przyjacielu, nie wypada ci tego robić, tym mniej, jeżeli nic byłeś. Jeśli jednak jesteś kobietą, mogę to zrozumieć.

Przed nim wznosiły się stromo północno-zachodnie urwiska Akropolu. Pobiegł po nich wzrokiem zastanawiając się, jak wygląda druga strona. Ktoś go zaprosił na uroczystości miejskie, on zaś skinął głową na znak zgody. Przy drodze marmurowy hoplita w staroświeckiej zbroi opierał się na włóczni, przewodnik zmarłych Hermes pochylał się, podając rękę jakiemuś dziecku, żona żegnała się z mężem, przyjaciele składali dłonie na jakimś ołtarzu, a obok dłoni stał puchar. Wszędzie tu Miłość spoglądała w milczeniu w twarz Konieczności. Tu nie było retoryki. Ktokolwiek przyszedł później, ci ludzie zbudowali to miasto.

Prowadzono go przez Agorę, by wysłuchał przemówień w siedzibie Rady. Czasem ktoś z tylnych rzędów tłumu wykrzykiwał przekleństwo, ale partia wojny trzymała się na uboczu, odkąd jej przepowiednie okazały się pustymi słowami. Demostenes jakby rozpłynął się w powietrzu. Wysuwano na czoło starych przyjaciół Macedonii i tych, którzy ich popierali. Starał się, jak mógł podczas tych kłopotliwych spotkań. Przyszedł Ajschynes i też dobrze się spisywał, choć musiał zajmować postawę obronną. Łaskawość Filipa przewyższyła najśmielsze oczekiwania ludzi z partii pokoju. Budzili teraz niechęć, jako ci, którzy ośmielili się mieć słuszność. Osieroceni i zrujnowani przyglądali im się argusowym okiem, czekając na jakiś znak tryumfu. Przychodzili też ludzie opłacani przez Filipa, jedni ostrożni, inni uniżeni, by się przekonać, że syn Filipa jest uprzejmy, ale trudno go przeniknąć.

Jadł w domu Demadesa z kilku tylko honorowymi gośćmi, nie była to bowiem okazja do świętowania. Było to jednak prawdziwie attyckie przyjęcie: oszczędna i wytarta wytworność, łoża biesiadne i stoły, których ozdobą była doskonałość kształtów i jedwabista gładkość drewna, puchary ze starego srebra o ściankach cienkich od polerowania, cicha i sprawna służba, rozmowy, podczas których nikt nikomu nie przerywał i nie podnosił głosu. W Macedonii zachowanie się Aleksandra przy stole wyróżniało się, ale tam wystarczyło nie jeść tak łapczywie jak inni. Tu starał się brać z innych przykład.

Następnego dnia składał na Akropolu ofiary bogom Miasta na zadatek pokoju. Oglądał sławne wspaniałości, wśród nich olbrzymi posąg Ateny Walczącej w pierwszym szeregu, której ostrze włóczni było znakiem dla żeglarzy. Gdzie byłaś, Pani? Czy twój ojciec zabronił ci walczyć, jak to zrobił pod Troją? Posłuchałaś go tym razem? Tu w świątyni stała Fidiaszowa Dziewica z kości słoniowej w fałdzistej szacie ze złota. Tu były trofea i ofiary składane od stu lat (trzy pokolenia, zaledwie trzy!).

Wychował się w pałacu Archelaosa, więc piękne budowle nie były dla niego nowością. Rozmawiał o historii. Pokazano mu oliwkę Ateny, która zazieleniła się w ciągu jednej nocy po tym, jak spalili ją Persowie. Oni też wywieźli stare posągi oswobodzicieli, Harmodiosa i Arystogejtona, by ozdobić nimi Persepolis.

— Jeśli je odbierzemy, dostaniecie je z powrotem.

Nikt nie odpowiedział. Macedońska chełpliwość była przysłowiowa. Wypatrywał potem ze szczytów murów miejsca, którędy wspięli się Persowie i znalazł je bez niczyjej pomocy, bo nie byłoby grzecznie pytać o to gospodarzy.

Partia pokoju przeprowadziła uchwałę, by w uznaniu łaskawości Filipa ustawić mu posąg w Partenonie i jego synowi także. Kiedy siedział, pozując rzeźbiarzowi do szkiców, myślał o posągu ojca i zastanawiał się, kiedy obok posągu pokaże się człowiek.

Pytano go, czy jest coś jeszcze, co chciałby zobaczyć przed odjazdem.

— Tak, Akademia. Studiował w niej mój nauczyciel Arystoteles. Mieszka teraz w Stagirze, którą mój ojciec odbudował i zasiedlił na nowo, chciałbym jednak zobaczyć miejsce, gdzie nauczał Platon.

Przy tej drodze chowano wszystkich wielkich żołnierzy z przeszłości Aten. Oglądał trofea wojenne i zadawał pytania, co opóźniało jazdę. Tu także ludzie, którzy ginęli razem w jakimś sławnym boju, leżeli w bratnich mogiłach. Właśnie przygotowywano miejsce pod kolejną. Nie pytał, dla kogo.

Droga kończyła się w starożytnym gaju oliwnym. Wysoka trawa i polne kwiaty usychały z nadejściem jesieni. Przy ołtarzu Erosa stał drugi ołtarz z napisem ZEMSTA EROSA. Zapytał o jego historię. Odpowiedziano mu, że jakiś cudzoziemiec kochał się w pięknym młodzieńcu ateńskim i przysięgał, że zrobi dla niego wszystko. Tamten powiedział mu: „Rzuć się ze skały", a gdy ujrzał, że go posłuchano, sam się z niej rzucił.

— Postąpił słusznie — rzekł Aleksander. — Jakie ma znaczenie, skąd kto pochodzi? Ważne, co człowiek jest wart.

Jego rozmówcy wymienili spojrzenia i zmienili temat rozmowy. Takie poglądy były rzeczą naturalną u syna macedońskiego dorobkiewicza.

Speuzyp, który odziedziczył szkołę po Platonie, zmarł przed rokiem. W skromnym białym domu Platona powitał Aleksandra Ksenokrates, nowy kierownik szkoły, wysoki, mocno zbudowany mąż, o którym opowiadano, że gdy kroczył przez Agorę, ustawały krzyki, a tragarze ustępowali mu z drogi. Podejmował Aleksandra uprzejmie, jak słynny nauczyciel obiecującego studenta, a ten uznał, że to człowiek godny zaufania i zabrał go na bok na rozmowę. Rozmawiali chwilę o metodach Arystotelesa.

— Człowiek powinien iść za prawdą, dokądkolwiek go ona zaprowadzi. Arystotelesa odciągnie to chyba od Platona, który chciał aby „Jak" było służebne wobec „Dlaczego". Mnie to trzyma u jego stóp.

— Czy macie tu jakąś jego podobiznę?

Ksenokrates poprowadził go obok fontanny z delfinem do ocienionego mirtem grobu Platona, przy którym wznosił się pomnik. W ręku trzymał zwój, owalna głowa wychylała się ku przodowi z szerokich ramion. Do końca życia nosił bardzo krótko przycięte włosy, niczym atleta z czasów jego młodości. Brodę miał starannie uczesaną, ściągnięte, zwisające brwi, spod których patrzyły nieustępliwe oczy człowieka, który wiele przeżył i przed niczym nie uciekał.

— A jednak zawsze wierzył w dobro. Mam kilka jego książek.

— Co do dobra — rzekł Ksenokrates — on sam był dla siebie dowodem. Nie da się znaleźć innego. Znałem go dobrze. Cieszę się, że go czytałeś. Jego książki jednak, jak sam to powtarzał, zawierają nauki jego mistrza Sokratesa. Nie istnieje coś takiego jak książka Platona, bo tego, czego uczył, można się nauczyć tylko tak, jak uczymy się zapalać ogień, poprzez dotknięcie płomienia.

Aleksander wpatrywał się w tę zamyśloną twarz, jakby patrzył na warownię na jakiejś niedostępnej skale. Lecz nie było już tej stromej skały. Podmyły ją powodzie wielu lat. Nigdy już nie będzie zdobywana.

— Miał jakąś tajemną doktrynę?

— To żadna tajemnica. Ty, który jesteś żołnierzem, możesz przekazać swoją wiedzę tylko tym, których ciała są odporne na trudy, a umysły odporne na strach, czyż nie tak? Wtedy iskra zapala iskrę. To samo z nim.

Z żalem i snując domysły patrzył Ksenokrates na tego młodzieńca, który również snując domysły i również z żalem patrzył na marmurowe oblicze. Odjechał potem obok zmarłych bohaterów do Miasta.

Już miał się przebierać do wieczerzy, kiedy zapowiedziano mu kogoś, kogo spotkał podobno w siedzibie Rady. Był dobrze ubrany i wymowny. Usłyszał od niego, że wszyscy chwalą skromność i powściągliwość, jaką okazywał, tak stosowną do misji, z którą przybył. Wielu ubolewa, że musiał odmówić sobie, przez wzgląd na żałobę, tylu przyjemności, których mogło dostarczyć mu Miasto. Byłoby nieuprzejme z ich strony nie umożliwić mu skosztowania ich prywatnie.

— Mam tu chłopca... — Zaczął opisywać wdzięki jakiegoś Ganimeda. Aleksander wysłuchał go, nie przerywając, a potem spytał:

— Co to znaczy, że masz chłopca? Czy to twój syn?

— Panie! Ach, rozumiem. Raczysz żartować.

— Może więc to twój przyjaciel?

— Nic w tym rodzaju, zapewniam. Jest całkowicie do twego użytku. Przyjrzyj mu się tylko. Zapłaciłem za niego dwieście staterów.

Aleksander wstał. — Nie wiem, czym sobie zasłużyłem na ciebie i twój towar. Zejdź mi z oczu.

Zrobił to i wrócił zakłopotany do partii pokoju, która pragnęła, by młody człowiek wywiózł miłe wspomnienia. Niech Hades pochłonie fałszywe doniesienia! Za późno teraz proponować mu kobietę.

Następnego dnia odjechał na północ.

Wkrótce potem poległych pod Cheroneją złożono we wspólnym grobie przy Drodze Bohaterów. Rozważano, komu powierzyć wygłoszenie oracji żałobnej. Padały imiona Ajschynesa i Demadesa. Lecz jeden miał zbyt wiele racji, a drugi zbyt wiele powodzenia. Niepocieszonym członkom Zgromadzenia wydawali się zbyt gładcy i zbyt zadowoleni z siebie. Wszystkie oczy zwróciły się na wyniszczoną twarz Demostenesa. Całkowita klęska i wielka hańba wypaliły w nim z czasem nienawiść. Nowe zmarszczki świadczyły o większym od niej bólu. Oto był ktoś, kto na pewno nie będzie się cieszył, gdy oni będą opłakiwać zmarłych. Wybrali go, by wygłosił epitafium.

Wszystkie greckie państwa, oprócz Sparty, wysłały posłów na Radę w Koryncie. Uznano Filipa za naczelnego wodza w wojnie obronnej przeciw Persom. Na tym pierwszym spotkaniu nie żądał niczego więcej. Reszta przyjdzie później.

Pomaszerował nad granicę Sparty, potem jednak zmienił zamiary. Niech stary pies zatrzyma swoją budę. Nie wyjdzie z niej, ale gdyby go zapędzić w kąt, drogo sprzedałby swoją skórę. Filip nie miał ochoty być Kserksesem w nowych Termopilach. Korynt, miasto Afrodyty, okazał się weselszym miejscem pobytu niż Ateny. Króla i królewicza spotkało wspaniałe przyjęcie. Aleksander znalazł czas, by wspiąć się długą, krętą drogą na Akrokorynt i obejrzeć wielkie mury, które z dołu wyglądały jak wąska wstążka na wyniosłym czole góry. Dzień był pogodny. Patrzyli z Hefajstionem na wschód ku Atenom i na północ ku Olimpowi. Aleksander chwalił mury, ale wypatrzył miejsca, gdzie można było zbudować lepsze albo wedrzeć się na istniejące. Przypomniano mu też, by podziwiał pomniki. Na samym szczycie wznosiła się zgrabna biała świątyńka Afrodyty. Przewodnik wspomniał, że o tej porze niektóre ze sławnych dziewcząt bogini z pewnością przyszły już ze świętego okręgu, aby jej służyć tutaj. Zawiesił wyczekująco głos, ale na próżno.

Demaratos, koryncki arystokrata ze starego doryckiego rodu, był dawnym dobrym przyjacielem Filipa i w czasie obrad spełniał wobec niego rolę gospodarza. Pewnego wieczoru wydał w swym wielkim domu u podnóży Akrokoryntu ucztę dla wąskiego grona, obiecując królowi jakiegoś gościa, który go na pewno zaciekawi.

Był to Dionizjusz Młodszy, syn Dionizjusza Starszego z Syrakuz. Odkąd Timoleon wypędził go z jego sycylijskiej tyranii, zarabiał na życie, prowadząc w Koryncie gimnazjum. Krótkowzroczny, niezdarny, myszowaty, był w wieku Filipa. Nowe powołanie i brak środków sprawiły, że porzucił swe słynne hulanki, ale pozostał mu poznaczony żyłkami nos pijaka. Starannie uczesana broda uczonego maskowała podbródek świadczący o słabości charakteru. Filip, który prześcignął już dokonania potężnego starego tyrana, był dla jego syna czarująco uprzejmy, a gdy wino zaczęło krążyć, został za to nagrodzony zwierzeniami.

— Nie miałem żadnego doświadczenia, kiedy objąłem dziedzictwo po ojcu, żadnego w ogóle. Ojciec był ogromnie podejrzliwy. Musiałeś chyba słyszeć jakieś opowieści o tym. To najczęściej szczera prawda. Bogowie świadkami, że nigdy nie pomyślałem nawet, by mu szkodzić, ale aż do dnia jego śmierci przeszukiwano mnie dokładnie, zanim mnie do niego wpuszczono. Nigdy nie pokazywał mi dokumentów, nigdy nie byłem na naradzie wojennej. Gdyby mi kiedy zostawił rządy w kraju, idąc na wyprawę, jak ty swemu synowi, historia mogłaby potoczyć się inaczej.

Filip skinął głową i przyznał, że to możliwe.

— Gdyby mi choć pozwolił cieszyć się przyjemnościami młodości. Był twardym człowiekiem, wybitnym, ale zbyt twardym.

— Cóż, takie postępowanie często prowadzi do całkiem przeciwnych rezultatów.

— Otóż to! Kiedy ojciec obejmował władzę, ludzie mieli dość demokracji, a kiedy władza przeszła na mnie, mieli szczerze dość despotyzmu. Filip uświadomił sobie, że tamten nie był wcale tak głupi, na jakiego wyglądał.

— Czy jednak Platon w niczym ci nie pomógł? Podobno złożył ci dwie wizyty.

Coś drgnęło w twarzy pechowca.

— Czy nie sądzisz, że czegoś od niego się nauczyłem, skoro zdołałem znieść tak wielką odmianę losu?

Jego załzawione oczy spoglądały niemal z godnością. Filip spojrzał na pocerowany splendor jedynej dobrej szaty tamtego, położył dłoń na jego dłoni i skinął na podczaszego.

Na złoconym łożu, którego tylną ścianę wyrzeźbiono w kształt dwóch łabędzi, spoczywał Ptolemeusz z Atenką Tais, swoją nową dziewczyną.

Była bardzo młoda, gdy przybyła do Koryntu, a teraz miała już własny dom. Malowidła ścienne przedstawiały obejmujących się kochanków. Na stoliku przy łóżku stały dwa wspaniałe płytkie puchary, dzban wina i kuliste naczynie z wonnym olejkiem. Przyświecała im potrójna lampa podtrzymywana przez złocone nimfy. Ona miała dziewiętnaście lat i nie miała nic do ukrycia. Jej czarne włosy były miękkie jak puch, oczy były ciemnoniebieskie, różane usta nie umalowane, choć barwiła na kolor różowych pereł paznokcie, brodawki piersi i nozdrza. Skórę miała gładką jak alabaster i mlecznobiałą. Ptolemeusz był nią oczarowany. Głaskał ją leniwie, bo godzina była późna, i nie przejmował się tym, że wspomnienia obudzą pożądanie na nowo.

— Powinniśmy żyć razem. To nie jest życie dla ciebie. Nie powinienem się żenić, i to jeszcze długo, ale nie bój się, że cię opuszczę.

— Ależ, kochanie, wszyscy moi przyjaciele są tutaj. Nasze koncerty, wspólne czytanie sztuk... będzie mi tego brak w Macedonii.

Wszyscy mówili o nim, że jest synem Filipa. Nie powinna okazywać, że ma na to ochotę.

— Ach, wkrótce będziemy w Azji. Ty usiądziesz przy fontannie pośród róż, a ja wrócę z jakiejś bitwy i obsypię cię złotem.

Zaśmiała się i ugryzła go w ucho. Pomyślała, że to mężczyzna, którego towarzystwo można znosić co noc. Jeśli pomyśleć o niektórych innych...

— Pozwól mi się zastanowić. Przyjdź jutro na wieczerzę, nie, to już dziś. Powiem Filetasowi, że jestem chora.

— Ładny z ciebie ptaszek! Co ci mam przynieść?

— Nic oprócz siebie. — To było niezawodne. — Macedończycy to prawdziwi mężczyźni.

— Ach, ty mogłabyś ożywić posąg!

— Cieszę się, że zaczęliście golić brody. Miło patrzeć na przystojne twarze. — Przejechała mu palcem po podbródku.

— Tę modę wprowadził Aleksander. Powiada, że wróg nie może nas teraz chwycić za brodę.

— Więc to dlatego?... To piękny chłopak. Wszyscy się w nim kochają.

— Wszystkie dziewczyny prócz ciebie? Zaśmiała się. — Nie bądź zazdrosny. Miałam na myśli żołnierzy. On jest taki jak my, rozumiesz, co mam na myśli, jest taki w sercu.

— Nie, nie, mylisz się. On jest czysty jak Artemida, albo prawie tak czysty.

— Tak, to widać, nie o to mi chodziło.

Ściągnęła w zadumie puszyste brwi. Polubiła swego towarzysza łoża i po raz pierwszy dzieliła się z nim swymi myślami.

— On jest jak te wielkie i sławne, jak Lais albo Rodope, albo Teodotis, o których się opowiada. Takie jak one nie żyją dla miłości, ale żyją dzięki miłości. Widzę to i w nim. Oni są krwią jego ciała, ci wszyscy, którzy za nim pójdą w ogień, i on o tym wie. Gdy kiedyś przyjdzie taki dzień, że nie zechcą dłużej za nim iść, stanie się z nim to samo, co z jakąś wielką heterą, którą opuszczają kochankowie, i która przestaje patrzeć w lustro. Zacznie umierać.

Odpowiedziało jej westchnienie. Sięgnęła po przykrycie i okryła nim siebie i jego. Spał twardo, a do rana niedaleko. Trzeba zacząć przyzwyczajać się do niego.

Filip wracał z Koryntu do kraju, by przygotować się do wojny w Azji. Kiedy będzie gotów, wystąpi o zgodę Rady na jej rozpoczęcie.

Większość wojska poszła przodem pod Attalosem i rozeszła się do domów. Attalos także. Stara warownia jego przodków leżała na górskim stoku pod Pydną. Filip dostał od niego w drodze list z prośbą, by wyświadczył honor jego skromnemu domowi i zatrzymał się tam na nocleg. Król uważał, że Attalos jest bystry i przydatny, i przyjął zaproszenie.

Gdy skręcili z wielkiej drogi w góry i morski widnokrąg zaczął się rozszerzać, Aleksander stał się milczący i zamknięty w sobie. Wreszcie

odjechał od Hefajstiona, wyprzedził Ptolemeusza i wywołał go z kawalkady w zarośla na wrzosowisku. Ptolemeusz pojechał za nim, nieco zdziwiony i skupiony w myślach na własnych zmartwieniach. Czy ona dotrzyma słowa? Kazała mu czekać na odpowiedź do ostatniej chwili.
— Co sobie ojciec myśli, że nie odesłał Pauzaniasza do Pelli? Jak może go tam prowadzić?
— Pauzaniasza? — spytał Ptolemeusz ze zdziwieniem. Potem twarz mu się zmieniła. — No cóż, ma prawo strzec osoby króla.
— Ma prawo, by mu oszczędzić tej drogi, jeśli w ogóle ma jakieś prawa. Wiesz przecież, że tamto zdarzyło się w domu Attalosa.
— Ale on ma dom w Pelli.
— To było tutaj. Miałem wtedy dwanaście lat i podsłuchałem w stajni, jak koniuchowie Attalosa opowiadali o tym naszym. Matka też mi to mówiła w parę lat później. Nie powiedziałem jej, że to dla mnie nic nowego. To stało się tutaj.
— Sześć lat to kawał czasu.
— Myślisz, że można zapomnieć coś takiego i po sześćdziesięciu?
— On jest w każdym razie na służbie. Nie musi się uważać za gościa.
— Powinien być zwolniony ze służby. Ojciec powinien mu w tym pomóc.
— Tak — rzekł wolno Ptolemeusz. — Tak, szkoda... Ale, wiesz, nie pomyślałem o tym, póki mi nie przypomniałeś, a król ma więcej ode mnie na głowie.
Bucefał czując, że jego jeździec ma zmartwienie, parsknął i potrząsnął lśniącą głową.
— O tym nie mógłbym nie pomyśleć! Nawet w naszej rodzinie nie wszystko można przypomnieć ojcu. Mógłby to może zrobić Parmenion: byli razem młodzi, ale może i to jest zapomniane.
— To tylko jedna noc... Myślę, że jeśli wszystko idzie dobrze, sprzedała już swój dom. Musisz ją zobaczyć. Musisz usłyszeć, jak śpiewa.
Aleksander wrócił do Hefajstiona. Jechali razem w milczeniu, póki spoza urwiska nie ukazały się wykute w skale ściany warowni, ponure wspomnienie czasów bezprawia. Z bramy wyjechała na spotkanie grupa konnych.
— Nie kłóć się tylko z Pauzaniaszem — rzekł Aleksander.
— Nie będę. Wiem.
— Nawet królom nie wolno krzywdzić ludzi i potem o tym zapominać.
— On chyba nie zapomina. Pomyśl tylko, ile załagodził krwawych waśni. Pomyśl o Tessalii, o Lynkestydach. Mój ojciec mówi, że po śmierci

272

Perdikkasa nie było domu w Macedonii bez jednej przynajmniej krwawej zemsty do spełnienia. Wiesz przecież, że Leonnatos i ja powinniśmy być wrogami, bo jego pradziad zabił mojego. Musiałem ci już o tym mówić. Król często zaprasza naszych ojców tego samego wieczoru. Chce mieć pewność, że już o tym nie myślą.

— Ale to stara sprawa. To nie dotyczy ich samych.

— Taka jest metoda króla. Pauzaniasz musi o tym wiedzieć. To zaciera zniewagę.

Rzeczywiście, gdy już wjechali do warowni, zachowywał się jak zwykle. Jego obowiązkiem było pilnowanie drzwi, a nie siadanie wśród gości. Jedzenie przynoszono mu później.

Orszakiem króla zajęto się troskliwie. Samego króla, jego syna i kilku najważniejszych przyjaciół zaprowadzono do wewnętrznych komnat. Ta warownia była surowsza i nieco młodsza od zamku w Ajgaj, który był stary jak sama Macedonia. Attalidzi byli starożytnym rodem. Piękne perskie kobierce i inkrustowane krzesła składały się na wystrój komnat. Szczytem gościnności było wejście szlachetnych pań, które zostały przedstawione dostojnym gościom i podały słodycze.

Aleksander, którego wzrok przyciągnął jakiś perski łucznik na kobiercu, usłyszał, jak ojciec mówi: — Nie wiedziałem, Attalosie, że masz jeszcze jedną córkę.

— Ani ja, królu, do niedawna. To bogowie, którzy zabrali mego brata, dali nam ją. To Eurydyka, córka tego biedaka Biona.

— Biedaka, rzeczywiście — rzekł Filip. — Wychować taką córkę i nie doczekać jej wesela!

— Ach, nie myślimy jeszcze o tym — odparł swobodnie Attalos. — Chcemy nacieszyć się nową córką, zanim jej pozwolimy odejść.

Na pierwszy dźwięk głosu ojca Aleksander odwrócił się jak pies podwórzowy na odgłos skradających się kroków. Dziewczyna stała przed Filipem, trzymając w prawej ręce srebrną misę ze słodyczami. On trzymał ją za lewą rękę, jak mógłby to zrobić krewniak, ale teraz puścił ją, zauważywszy chyba jej rumieniec. Widać w niej było rodzinne podobieństwo do Attalosa, ale jego braki przemieniły się u niej we wdzięki: zamiast zapadniętych policzków miała urocze dołki pod pięknie zarysowanymi kośćmi policzkowymi, zamiast włosów barwy słomy miała złote, on był chudy, ona wiotka. Filip chwalił jej zmarłego ojca, ona skłoniła się przed nim, spojrzała mu w oczy i opuściła swoje. Potem podeszła ze swą srebrną misą do Aleksandra. Jej słodki, łagodny uśmiech zamarł na chwilę: spojrzała na niego, zanim zdążył się na to przygotować.

273

Nazajutrz ich odjazd opóźnił się aż do południa, bo Attalos oznajmił, że jest to święto jakichś miejscowych rzecznych nimf i kobiety będą śpiewały. Przyszły ustrojone w wieńce. Głos tej dziewczyny był jasny, dziecinny, ale czysty. Kosztowano potem i chwalono smak czystej wody ze źródła nimf.

Kiedy wreszcie wyruszyli, upał robił się coraz większy. Po kilku milach Pauzaniasz opuścił kolumnę. Jakiś inny dowódca widząc, że zjeżdża on ku strumieniowi, krzyknął za nim, by zaczekał jeszcze milę, bo tu bydło zmąciło wodę. Pauzaniasz udał, że nie słyszy. Nabrał wody w stulone dłonie i pił łapczywie. Nie jadł i nie pił przez cały czas spędzony w domu Attalosa.

Aleksander i Olimpias stali pod malowidłem Zeuksisa przedstawiającym plądrowanie Troi. Ponad nią rozdzierała szaty królowa Hekuba, za jego głową rozlewała się niczym szkarłatna chmura krew Priama i Astianaksa. Błyski ognia na kominku skakały po malowanych płomieniach i rzucały cienie na twarze żyjących. Olimpias miała podkrążone oczy i pokrytą zmarszczkami twarz kobiety starszej o dziesięć lat. Aleksander miał wyschnięte i zaciśnięte usta. On też nie sypiał po nocach, ale znosił to lepiej od niej.

— Matko, po co po mnie posyłasz? Wszystko już zostało powiedziane i dobrze o tym wiesz. Co było prawdą wczoraj, jest prawdą i dziś. Muszę iść.

— Wyrachowanie! Zrobił z ciebie Greka. Jeśli nas zabije za sprzeciwianie mu się, niech zabije. Umrzemy z godnością.

— Dobrze wiesz, że nas nie zabije. Powinniśmy być tam, gdzie są nasi nieprzyjaciele, to wszystko. Jeśli pójdę na to wesele, jeśli je zaaprobuję, wszyscy zobaczą, że uważam je za takie jak inne, z trackimi i iliryjskimi dziewczętami, i z innymi, które się nie liczą. Ojciec to wie, czyż nie widzisz, że po to mnie zaprosił? Zrobił to, żebyśmy mogli zachować twarz.

— Co takiego? Gdy będziesz pił za moją hańbę?

— A czy będę? Uznam, skoro to prawda, że on nie może obyć się bez tej dziewczyny. Ona jest Macedonką z rodu tak starego jak nasz. Oni, oczywiście, obstają przy małżeństwie. Dlatego mu ją podsunęli. Wiedziałem to od pierwszej chwili. Attalos wygrał tę rozgrywkę. Jeśli teraz zagramy tak, jak tego chce, wygra wojnę.

— Pomyślą, że bierzesz stronę ojca przeciw mnie, żeby zyskać jego łaski.

— Znają mnie lepiej. — Ta myśl nękała go przez pół nocy.

— Ucztować z krewnymi tej dziwki!

274

— Piętnastoletniej panny. Ona jest tylko przynętą, jak jagnię w pułapce na wilki. Oczywiście, gra swoją rolę, jest jedną z nich, ale za rok czy dwa on zacznie się rozglądać za młodszą. Attalos wykorzysta ten czas. Musisz na niego uważać.

— Że też do tego doszło!

Mówiła z wyrzutem, ale uznał to za zgodę. Miał dość. W komnacie czekał na niego Hefajstion. Tu także wiele zostało powiedziane. Jakiś czas siedzieli w milczeniu na łóżku. W końcu Hefajstion rzekł:

— Przekonasz się, kto jest twoim przyjacielem.

— Już to wiem.

— Przyjaciele króla powinni z nim pomówić. Czy Parmenion...

— Próbował, mówił mi Filotas... Wiem, co myśli Parmenion.

— A więc? — spytał Hefajstion po długim czekaniu.

— Odkąd ojciec skończył szesnaście lat, kochał się w kimś, kto go nie chciał. Posyłał jej kwiaty, a ona wyrzucała je na śmietnik. Śpiewał pod jej oknami, a ona wylewała mu nocnik na głowę. Prosił o jej rękę, a ona pokazywała się z jego rywalami. W końcu miał tego dość, uderzył ją, ale nie mógł znieść jej widoku u swoich nóg, więc ją podniósł. Potem, chociaż ją poskromił, nie śmiał się u niej pokazać, więc wysłał mnie. Poszedłem i ujrzałem starą wymalowaną dziwkę. Żal mi go. Nie myślałem, że tego doczekam, ale żal mi go. Zasługuje na coś lepszego. Co do tej dziewczyny, chciałbym, żeby była tancerką albo flecistką, albo chłopcem. Nie mielibyśmy kłopotów. Ale skoro ona jest tym, czego on chce...

— I dlatego tam idziesz?

— Mogę wymyślić lepsze powody, ale dlatego idę.

Ucztę weselną wyprawiono w miejskim domu Attalosa pod Pellą. Urządzono go na nowo i nie żałując starań. Kolumny owinięto złoconymi girlandami, a posągi z inkrustowanego brązu sprowadzono z Samos. Nie zaniedbano niczego, co powinno świadczyć, że to małżeństwo króla nie jest podobne do innych, nie licząc pierwszego. Kiedy Aleksander wszedł tam z przyjaciółmi i rozejrzeli się wokół, w oczach wszystkich odmalowała się jedna myśl: to była siedziba królewskiego teścia, a nie stryja konkubiny.

Panna młoda siedziała na tronie pośród wspaniałości swego wiana i darów pana młodego. Macedonia trzymała się starych obyczajów, inaczej niż południe. Złote i srebrne kubki, bele pięknych tkanin, naszyjniki i inne ozdoby rozłożone na białym płótnie, inkrustowane stoły, na których stały szkatułki z przyprawami i flakoniki z wonnościami zapełniały weselne podwyższenie. Ona siedziała w szafranowej szacie uwieńczona białymi różami i spoglądała w dół na splecione dłonie. Goście błogosławili ją, jak kazał zwyczaj, a siedząca obok stryjenka dziękowała w jej imieniu.

W odpowiedniej chwili kobiety odprowadziły ją do przygotowanego dla niej domu. Zrezygnowano z weselnego powozu. Aleksander był pewien, że krewni panny młodej marzyli o tym, ale ktoś uznał to za niewłaściwe. Już pomyślał, że niepotrzebnie się gniewał, gdy ujrzał, jak mu się przyglądają.

Najpierw zjedzono pięknie podane mięso z weselnej ofiary, potem były różne smakołyki. Choć przy kominie znajdował się okap, nagrzaną komnatę wypełniał dym. Zauważył, że pozostawiono go z przyjaciółmi. Był rad, że ma przy sobie Hefajstiona, ale powinien to być jakiś krewny panny młodej, tymczasem nawet młodsi Attalidzi skupili się przy królu.

— Śpiesz się Dionizosie, bo jesteś nam bardzo potrzebny — mruknął do Hefajstiona.

W rzeczywistości, kiedy podano wino, pił jak zwykle niewiele. Nie przesadzał z tym, podobnie jak z jedzeniem. Macedonia była krainą dobrych źródeł z czystą, zdrową wodą. Nikt nie siadał do stołu spragniony jak w gorącej Azji z jej zatrutymi strumieniami. Gdy jednak w pobliżu nie było gospodarzy, pozwolili sobie z Hefajstionem na takie żarty, jakie goście zachowują zwykle na drogę powrotną. Młodzi ludzie z jego świty, źli o to, że robi mu się tu afronty, śmiali się wraz z nimi, ale mniej dyskretnie. W sali biesiadnej zapachniało podziałem na stronnictwa.

Aleksander poczuł się nieswojo i mruknął do Hefajstiona, zwracając się twarzą do innych: — Lepiej bądźmy dla nich milsi.

Kiedy pan młody opuści przyjęcie i oni się wymkną. Spojrzał na ojca i ujrzał, że już jest pijany.

Z błyszczącą, rozpromienioną twarzą śpiewał na całe gardło stare żołnierskie pieśni z Attalosem i Parmenionem. Po brodzie ściekał mu tłuszcz z pieczeni. Odbijał nieśmiertelne żarty o dziewictwie i dzielności, sypiące się na pana młodego jak przedtem rodzynki i zboże. Zdobył tę dziewczynę, był wśród przyjaciół, był szczęśliwy, a wino czyniło go jeszcze szczęśliwszym. Aleksander, starannie wykąpany, prawie na czczo i prawie trzeźwy, choć byłby trzeźwiejszy, gdyby zjadł więcej, przyglądał się temu w milczeniu, które zaczynało rzucać się w oczy.

Hefajstion powściągnął gniew i zaczął rozmawiać z sąsiadami, by odwrócić od niego uwagę. Pomyślał, że żaden przyzwoity pan nie poddawałby tak ciężkiej próbie niewolnika. Był zły na siebie, że tego nie przewidział i nie powstrzymał Aleksandra od przyjścia. Milczał, bo lubił

Filipa, bo wydawało się to rozsądne, i — teraz to widział — by dokuczyć Olimpias. Aleksander złożył tę ofiarę w przystępie aktów wielkoduszności, za które kochał go Hefajstion. Powinien być chroniony, ktoś z przyjaciół powinien w to wkroczyć. Zdradzono go. Wśród rosnącego hałasu mówił coś: — Ona jest z tego rodu, ale nie miała wyboru. Ledwie wyszła z dziecinnego pokoju...

Hefajstion obejrzał się zaskoczony. Nie pomyślał, że Aleksander mógłby żałować dziewczyny.

— Tak to jest z weselami, wiesz przecież. Taki zwyczaj.

— Ona się go bała przy pierwszym spotkaniu. Robiła dobrą minę, ale ja to widziałem.

— Cóż, on jej nie skrzywdzi. To nie w jego zwyczaju. Zna się na kobietach.

— Wyobrażam sobie — mruknął Aleksander w głąb pucharu. Opróżnił go szybko i wyciągnął rękę. Podszedł chłopiec z chłodzonym w śniegu rytonem. Wkrótce wrócił, by znów napełnić puchar.

— Ten zachowaj na toasty — powiedział czujny Hefajstion.

Parmenion wstał, by w imieniu króla pochwalić pannę młodą, co powinien robić najbliższy krewny nowożeńca. Przyjaciele spostrzegli ironiczny uśmiech Aleksandra i powtórzyli go nazbyt otwarcie.

Parmenion mówił o innych weselach, a także o niektórych królewskich. Było to właściwe, proste, przemyślane i krótkie. Attalos zsunął się z biesiadnego łoża z wielkim, ozdobnym, złotym pucharem w dłoni, by wygłosić odpowiedź. Widać było, że jest tak samo pijany jak Filip, ale nie znosi tego równie dobrze.

Jego pochwały króla były bezładne i rozwlekłe, niezręczne i przesadne, punkty kulminacyjne wypadały nie w porę. Gorąca owacja biesiadników była hołdem należnym królowi. Wygłaszane mowy — w miarę rozpalania się — nie były już tak beztroskie. Parmenion życzył szczęścia mężczyźnie i kobiecie. Attalos życzył tego prawie otwarcie królowi i królowej.

Jego poplecznicy wznieśli okrzyk, stukając kubkami w stoły. Przyjaciele Aleksandra rozmawiali półgłosem, tak by ich słyszano. Niezaangażowanych zdradzało milczenie. Byli zaskoczeni i przerażeni.

Filip nie był tak pijany, by nie wiedzieć, co to znaczy. Utkwił w Attalosie nabiegłe krwią oko, zmagając się z zamroczeniem i zastanawiając się, jak powstrzymać tamtego. To była Macedonia. Uspokajał już w życiu wiele pijackich kłótni po wieczerzy, ale nie miał jeszcze do czynienia z własnym teściem, choćby i samozwańczym. Obrócił oko na syna.

— Nie zwracaj uwagi! — szeptał Hefajstion. — On jest wstawiony, wszyscy to wiedzą i o wszystkim do rana zapomną.

Na samym początku mowy opuścił swe łoże biesiadne i stanął przy Aleksandrze, który z oczami wbitymi w Attalosa siedział napięty niczym gotowa do strzału katapulta.

Filip, patrząc w jego stronę, widział pod zarumienionym czołem i uczesanymi na ucztę złotymi włosami szeroko otwarte szare oczy przenoszące się z twarzy Attalosa na jego twarz. Wścieka się jak Olimpias, chociaż... Nie, ona już by wybuchła, on się powstrzymuje. To bez sensu. Jestem pijany, on jest pijany, wszyscy jesteśmy pijani, i dlaczego nie? Czemu ten chłopak nie bierze tego lekko? To przecież uczta. Niech to przełknie. Attalos przeszedł do starej krwi macedońskiej. Wyuczył się swej mowy na pamięć, ale zwiedziony przez uśmiechniętego Dionizosa uznał, że mogłaby być lepsza. W osobie tej pięknej panny tuli znów króla do piersi miła ojczyzna z błogosławieństwem bogów ojców. — Prośmy ich — wykrzyknął w nagłym natchnieniu — o prawego dziedzica królestwa!

Zaczęło się zamieszanie: owacje, protesty, niezręczne wysiłki, by zmienić grożącą awanturę w zabawę. Te głosy zawahały się nagle. Attalos, zamiast spełnić toast, chwycił się wolną ręką za głowę. Krew ciekła mu przez palce. Coś błyszczącego, srebrny kubek, potoczyło się z brzękiem po mozaikowej posadzce. Aleksander pochylał się z wyciągniętą ręką na swym biesiadnym łożu. Rzucił kubek, nie wstając z miejsca.

Podniosła się wrzawa, odbijając się echem w wysokiej sali. Głos, który pokonał bitewną wrzawę pod Cheroneją, wykrzyknął:

— Łajdaku! Nazywasz mnie bękartem?

Młodzi ludzie, jego przyjaciele podnieśli krzyk oburzenia. Attalos zrozumiawszy, co go ugodziło, wydał zdławiony jęk i cisnął ciężkim pucharem w Aleksandra. Ten nie zrobił żadnego ruchu, śledząc jego lot. Puchar upadł w połowie drogi. Filip wpadł w furię i znalazłszy ujście dla swego gniewu, ryknął:

— Jak śmiesz! Zachowuj się jak należy albo wynoś się!

Aleksander nieco tylko podniósł głos. Jego słowa i tak trafiły tam, gdzie były wymierzone, jak przedtem kubek.

— Ty stary capie! Jak ci nie wstyd! Cała Hellada czuje, jak cuchniesz. Czego ty szukasz w Azji? Nic dziwnego, że Ateny się śmieją!

Przez chwilę jedyną odpowiedzią był wysilony oddech, niczym u zdyszanego konia. Czerwień na twarzy króla zmieniła się w purpurę. Ręka szukała czegoś przy łożu. Tylko on jeden nosił tutaj miecz przy uroczystym stroju pana młodego.

— Synu nierządnicy!

Zsunął się z łoża, wywracając przy tym swój biesiadny stół. Rozległ się szczęk padających pucharów i półmisków. Chwycił za rękojeść miecza.

— Aleksandrze, Aleksandrze! — szeptał desperacko Hefajstion. — Chodźmy stąd, szybko. Aleksander nie zwracał na niego uwagi. Usiadł prosto na drugim końcu łoża, ściskając w dłoniach jego skraj, i czekał z chłodnym uśmiechem. Dysząc i kulejąc, z mieczem w dłoni, Filip szedł z trudem ku nieprzyjacielowi pośród porozrzucanych po posadzce naczyń. Nastąpił na jakąś skórkę, oparł się całym ciężarem na kulawej nodze, poślizgnął i runął głową naprzód pomiędzy słodycze i skorupy. Hefajstion zrobił mimowolnie krok naprzód, chcąc mu pomóc wstać. Aleksander obszedł biesiadne łoże. Z dłońmi na pasie, z przechyloną głową, patrzył w dół na tego klnącego chrapliwie męża, rozciągniętego w rozlanym winie i sięgającego po miecz.

— Spójrzcie, kto chce przeprawiać się z Europy do Azji, a z łoża do łoża nie potrafi, żeby nie upaść!

Filip przyklęknął na zdrowym kolanie, podpierając się rękami. Dłoń miał rozciętą o jakiś stłuczony talerz. Attalos i jego krewni biegli mu na pomoc, potykając się o siebie. Aleksander dał znak przyjaciołom. Wyszli za nim w milczeniu i sprawnie, jak na jakąś nocną akcję na wojnie.

Pauzaniasz spoglądał za Aleksandrem ze swego miejsca przy drzwiach, którego dotąd nic nie opuścił ani na chwilę. Tak mógłby patrzeć wędrowiec na bezwodnej pustyni na kogoś, kto go uraczył orzeźwiającym napojem. Nikt tego nie zauważył. Aleksander nigdy o nim nie pomyślał, szukając stronników. Nigdy nie było łatwo z nim rozmawiać.

Bucefał rżał na dziedzińcu. Usłyszał bojowy ton w głosie swego pana. Młodzi ludzie rzucili swoje wieńce na oszroniony śmietnik, dosiedli koni, nie czekając na służbę i pogalopowali po kałużach pokrytych cienkim lodem i po koleinach na drodze do Pelli.

Na dziedzińcu pałacu Aleksander spoglądał w blasku pochodni w ich twarze.

— Zabieram matkę do domu jej brata w Epirze. Kto jedzie ze mną?

— Ja pierwszy — rzekł Ptolemeusz. — Za prawowitym dziedzicem.

Harpalos, Nearchos i pozostali zgłaszali się wszyscy naraz, z miłości, lojalności, niezmąconej wiary w fortunę Aleksandra, ze strachu, że król i Attalos już ich zapamiętali, i z pragnienia, by nie być gorszymi od innych.

— Nie, ty nie, Filotasie. Ty zostajesz.

— Jadę — rzekł Filotas, rozglądając się wokoło. — Ojciec mi wybaczy, a jeśli nawet nie, cóż z tego?

— Nie, on jest lepszy niż mój i nie możesz go obrażać z mojego powodu. Słuchajcie, pozostali. W jego głosie pojawił się ton komendy. — Musimy wyjechać zaraz, zanim mnie wsadzą do lochu, a matkę otrują.

Jedziemy bez obciążenia, bierzemy konie na zmianę, całą waszą broń, wszystkie pieniądze, jakie macie pod ręką, żywność na jeden dzień i wszystkich dobrych służących zdolnych do noszenia broni. Dam im konie i broń. Spotykamy się tu, kiedy zagra róg na zmianę straży.

Rozeszli się, wszyscy prócz Hefajstiona, który patrzył na Aleksandra, jak mógłby ktoś patrzeć na sternika, gdy na morzu nie widać brzegu.

— Jeszcze tego pożałuje — rzekł Aleksander. — Liczył na Aleksandra z Epiru. Posadził go na tronie i bardzo się starał o przymierze. Teraz nic z tego nie będzie, póki matka nie odzyska swoich praw.

— A ty? — spytał Hefajstion z twarzą bez wyrazu. — Dokąd jedziemy?

— Do Ilirii. Tam mogę dokazać czegoś więcej. Znam Ilirów. Pamiętasz Kossosa? Ojciec jest dla niego nikim. Występował już przeciw niemu i zrobi to znowu. Mnie zna.

— Masz na myśli... — Hefajstion miał nadzieję, że źle zrozumiał.

— To dobrzy wojownicy. Będą jeszcze lepsi, jeśli będą mieli wodza.

„Co się stało, to się nie odstanie" — pomyślał Hefajstion. — Zgoda, jeśli sądzisz, że to będzie najlepsze...

— Inni nie muszą wyjeżdżać z Epiru, chyba że sami zechcą. Tyle na dziś. Zobaczymy, czy naczelny wódz wszystkich Greków wyruszy do Azji z niepewnym Epirem za plecami i gotową do wojny Ilirią.

— Spakuję cię. Wiem, co zabrać.

— Szczęście, że matka może jechać konno. Nie ma czasu na lektyki.

Zastał ją siedzącą na swym wysokim krześle przy zapalonej jeszcze lampie. Spojrzała na niego z przyganą, wiedząc jedynie to, że przychodzi z domu Attalosa. W komnacie unosiła się woń palonych ziół i spalonej krwi.

— Miałaś słuszność — powiedział — i więcej niż słuszność. Spakuj swoje klejnoty. Przyszedłem zabrać cię do domu.

W swoim worku podróżnym znalazł wszystko, czego mu było trzeba, jak mu to obiecał Hefajstion. Na samym wierzchu leżał skórzany futerał z *Iliadą*.

Wielka droga na zachód prowadziła na Ajgaj. Aby jej uniknąć, Aleksander poprowadził ich przejściami, które poznał, szkoląc żołnierzy do walki w górach. Dęby i kasztany u podnóży gór były czarne i bezlistne, a szlaki nad wąwozami śliskie od opadłych liści. W tej okolicy ludzie rzadko widywali obcych. Mówili im, że są pielgrzymami jadącymi do wyroczni w Dodonie. Nikt, kto go widział tu na ćwiczeniach, nie poznał go teraz w starym podróżnym kapeluszu i kożuchu, nie ogolonego i wyglądającego starzej. Zjechali do jeziora Kastoria leżącego wśród wierzb, bagien i bobrowych tam. Doprowadzili się tu do porządku wiedząc, że zostaną rozpoznani, ale opowiadali tę samą historię i nikt jej nie podawał w wątpliwość. To, że królowa była skłócona z królem, nie było dla nikogo nowością. Jeśli chce zasięgnąć rady u Zeusa i Matki Dione, to jej sprawa. Udało się im wyprzedzić pogłoski. Nie umieli powiedzieć, czy ich ścigano, czy pozwolono błąkać się jak bezdomnym psom. Filip mógł po staremu pozwolić, by czas pracował na jego korzyść.

Olimpias aż od dziewczęcych lat nie podróżowała tak daleko, ale tamte lata spędziła w Epirze, gdzie podróżowano wyłącznie lądem, z obawy przed piratami z Korkyry, od których roiły się wybrzeża. Pierwszego dnia była blada z wyczerpania i drżała w wieczornym chłodzie. Obozowali w pasterskich szałasach, opuszczonych, gdy stada zeszły w dół na zimowe pastwiska, nie ufali bowiem mieszkańcom wiosek. Następnego dnia obudziła się jednak wypoczęta. Wkrótce dotrzymywała im kroku jak mężczyzna, a jej oczy i policzki pałały. Jechała po męsku, o ile nie przejeżdżali przez wioski.

Hefajstion jechał z innymi z tyłu, przyglądając się okrytym płaszczami sylwetkom. Widział, jak pochylają do siebie głowy, naradzając się, planując, czyniąc zwierzenia. Nieprzyjaciel opanował pole.

Zajął się nim Ptolemeusz, bez żadnej złej myśli i ledwie sobie z tego zdając sprawę. Sam dobrze znosił rozłąkę z Tais, którą zostawił w Pelli zaledwie po paru miesiącach szczęścia. Chodził teraz w chwale poświęcenia. Natomiast Hefajstion dostrzegany był tylko przy Aleksandrze, jakby był jego częścią, jak Bucefał. Teraz nikt go nie zauważał. Wydawało mu się, że ta podróż trwa wiecznie.

Udawali się na południowy zachód, ku wielkiemu działowi wód między Macedonią a Epirem. Przedzierali się przez wezbrane strumienie, kierując się na trudną krótszą drogę między górami Grammos i Pindos. Zanim wspięli się na górski grzbiet, gdzie kończyła się czerwona ziemia Macedonii, zaczął padać śnieg. Szlak był niebezpieczny, konie zmęczone, zastanawiali się więc, czy nie wrócić raczej do Kastorii, zamiast nocować pod gołym niebem. Jakiś jeździec zjechał do nich między bukami i prosił w imieniu nieobecnego pana o honor ugoszczenia ich pod jego dachem. Gospodarza zatrzymały obowiązki, ale przysłał polecenie, by ich przyjąć.

— To kraj Orestydów. Kto jest twoim panem?

— Daj spokój, mój drogi — mruknęła Olimpias. Odwróciła się do posłańca.

— Z radością przyjmiemy gościnę u Pauzaniasza. Wiemy, że jest naszym przyjacielem.

W mocnej starej warowni, wychylającej się z lasów na skalnej ostro-

281

dze, dostali gorącą kąpiel, dobre jedzenie i dobre wino, ciepłe łóżka. Pauzaniasz, jak się okazało, trzymał tu żonę, choć wszyscy inni nadworni oficerowie sprowadzili swe żony do Pelli. Tej wysokiej i silnej góralskiej dziewczynie, wychowanej w aurze szczerości i prostoty, wypadło znosić brzemię niepełnej wiedzy o swym mężu. Zanim się poznali, spotkała go gdzieś daleko jakaś krzywda. Nigdy nie dowiedziała się, jaka to była krzywda, ale wiedziała, że nadejdzie jeszcze jego dzień. Ci goście byli jego przyjaciółmi i mieli z nim wspólnych wrogów. Trzeba ich było serdecznie powitać. Jakich to jednak wspólnych wrogów miała z nim Olimpias? Co tu robił królewicz, który był przecież wodzem Towarzyszy? Zapewniła gościom wszelkie wygody, alę gdy przed zaśnięciem — sama w wielkiej komnacie, którą Pauzaniasz odwiedzał przez dwa albo trzy tygodnie w roku — słuchała pohukiwania sowy i wycia wilków, wokół jej lampy gęstniały cienie. Jej ojciec zginął na północy za sprawą Bardylisa, dziad na zachodzie, za Perdikkasa. Kiedy goście odjechali następnego dnia pod opieką dobrego przewodnika, jak to wcześniej nakazał Pauzaniasz, zeszła do wykutych w skale piwnic, by przeliczyć na nowo zapasy i groty strzał.

Pięli się w górę przez kasztanowy las. Tu nawet chleb piekło się z mąki z kasztanów. Potem były jodły, aż do przełęczy. Światło słońca odbijało się od świeżego śniegu i wypełniało rozległy widnokrąg. Tu była granica ustanowiona przez samych bogów, gdy nadawali kształt ziemi. Olimpias obejrzała się na wschód. Jej wargi poruszały się, wymawiając starożytne słowa, których nauczyła się od jakiejś czarownicy z Egiptu. Wyszeptała je do przyniesionego z sobą kamienia o odpowiednim kształcie, a potem rzuciła kamień za siebie.

W Epirze topniały śniegi. Musieli przeczekać trzy dni w jakiejś wiosce, zanim mogli przejść wezbraną rzekę. Konie stały tymczasem w jakiejś jaskini. W końcu dotarli jednak do kraju Molossów.

Ta pofałdowana wyżyna słynęła z ostrych zim, ale topniejące śniegi nawadniały dobre pastwiska. Pasło się tu wielkie długorogie bydło. Wyborowe owce nosiły skórzane kapotki chroniące ich piękną wełnę przed cierniami. Owczarki były tak wielkie jak owce. Olbrzymie dęby cenione przez szkutników i budowniczych, uświęcone bogactwo tej ziemi, stały bezlistne, szykując się na przetrwanie nadchodzących stuleci. Wioski były porządnie zabudowane i pełne zdrowych dzieci.

Olimpias upięła włosy i zawiesiła złoty łańcuch na szyi.

— Stąd pochodzili przodkowie Achillesa. Tu zamieszkał jego syn Neoptolemos, kiedy przybył z Andromachą spod Troi. Przeze mnie przeszła na ciebie ich krew. Byliśmy pierwszymi ze wszystkich Hellenów. Od nas wzięli tę nazwę.

Aleksander skinął głową. Słuchał tego przez całe życie. Kraj był tu bogaty i do niedawna nie miał najwyższego króla, ten zaś król, choć był bratem Olimpias, zawdzięczał tron Filipowi. Jechał pogrążony w myślach. Wysłali naprzód gońca, by się zapowiedzieć, a tymczasem młodzi ludzie golili się i czesali długie włosy przy kamienistym jeziorku. Woda była lodowata, a jednak Aleksander się wykąpał. Rozpakowali i włożyli swoje najlepsze stroje. Wkrótce dostrzegli orszak jeźdźców, ciemny i połyskujący wśród topniejących śniegów. Król Aleksander przyjmował ich jak członków rodziny. Był wysoki, miał kasztanowe włosy, niewiele ponad trzydzieści lat i gęstą brodę, która kryła rodzinny zarys ust, choć każdy widział dziedziczny kształt nosa. Oczy miał głęboko osadzone, niespokojne i czujne. Ucałował siostrę na powitanie i powiedział, co wypadało powiedzieć. Od dawna był przygotowany na tę przykrą chwilę i wniósł do niej tyle ciepła, ile zdołał. Jej małżeństwu zawdzięczał tron, choć od tego czasu niewiele zrobiła, by go nie pogrążyć. Z jej pełnego furii listu nie można było się domyślić, że Filip jeszcze z nią się nie rozwiódł. W każdym razie musiał ją przyjąć i bronić, by ratować honor rodziny. Już ona sama stwarzała wystarczająco wiele kłopotu. Miał przedtem cichą nadzieję, że nie sprowadzi z sobą tego swojego syna podżegacza, który mając dwanaście lat, zabił człowieka, i od tego czasu ani dnia nie usiedział spokojnie.

Z niedowierzaniem, szybko ukrytym pod uprzejmymi gestami, spoglądał na oddział młodych ludzi o twarzach Macedończyków, ale ogolonych na sposób Greków z południa. Robili wrażenie twardych, czujnych i zgranych ze sobą. Czy nie będzie z nimi kłopotów? W królestwie panował spokój, wielmoże nazywali go hegemonem, szli za nim na wojnę i płacili podatki. Ilirowie trzymali się swojej strony granicy. W ciągu ostatniego roku zdusił dwa gniazda piratów i tamtejsi chłopi wyśpiewywali hymny na jego cześć. Kto jednak pójdzie za nim na wojnę z potężną Macedonią? Kto go będzie potem błogosławić? Nikt. Jeśli Filip ruszy na nich, dojdzie do Dodony i ogłosi nowego najwyższego króla. W dodatku Aleksander lubił Filipa.

Jadąc teraz między siostrą a siostrzeńcem, żywił nadzieję, że jego żona zdobędzie się na powitanie gości. Zostawił ją we łzach, była na dodatek ciężarna.

Gdy zjeżdżali w dół ku Dodonie, orszak rozciągnął się na krętym, wąskim szlaku. Aleksander mruknął do Olimpias: — Nie mów mu, co zamierzam. O sobie mów, co chcesz. O mnie nic nie wiesz.

Była zaskoczona i zła.

— Co takiego zrobił, że mu nie ufasz?

— Nic. Muszę wszystko przemyśleć, potrzebuję czasu.

Dodona leżała w górskiej dolinie pod skalnym grzbietem, na którym długo zalegał śnieg. Ostry wiatr sypał im w oczy śnieżnym pyłem niczym mąką. Na zboczu góry wznosiło się otoczone murami miasto. Świętego okręgu, który leżał niżej, strzegło tylko niskie ogrodzenie i bogowie. W samym jego środku rozłożysty dąb wznosił ponad śniegiem czarny labirynt gałęzi. Ołtarze i kaplice wyglądały przy nim jak zabawki. Wiatr przynosił niski, głęboki szum, narastający i cichnący w porywach.

Bramy miasta rozwarły się. Gdy szykowali się do wjazdu, Aleksander zwrócił się do króla:

— Wuju, chciałbym, zanim stąd wyjadę, odwiedzić wyrocznię. Czy mógłbyś dowiedzieć się, kiedy wypada pomyślny dzień?

— A jakże! Oczywiście.

Mówił cieplejszym tonem, dodając stosowną, wróżącą szczęście formułę:

— Bóg i dobry los!

Pomyślny dzień nie przyjdzie zbyt szybko. Był chłopcem, gdy Olimpias wyszła za mąż. Zawsze go onieśmielała. Nie miał wtedy czasu, by z tego wyrosnąć. Teraz ona musi zrozumieć, że on jest panem w swoim domu. Nie pomoże mu w tym ten obyty z wojną, poznaczony bliznami młodzik o szalonych oczach marzyciela i ta jego banda dobrze ubranych wygnańców. Niech jedzie swoją drogą do Hadesu i zostawi rozsądnych ludzi w spokoju.

Mieszkańcy miasta witali swego króla, okazując szczerą lojalność. Dobrze ich prowadził przeciw wielu wrogom i nie był tak zachłanny, jak byli przed nim wojujący ze sobą naczelnicy. Zgromadził się tłum i Olimpias po raz pierwszy od opuszczenia Pelli usłyszała znajome okrzyki „Aleksander!" Król uniósł głowę i ruszył na koniu krokiem przyjętym w triumfalnym pochodzie. Drugi Aleksander siedział wyprostowany, patrząc przed siebie. Hefajstion zerknął z boku i ujrzał, że tamten pobladł, jakby utracił połowę krwi. Nie pokazał nic po sobie i odpowiadał wujowi spokojnie, ale gdy dotarli do królewskiego domu, usta wciąż jeszcze miał pobladłe. Królowa zapomniała o słabości i wołała o grzane wino z korzeniami. Nie dalej niż wczoraj jakiś poganiacz bydła zamarzł na śmierć na przełęczy.

*

Śnieg przestał padać, ale wciąż leżał zmarznięty na ziemi i chrzęścił pod nogami. Blade, ostre słońce połyskiwało na zaspach i wystających spod śniegu zaroślach. Od gór zacinał lodowaty wiatr. W tym białym krajobrazie rzucał się w oczy, podobny do starej szmaty, wolny od śnie-

284

gu obszar brunatnej trawy, pełen czarnych żołędzi ociekających wilgocią. Niewolnicy przybytku odgarniali śnieg poza dębową palisadę. Leżał tam w brudnych zwałach upstrzonych liśćmi i czapeczkami żołędzi. Jakiś młody człowiek w kożuchu podszedł do pozbawionych wierzei wrót z tęgich belek poczerniałych ze starości. Z nadproża zwisała na rzemieniach głęboka misa z brązu. Ujął opartą o słup laskę i uderzył w misę. Fale niskiego dźwięku niczym kręgi na wodzie rozchodziły się dalej i dalej. Odpowiedział im skądś spoza ogrodzenia jakiś głęboki poszum. Stało tam zadumane wielkie drzewo, całe w rozwidleniach i sękach, i starych gniazdach pełnych śniegu. Na otwartej przestrzeni wokół niego wznosiły się starożytne kamienne ołtarze poświęcone przed wielu wiekami.

Była to najstarsza wyrocznia w Grecji, a jej moc płynęła od egipskiego Amona, praojca wszystkich wyroczni, starszego niż czas. Dodona przemawiała już, zanim Apollo przybył do Delf.

Wiatr, który przedtem cicho zawodził gdzieś wysoko w gałęziach, zleciał w dół w gwałtownym podmuchu. Gdzieś z przodu podniósł się jakiś dziki łomot. Stał tam na marmurowej kolumnie chłopiec z brązu z biczem w ręku. Rzemieniami w tym biczu były spiżowe łańcuszki. Poruszane wiatrem, uderzały obciążonymi końcami w brązową misę. Hałas był porażający. Wszędzie wokół świętego drzewa ustawione były na trójnogach spiżowe naczynia. Dźwięk przenosił się po nich i zanikał, niczym przewalający się grzmot. Zanim zgasł, nowy podmuch wiatru poruszył biczem. Z kamiennego domku obok drzewa wyjrzały jakieś siwe głowy.

Na ustach Aleksandra pojawił się uśmiech jak podczas szarży w bitwie. Wkroczył w brzęczący okrąg. Trzeci podmuch po raz trzeci pobudził cykl hałasów i zgasł. Powrócił poprzedni szum i cisza.

Z krytej strzechą kamiennej chaty wyszły, mrucząc coś do siebie, trzy stare kobiety owinięte w kożuchy. Były to Gołębice, służki wyroczni. Idąc, szurały nogami po poczerniałych żołędziach i widać było, że choć kostki u nóg mają owinięte wełnianymi chustami, stopy ich są bose, popękane i brudne. Kapłanki czerpały swą moc z zetknięcia się z ziemią i tej łączności nie wolno im było stracić ani na chwilę. To było prawo przybytku.

Pierwsza była wysoką i silną staruchą, która wyglądała, jakby przez większą część życia pracowała jak mężczyzna w jakimś gospodarstwie. Druga była niska i krągła. Miała surową minę, spiczasty nos i wysuniętą dolną wargę. Jako trzecia szła mała, zgarbiona starowina, wyschnięta i spalona słońcem niczym łupina żołędzia. Mówiono o niej, że urodziła się w roku, w którym zmarł Perykles.

Wzruszały ramionami w kożuchach i rozglądały się, zwracając się jakby zaskoczonym spojrzeniem do samotnego pielgrzyma. Wysoka szepnęła coś do krągłej. Stara podreptała naprzód na pokurczonych ptasich stópkach i niczym ciekawskie dziecko dotknęła go palcem. Oczy jej pokrywała sinobiała błonka, była już nieomal ślepa.

Ta krągła odezwała się ostro, ale z nutą ostrożności w głosie.

— O co chcesz pytać Zeusa i Dione? Czy chcesz poznać imię boga, któremu masz składać ofiary, by spełniło się twoje życzenie?

— Moje pytanie zadam tylko bogu. Pozwólcie mi je napisać.

Wysoka pochyliła się do niego z niezręczną uprzejmością. W ruchach przypominała jakieś zwierzę domowe i zapach też miała podobny.

— Tak, tak, zobaczy je tylko bóg. Ale losy są w dwóch wazach: w jednej są imiona bogów, których trzeba błagać, w drugiej Tak albo Nie. Którą mamy przynieść?

— Tak albo Nie.

Stara wciąż trzymała w drobnej piąstce fałdę jego kożucha. Była pewna siebie niczym dziecko, którego uroda podbija wszystkie serca. Nagle zapiszczała gdzieś z dołu, tuż znad jego pasa.

— Ostrożnie z tym życzeniem! Ostrożnie!

Nachylił się ku niej i spytał cicho: — Czemu, matko?

— Czemu? Bo bóg je spełni.

Położył dłoń na jej głowie, istnej łupince owiniętej wełnianą chustą i głaskał ją, patrząc ponad nią w czarne głębie dębu. Dwie inne popatrzyły na siebie. Żadna się nie odezwała.

— Jestem gotów — powiedział.

Poszły do pokrytego niskim dachem przybytku stojącego poza ich domkiem. Stara dreptała za nimi, wydając skrzeczącym głosem jakieś niejasne polecenia niczym jakaś prababka, która wchodzi do kuchni, by przeszkadzać kobietom w pracy. Słychać było, jak się krzątają i zrzędzą, jak w jakiejś gospodzie nie przygotowanej na przyjęcie gościa, którego nie sposób odprawić.

Ponad nim rozpościerały się potężne pradawne konary, rozpraszające blade światło słońca. Pień był pofałdowany i pożebrowany ze starości. W pęknięciach kory tkwiły wota, zatknięte tam przez pobożnych czcicieli w czasach tak odległych, że kora prawie je pochłonęła. Część ich skruszyła rdza, część korniki. Lato wyjawi pewnie to, co kryje zima: że niektóre konary są uschnięte. Ten dąb wyrósł z żołędzia jeszcze za życia Homera. Jego czas już prawie upłynął.

Wokół potężnego pnia, w rozwidleniach gałęzi słychać było gruchanie. W dziuplach i małych domkach poprzybijanych tu i ówdzie gnieździły się święte gołębice, nastroszone teraz i przytulone do siebie, chroniące się przed chłodem. Gdy się zbliżył, któraś wydała ze swego ukrycia w ciemności głośne „gru–gru"...

Kobiety wyszły na zewnątrz. Wysoka niosła niski drewniany stół, a krągła starożytną czarno-czerwoną wazę. Ustawiły wazę na stole pod drzewem. Stara włożyła mu do rąk pasek miękkiego ołowiu i rysik z brązu. Położył pasek na starym kamiennym ołtarzu i pisał starannie. Głęboko ryte litery świeciły srebrem na tle matowego ołowiu. BÓG I DOBRY LOS. ALEKSANDER PYTA ZEUSA Z TEGO PRZYBYTKU I DIONE, CZY SPEŁNI SIĘ TO, O CZYM MYŚLĘ? Złożywszy pasek potrójnie, tak, by słowa były zakryte, wrzucił go do wazy. Pouczono go, co ma robić, zanim tu przyszedł.

Wysoka stanęła przy stole i podniosła ramiona. Na wazie wymalowana była kapłanka stojąca dokładnie w takiej pozie. Wezwanie wygłoszone w jakimś nie znanym języku było niezrozumiałe, zniekształcone już dawno temu przez czas i nieznajomość słów. Samogłoski były przedłużone: naśladowały gruchanie gołębic. Nagle jedna z nich odpowiedziała i wokół całego pnia poniosło się niskie mamrotanie.

Aleksander stał, przyglądając się, myślami przy swoim życzeniu. Wysoka kapłanka włożyła rękę do wazy i zaczęła szukać w niej po omacku, gdy stara nagle podeszła i szarpnęła ją za kożuch, gderając piskliwym, małpim głosem. — Obiecano to mnie! Mnie obiecano!

Tamta odstąpiła, zaskoczona, rzuciwszy mu ukradkowe spojrzenie. Krągła cmoknęła tylko i nie zrobiła niczego. Stara odciągnęła rękaw kożucha z cienkiego jak patyk ramienia, niczym gospodyni, która myje garnek, i włożyła rękę do środka. Rozległo się grzechotanie dębowych klocków, w których wycięte były losy.

Nastąpiła chwila zwłoki, tymczasem Aleksander stał i czekał z oczami utkwionymi w wazie. Czarno malowana kapłanka stała w sztywnej starożytnej pozie, ukazując podniesione dłonie. U jej stóp wokół nogi malowanego stołu owinięty był malowany wąż.

Namalowano go z wprawą i z wigorem. Unosił łeb w górę. Stół miał krótkie nogi jak niskie łoże. Wąż łatwo mógł się wspiąć. Był to wąż domowy, znający jakąś tajemnicę. Gdy staruszka grzebała w wazie, Aleksander skupił się na tym, usiłując odszukać w mroku, z którego wypełzł wąż, uczucie prastarego gniewu, jakąś przeraźliwą ranę, jakąś śmiertelną obrazę pozostawioną bez pomsty. Tworzyły się obrazy. Stał przed nie znanym, olbrzymim wrogiem. Jego oddech rozpraszał się w chłodnym powietrzu, przez długą chwilę nie było nowego oddechu, potem wydarł mu się nagle urwany dźwięk. Palce i zęby miał zaciśnięte. Wspomnienia otworzyły się i zaczęły krwawić.

Staruszka wyprostowała się. W jej brudnych pazurach ujrzał zwinięty ołów i dwa drewniane losy. Tamte rzuciły się ku niej. Prawo nakazywało wyciągnąć jeden los, ten leżący najbliżej ołowiu. Syczały na nią niczym niańki na dziecko, które zrobiło coś niepewnego przez nieświadomość. Uniosła głowę — grzbietu nie zdołałaby wyprostować — i jakimś młodszym, rozkazującym głosem rzekła:

— Cofnąć się! Wiem, co mam robić!

Przez chwilę widać było po niej, że kiedyś musiała być piękna. Zostawiła ołów na stole i podeszła ku niemu, wyciągając zaciśnięte dłonie. W każdej trzymała los. Otwierając prawą, powiedziała:

— Na życzenie twoich myśli.

Otworzyła lewą, mówiąc:

— I na życzenie twego serca.

W obu małych czarnych klockach wycięte było „Tak".

ROZDZIAŁ ÓSMY

Nowa żona króla Filipa urodziła swoje pierwsze dziecko. Była to córka. Przygnębiona położna przyniosła ją z komnaty położnicy. Ujął w dłonie, czyniąc zwyczajowe znaki uznania, to małe, pomarszczone, czerwone stworzenie. Przyniesiono je nagie, by okazać, że nie jest zeszpecone. Attalos, który przebywał w tym domu, odkąd odeszły wody, nachylił się nad nim z twarzą równie czerwoną i pomarszczoną. Miał chyba nadzieję wbrew nadziei, póki sam nie zobaczył płci dziecka. Jego bladoniebieskie oczy biegły za nim z nienawiścią, gdy je wynoszono. Filip pomyślał, że tamten mógłby kazać je rzucić do jeziora jak nie chciane szczenię. Sam często czuł się głupio, gdy mówiono o nim, że płodzi pięć dziewczynek na jednego chłopca, ale tym razem wysłuchał nowiny z głęboką ulgą.

Eurydyka miała wszystko, co lubił w dziewczynie: zmysłowość bez rozwiązłości, chęć robienia mu przyjemności bez nadskakiwania, nigdy też nie robiła scen. Byłby rad, gdyby mógł postawić ją na miejscu Olimpias. Chodziła mu nawet po głowie myśl, by usunąć wiedźmę z drogi na dobre. To rozwiązałoby wszystkie problemy. Miała na rękach wystarczająco wiele krwi, by wydać na nią surowy wyrok. Byli też do wynajęcia ludzie, równie biegli w takich sprawach jak ona. Choćby jednak załatwić to jak najzręczniej, chłopiec dowie się o tym. Nic przed nim się nie ukryje. Wyczuje prawdę w powietrzu. A co potem?

A co teraz? No cóż, ta dziewczynka pozwalała odetchnąć swobodniej. Attalos powtarzał mu z tuzin razy, że w ich rodzinie rodzą się sami chłopcy. Teraz jakiś czas posiedzi cicho. Filip odłożył decyzję na później, jak to stale robił przez ostatnie dziesięć miesięcy.

Plany wojny w Azji posuwały się gładko. Kuto i gromadzono w składach broń, przybywali poborowi, ujeżdżano kawaleryjskie konie, a złoto i srebro płynęły jak woda w ręce dostawców, płatników, agentów i zależnych władców. Żołnierze szkolili się i odbywali ćwiczenia. Byli gotowi, zdyscyplinowani i opowiadali sobie legendy o bajecznych bogactwach Azji i ogromnych okupach za wziętych do niewoli satrapów. Brak było jednak blasku, rozgłosu, iskry, uśmiechu w obliczu niebezpieczeństwa.

Były też bardziej namacalne dolegliwości. Jaka dzika bójka, z której wynikło z pół tuzina krwawych waśni, wybuchła w winiarni w Pelli między jeźdźcami z klanu Attalosa i tymi z korpusu nazwanego ostatnio Jazda Nikanora, choć nikt, kto cenił sobie życie, nie używał tej nazwy w ich obecności. Filip kazał sobie przyprowadzić głównych winowajców. Spoglądali po sobie i odpowiadali wymijająco, aż w końcu najmłodszy z nich, dziedzic starożytnego rodu, który wprowadził na tron i zrzucił z tronu ze dwunastu królów i dobrze o tym pamiętał, zadarł gładko ogolony podbródek i powiedział wyzywająco:

— No cóż, panie, oni zniesławiali twego syna.

Filip kazał im zatroszczyć się o zgodę we własnych domach i na tym poprzestał. Ludzie Attalosa, którzy mieli nadzieję, że usłyszą „nie mam jeszcze syna", odeszli przygnębieni. Wkrótce potem Filip wysłał kolejnego szpiega do Ilirii.

Do Epiru nikogo nie wysyłał. Wiedział, na czym stoi. Otrzymał list, który doskonale rozumiał: protest męża honoru posunięty dokładnie tak daleko, jak tego wymagał honor. Prawie widać było nakreśloną linię. Odpowiedział z równą subtelnością. Królowa opuściła go z własnej woli, nie doznawszy żadnych formalnych krzywd (tu stał na pewnym gruncie, bo królewskie rody Epiru praktykowały wielożeństwo). Nastawiła syna przeciw niemu i wyłącznie jej winą jest jego obecne wygnanie. List nie zawierał żadnych zniewag. Zostanie właściwie zrozumiany. Co jednak działo się w Ilirii?

Część młodych ludzi wróciła do kraju z Epiru, przywożąc list.

„Aleksander do Filipa, króla Macedończyków, z pozdrowieniem. Odsyłam tych ludzi, moich przyjaciół, tobie i ich ojcom. Nie zrobili nic złego. Odprowadzili uprzejmie królową i mnie do Epiru, po czym nie żądamy od nich niczego więcej. Wrócimy, gdy królowej, mojej matce, zostaną przywrócone jej prawa i godność. Do tego czasu będę robił, co uznam za słuszne, nie pytając nikogo o zgodę.

Pozdrów ode mnie żołnierzy, których prowadziłem pod Cheroneją i tych, którzy służyli pode mną w Tracji. Nie zapomnij o mężu, którego osłoniłem tarczą, gdy Argiwi zbuntowali się pod Peryntem. Znasz jego imię. Żegnaj!"

Przeczytawszy w samotności ten list, Filip zmiął go i rzucił na posadzkę. Potem, pochylając się z trudem z powodu kulawej nogi, podniósł go, rozprostował, wygładzając zgięcia, i schował.

Jeden po drugim wracali z zachodu szpiedzy, przynosząc niepokojące nowiny i żadnych faktów, które można by wziąć w rękę. Zawsze powtarzały się imiona tych z wąskiego kręgu. Ptolemeusz: ach, gdybym mógł poślubić jego matkę, historia wyglądałaby inaczej. Nearchos: dobry dowódca okrętów zaszedłby wysoko, gdyby miał rozum. Harpalos: nie ufałem temu kulawemu lisowi, ale chłopiec go zabrał. Erigyjos...

Laomedon... Hefajstion, no cóż, tak to bywa, kiedy człowieka rozłączy się z jego cieniem. Filip zamyślił się na chwilę z zazdrością człowieka, który zawsze wierzył, że szuka doskonałej miłości, nie przyznając się przed samym sobą, że zazdrości ceny, jaką płacą inni.

Imiona nie zmieniały się nigdy, ale nowiny zmieniały się stale. Byli w warowni Kossosa, byli w zamku Klejtosa, który był tak blisko godności najwyższego króla, jak tylko to możliwe w Ilirii. Byli na granicy Lynkestydów. Byli na wybrzeżu, rozpytując podobno o statki płynące na Korkyrę, do Italii, na Sycylię, nawet do Egiptu. Widziano ich pośród wzgórz w pobliżu Epiru. Chodziły słuchy, że kupują broń, najmują włóczników, szkolą armię w jakiejś leśnej kryjówce. Kiedy tylko Filip chciał wysłać wojsko na wojnę w Azji, przychodził jeden z takich alarmów i trzeba było zostawiać oddział na granicy. Chłopiec pozostawał niewątpliwie w łączności z przyjaciółmi w Macedonii. Na papierze wojenne plany Filipa pozostały nie zmienione, ale wodzowie czuli, że to ciągnie się za długo i że on czeka na kolejne doniesienia.

W zamku na urwistym cyplu nad lesistą zatoką Aleksander patrzył w poczerniałe od dymu krokwie. Spędził dzień na polowaniu, podobnie jak wczorajszy. Leżał na posłaniu z sitowia, pełnym pcheł, w kącie wielkiej sali przeznaczonym dla gości. Tu pośród psów ogryzających kości z dawnych uczt sypiali nieżonaci domownicy. Bolała go głowa. Od wejścia ciągnął powiew świeżego powietrza i widać było niebo jasne od księżyca. Wstał i owinął się derką. Była brudna i podarta, tę dobrą skradziono mu przed paru miesiącami, gdzieś około jego urodzin. W obozie koczowników nad granicą ukończył dziewiętnaście lat.

Wybierając drogę pośród śpiących, potknął się o kogoś, kto zaklął. Na zewnątrz wąskie przedpiersie obiegało skałę. Urwisko spadało wprost do morza. Daleko w dole połyskująca w świetle księżyca piana opływała wielkie głazy. Rozpoznał kroki za plecami i nie odwracał się. Hefajstion oparł się przy nim o mur.

— Co się dzieje? Nie możesz zasnąć?

— Obudziłem się.

— Znów masz te bóle?

— Wszędzie tu cuchnie.

— Po co pijesz to świństwo? Wolałbym już iść spać trzeźwy.

Aleksander obdarzył go spojrzeniem, które było jak niemy jęk. Oparte o mur ramię nosiło ślady pazurów lamparta, którego upolował. Przez cały dzień był w ruchu. Teraz patrzył, nie ruszając się, w zawrotną przepaść.

— Nie możemy ciągnąć tego dłużej.

Hefajstion zmarszczył brwi. Rad był, że zostało to powiedziane. Nade wszystko dręczyła go obawa, że sam będzie musiał o to pytać.

— Nie, chyba nie możemy.

Aleksander wydłubywał jakieś odpryski kamieni ze szczytu muru i ciskał je w rozmigotane morze. Nie pokazała się żadna zmarszczka i żaden dźwięk nie powrócił z głębiny. Hefajstion nie robił nic. Ofiarował swą obecność, jak mu kazało przeczucie.

— Nawet lisowi kończą się kiedyś sztuczki, a wtedy sieci już czekają.

— Często miewałeś szczęście, dzięki bogom.

— Czas ucieka — mówił Aleksander. — Ma się to uczucie na wojnie. Pamiętasz, jak Polidor ze swoją dwunastką trzymał tę warownię na Chersonezie? Wszystkie te hełmy pozatykane na murach i poruszane od czasu do czasu? Posłałem wtedy po posiłki. Oszukiwał mnie przez dwa dni, pamiętasz? Potem katapulta strąciła taki hełm i oszustwo wyszło na jaw. To musi się zdarzyć. Czas ucieka. Mój czas upłynie, gdy jakiś iliryjski naczelnik przekroczy granicę na własny rachunek, a mnie tam wtedy nie będzie i Filip o tym usłyszy. Potem już go nie oszukam, za dobrze mnie zna.

— Możesz jeszcze poprowadzić taki najazd. Jeszcze czas zmienić zdanie. Gdybyś wkroczył i unikał starcia... On sam by tam nie przybył, mając tyle do roboty.

— Skąd można wiedzieć? Nie, dostałem ostrzeżenie... rodzaj ostrzeżenia... w Dodonie.

Hefajstion przyjął tę nowinę w milczeniu. Aleksander nie powiedział mu dotąd niczego więcej o tym.

— Aleksandrze, twój ojciec chce, żebyś wrócił. Wiem o tym. Możesz mi wierzyć.

— Dobrze. Może więc odda sprawiedliwość matce.

— Nie chodzi tylko o wojnę w Azji. Nie zechcesz tego słuchać, ale on cię kocha. Może ci się nie podobać sposób, w jaki to okazuje. Bogowie mają wiele twarzy, jak mówi Eurypides.

Aleksander oparł dłonie na pokruszonych kamieniach i skupił całą uwagę na przyjacielu.

— Eurypides pisał dla aktorów. Wiele masek, tak mógłbyś powiedzieć. Tak, masek. Jedne są piękne, inne nie. Ale twarz jest jedna, tylko jedna.

Jakiś meteor spadał, płonąc z zielonożółtą, jarzącą się głową i czerwonym, gasnącym ogonem, i pogrążył się w oddali w morzu. Hefajstion szybko odłożył na bok ogarniające go uczucie szczęścia, niczym puchar wychylony w pośpiechu.

— To znak dla ciebie. Musisz postanowić teraz, rozumiesz? Po to przecież wyszedłeś.

— Obudziłem się i cuchnęło tam jak na śmietniku.

Kępa bladych kwiatów laku zakorzeniła się między kamieniami. Dotykał ich, nie widząc. Hefajstion poczuł nagle, że ktoś szuka w nim oparcia, że jest potrzebny do czegoś więcej niż do miłości. Nie było to radosne uczucie. Było to jak pierwsza oznaka jakiejś śmiertelnej choroby. „To tylko rdza" — powiedział sobie. „Nie zniosę niczego więcej".

— Dziś w nocy — powiedział cicho. — Nie ma na co czekać, przecież wiesz.

Aleksander nie poruszył się, ale zdawało się, że okrzepł, zebrał się w sobie.

— Tak! Po pierwsze, marnuję czas, a nie wykorzystuję go. Nigdy dotąd tego nie czułem. Po drugie, jest tu dwóch albo trzech ludzi, i chyba król Klejtos do nich należy, którzy — gdy już się upewnią, że nie użyją mnie przeciw ojcu — zechcą mu posłać moją głowę. I po trzecie, on jest śmiertelny. Nikt nie zna swej godziny. Jeśli umrze, a mnie nie będzie w kraju...

— To także — rzekł Hefajstion chłodno. — Cóż, zatem jest tak, jak mówisz. Ty chcesz wrócić do kraju. On chce cię mieć z powrotem. Obraziliście jeden drugiego, więc żaden nie chce odezwać się pierwszy. Musisz znaleźć odpowiedniego pośrednika. Kto się nadaje?

— Demaratos z Koryntu — Aleksander odpowiedział bez namysłu, jakby to już zostało ustalone. — Lubi nas obu, lubi być ważny, zrobi to dobrze. Kogo do niego poślemy?

To Harpalos pojechał na południe, ze swym dobrze znoszonym kalectwem, ciemną, żywą twarzą, szybkim uśmiechem i umiejętnością uważnego słuchania. Odprowadzili go do epirockiej granicy z obawy przed rozbójnikami, ale nie wiózł żadnego listu. W tej misji chodziło o to, by nie pozostał żaden jej ślad. Zabrał tylko swego muła, odzież na zmianę i swój złocisty czar.

Filip dowiedział się z przyjemnością, że jego stary przyjaciel Demaratos ma interesy na północy i chciałby go odwiedzić. Starał się wybrać odpowiednie potrawy na wieczerzę i wynajął dobrą tancerkę, tańczącą wśród mieczów dla ożywienia wieczerzy. Gdy już odprawiono potrawy i tancerkę, zasiedli do wina. W Koryncie słyszało się o wszystkim, co się działo w południowej Grecji. Filip od razu pytał o nowiny. Słyszał o jakichś tarciach między Tebami a Spartą. Co Demaratos o tym sądzi?

Demaratos, gość na specjalnych prawach, miał oto okazję, na którą czekał. Pokręcił swą dostojną siwą głową.

— Ach, królu! Tobie to wypada pytać, czy Grecy żyją w zgodzie? Przy takiej niezgodzie w twoim własnym domu?

Ciemne oko Filipa, jeszcze nie przekrwione od wina, obróciło się szybko na gościa. Wprawne ucho dyplomaty uchwyciło w głosie Demaratosa jakiś osobliwy ton, cień przygotowania. Nie dał jednak niczego po sobie poznać.

— Ach, ten chłopak! Zapala się od byle iskry jak hubka. Czyjeś głupie gadanie po pijanemu byłoby na drugi dzień śmiechu warte, gdyby on tylko zachował rozsądek. Ale on popędził rozgorączkowany do matki, a ją przecież znasz!

Demaratos cmoknął ze współczuciem. Wielka szkoda, że przy matce o tak zazdrosnym charakterze ten młody człowiek czuje zagrożenie dla swej przyszłości w nniełasce, w jaką popadła. Zacytował bezbłędnie (choć nie bez przygotowania) kilka szczęśliwie dobranych smutnych wierszy Symonidesa.

— Sobie samemu robi na złość, żeby drugiemu dokuczyć — rzekł Filip. — Chłopak o takich zdolnościach tak je marnuje! Dobrze zgadzaliśmy się ze sobą, gdyby nie ta jędza. Powinien się zastanowić. Teraz za to płaci i pewnie ma już dość iliryjskich górskich zameczków. Jeśli jednak myśli, że ja...

Następnego dnia rano zaczęły się poważne rozmowy.

Demaratos był w Epirze honorowym gościem króla. Miał odprowadzić do Pelli królewską siostrę i jej przywróconego do łask syna. Był już bogaty, więc główną zapłatą miała mu być sława. Król Aleksander przepił do niego swym dziedzicznym złotym pucharem i błagał, by go zechciał przyjąć na pamiątkę. Olimpias roztoczyła przed nim wszystkie swe towarzyskie uroki. Jej wrogowie nazywają ją jędzą, ale niech sam to oceni. Aleksander, w ostatnim dobrym chitonie, jaki mu został, był uprzedzająco grzeczny, dopóki pewnego wieczoru jakiś zesztywniały ze zmęczenia starzec nie zjechał z trudem do Dodony na zmęczonym mule. Był to Fojniks. Natrafił na złą pogodę na przełęczy i prawie spadł z siodła we wzniesione ramiona przybranego syna.

Aleksander zażądał dlań gorącej kąpieli, wonnej oliwy i wprawnego łaziebnego. Okazało się, że nikt w Dodonie nawet nie słyszał o takim zawodzie, poszedł więc masować Fojniksa własnymi rękami.

Królewska łaźnia była starożytną budowlą z pobielanej gliny, często łataną i ze skłonnościami do przecieków. Nie było tam leżanki, kazał więc ją przynieść. Trudził się potem nad pokurczonymi mięśniami Fojniksa, idąc za radami Arystotelesa, ugniatając je i klepiąc. W kraju miał do tego wyszkolonego niewolnika. W Ilirii sam był najlepszym lekarzem. Nawet wtedy, gdy go zawodziła wiedza albo pamięć, i musiał polegać na znakach widzianych we śnie, wolano go od miejscowej zamawiaczki.

— Ach, aach, teraz lepiej. Zawsze mnie tam łapie kurcz. Czy studiowałeś u Chejrona jak Achilles?

— Potrzeba najlepszą nauczycielką. Obróć się teraz.

— Nie miałeś dawniej tych blizn na ramieniu.

— To mój lampart. Musiałem zostawić skórę memu gospodarzowi.

— Czy dotarły do ciebie derki?

— Więc wysłałeś mi też derki? Wszyscy Ilirowie to złodzieje! Dostałem książki, bo oni tu nie umieją czytać, lecz nie brak im, na szczęście, drewna na podpałkę. Raz ukradli mi nawet Bucefała.

— I co zrobiłeś?

— Poszedłem za złodziejem i zabiłem go. Nie uszedł daleko, bo Bucefał nie pozwolił się dosiąść. — Ugniatał ścięgna pod kolanami Fojniksa.

— Szarpałeś nam nerwy przez pół roku albo i więcej. Raz tu, raz tam, jak lis.

Aleksander zaśmiał się krótko, nie przerywając pracy.

— Czas upływał, a ciebie nie można było się pozbyć. Twój ojciec przypisywał to twoim naturalnym uczuciom. — Fojniks wykręcił głowę, by spojrzeć. Aleksander wyprostował się, ocierając umazane oliwą ręce.

— Tak — powiedział z namysłem. — Naturalne uczucia, tak, możesz to tak nazwać.

Fojniks wycofał się z głębokiej wody. Dawno już nauczył się, kiedy to robić.

— Czy widziałeś, Achillesie, jakąś bitwę na zachodzie?

— Raz. Była to wojna plemienna. Trzeba wspierać swoich gospodarzy. Zwyciężyliśmy.

Odrzucił w tył wilgotne od pary włosy. Nos i usta miał ściągnięte. Cisnął ręcznik w kąt.

„Nauczył się chwalić tym, co wycierpiał od Leonidasa" — myślał Fojniks. „To go nauczyło wytrwałości. Słyszałem go w Pelli i uśmiechałem się. Ale tymi miesiącami nie będzie się chwalił, a kto się uśmiechnie, będzie tego żałował".

Aleksander spytał z nagłym gniewem, jakby czytał w jego myślach.

— Dlaczego ojciec żąda, żebym prosił o wybaczenie?

— Nie przejmuj się tym. On nawykł do układów, a układy zawsze zaczynają się od wygórowanych żądań. Pod koniec nie będzie na to nalegał. Fojniks zwiesił z leżanki grube, pomarszczone nogi. Leżanka stała przy małym głębokim okienku z jaskółczym gniazdem w górnym rogu. Na poplamionym parapecie leżał wyszczerbiony grzebień z kości słoniowej. Tkwiło w nim kilka rudych włosów z brody króla Aleksandra. Czesząc się i zasłaniając przy tym twarz, Fojniks przyglądał się swemu podopiecznemu. „Pojął, że może przegrać. Tak, nawet on. Zobaczył, że istnieją rzeki bez powrotu, kiedy w nich wzbiera powódź. Którejś ciemnej nocy, w tamtym kraju rozbójników, ujrzał samego siebie jako... któż to wie kogo? Stratega najemników, wynajętego przez jakiegoś satrapę, by walczył za Wielkiego Króla, albo przez jakiegoś trzeciorzędnego sycylijskiego tyrana, a może jako wędrowną kometę, jaką był kiedyś Alkibiades — dziewięciodniowy cud raz na kilka lat, a potem spalanie się w ciemnościach. Zobaczył to w jednej chwili. Lubi pokazywać swe blizny, ale tę bliznę będzie zakrywał niczym piętno niewolnika. Kryje ją nawet przede mną".

— Nie przejmuj się. Układ zawarty. Zetrzyj stare waśnie i zacznij z czystą tabliczką. Pamiętaj, co Agamemnon powiedział Achillesowi, gdy się pojednali:

Cóż mogłem robić? Toć boskim zrządzeniem wszystko się toczy. Ate,
córa Zeusowa najstarsza, każdego opęta
Mocą swoją złowrogą! *

— Twój ojciec tak to czuje. Widziałem to w jego twarzy.
— Pożyczę ci czystszy grzebień — rzekł Aleksander. Odłożył grzebień pod jaskółcze gniazdo i wytarł starannie palce.
— Cóż, wiemy, co mówił Achilles:

Ku pożytkowi to było Hektora i Trojan, aliści
Nikt nie zapomni z Achajów tak łatwo o zwadzie nas obu.
Lecz co się stało w przeszłości, nie myślmy już o tym, choć smutni,
*Serce miłe kiełzając w piersiach, gdy taka konieczność**.*

---

* Homer, *Iliada*, tłum. J. Wieniewski, op. cit., XIX 90-91.
** Tamże, XIX 62-65.

Wziął czysty chiton, po podróży jeszcze pomięty w jukach Fojniksa, narzucił mu go zgrabnie na ramiona niczym dobrze wyszkolony paź i wręczył mu jego pas do miecza.

— Ach, chłopcze, zawsze byłeś dla mnie dobry.

Fojniks ze spuszczoną głową bawił się sprzączką pasa. Zamierzał tymi słowami rozpocząć jakieś upomnienie, ale że zabrakło mu dalszych słów, poprzestał na wypowiedzianej uwadze.

Jazda Nikanora znów była drużyną Aleksandra. Targi trwały jakiś czas. Wielu kurierów przemierzało drogi Epiru między Demaratosem i królem. Głównym punktem układu, uzgodnionym po wielu podchodach, było to, że żadne ze stronnictw nie ogłosi swego zwycięstwa. Kiedy ojciec spotkał w końcu syna, obaj czuli, że dość już powiedziano i wymawiali się od ujmowania tego znowu w słowach. Każdy przyglądał się drugiemu z ciekawością, urazą, podejrzeniem, żalem i nadzieją, ale tę obaj zbyt dobrze skrywali.

Demaratos patrzył z zadowoleniem, jak wymieniali symboliczny pocałunek pojednania. Aleksander przyprowadził matkę. Filip pocałował ją także. Spostrzegł przy okazji, że linie dumy i goryczy pogłębiły się i ze zdziwieniem odnalazł w sobie przez chwilę młodzieńczą namiętność. Potem rozeszli się, by podjąć na nowo życie, jak je sobie teraz układali.

Większość dworzan zdołała dotąd uniknąć opowiedzenia się po którejś stronie. Tylko małe grupki stronników: Attalidzi, agenci Olimpias, przyjaciele i towarzysze Aleksandra, kłóciły się i intrygowały. Obecność wygnańców podziałała jednak niczym sok z cytryny zmieszany z mlekiem. Zaczęło się rozwarstwienie.

Był młody, wiedział że jest młody i że przerasta starszych, kiedy więc zazdrośni starcy spróbowali go pognębić, sprzeciwił się im i zwyciężył. On cały był ich własnym, tlącym się buntem, który objawił się, wybuchając płomieniem, był ich bohaterem — ofiarą. Nawet sprawa Olimpias stała się ich sprawą. Widzieć swą matkę poniżoną, a swego ojca, starca po czterdziestce, robiącego z siebie widowisko z piętnastoletnią dziewczyną! Kto mógłby to ścierpieć? Zgotowali mu za to wyzywająco gorące powitanie. Zawsze doceniał takie rzeczy i dawał to po sobie poznać.

Twarz mu wyszczuplała. Lata robiły swoje, ale pojawił się w niej nowy wyraz, jakieś zamknięcie się w sobie. Ich powitanie zmieniło ten wyraz. Widząc jego ciepły, ufny uśmiech, poczuli się wynagrodzeni.

Hefajstion, Ptolemeusz, Harpalos i pozostali towarzysze wygnania traktowani byli z lękliwym szacunkiem. Ich przygody stawały się legendą.

Nie zawiedli przyjaciela. Wszystkie ich opowieści mówiły o sukcesach: o lamparcie, o błyskawicznych marszach nad granicę, o wspaniałym zwycięstwie w plemiennej wojnie. Ulokowali w nim swą dumę, obok miłości, i gdyby mogli, zmieniliby nawet jego wspomnienia. Wystarczała im jego wdzięczność, choć nie wypowiedziana. Czuli się kochani. Szybko stali się uznanymi przywódcami w oczach innych i w swoich własnych i zaczęli to okazywać, czasem dyskretnie, a czasem nie.

Tworzyło się jego stronnictwo: z ludzi, którzy go lubili albo walczyli u jego boku. Byli to ci, którym w Tracji, rannym i prawie zamarzniętym, ustąpił miejsca przy ognisku i oddał własny kubek wina albo ci, do których podszedł i na nowo rozpalił w nich słabnącą już odwagę, albo ci, którzy opowiadali mu historie w wartowni, kiedy był jeszcze chłopcem. Wspierali ich ci, którzy pamiętali lata zamętu i pragnęli silnego następcy tronu, i ci, którzy nienawidzili jego wrogów. Attalidzi z dnia na dzień rośli w siłę i nabierali pychy. Parmenion, który od jakiegoś czasu był wdowcem, poślubił ostatnio córkę Attalosa, a król był drużbą na weselu.

Aleksander po raz pierwszy spotkał Pauzaniasza z dala od uszu innych i podziękował mu za gościnę w jego domu. Przesłonięte brodą usta tamtego poruszyły się, jakby chciały odwzajemnić uśmiech, tyle że zatraciły już tę umiejętność.

— To nic takiego, Aleksandrze. Byliśmy zaszczyceni... Chętnie zrobiłbym więcej.

Przez chwilę ich oczy się spotkały, Pauzaniasza badawcze, Aleksandra pytające, ale tamtego nigdy nie było łatwo zrozumieć.

Eurydyka dostała piękny nowy dom na stoku wzgórza niedaleko pałacu. Aby oczyścić działkę, wycięto sosnowy lasek, a stojący tam posąg Dionizosa zwrócony został królowej Olimpias, która go kiedyś ustawiła. Nie było to jakieś stare święte miejsce, jedynie jej wybór, a plotka wiązała z tym miejscem jakieś skandale.

Hefajstion nic o tym nie wiedział. Jeszcze go tu wtedy nie było. Wiedział, jak wszyscy, że prawa syna zależą od honoru matki. Musi jej oczywiście bronić, nie ma wyboru, ale czemu tak zaciekle, z taką zajadłością wobec ojca, z brakiem troski o własne dobro? Wszakże prawdziwi przyjaciele dzielą się wszystkim, ale nie tym, co zaszło, zanim się spotkali.

Wszyscy wiedzieli, że ona ma własne stronnictwo. Jej komnaty były jak dom spotkań jakiejś opozycji na wygnaniu w krajach południa. Hefajstion zaciskał zęby, kiedy Aleksander tam szedł. Czy on wie, co ona planuje? Gdyby z tego wynikły kłopoty, król uzna, że wiedział.

Hefajstion też był młody. I jego udziałem było zaskoczenie, kiedy nadskakujący dawniej służalcy teraz zachowywali dystans. Zawsze gardził służalczością, ale była w nim wrodzona potrzeba bycia kochanym. Teraz dostrzegał, kto o tym wiedział i kto wykorzystywał tę wiedzę. Król przypatrywał się tej lekcji ze spokojną ironią.

— Powinieneś próbować wszystko załagodzić — mówił Hefajstion. — On tego chce, po cóż innego by cię wzywał? Młodszy powinien zrobić pierwszy krok. Tak zawsze było i nie ma czego się wstydzić.

— Nie podoba mi się jego spojrzenie.

— On pewnie myśli to samo o tobie. Jak możesz jednak wątpić, że jesteś jego następcą? Któż inny? Arrydajos?

Tamten nieborak był ostatnio w Pelli na jakimś wielkim święcie. Krewni jego matki przyprowadzali go zawsze wystrojonego i uczesanego, by się przywitał z ojcem, który uznał go kiedyś z dumą, gdy jako piękny i zdrowy noworodek wyniesiony został z komnaty matki. Teraz miał lat siedemnaście i był wyższy od Aleksandra, a z urody podobny do Filipa, dopóki nie zaczynał rozdziawiać ust. Nie zabierano go do teatru, bo śmiał się głośno w najtragiczniejszych chwilach, ani na uroczyste obrzędy, bo mógł mu się tam przytrafić jeden z jego ataków, kiedy rzucał się po ziemi jak wyrzucona na brzeg ryba, moczył się i brudził. Lekarze mówili, że te ataki pomieszały mu rozum, bo jako dziecko dobrze się zapowiadał. Stary, zaufany niewolnik przyprowadzał go na widowiska w czasie uczt. Rosła mu już broda, ale nie rozstawał się z lalką.

— Też mi rywal! — mówił Hefajstion. — O niego możesz być spokojny.

Udzieliwszy dobrej rady, wychodził, wpadał na kogoś ze stronnictwa Attalosa, albo choćby na któregoś z licznych wrogów Olimpias, obrażał się o byle co i rachował im kości. Wszyscy przyjaciele Aleksandra mieli w tym swój udział, a Hefajstion większy niż inni, jako że był wybuchowy z natury. Prawdziwi przyjaciele dzielą się wszystkim. Potem ganił się za to, ale wszyscy wiedzieli, że nie spotkają ich żadne wyrzuty od Aleksandra za te dowody miłości. Nie nakłaniał ich do tego. Był to po prostu ten rodzaj wyzywającej lojalności, z którego sypią się iskry jak z krzesiwa.

Polował bez wytchnienia, a największą odczuwał przyjemność, gdy zwierz był niebezpieczny albo trzeba było go długo gonić. Czytał mało i tylko rzeczy starannie dobrane. Jego niepokój potrzebował czynu. Zadowalały go właściwie tylko przygotowania do wojny. Był wszędzie: u techników, od których żądał takich katapult, które dawałyby się rozbierać i przewozić i nie musiałyby być porzucane po każdym oblężeniu, i w stajniach, gdzie oglądał kopyta, sprawdzał podłogi i rozmawiał o obroku. Wiele też rozmawiał z podróżnikami, handlarzami, posłami, aktorami, najemnikami, którzy znali grecką Azję, a nawet kraje poza nią. Wszystko, o czym mówili, sprawdzał w *Odwrocie* Ksenofonta.

Hefajstion, z którym dzielił swoje dociekania, widział, że wszystkie swe nadzieje Aleksander wiąże z wojną. Po miesiącach niezdolności do działania pozostały mu blizny jak po kajdanach. Potrzebował lekarstwa, jakim było dowództwo, zwycięstwa, by pomieszać szyki swoich nieprzyjaciół i uleczyć swą zranioną dumę. Zakładał, że będzie wysłany przodem, sam albo z Parmenionem, by umocnić azjatycki przyczółek przed wkroczeniem głównych sił. Hefajstion pytał, skrywając niepokój, czy rozmawiał już o tym z królem.

— Nie. Niech przyjdzie do mnie.

Król, choć był zajęty, miał go na oku. Widział zmiany taktyki, które wymagały jego zgody, i czekał, aż go o nią spytają, ale na próżno. Widział zgryzotę w twarzy młodego człowieka i niewyraźne miny jego przyjaciół. Trudno czytać w czyichś myślach. Skoro mógł z tym przyjść jak żołnierz do żołnierza, nie powinien dusić tego w sobie. Jako człowiek, Filip był urażony i zły, jako władca — nieufny.

Otrzymał właśnie dobrą wiadomość. Doprowadził do zawarcia przymierza o olbrzymim strategicznym znaczeniu. Bardzo chciał pochwalić się tym przed synem. Jeśli jednak chłopak ma zbyt sztywny kark, by spytać o zdanie ojca i króla, niech się nie spodziewa, że ktoś będzie pytał jego. Niech sam się o tym dowie albo przez szpiegów swej matki.

Tak więc, dowiedział się o małżeństwie Arrydajosa od Olimpias.

Satrapią Karii na południowym zagięciu azjatyckiego wybrzeża rządzili pod zwierzchnictwem Wielkiego Króla miejscowi władcy. Nim wielki Mauzolos spoczął w swym wspaniałym mauzoleum, zbudował sobie małe imperium skierowane ku morzu aż po Rodos, Kos i Chios i sięgające wzdłuż wybrzeża aż do Licji. Następstwo tronu przeszło na jego młodszego brata Piksodara. Płacił on daninę i złożył formalny hołd, a Wielki Król nie żądał więcej. Gdy Syrakuzy popadły w anarchię, a Macedonia nie urosła jeszcze w siłę, Karia była największą potęgą na Środkowym Morzu. Filip długo się jej przyglądał, wysyłał tajnych wysłanników, wodził ją na jedwabnej lince, a teraz wyciągnął tę rybę. Zaręczył Arrydajosa z córką Piksodara.

Olimpias dowiedziała się o tym rano w teatrze, podczas przedstawienia jakiejś tragedii na cześć karyjskich posłów.

Kiedy posłała po Aleksandra, nie od razu go znaleziono. Poszedł z Hefajstionem za scenę gratulować Tettalosowi. Sztuka miała tytuł *Szaleństwo Heraklesa*. Hefajstion dziwił się potem, że nie zrozumiał tego znaku.

Tettalos miał teraz koło czterdziestki i był u szczytu swoich możliwości i u szczytu sławy. Był tak wszechstronny, że mógł grać w każdej masce, od Antygony do Nestora, stale jednak triumfował w rolach bohaterskich. Tego od niego żądano. Dopiero co zdjął maskę i nie od razu pomyślał o panowaniu nad twarzą, która przez chwilę wyrażała troskę na widok zmian zaszłych podczas jego nieobecności. Słyszał też o niejednym i od razu zapewnił Aleksandra o swej niezachwianej lojalności. Po teatrze Hefajstion poszedł spędzić godzinę z rodzicami, którzy zjechali do miasta na święto. Po powrocie znalazł się w samym środku huraganu.

Komnata Aleksandra była pełna przyjaciół. Wszyscy mówili naraz, wyrażając oburzenie, zgadując i planując. Na widok Hefajstiona, Aleksander przecisnął się ku niemu przez tłum, chwycił go za ramię i wykrzyczał do ucha nowinę. Oszołomiony jego furią Hefajstion wypowiedział jakieś słowa współczucia: oczywiście, powinien dowiedzieć się o tym od króla, oczywiście, został zlekceważony. W tym hałasie prawda wychodziła na jaw po kawałku: oto Aleksander uwierzył, że Arrydajos został uznany za następcę tronu Macedonii! Olimpias była tego pewna.

„Muszę z nim pomówić sam na sam" — pomyślał Hefajstion, ale nie śmiał tego proponować. Aleksander był zaczerwieniony, jakby miał gorączkę. Młodzi ludzie wspominali jego zwycięstwa, przeklinali niewdzięczność króla i podsuwali mu najdziksze pomysły. Czuli, że ich potrzebuje, i nie zamierzali go opuścić. Od Hefajstiona żądał tego samego co od innych, tylko bardziej natarczywie. Wyglądał, jakby go ogarniało szaleństwo.

„To Iliria" — myślał Hefajstion. „To jest jak choroba, z której on nie może się otrząsnąć. Później z nim o tym pomówię".

— Co to za kobieta? — spytał. — Czy ona wie, za kogo wychodzi?

— A jak myślisz? — Nozdrza Aleksandra płonęły. — I jej ojciec wie to doskonale.

Ściągnął brwi z namysłem i zaczął chodzić po komnacie. Hefajstion rozpoznał w tym zapowiedź jakiegoś działania. Nie zwracając uwagi na tę oznakę niebezpieczeństwa i idąc za Aleksandrem krok w krok, mówił:

— Aleksandrze, to nie może być prawda, chyba że król oszalał. Przecież on sam jest królem z wyboru, bo Macedończycy nie chcieli mieć dziecka na tronie. Jak mógłby pomyśleć, że zechcą półgłówka?

— Wiem, o co mu chodzi! — Był rozpalony, biło od niego gorąco.

— Arrydajos to tylko chwilowa wyręka, póki Eurydyka nie urodzi chłopca. To robota Attalosa.

— Ależ... ależ, pomyśl tylko! Ten chłopiec jeszcze się nie urodził. Będzie musiał dorosnąć. Osiemnaście lat! A król jest żołnierzem.

— Ona znów jest w ciąży. Nie wiesz o tym?

Hefajstion pomyślał, że gdyby dotknął jego włosów, posypałyby się iskry.

— Nie myśli chyba, że jest nieśmiertelny. Wybiera się na wojnę. Co się stanie, jeśli zginie? Kto zostanie oprócz ciebie?

— Chyba że mnie wcześniej zabije — powiedział, jakby to było zwykłą rzeczą.

— Co takiego?! Jak możesz tak mówić? Własnego syna?

— Mówią, że nie jestem jego synem. Muszę troszczyć się o siebie.

— Kto tak mówi? Masz na myśli tę pijacką mowę weselną? Mówiąc o prawowitym dziedzicu, miał na myśli tylko macedońską krew obojga rodziców.

— O nie. Teraz mówią o tym inaczej.

— Posłuchaj, jedźmy zapolować. Potem porozmawiamy.

Obejrzawszy się szybko, by się upewnić, że nikt nie słucha, Aleksander rzucił zdesperowanym szeptem: — Cicho, cicho.

Hefajstion wrócił do innych, Aleksander chodził tam i sam jak wilk w klatce. Nagle zwrócił się do pozostałych:

— Poradzę sobie z tym.

Hefajstion, który nigdy dotąd nie słuchał tego stanowczego tonu inaczej niż z całkowitą wiarą, doznał nagle przeczucia nieszczęścia.

— Zobaczymy, kto wygra na tych zaręczynach — mówił Aleksander. Tamci, niczym chór na scenie, zaczęli go błagać, by powiedział coś więcej.

— Poślę kogoś do Karii i wyjaśnię Piksodarowi, o co chodzi w tym małżeństwie.

Rozległy się owacje. „Wszyscy tu w piętkę gonią" — pomyślał Hefajstion. Dowódca okrętów Nearchos przekrzyczał hałas.

— Nie możesz tego zrobić, Aleksandrze! Moglibyśmy przez to przegrać wojnę w Azji.

— Daj mi skończyć! — odkrzyknął Aleksander. — Chcę sam prosić o tę dziewczynę.

Przyjęli to w milczeniu. Potem odezwał się Ptolemeusz:

— Zrób to, Aleksandrze. Ja stanę przy tobie. Oto ręka.

Hefajstion patrzył przerażony. Zwykł zawsze liczyć na Ptolemeusza, poważnego, starszego brata. Ostatnio ściągnął on z Koryntu swoją Tais, która tam spędziła czas jego wygnania. Teraz jednak wydawał się równie rozgniewany jak Aleksander. Był w końcu najstarszym synem Fili-

pa, chociaż nie został uznany. Przystojny, zdolny, ambitny, trzydziesto-
letni już prawie, poradziłby sobie w Karii doskonale. Czym innym było
poprzeć kochanego i uznanego brata, czym innym zaś ustąpić zaślinio-
nemu Arrydajosowi.

— Co powiecie? Staniemy przy Aleksandrze?

Rozległy się zmieszane głosy poparcia. Wołali, że to małżeństwo umo-
cni jego pozycję, że zmusi króla do liczenia się z nim. Nawet ci bojaźli-
wi, widząc go, jak ich liczy wzrokiem, przyłączyli się. To nie było ili-
ryjskie wygnanie. Przecież nic nie musieli robić. Całe ryzyko, ich zdaniem, ponosił on sam.

Hefajstion pomyślał, że to po prostu zdrada. Zdesperowany chwycił
Aleksandra za ramiona z siłą kogoś, kto domaga się swych praw. Aleksander od razu odwrócił się do niego.

— Przemyśl to do rana.

— Niczego nie będę odkładał.

— A jeśli twój ojciec i Piksodaros handlują nieświeżą rybą? Jeśli ona
jest dziwką albo jędzą, w sam raz dla Arrydajosa? Zrobisz z siebie po-
śmiewisko!

Aleksander z widocznym wysiłkiem zwrócił na niego rozszerzone,
błyszczące oczy i odparł. powstrzymując niecierpliwość.

— I cóż z tego? To nam nie robi różnicy, sam wiesz.

— Pewnie, że wiem — rzekł z gniewem Hefajstion. — Nie mówisz
z Arrydajosem...

„Nie, nie, jeden z nas musi zachować rozsądek". Bez żadnego wyra-
źnego powodu Hefajstion pomyślał nagle: „On chce udowodnić, że przyjmie kobietę wybraną przez ojca. Ona jest dla Arrydajosa, więc sprawa
jest uczciwa, nie musi wiedzieć więcej. Kto ośmieli się coś mu powiedzieć? Nikt, nawet ja".

Aleksander z wyzywająco przekrzywioną głową zaczął oceniać siłę
karyjskiej floty. Hefajstion wyczuwał w tym wyzwanie. On nie chciał
niczyjej rady, chciał tylko dowodu miłości. Musi mieć wszystko, czego
tylko zechce.

— Wiesz, że jestem z tobą, cokolwiek z tego wyniknie. Cokolwiek
zrobisz.

Aleksander ścisnął go za ramię, obdarzył szybkim, poufnym uśmiechem i znów zwrócił się do innych.

— Kogo wysyłasz do Karii? — spytał Harpalos. — Pójdę, jeśli chcesz.

Aleksander podszedł i uścisnął mu dłonie.

— Nie wyślę Macedończyka. Mój ojciec kazałby ci za to zapłacić,
ale to pięknie z twojej strony, Harpalosie. Nie zapomnę ci tego.

Pocałował Harpalosa w policzek. Zaczął się robić uczuciowy. Zgłosiło się dwóch czy trzech innych chętnych. „To przypomina teatr" — pomyślał Hefajstion.

I wtedy odgadł, kogo pośle Aleksander.

Tettalos przyszedł po zmroku. Wprowadzono go przez prywatne wejście Olimpias. Chciała być obecna przy naradzie, lecz Aleksander przyjął go samego. Wyszedł potem ze złotym pierścieniem na palcu i podniesioną dumnie głową. Olimpias też mu dziękowała z wdziękiem, który umiała roztoczyć, kiedy chciała, i podarowała mu talent srebra. Odpowiedział jej zgrabną mową. Miał doświadczenie w wygłaszaniu mów i myśleniu jednocześnie o czymś innym.

W jakieś siedem dni później Aleksander spotkał Arrydajosa na dziedzińcu pałacu. Przychodził tu teraz częściej. Lekarze zalecali mu przebywanie w towarzystwie, co mogło pobudzić moce umysłowe. Podbiegł ochoczo na powitanie Aleksandra. Stary sługa, niższy teraz od niego o pół głowy, pośpieszył zaniepokojony za nim. Aleksander, który nie żywił do niego urazy, jak nie żywiłby urazy do psa czy konia należącego do nieprzyjaciela, odwzajemnił pozdrowienie.

— Jak się ma Fryne? — spytał. Lalka ostatnio znikła. — Czy ci ją zabrali?

Arrydajos wyszczerzył zęby. W jedwabistej czarnej brodzie widać było wilgotną strużkę.

— Staruszka Fryne poszła do pudełka. Już jej nie potrzebuję. Przyślą mi prawdziwą dziewczynę z Karii.

Dodał do tych słów nieprzyzwoity gest, niczym niezbyt bystre dziecko naśladujące dorosłych.

Aleksander popatrzył na niego z politowaniem. — Nie zaniedbuj Fryne. To dobra przyjaciółka. Możesz jej, mimo wszystko, potrzebować.

— Nie wtedy, kiedy mam żonę. — Pochylił się do Aleksandra i dodał, zwierzając mu się jak przyjacielowi: — Kiedy umrzesz, ja będę królem.

Opiekun szybko pociągnął go za pas. Odszedł ku portykowi, podśpiewując jakąś niezbyt melodyjną piosenkę.

Filotas martwił się. Widział, jak wymieniano spojrzenia i dużo by dał, by zrozumieć ich znaczenie. Znów ominął go jakiś sekret. Wyczuwał go od paru tygodni, ale wszyscy trzymali język za zębami. W każdym razie wiedział, kto coś wie. Byli zbyt zadowoleni z siebie, albo zbyt wystraszeni, by to ukryć.

Nie był to dla Filotasa miły okres. Choć przebywał od lat w zewnętrznym kręgu Aleksandra, nigdy nie udało mu się wejść do kręgu wewnętrznego. Miał wojenną przeszłość, dobrze się prezentował, jeśli nie liczyć zbyt wypukłych niebieskich oczu, był dobrym towarzyszem przy wieczerzy i nadążał za modą. Jego doniesienia składane były królowi w najbardziej dyskretny sposób. Miał pewność, że nie został wykryty. Dlaczego więc mu nie wierzyli? Instynktownie winił o to Hefajstiona. Parmenion naciskał go, żądając wiadomości. Jeśli ta mu się wymknie, cokolwiek by to było, może go to drogo kosztować. Ojciec i król będą źli. Może lepiej było pójść z nimi na wygnanie? Byłby tam użyteczny, a teraz niczego by przed nim nie kryli. Ta awantura na weselu przyszła jednak zbyt nagle. Choć był dzielny w polu, lubił, by inni wyciągali za niego kasztany z ognia w wątpliwych przypadkach.

Nie chciał, by ktoś doniósł Aleksandrowi albo Hefajstionowi, co wychodziło na jedno, że zadaje kłopotliwe pytania. Zajęło mu więc trochę czasu, zbierania drobiazgów, szukania brakujących kawałków, zanim poznał prawdę.

Było umówione, że Tettalos nie będzie składał osobiście sprawozdania, żeby nie budzić podejrzeń. Wysłał z Koryntu zaufanego, donosząc o powodzeniu swej misji.

Piksodaros wiedział coś niecoś o Arrydajosie, choć nie wszystko. Filip był za starym wróblem, by liczyć na trwałe przymierze oparte na jawnym oszustwie. Kiedy jednak satrapa dowiedział się, że może bez dopłaty zamienić osła na wyścigowego konia, był zachwycony. W sali posłuchań w Halikarnasie, z kolumnami z serpentynu, perską glazurą na ścianach i greckimi krzesłami, pokazano posłowi córkę. Nikt nie zadał sobie przedtem trudu, by powiadomić Arrydajosa, że panna młoda ma osiem lat. Tettalos w zastępstwie starającego się wyraził zachwyt. Małżeństwo musiało być również zawarte w zastępstwie, ale gdy już zostanie zawarte, krewni pana młodego muszą je uznać. Pozostało tylko wybrać odpowiedniego zastępcę i wysłać go w drogę.

Przez większą część dnia przyjaciele Aleksandra nie mówili o niczym innym, w jego obecności i poza nią. Gdy ich słyszano, starali się mówić niejasno. Tego jednak dnia Filotas zdobył ostatnie brakujące ogniwo łańcucha.

Król Filip miał zwyczaj działać, kiedy był do tego przygotowany, a tymczasem zachowywał spokój. Nie życzył sobie wrzawy ani szyderczych krzyków. Dość już stało się złego. Rzadko bywał aż tak zły, a tym razem był zły na trzeźwo.

Dzień minął bez wydarzeń. Nadszedł wieczór. Aleksander poszedł do swej komnaty. Kiedy był już całkiem sam, czyli gdy odszedł Hefajstion, przed jego drzwiami stanęła straż. Okno było dwadzieścia stóp nad ziemią, ale i tam postawiono strażników. Nie wiedział o tym aż do rana. Żołnierzy dobierano starannie. Nie odpowiadali na żadne pytania. Czekał aż do południa, bez jedzenia i bez picia.

Pod poduszką miał sztylet. W macedońskiej rodzinie królewskiej było to rzeczą równie naturalną jak noszenie ubrania. Zawiesił go na sobie pod chitonem. Jeśli mu przyniosą jedzenie, nie tknie go. Śmierć od trucizny niegodna jest wojownika. Czekał na odgłos kroków. Kiedy w końcu nadeszły, usłyszał, jak straż prezentuje broń. To nie był kat, nie poczuł jednak ulgi. Znał ten krok.

Wszedł Filip, a za nim Filotas.

— Potrzebuję świadka — rzekł król. — Będzie nim ten mąż.

Filotas rzucił Aleksandrowi spoza jego ramienia spojrzenie, w którym malowała się troska zmieszana ze zdumieniem. Wykonał drobny gest, którym ofiarowywał w tych nie znanych kłopotach swą bezradną lojalność. Aleksander uświadomił to sobie tylko połowicznie. Obecność króla wypełniała komnatę. Szerokie usta w szerokiej twarzy były zacięte, gęste brwi, zawsze wychylone, teraz przypominały rozpostarte skrzydła jastrzębia. Biła od niego siła niczym żar. Aleksander czekał na rozstawionych nogach, czując podskórnymi nerwami obecność sztyletu.

— Wiedziałem, że jesteś uparty jak dzika świnia — mówił ojciec — i próżny jak koryncka dziwka. Wiedziałem, że możesz knuć zdradę, odkąd zacząłeś słuchać swojej matki. Nie brałem pod uwagę jednej rzeczy, że możesz być głupcem.

Przy „knuć zdradę" Aleksander nabrał tchu i zaczął coś mówić.

— Milczeć! — krzyknął król. — Jak śmiesz otwierać usta? Jak śmiesz mieszać się do moich spraw z takim zuchwalstwem i z taką dziecinną złośliwością, ty niezdarny, szalony głupcze?

— Czy po to sprowadziłeś Filotasa, żeby tego słuchał? — spytał w chwili przerwy Aleksander. Wstrząs już przeszedł, był niczym rana, której jeszcze się nie czuje.

— Nie, na to jeszcze poczekasz — odrzekł zjadliwie król. — Przez ciebie straciłem Karię, nie widzisz tego, głupcze? Na Boga, skoro tak o siebie dbasz, czy tym razem nie mogłeś się zastanowić? Chcesz płaszczyć się przed Persami? Chcesz sobie wziąć na kark hordę barbarzyńskich powinowatych, którzy będą się ciebie czepiać, kiedy zacznie się wojna, będą sprzedawać wrogowi nasze plany i będą się targować o twoją głowę? Jeśli tak, to nie masz szczęścia, bo wpierw wyślę cię do Hadesu.

Tam będziesz mniej przeszkadzał. Myślisz, że po tym wszystkim Piksodaros zechce Arrydajosa? Chyba tylko wtedy, jeśli jest większym głupcem niż ty, a na to słaba nadzieja. A ja myślałem, że wykorzystam Arrydajosa! Byłem głupcem. Zasłużyłem na to, żeby płodzić głupców. — Westchnął ciężko. — Nie mam szczęścia do synów. — Aleksander stał nieruchomo. Nawet sztylet przestał uwierać żebra.

— Jeśli jestem twoim synem, skrzywdziłeś moją matkę. — Mówił tonem bez wyrazu, pochłonięty myślami.

Filip wysunął dolną wargę. — Nie kuś mnie. Sprowadziłem ją tu ze względu na ciebie. Jest twoją matką, staram się o tym pamiętać. Nie nadużywaj mojej cierpliwości przy świadkach.

W głębi komnaty Filotas poruszył się i chrząknął cicho i życzliwie.

— A teraz słuchaj — mówił Filip. — Przyszedłem w paru sprawach. Po pierwsze: wysyłam posła do Karii. Zabierze formalny list ode mnie, w którym nie wyrażam zgody na twoje zaręczyny, i list od ciebie, że się z nich wycofujesz. Albo też, jeśli nie chcesz napisać, zabierze ode mnie list, w którym powiadomię Piksodara, że twoje małżeństwo jest mile widziane, ale nie będzie to małżeństwo jego córki z moim synem. Jeśli to wybierasz, powiedz. Nie? Bardzo dobrze. Teraz, po drugie: nie proszę cię, żebyś powstrzymał swoją matkę. Nie zdołałbyś. Nie proszę, żebyś zawiadamiał mnie o jej intrygach. Nigdy o to nie prosiłem i teraz też nie będę. Ale dopóki jesteś moim następcą w Macedonii, to znaczy, dopóki tego chcę i nie dłużej, nie mieszaj się do jej spisków. Jeśli to zrobisz znowu, możesz wracać tam, gdzie byłeś. Żeby cię powstrzymać od robienia głupstw, kazałem tym młodym głupcom, których w to wplątałeś, usunąć się z królestwa. Załatwiają dziś swoje sprawy. Kiedy wyjadą, będziesz mógł stąd wyjść.

Aleksander słuchał w milczeniu. Od dawna był przygotowany na męki, gdyby go kiedy wzięto żywcem. Myślał jednak o udrękach ciała.

— I cóż? Nie chcesz wiedzieć, którzy to?

— Wiesz, że chcę.

— Ptolemeusz: nie mam szczęścia do synów. Harpalos: ulizany, chciwy lis. Kupiłbym go, gdyby był tego wart. Nearchos: jego krewni na Krecie mogą się nim nacieszyć. Erygijos i Laomedon...

Widział, jak bielała twarz, na którą patrzył. Czas, by chłopak zrozumiał raz na zawsze, kto tu jest panem. Niech poczeka.

Równie chętnie jak Filotas usunąłby Hefajstiona, jednak go nie wymienił. Nie sprawiedliwość i nie życzliwość go powstrzymały, lecz jakiś głęboko zakorzeniony lęk. Co prawda, król nigdy nie uważał Hefajstiona za niebezpiecznego, ale było pewne, że w razie potrzeby ten zrobi dla Aleksandra wszystko. Mimo to warto było zaryzykować. Na to jedyne wybaczenie zdobył się na przekór Olimpias. Była też inna korzyść.

— Co do Hefajstiona, syna Amyntora — mówił, nie śpiesząc się — rozważyłem tę sprawę...

Urwał znowu. Czując coś pośredniego między pogardą a głęboką, skrytą zawiścią, pomyślał: „On żyje dla czegoś, czego nie poczuję ani ja, ani ta kobieta"...

— Nie będziesz chyba udawał, że nie był wprowadzony w twoje plany ani że się nie zgodził.

— Nie zgadzał się, ale go przekonałem — powiedział zbolałym głosem Aleksander.

— Czy tak? Niech i tak będzie. Biorę pod uwagę jego położenie. Nie miał honorowego wyjścia ani ukrywając twoje plany, ani je wyjawiając. Nie poślę go zatem na wygnanie. Gdyby ci znów udzielił jakiej dobrej rady, lepiej ją przyjmij, dla waszego dobra. Mówię to przy świadkach, na wypadek gdybyście to później omawiali: gdybyś znów prowadził jakąś wywrotową robotę, uznam go za współwinnego świadomie i na jego własne życzenie, oskarżę go przed Zgromadzeniem Macedończyków i zażądam kary śmierci.

— Zapamiętam to. Nie musiałeś sprowadzać świadka — odrzekł Aleksander.

— To dobrze. Jutro zdejmę straż, jeśli twoi przyjaciele zabiorą się stąd. Dziś możesz zastanowić się nad swoim życiem. Jeszcze czas.

Odwrócił się. Straż za drzwiami sprezentowała broń. Filotas miał zamiar obejrzeć się na Aleksandra, by dać wyraz swemu oburzeniu i zapewnić o poparciu. Ostatecznie jednak wyszedł, nie odwracając się.

Dni mijały. Gdy Aleksander znów pojawił się na dworze, przekonał się, że liczba jego przyjaciół zmalała. Plewy zostały odsiane. Pozostało zdrowe ziarno. Zanotował sobie imiona tych wiernych, nie będą nigdy zapomniane.

W kilka dni później wezwano go do małej sali posłuchań. Dowiedział się tylko, że król chce, aby był obecny.

Filip zasiadał na królewskim krześle, mając u boku oficera i kilku urzędników wymiaru sprawiedliwości. Grupa uczestników jakiegoś sporu czekała na posłuchanie. Bez słowa wskazał synowi krzesło przy podwyższeniu i kończył dyktować jakieś pismo.

Aleksander stał przez chwilę, a potem usiadł.

— Wprowadzić go — powiedział Filip do strażnika przy drzwiach.

Czterech strażników wprowadziło Tettalosa. Miał skute ręce i nogi.

Szedł, powłócząc nogami, ciężkim krokiem wymuszonym przez kajdany. Przeguby miał otarte do krwi.

Był nie ogolony i zaniedbany, ale głowę trzymał wysoko. Ukłonił się królowi z uszanowaniem nie mniejszym i nie większym, niż gdyby był jego gościem. Złożył też ukłon Aleksandrowi, a w jego spojrzeniu nie było wyrzutu.

— A więc jesteś — rzekł posępnie król. — Gdybyś miał czyste sumienie, sam byś przyszedł zdać sprawę z poselstwa. A gdybyś był mądry, uciekłbyś dalej niż do Koryntu.

Tettalos pochylił głowę. — Na to wygląda, królu, ale lubię dotrzymywać zobowiązań.

— Szkoda więc, że rozczarujesz swoich sponsorów. Ostatni występ dasz w Pelli i zagrasz samotnie.

Aleksander wstał. Wszyscy patrzyli na niego. Wiedzieli teraz, po co go tu sprowadzono.

— Tak — rzekł król. — Niech Tettalos ci się przyjrzy. Ty jesteś winien jego śmierci.

Aleksander przemówił wysokim, napiętym głosem: — On jest sługą Dionizosa, jego osoba jest święta.

— Powinien był poprzestać na swej sztuce. — Filip skinął głową oficerowi, który zaczął coś pisać.

— Jest Tessalczykiem — powiedział Aleksander.

— Jest od dwudziestu lat obywatelem Aten. Działał jako mój wróg po podpisaniu pokoju. Nie przysługują mu żadne prawa i dobrze o tym wie.

Tettalos spojrzał na Aleksandra i niemal niezauważenie pokręcił głową, Aleksander wpatrywał się jednak w króla.

— Jeśli dostanie, na co zasługuje — rzekł Filip — będzie jutro wisiał. Jeśli chce łaski, musi o nią prosić. I ty także musisz.

Aleksander stał sztywno, wstrzymując oddech. Wszystkie oczy spoczywały na nim. Postąpił krok w stronę tronu.

Ze szczękiem łańcuchów Tettalos wysunął naprzód obciążoną żelazem stopę. Zapewniło mu to bohaterską postawę tak ukochaną przez słuchaczy. Wszystkie oczy zwróciły się na niego.

— Pozwól mi odpowiedzieć na to wszystko. Przyznaję, byłem w Karii nazbyt gorliwy, a nie należy przekraczać swych instrukcji. Zwrócę się jednak raczej do Sofoklesa niż do twego syna, żeby się za mną wstawił.

Wyciągnął obie dłonie w klasycznym geście, który jednocześnie postawił widzom przed oczami jego rany. Rozległ się pomruk oburzenia. Tettalos zdobywał wieńce częściej niż którykolwiek zwycięzca olimpijski, a jego imię znali nawet ci Grecy, którzy rzadko bywali w teatrze.

Głosem, który mógł dotrzeć do dwudziestu tysięcy widzów, dostosowanym teraz do rozmiarów sali, przedstawił swoje błaganie.

Wiersze były doskonale dobrane, ale nie o to chodziło. Wszystko było zrobione na pokaz. Co naprawdę znaczyły jego słowa? „O, tak, wiem kim jesteś, ty zaś wiesz, kim jestem ja. Czy nie pora zakończyć tę komedię?" Filip zmrużył czarne oko. Posłanie zostało zrozumiane. Trochę go zaskoczył widok syna, który zarumieniony od wzruszenia wystąpił i stanął u boku aktora.

— Będę cię oczywiście prosił, panie, o miłosierdzie dla Tettalosa. Byłoby hańbą, gdybym tego nie zrobił. Narażał dla mnie życie. Nie odmówię mu tej ofiary z mojej dumy. Wybacz mu, proszę. Tylko ja tu zawiniłem. I ciebie proszę, wybacz mi, Tettalosie!

Tettalos wykonał skutymi dłońmi gest bardziej wymowny niż słowa. Owacja, choć nie było jej słychać, wisiała w powietrzu tej sali.

Filip skinął głową Tettalosowi jak człowiek, który osiągnął swój cel.

— Dobrze więc. Mam nadzieję, że to to cię nauczy nie kryć się za plecami boga, kiedy zrobisz jakieś głupstwo. Tym razem ci wybaczam, ale nie licz na to za bardzo w przyszłości. Zabrać go i rozkuć. Muszę się zająć innymi sprawami.

Wyszedł. Potrzebował czasu, by przyjść do siebie. Prawie im się udało zrobić z niego głupca. Na szczęście nie zdążyli się porozumieć. Byli jak para tragików podkradających sobie rolę.

Tettalos siedział tego wieczoru w kwaterze swego starego przyjaciela Nikeratosa, który przyjechał za nim do Pelli na wypadek, gdyby trzeba go było wykupić. Nacierał jakąś maścią otarcia.

— Mój drogi, serce mi się krajało z powodu tego chłopca. Człowiek zapomina, jak on mało bywa w świecie. Próbowałem dawać mu znaki, ale on uwierzył w to wszystko. Już widział sznur na mojej szyi.

— Ja także. Czy ty nigdy nie nabierzesz rozumu?

— Dajże spokój! Za kogo uważasz Filipa? Za iliryjskiego pirata? Trzeba go było widzieć w Delfach jako Greka. Wiedział, że się posunął za daleko, jeszcze zanim mu to powiedziałem. Ta podróż była okropna. Wracajmy morzem.

— Czy wiesz, że Koryntianie nałożyli na ciebie grzywnę? Pół talenta. Twoje role dostał Arystodemos. Nikt ci nie zapłaci za to, że byłeś lepszy od króla Filipa na jego własnej scenie.

— Ach, nie tylko ja! Nigdy nie myślałem, że ten chłopiec może być tak naturalny. Cóż za zmysł sceniczny! Poczekajmy, aż sam to zrozumie, a wtedy, powiem ci, zobaczymy nie byle co! Ale to było dla niego okropne. Serce mi się krajało.

Hefajstion szeptał o północy: — Tak, wiem. Wiem. Ale teraz musisz trochę się przespać. Zostanę z tobą. Spróbuj zasnąć.

Aleksander powtórzył bezbarwnym głosem:

— Postawił mi nogę na karku.

— Nikt go za to nie pochwali. To zakucie Tettalosa w kajdany to był prawdziwy skandal, wszyscy tak mówią. Wszyscy też mówią, że tylko na tym skorzystałeś.

— Postawił mi nogę na karku, żeby pokazać mi, że może to zrobić. Na oczach Tettalosa. Na oczach wszystkich.

— Zapomną. I ty musisz zapomnieć. Prędzej czy później wszyscy ojcowie okazują się niesprawiedliwi. Pamiętam, jak kiedyś...

— On nie jest moim ojcem.

Krzepiące dłonie Hefajstiona zamarły na chwilę w bezruchu.

— Ach, nie w oczach bogów. Oni wybierają kogo...

— Nigdy więcej tak nie mów.

— Bóg to sam wyjawi. Musisz czekać na jego znak. Wiesz o tym... Poczekaj, aż się zacznie wojna. Poczekaj, aż znowu wygrasz bitwę. On wtedy będzie się tobą chwalił.

Aleksander leżał na wznak, patrząc w górę. Nagle porwał Hefajstiona w uścisk tak gwałtowny, że tamtemu dech zaparło.

— Bez ciebie chyba bym oszalał.

— I ja bez ciebie — rzekł Hefajstion z żarem. Pomyślał przy tym, że zmieniając znaczenie tych słów, zdoła może odwrócić złe znaki.

Aleksander nic na to nie powiedział. Jego silne palce wpijały się w żebra i ramiona Hefajstiona. Sińce będą widoczne przez tydzień. „Ja też jestem darem króla" — pomyślał Hefajstion. „Jestem łaską, którą król może odebrać". Wkrótce, nie znajdując słów, zaoferował zamiast nich smutek Erosa. To przynajmniej sprowadzało sen.

Młoda niewolnica wyślizgnęła się z cienia kolumny — czarna Nubijka w szkarłatnej sukni. Podarowano ją jako dziecko Kleopatrze, która sama była wtedy dzieckiem, aby razem dorastały. Tak można by podarować szczenię. Jej czarne oczy o przydymionych białkach, podobne do agatowych oczu posągów, spojrzały w lewo i w prawo, zanim się odezwała.

— Aleksandrze, moja pani prosi, żebyś się z nią spotkał. W ogrodzie królowej przy starej fontannie. Chce z tobą mówić.

Spojrzał na nią z nagłą czujnością, potem twarz mu znieruchomiała.

— Teraz nie mogę. Jestem zajęty.

— Proszę, spotkaj się teraz z moją panią. Przyjdź, proszę. Ona płacze.

Zobaczył i na jej ciemnej, lśniącej twarzy krople łez, niczym krople deszczu na brązie.

— Powiedz jej, że już idę.

Była wczesna wiosna. Stare krzaki róż pokryły się twardymi czerwonymi pąkami, które w świetle wieczoru jarzyły się jak rubiny. Drzewo migdałowe wyrastające spomiędzy poprzekrzywianych, starożytnych, kamiennych płyt wydawało się nieważkie, okryte chmurą różowości. Z pogrążonego w cieniu kolumnowego domku nad wodotryskiem woda spływała do starego porfirowego basenu, w którego szczelinach rosły paprocie. Siedząca na krawędzi basenu Kleopatra podniosła wzrok na odgłos jego kroków. Otarła już łzy.

— Ach, cieszę się, że Melissa cię znalazła.

Oparł kolano na szczycie obmurowania i zrobił szybki ruch ręką.

— Zaczekaj. Zaczekaj, zanim coś powiesz.

Spojrzała na niego, nie rozumiejąc.

— Prosiłem cię kiedyś, żebyś mnie o czymś ostrzegła. Czy to coś w tym rodzaju?

— Żebym cię ostrzegła? — Miała głowę zajętą innymi sprawami. — Ach, nie...

— Czekaj. Nie mogę się mieszać do żadnych jej spraw. Żadnych spisków. Taki był warunek.

— Spisków? Nie, nie odchodź, proszę.

— Zwalniam cię z tamtej obietnicy. Nie chcę o niczym wiedzieć.

— Nie, to nie to, naprawdę. Zostań, proszę. Aleksandrze, kiedy byłeś u Molossów... u króla Aleksandra... Jaki on jest?

— Nasz wuj? Był tu przecież kilka lat temu. Musisz go pamiętać. Wysoki, ma rudą brodę. Na swój wiek wygląda młodo.

— Tak, wiem, ale jaki to człowiek?

— Och, ambitny, dzielny, ale nie wiem, czy mądry. Chociaż, rządzi dobrze. Pilnuje swoich spraw.

— Na co zmarła jego żona? Czy był dla niej dobry?

— Skąd mam wiedzieć? Zmarła przy porodzie.

Urwał i wytrzeszczył oczy, a potem spytał zmienionym głosem:

— Dlaczego pytasz?

— Mam za niego wyjść.

Odstąpił. Woda z ukrytego źródła szemrała w kamiennej celi.

— Kiedy się o tym dowiedziałaś? Król nie mówi mi o niczym. O niczym.

Patrzyła na niego w milczeniu. — Właśnie dziś. — Odwróciła twarz. Podszedł i przytulił ją do ramienia. Rzadko ją obejmował od czasów dzieciństwa, a teraz zdążyła się już wypłakać w ramionach Melissy. — Przykro mi, ale nie bój się. To nie jest zły człowiek. Nikt mu nie zarzuca okrucieństwa. Ludzie go lubią. Nie będziesz też daleko. „Dla ciebie to oczywiste — pomyślała — że możesz wybierać to, co najlepsze. Kiedy wybierzesz, wystarczy ci kiwnąć palcem. Kiedy ci znajdą żonę, możesz do niej iść, albo zostać przy kochanku. A ja mam być wdzięczna za to, że nikt temu starcowi, bratu mojej matki, nie zarzuca okrucieństwa". Na głos powiedziała tylko:

— Bogowie są dla kobiet niesprawiedliwi.

— Tak. Często tak myślałem. Ale bogowie są sprawiedliwi, więc musi to być wina mężczyzn.

Ich oczy wymieniły pytające spojrzenia, ale myśli się nie spotkały.

— Filip chce mieć pewność co do Epiru, zanim przeprawi się do Azji. Co o tym myśli matka?

Chwyciła fałdę chitonu gestem błagalnicy.

— Aleksandrze, o to cię właśnie chciałam prosić. Powiesz jej o tym?

— Powiedzieć jej? Ależ musiała o tym usłyszeć wcześniej niż ty.

— Nie, ojciec mówi, że nie. Mówi, że jej nie powiedział.

— O co chodzi? — Chwycił ją za rękę. — Ukrywasz coś przede mną?

— Nie. Tylko... on wie, że ona będzie zła.

— Spodziewam się. Taka zniewaga. Ale po co zadawać sobie trud, żeby ją pominąć, skoro i tak... Muszę pomyśleć.

Nagle puścił ją. Twarz mu się zmieniła. Zaczął chodzić po kamiennych płytach, jakimś kocim instynktem omijając wyszczerbione krawędzie. Czuła, że on odgadnie jej obawy i pomyślała, że lepiej, żeby to był on niż matka, ale ledwie mogła znieść czekanie. Odwrócił się. Ujrzała, że poszarzał. Przeraził ją wyraz jego oczu. Przypominając sobie o jej obecności, powiedział szorstko: — Idę do niej. — I odwrócił się, by odejść.

— Aleksandrze!

Przystanął zniecierpliwiony.

— Powiedz mi, co to wszystko znaczy?

— Nie widzisz sama? Filip uczynił Aleksandra królem Molossów i hegemonem Epiru. Czy to nie dość. Są szwagrami, czy to nie dość? Po co na dodatek robić z niego zięcia? Czy nie widzisz? To nie na dodatek — to zamiast!

— Co takiego? — powiedziała cicho. — Ach, nie. Nie daj Boże!

— A cóż to może być innego? Czyż nie zamierza zrobić czegoś, co by uczyniło z Aleksandra jego wroga, chyba żeby to osłodzić nowym małżeństwem? Chce mu odesłać siostrę, aby Eurydyka była królową. Zaczęła nagle lamentować, szarpiąc włosy i rozdzierając suknię, drapiąc i bijąc pięściami obnażone piersi. Odciągnął jej ręce w tył, poprawił suknię i chwycił ją mocno za ramiona.

— Cicho! Cały świat nie musi o tym wiedzieć. Trzeba się zastanowić.

Patrzyła na niego rozszerzonymi z przerażenia oczami.

— Co ona teraz zrobi? Zabije mnie.

Takie słowa nie robiły wrażenia na dzieciach Olimpias, ale on wziął ją w ramiona i klepał po łopatkach. Tak mógłby uspokajać psa.

— Nie. Nie bądź głupia. Wiesz, że ona nie skrzywdziłaby swoich dzieci. Jeżeli kogoś zabije... — Uciął słowa gwałtownym ruchem, zmieniając go w tej samej chwili w niezgrabną pieszczotę.

— Bądź dzielna. Złóż ofiary bogom. Bogowie coś na to poradzą.

— Myślałam — mówiła szlochając — że jeśli on nie jest złym człowiekiem... Mogę zabrać Melissę... i przynajmniej wyjadę stąd. Ale żyć z nią w tamtym domu i to jeszcze po tym... Wolałabym nie żyć, wolałabym nie żyć...

Jej potargane włosy dotknęły jego ust, poczuł wilgoć i smak soli. Spoglądając nad jej ramieniem, dostrzegł za krzewem lauru błysk szkarłatu i oswobodził rękę, dając znak. Melissa wyszła z ociąganiem. Pomyślał, że nie podsłuchała niczego, o czym się wkrótce nie dowie.

— Zobaczę się z matką. Zaraz tam idę — powiedział do Kleopatry.

Przekazał siostrę w wyciągnięte czarne ramiona o różowych dłoniach. Obejrzawszy się wpół drogi do piekła, dokąd obiecał pójść, zobaczył, że niewolnica siedzi na brzegu porfirowej fontanny, pochylona nad głową swej pani, spoczywającą na jej kolanach.

Nowina o zaręczynach rozeszła się szybko. Hefajstion rozważał, co o tym myśli Aleksander, i odgadł prawidłowo. Tamten nie pojawił się na wieczerzy. Mówiło się, że jest u królowej. Hefajstion czekał na niego w jego komnacie i zasnął na łóżku, dopóki nie obudził go szczęk zasuwy.

Wszedł Aleksander. Oczy miał zapadnięte, ale pełne jakiegoś gorączkowego ożywienia. Podszedł i dotknął Hefajstiona, jak dotyka się na szczęście posągu jakiegoś bóstwa. Hefajstion otworzył oczy, ale nie odezwał się.

— Powiedziała mi — rzekł Aleksander.

Hefajstion nie zapytał, cóż takiego powiedziała. Wiedział, o co chodzi.

— Powiedziała mi w końcu — Aleksander patrzył w zamyśleniu na

Hefajstiona i jakby poprzez niego, włączając go do swej samotności. — Wypowiedziała zaklęcie i prosiła boga o zgodę. Nigdy dotąd na to nie pozwolił. Nie wiedziałem o tym.

Hefajstion, siedząc nieruchomo na brzegu łóżka, wpatrywał się w Aleksandra całą swą istotą. Czuł już przedtem, że jego istota jest wszystkim, co ma do zaofiarowania. Nie wolno odzywać się do ludzi, którzy wychodzą z otchłani, bo mogą zapaść się w nią raz na zawsze. To wiadoma rzecz.

Na skraju świadomości Aleksander zdawał sobie sprawę z obecności tego spokojnego ciała, tej twarzy, którą skupienie czyniło piękną, tych nieruchomych, ciemnoszarych oczu o białkach rozświetlonych blaskiem lampy. Westchnął głęboko i przetarł ręką czoło.

— Byłem przy zaklinaniu. Bóg długo nie dawał żadnego znaku, ani tak, ani nie. Potem przemówił pod postacią ognia i w tym ogniu...

Nagle uświadomił sobie obecność Hefajstiona jako odrębnej istoty. Usiadł przy nim i położył mu dłoń na kolanie.

— Pozwolił mi słuchać, jeśli obiecam, że tego nie wyjawię. Tak samo jest we wszystkich misteriach. Dzielę się z tobą wszystkim co moje, ale to już należy do boga.

„Albo do tej wiedźmy" — pomyślał Hefajstion. „Ten warunek dotyczy właśnie mnie". Ujął jednak w dłonie dłoń Aleksandra i uścisnął ją. Była sucha i gorąca. Spoczywała w jego dłoniach na znak zaufania, ale nie szukała pocieszenia.

— Musisz więc być posłuszny bogu — rzekł Hefajstion i pomyślał, nie po raz pierwszy i nie ostatni: „Kto wie? Nawet sam Arystoteles nigdy nie zaprzeczał istnieniu tego rodzaju rzeczy, nie był aż tak niepobożny. Co było możliwe kiedyś, musiało być możliwe i teraz. To jednak ciężkie brzemię dla śmiertelnej natury".

Uścisnął trzymaną dłoń.

— Powiedz tylko, czy jesteś zadowolony?

— Tak, jestem zadowolony.

Na jego twarzy odmalowało się nagle wyczerpanie. Policzki, gdy się na nie patrzyło, zdawały się zapadać. Ręce pochłodniały. Zaczął drżeć. Hefajstion widywał takie rzeczy po bitwie, kiedy rannych ogarniał chłód. Lekarstwo było takie samo.

— Czy masz tu wino?

Aleksander zaprzeczył ruchem głowy. Cofnął dłoń, by ukryć drżenie, i zaczął chodzić po komnacie.

— To nam dobrze zrobi — powiedział Hefajstion. — Mnie na pewno. Wyszedłem wcześnie z wieczerzy. Chodźmy do Polemona. Jego żona

315

urodziła mu wreszcie syna. Szukał cię dziś w wielkiej sali. Zawsze był ci oddany.

Tej nocy Polemon, sam szczęśliwy, martwił się na widok przybitego troską królewicza i pilnował, bo jego puchar był zawsze pełny. Ten wkrótce poweselał, a nawet zaczął mówić głośno. Była to uczta przyjaciół. Większość z nich brała udział w szarży pod Cheroneją. Hefajstion ledwie doprowadził potem Aleksandra do łóżka. Spał prawie do południa. Kiedy Hefajstion zaszedł zobaczyć, jak się czuje, zastał go czytającego coś przy stole. Stał przy nim dzban wody.

— Co to za książka? — spytał Hefajstion, zaglądając mu przez ramię. Aleksander poruszał ustami, ale słów nie można było dosłyszeć. Odłożył szybko książkę. — Herodot. *Zwyczaje i obyczaje Persów*. Trzeba poznać tych, z którymi chcemy walczyć.

Końce zwoju, skręcając się, spotkały się nad miejscem, w którym czytał. Nieco później, gdy wyszedł z komnaty, Hefajstion rozwinął zwój.

...dopiero jeżeli po dojrzałym namyśle dojdzie do przekonania, że liczniejsze i większe są przestępstwa niż oddane mu usługi, wtenczas może on pofolgować gniewowi.

Utrzymują też, że nikt z nich jeszcze nie zabił własnego ojca czy własnej matki, lecz że ilekroć już coś takiego zaszło, po bliższym zbadaniu wychodziło na jaw, iż musiały to być dzieci podsunięte albo bękarty, bo nie uważają za rzecz prawdopodobną, żeby rzeczywisty ojciec zginął z ręki własnego dziecka*.

Hefajstion pozwolił, by znów zwinął się nad tym zapisem. Przez jakiś czas stał, patrząc z okna, z czołem przyciśniętym do ościeżnicy, póki Aleksander wracając nie uśmiechnął się na widok wzoru rzeźbionych laurowych liści, odciśniętego na jego skórze.

Żołnierze ćwiczyli szyki bojowe. Hefajstion, który od dawna wyglądał z utęsknieniem wojny, teraz już nie mógł się jej doczekać. Groźby Filipa budziły w nim raczej gniew niż strach. Jak każdy zakładnik więcej był wart żywy niż martwy. Żołnierze Wielkiego Króla zabiliby go z większą ochotą. Tu jednak miało się wrażenie, jakby ich wszystkich wciągał jakiś lej w zwężającej się gardzieli wąwozu, a pod nimi huczała powódź. Wojna wydawała się szeroką przestrzenią, wolnością, ucieczką.

Po dwóch tygodniach przybył poseł od Piksodarosa z Karii, który zawiadamiał z żalem, że jego córka zapadła na jakąś trawiącą ją chorobę, i w obliczu jej spodziewanej utraty musi wyrzec się wysokiego zaszczy-

---

* Herodot, *Dzieje*, tłum. Seweryn Hammer, Czytelnik 1959, I 137.

tu związania się z macedońską rodziną królewską. Jakiś szpieg, który przypłynął tym samym statkiem, doniósł, że Piksodaros zobowiązał się do posłuszeństwa wobec nowego Wielkiego Króla Dariusza i zaręczył dziewczynę z jednym z najwierniejszych satrapów.

Następnego dnia rano zza stołu Archelaosa Filip przekazał tę wiadomość stojącemu przed stołem Aleksandrowi i czekał.

— Tak, źle się stało — rzekł gładko Aleksander. — Pamiętaj jednak, panie, że Piksodaros był ze mnie zadowolony. To nie ja postanowiłem się wycofać.

Filip zmarszczył brwi, poczuł jednak coś w rodzaju ulgi. Chłopak był ostatnio zbyt spokojny. Natomiast to zuchwalstwo było bardziej do niego podobne, chociaż i tu okazał powściągliwość. Jak widać, gniew króla może czegoś nauczyć.

— Czy chcesz nadal się usprawiedliwiać?

— Nie, panie. Mówię tylko to, o czym obaj wiemy, że jest prawdą. Nie podniósł nawet głosu. Filip też nie krzyczał, bo pierwsza złość już mu przeszła, a złej wiadomości spodziewał się od dawna. W Macedonii zniewaga wymagała krwi, ale poddany miał prawo zwracać się otwarcie do króla. Uczył się tego od prostych ludzi, nawet od kobiet. Kiedyś, po tym jak cały dzień zasiadał na sędziowskim krześle, powiedział jakiejś starej jędzy, że nie ma już czasu, by jej wysłuchać.

— Więc przestań być królem! — krzyknęła wtedy i postawiła na swoim. Teraz też słuchał, to należało do jego obowiązków, był królem.

— Zakazałem tego z powodów, które są ci znane.

Najważniejszy powód zachował jednak dla siebie. Arrydajos byłby tylko jego narzędziem, Aleksander zaś mógłby być niebezpieczny. Karia była potęgą.

— Powinieneś winić o to matkę. To ona wpędziła cię w to szaleństwo.

— Czy można ją winić? — Aleksander wciąż mówił spokojnie. — Uznałeś swoje dzieci z innych kobiet, a Eurydyka jest w ósmym miesiącu. Czy tak nie jest?

— Tak jest.

Szare oczy utkwione były w jego twarzy. Gdyby była w nich prośba, może by i zmiękł. Zadał sobie wiele trudu, by wprowadzić tego człowieka w sekrety królowania. Gdyby on sam zginął w przyszłej wojnie, któż inny miałby być następcą? Znów badał twarz, którą miał przed sobą, tak nieustępliwą i tak niepodobną do jego własnej. Attalos, Macedończyk z rodu, który już był stary, gdy ród królewski jeszcze nie opuścił Argos, opowiadał mu o bachicznych orgiach, o zwyczajach przeniesionych z Tracji, trzymanych przez kobiety w sekrecie. One same nie pamiętały, co robiły w czasie orgii. Cokolwiek z tego wynikało, skutkami obciążano boga pod postacią człowieka albo węża, ale gdzieś tam ktoś śmiertelny śmiał się z tego. „To jakaś cudzoziemska twarz" — pomyślał Filip, a potem przypomniał sobie tę twarz zarumienioną i rozpromienioną, jak pochyla się z tego czarnego konia w jego ramiona. Rozdwojony w sobie i zły na siebie, pomyślał: „On tu przecież przyszedł po naganę. Jak śmie przypierać mnie do muru? Niech bierze, co mu dają, i niech będzie wdzięczny, że chcę mu coś dać. Na nic więcej nie zasługuje".

— Jeśli dam ci współzawodników do tronu, tym lepiej dla ciebie. Pokażesz, co jesteś wart. Sam sobie zdobędziesz dziedzictwo.

Aleksander wpatrywał się w niego z jakimś bolesnym skupieniem. — Tak. Oto, co muszę zrobić.

— Bardzo dobrze. — Filip sięgnął po papiery.

— Panie, kogo wysyłasz do Azji na czele przedniej straży?

Filip podniósł wzrok. — Parmeniona i Attalosa — rzekł krótko. — Możesz podziękować sobie samemu i swojej matce, że cię nie posyłam tam, gdzie nie mogę cię mieć na oku. To wszystko. Możesz odejść.

W warowni na Rysich Wzgórzach trzej Lynkestydzi, synowie Ajroposa, stali na szczycie brunatnego kamiennego muru. Miejsce było odsłonięte i można było mówić swobodnie. Zostawili swego gościa u dołu schodów. Wysłuchali, co miał do powiedzenia, ale nie udzielili mu jeszcze odpowiedzi. Ponad nimi rozpościerało się niebo obrzeżone górami, pełne ogromnych białych chmur. Była późna wiosna. Na szczytach ponad lasami tylko w najgłębszych żlebach widać było jeszcze żyły śniegu.

— Mówcie obaj, co wam się podoba — rzekł najstarszy, Aleksander — ale ja w to nie wierzę. A jeśli ten stary lis chce nas wypróbować? Albo złapać? Pomyśleliście o tym?

— Po co? — spytał drugi z braci, Heromenes. — I dlaczego teraz?

— Rusz głową! Zabiera wojsko do Azji, a ty pytasz, dlaczego teraz?

— I to mu wystarczy — rzekł najmłodszy, Arrabajos. — Ma dość na głowie i bez poruszania zachodu. Gdyby chciał nas sprawdzać, zrobiłby to dwa lata temu, kiedy planował marsz na południe.

— On powiada — Heromenes wskazał głową schody — że to właściwa pora. Kiedy Filip wyruszy, będzie miał od nas zakładnika.

Spojrzał na Aleksandra, który miał obowiązek poprowadzić rodowe oddziały na królewską wojnę.

Ten odpowiedział gniewnym spojrzeniem. Już dawno przeczuwał, że gdy tylko się odwróci plecami, ci dwaj wymyślą jakiś szalony wypad, co będzie go kosztowało głowę.

— Mówię wam, że w to nie wierzę. Nie znamy tego człowieka.
— Ale znamy tych, co za niego ręczą.
— Tyle że oni pod tym się nie podpiszą.
— Ten Ateńczyk się podpisał — rzekł Arrabajos. — Jeśli zapomnieliście greckich liter, musicie mi wierzyć na słowo.
— Jego podpis! — Aleksander parsknął niczym koń. — Co o nim myślą Tebanie? On jest jak pokojowy piesek mojej żony. Podjudza większego psa do bójki, a potem tylko szczeka.
— Przysłał coś na osłodę — powiedział Heromenes.
— Lep na muchy! Trzeba to odesłać. Kto się zna na koniach, nie musi pytać handlarza o cenę. Wasze głowy są chyba więcej warte niż worek darejków. Nie on będzie ustalał cenę.
— Moglibyśmy to zatrzymać — rzekł z ociąganiem Heromenes — gdyby usunąć Filipa. Co z tobą, chłopie? Jesteś głową rodu czy starszą siostrą? Proponują nam zwrot królestwa naszych ojców, a ty cmokasz tylko niczym niańka, kiedy dziecko zaczyna chodzić.
— Niańka pilnuje, żeby dziecko nie rozbiło sobie głowy. Kto powiedział, że zdołamy tego dokonać? Jakiś Ateńczyk, który zmykał jak koza, gdy poczuł zapach krwi? Dariusz, uzurpator, który dopiero zasiadł na tronie? Ma i bez tego dość roboty. Myślicie, że im chodzi o nas? Myślicie, że oni wiedzą, z kim będziemy mieli do czynienia zamiast Filipa? Na pewno nie! Myślą, że to jakieś zepsute książątko, które korzysta z cudzych zwycięstw. Ten Ateńczyk ciągle to powtarza. Ale my wiemy. Widzieliśmy tego chłopca przy robocie. Miał szesnaście lat a głowę taką, jakby miał trzydzieści. Od tej pory minęły trzy lata. Miesiąc temu byłem w Pelli i powiadam wam, w łasce czy w niełasce, kiedy wyjdzie w pole, ludzie pójdą za nim wszędzie. Za to ręczę. Czy możemy pobić królewską armię? Znacie odpowiedź. Pytanie jest więc tylko jedno: czy on wchodzi do tej gry, czy nie? Ci Ateńczycy posprzedawaliby własne matki do burdeli, gdyby dostali dobrą cenę. Wszystko zależy od tego chłopaka, a my nie mamy żadnej wskazówki co do niego.

Heromenes wyrwał gałązkę żarnowca zakorzenioną między kamieniami i machał nią z markotną miną. Aleksander wpatrywał się ze zmarszczonymi brwiami we wzgórza na wschodzie.

— Dwie rzeczy mi się nie podobają. Po pierwsze, on ma na wygnaniu bliskich przyjaciół, niektórzy są nie dalej niż w Epirze. Mogliśmy spotkać się z nimi bez niczyjej wiedzy. Wiedzielibyśmy, na czym stoimy. Po co nam ten pośrednik? Po co powierzać komuś swoją głowę? Po drugie, on za wiele obiecuje. Spotkaliście się z nim. Pomyślcie!

— Powinniśmy się najpierw zastanowić — powiedział Arrabajos —

319

czy on może to zrobić. Nie wszyscy mogą. On chyba mógłby. Ma taką pozycję, że mógłby.

— A jeśli jest, jak powiadają, bękartem — naciskał Heromenes — to sprawa jest niebezpieczna, ale nie przeklęta. On chyba może i chce.

— A ja nadal mówię, że nic na niego nie wskazuje — upierał się Aleksander. Mimochodem złapał wesz we włosach i zdusił ją w palcach.

— A teraz: jeśli to jego matka...

— Matka czy jej młode, możesz być pewny, że działają razem — oświadczył Heromenes.

— Tego nie wiemy. Wiemy, że ta nowa żona spodziewa się dziecka. Mówią, że Filip dał córkę królowi Epirotów, żeby ten ścierpiał odesłanie wiedźmy. Pomyślcie więc: które to z nich nie może czekać? Aleksander może. Wszyscy wiedzą, że Filip płodzi córki. Nawet jeśli Eurydyka urodzi chłopca, król tylko dopóki żyje, może mówić, co chce. Gdyby umarł, Macedończycy nie uznają następcy niezdatnego jeszcze do noszenia broni. Powinien to wiedzieć. Ale z Olimpias inna sprawa. Ona nie może czekać. Stawiam najlepszego konia, że gdyby dobrze poszukać, znalazłoby się w tym jej rękę.

— Gdybym wiedział, że to ona — rzekł Arrabajos — pomyślałbym dwa razy.

— Ten chłopak ma dopiero dziewiętnaście lat — powiedział Heromenes. — Gdyby Filip umarł, nie mając innego syna poza tym przygłupem, ty — pchnął palcem Aleksandra — jesteś następcą po starszeństwie. Nie widzisz, że ten tam, na dole, chce ci to powiedzieć?

— O Heraklesie! — parsknął znowu Aleksander. — A kimże ty jesteś, skoro mowa o przygłupach? Ma dziewiętnaście, ale widzieliście go już, kiedy miał szesnaście. Już potem prowadził lewą stronę pod Cheroneją. Idź, jeśli chcesz, na Zgromadzenie, i powiedz im, że to dzieciak za młody, by walczyć, i że mają głosować na starszego. Myślisz, że żyłbym dość długo, by policzyć swoje głosy? Lepiej przestań marzyć i pomyśl, z kim mamy sprawę.

— Ja już pomyślałem — powiedział Arrabajos — i mówię, że on się do tego nadaje, bękart czy nie bękart.

— Mówiłeś, że on może czekać. — Niebieskie oczy Heromenesa w poczerwieniałej od wina twarzy patrzyły ze wzgardą na Aleksandra, któremu zazdrościł starszeństwa. — Niektórzy nie mogą doczekać się władzy.

— Mówię tylko, żebyście sobie zadali pytanie, kto najwięcej zyska. Olimpias zyskuje wszystko, bo to małżeństwo pozbawi ją wszystkiego, jeśli król będzie żył. Demostenes zyskuje śmierć człowieka, którego nienawidzi bardziej niż śmierci, jeśli coś takiego jest u niego możliwe. Ateńczycy zyskują wojnę domową w Macedonii, jeżeli my odegramy naszą rolę. Tytuł królewski będzie sporny albo przejdzie na chłopca, którego oni lekceważą, zwłaszcza odkąd jest w niełasce. Dariusz, którego złota chcecie, nawet gdyby zaprowadziło was na stryczek, zyskuje jeszcze więcej, bo Filip zbroi się przeciw niemu. My obchodzimy ich wszystkich tyle, co psie łajno, jeśli rzecz się uda, a nas trzech ukrzyżują obok siebie. Nic dziwnego, że nigdy nie umiecie wygrać w walce kogutów. Zastanawiali się nad tym jeszcze przez jakiś czas. W końcu zgodzili się, że zwrócą złoto i odmówią pośrednikowi. Heromenes miał jednak długi i był tylko młodszym synem swego ojca. Zgodził się na to niechętnie i podjął się odprowadzić gościa aż do przełęczy na wschodzie.

Woń świeżej, ciepłej krwi mieszała się z aromatami poranka: sosnowej żywicy, tymianku i jakichś górskich lilii. Rosłe psy, ważące tyle co ludzie, ogryzały z satysfakcją kości. Od czasu do czasu mocne zęby rozłupywały jakąś kość z trzaskiem, w poszukiwaniu szpiku. Smutny pysk zabitego kozła poniewierał się w trawie. Dwaj myśliwi piekli nad ogniem płaty mięsa na śniadanie, pozostali poszli szukać strumienia. Dwaj służący wycierali konie.

Na skalnej półce wystającej z ukwieconej murawy, Hefajstion rozciągnął się w porannym słońcu obok Aleksandra. Inni widzieli ich na tle nieba, ale nie mogli ich słyszeć. Tak u Homera, *Achilles i Patrokles siadali od miłych druhów daleko, aby odbywać naradę. Ale to duch Patrokla przypominał o tym, kiedy sycili się wzajem żałobnym lamentem**, więc Aleksander uważał te wiersze za naznaczone złym losem i nigdy ich nie przytaczał. Rozmawiali o czym innym.

— To było jak ciemny labirynt, w którym czyhał potwór. Teraz wyszliśmy na światło dzienne.

— Powinieneś porozmawiać o tym wcześniej. — Hefajstion otarł zakrwawioną dłoń o płat wilgotnego mchu.

— Byłoby to dla ciebie ciężarem. Wiedziałeś, jak to było.

— Czemu więc o tym nie mówiłeś?

— Bo to by było tchórzostwo. Człowiek musi sobie radzić ze swym demonem. Kiedy myślę o swoim minionym życiu, przypominam sobie takie wyczekiwanie na każdych rozstajach. Wiedziałem, że go wtedy spotkam, nawet kiedy byłem dzieckiem. Nawet życzenie, sama tylko nie spełniona chęć była straszliwym ciężarem. Czasem śniły mi się Eumenidy,

---

* Homer, *Iliada*, tłum. K. Jeżewska, op. cit., XXIII 98.

takie jak u Ajschylosa. Dotykały mego karku długimi, zimnymi, czarnymi szponami i mówiły: „Pewnego dnia będziesz nasz, na zawsze nasz". To mnie pociągało przez swoją okropność. Niektórzy mówią, że stojąc na urwisku, czują, jak wciąga ich otchłań. To chyba moje przeznaczenie.

— Od dawna to wiem. Ja też jestem twoim przeznaczeniem, pamiętasz?

— Ach, często mówiliśmy o tym bez słów, i tak było lepiej. Słowa są jak ogień, który utrwala glinę. Teraz wszystko się zmieniło. Wyjawiono mi prawdę o moim urodzeniu. Odkąd wiem, że on nie jest moim ojcem, zacząłem myśleć o tym, co należałoby zrobić. Od tej chwili odzyskałem jasność myśli. Czemu to robić? Po co? Dlaczego teraz? Czy to konieczne?

— Próbowałem ci to powiedzieć.

— Wiem, byłem na to głuchy. Było to coś więcej niż prześladujący mnie człowiek. To byli bogowie. „Nie wolno ci dławić mej duszy". — „Muszę"! I ta myśl o jego krwi we mnie, jak choroba. Teraz jestem od tego wolny i mniej go już nienawidzę. Bóg mnie wybawił. Gdybym miał zamiar to zrobić, nie mogłoby być gorszej chwili niż teraz, w porze odpływu mojej fortuny, ale fala może jeszcze wrócić. On mnie tu nie zostawi jako regenta, gdy pójdzie do Azji. Jestem w niełasce, a poza tym, wątpię, czy by się odważył. Musi mnie zabrać na tę wojnę, a gdy już się znajdę w polu, pokażę mu coś niecoś i Macedończykom także. Byli ze mnie zadowoleni pod Cheroneją. Kiedy wygram dla niego parę bitew, zmieni się wobec mnie, jeśli będzie żył. A jeśli zginie, ja tam będę wśród armii. To najważniejsze.

Mały niebieski kwiatek, rosnący w szczelinie skalnej, przyciągnął jego wzrok. Uniósł ostrożnie jego główkę, nazwał go i dodał, że wywar leczy kaszel.

— Oczywiście, kiedy tylko zdołam, zabiję Attalosa. W Azji będzie o to najłatwiej.

Hefajstion skinął głową. On sam w wieku dziewiętnastu lat dawno stracił rachubę tych, których już zdążył zabić.

— Tak, to twój śmiertelny wróg. Jego musisz się pozbyć. Ta dziewczyna się nie liczy. Król znajdzie sobie nową, kiedy tylko ruszy w pole.

— Mówiłem to matce, ale... Cóż, ona myśli po swojemu. Zamierzam coś z tym zrobić w swoim czasie. Tę kobietę skrzywdzono, rzecz naturalna, że pragnie zemsty, ale to oczywiście skłania króla do usunięcia jej z tronu przed wyjazdem. Mnie wyrządziła tym wiele szkody. Intryguje do ostatka, nie może z tym skończyć, stało się to celem jej życia. Jest coś, o czym mi napomyka, bo chce mnie w to wciągnąć, ale zabroniłem jej nawet o tym wspominać.

Nowy ton w jego głosie przykuł uwagę Hefajstiona, który złowił rzucone mu z ukosa spojrzenie.

— Muszę myśleć i planować. Nie mogę z dnia na dzień miotać się zrywami. Ona to musi zrozumieć.

— To ją chyba uspokaja — rzekł Hefajstion, który sam był spokojny. (A więc rzuciła czar i zły duch jej odpowiedział, chciałbym znać jej myśli.) — Cóż, to wesele nie może nie przynieść zaszczytu jej samej, jej córce i jej bratu. Cokolwiek król czuje i zamierza zrobić, musi uszanować jej godność ze względu na pana młodego. Tak samo musi potraktować ciebie.

— O, tak. Ale to ma być przede wszystkim jego wielki dzień. Ma to być pamiętna uroczystość. Ajgaj pełne jest mistrzów różnych rzemiosł, a zaproszenia poszły w tak daleki świat, że dziwię się, iż nie zaprosił Hyperborejczyków. To będzie coś, co warto przeżyć, zanim się przeprawimy do Azji. Potem będzie to wyglądało w naszych oczach jak tamto — wskazał równinę w dole i pomniejszone oddaleniem stada. — Tak, będzie to wtedy niczym. Założyłeś już miasto, ale tam założysz sobie królestwo. Wiem to na pewno, jakby mi to powiedział jakiś bóg.

Aleksander uśmiechnął się do niego, usiadł i objąwszy rękami kolana, patrzył na dalekie pasmo gór. Gdziekolwiek był, nie umiał na dłużej oderwać oczu od linii widnokręgu.

— Czy pamiętasz z Herodota, jak Jonowie wysłali Aristagorasa do Spartan, prosząc ich, by przybyli wyzwolić greckie miasta w Azji? Wycofali się, gdy usłyszeli, że Suza leży o trzy miesiące drogi od morza. Psy podwórzowe to nie psy myśliwskie... Dosyć, leżeć!

Roczny pies gończy, który wyśledził go po zapachu, odbiegłszy od myśliwego, przestał się łasić i położył się posłusznie, przyciskając mu nos do nogi. Podarowano mu go jako szczeniaka w Ilirii i spędzał wolny czas, tresując tego psa, który miał na imię Peritas.

— Aristagoras — powiedział — przyniósł spiżową tablicę, na której wyryty był obwód całej ziemi i oblewający ziemię Ocean, i pokazał im imperium perskie. *Łatwo to może się wam udać: bo barbarzyńcy nie są dzielni, a wy na wojnie męstwem swoim najwybitniej przodujecie (być może w tamtych czasach było to prawdą). Sposób ich wojowania jest taki: łuk i krótka włócznia; idą do walki w spodniach i z turbanami na głowie (chyba że stać ich na hełm), więc łatwi są do pokonania. Prócz tego ludzie na tamtym kontynencie mają tyle bogactw, ile ich nawet wszyscy inni razem nie posiadają (w gruncie rzeczy to jest prawda). Naprzód złoto, potem srebro, spiż, różnobarwnie haftowane szaty, juczne bydło i niewolników; jeśli tego pożądacie, sami możecie to posiąść. Wskazuje* potem na mapie ziemi ludy, aż dochodzi do Ziemi Kissyjskiej nad rzeką Choaspes. *Nad tą rzeką leży owa Suza, gdzie przebywa Wielki Król i gdzie znajdują się jego skarbce z pieniędzmi. Zająwszy to miasto, możecie odważnie nawet z Zeusem mierzyć się co do bogactw*.* Przypomniał Spartanom, że zawsze walczyli o nieznaczne granice, o nieduży i nie tak dobry kraj, a nadto z ludźmi, którzy nie posiadają rzeczy, o jakie warto walczyć. „A skoro dane wam jest zapanować nad Azją, czyż będziecie co innego wybierać?" — zapytał. Kazali mu czekać trzy dni, a potem powiedzieli, że to za daleko od morza.

U ogniska zagrał róg na znak, że śniadanie gotowe. Aleksander wpatrywał się w góry. Nawet głodny, nigdy nie śpieszył się do jedzenia.

— Tylko Suza. Nie pozwolili mu nawet zacząć mówić o Persepolis!

Mało gdzie na ulicy Płatnerzy w Pireusie można było usłyszeć choćby słowo, jeśli nie zostało ono wykrzyczane. Warsztaty były od przodu otwarte, aby odprowadzać żar z kuźni, a także, by pokazać ich pracę. To ni były tanie wytwórnie gotowych rzeczy, w których pracowały hordy niewolników. Tu najlepsi mistrzowie robili zbroje na miarę, zdejmując gliniane odciski nagich ciał klientów. I pół dnia mogło zejść na dopasowywaniu albo na wyszukiwaniu we wzornikach wzorów inkrustacyjnych. Tylko nieliczne warsztaty wytwarzały zbroje bojowe. Te cieszące się największym powodzeniem zaopatrywały rycerzy, którzy życzyli sobie, by ich zauważono w uroczystym pochodzie panatenajskim. Ci przyprowadzali ze sobą wszystkich przyjaciół, którzy byli w stanie znieść hałas. Nikt nie zwracał uwagi na dodatkowe zamieszanie. W pokojach nad warsztatami hałas był niewiele mniejszy, ale można było usłyszeć, co się mówi, jeśli rozmówcy przybliżali głowy. Wiadomo było, że płatnerze nie dosłyszą, więc nie podsłuchują.

W jednym z takich pokojów odbywała się jakaś narada. Było to spotkanie pełnomocników, których mocodawcy nie mogli być w żadnym razie widziani z innymi, nawet gdyby mogli uczestniczyć w naradzie. Trzej z czterech obecnych pochylali się nad stołem z oliwnego drzewa, opierając się na łokciach. Ich puchary z winem dygotały od uderzeń młotów, które wstrząsały stropem. Powierzchnia wina drgała i czasem z pucharu opadała kropla.

Ci trzej rozmówcy dotarli do końcowej fazy długiego wykłócania się o pieniądze. Jeden z nich był przybyszem z Chios. Oliwkowa bladość jego cery i sinoczarna broda świadczyły o długich latach perskiej oku-

---

* Herodot, op. cit., V 49.

pacji. Drugi był Ilirem znad granicy Lynkestydów. Trzeci, gospodarz, był Ateńczykiem. Włosy związywał w czub, a twarz miał dyskretnie umalowaną.

Czwarty siedział oparty plecami o krzesło, złożywszy ręce na sosnowych poręczach, i czekał, aż tamci skończą. Wyraz jego twarzy mówił, że musi znosić takie rzeczy, bo to część jego pełnomocnictwa. Jego jasne włosy i broda miały rudawy odcień. Pochodził z północnej Eubei, od dawna handlującej z Macedonią.

Na stole leżała podwójna woskowa tabliczka i rysik z ostrym końcem do pisania, a z tępym do wymazywania w obecności wszystkich i przed opuszczeniem izby tego, co zostało napisane. Ateńczyk stukał niecierpliwie paznokciami w stół i o własne zęby.

Chiota mówił. — Nie jest tak, że na tych darach kończy się przyjaźń Dariusza. Heromenes zawsze może liczyć na miejsce u dworu.

— On zamierza dojść do czegoś w Macedonii — rzekł Ilir. — Nie zamierza iść na wygnanie. Myślałem, że powiedziałem to jasno.

— Oczywiście. Hojny zadatek jest już uzgodniony. — Chiota spojrzał na Ateńczyka, który skinął głową, opuszczając powieki. — Większa część będzie wypłacona, kiedy zbuntuje się Lynkestis. Nie jestem przekonany, że jego brat, naczelnik, zgodził się na to. Muszę czekać z zapłatą.

— To rozsądne — rzekł Ateńczyk, odejmując rysik od ust. Seplenił po dziecinnemu. — Przyjmijmy więc, że wszystko zostało ustalone i wróćmy do tego, który znaczy tu najwięcej. Mój mocodawca chce zapewnienia, że dokona się to w umówionym dniu — w żadnym innym.

Na te słowa i Eubejczyk pochylił się nad stołem.

— Już to mówiłeś, a ja powiedziałem, że coś takiego nie ma sensu. On jest stale przy Filipie. Może wchodzić do sypialni. Będzie miał o wiele lepsze okazje, by tego dokonać i wyjść cało. Za wiele od niego wymagasz.

— Takie mam instrukcje. — Ateńczyk stuknął rysikiem w stół. — To ma być ten właśnie dzień albo nie udzielimy mu schronienia.

Eubejczyk uderzył pięścią w stół, zmuszając Ateńczyka do zmrużenia oczu. — Dlaczego? Powiedz mi, dlaczego?

— Tak, dlaczego? — spytał Ilir. — Heromenes o to nie prosi. Wszystko mu jedno, kiedy dostanie tę wiadomość.

Człowiek z Chios też podniósł czarne brwi. — I dla mojego pana dobry jest każdy dzień. Wystarczy, że Filip nie przeprawi się do Azji. Dlaczego nalegasz, by to był ten dzień?

Ateńczyk podniósł rysik za oba końce i uśmiechnął się.

— Po pierwsze, tego dnia wszyscy możliwi pretendenci do tronu będą w Ajgaj na uroczystościach. Nikt nie będzie poza podejrzeniem. Będą się nawzajem oskarżać i bardzo możliwe, że będą walczyć o sukcesję, co wykorzystamy. Po drugie... mojemu mocodawcy można chyba wybaczyć pewną drobną słabostkę. To będzie uwieńczenie dzieła jego życia, wie to każdy, kto je zna. Uważa on, że ciemiężyciel Hellady nie powinien zostać obalony w ciemną noc, gdy pijany kuśtyka do łoża, ale u szczytu swej hybris, i z tym się zgodzę, za waszym pozwoleniem. — Zwrócił się do Eubejczyka: — Znając zaś krzywdy twojego człowieka, sądzę, że i on z tym się zgodzi.

— Tak — rzekł z wolna Eubejczyk. — Niewątpliwie. Ale może to być niemożliwe.

— To będzie możliwe. Właśnie trafił w nasze ręce porządek uroczystości.

Wyliczył im je szczegółowo, póki nie doszedł do pewnego miejsca, kiedy znacząco podniósł wzrok.

Eubejczyk uniósł brwi. — Macie dobre uszy.

— Tym razem możecie na nich polegać.

— Chyba tak. Ale nasz człowiek będzie miał szczęście, jeśli się z tego wywinie. Jak mówiłem, mógłby mieć lepsze okazje.

— Ale żadnej tak honorowej. Sława jest osłodą zemsty... A skoro mówimy o sławie, wprowadzę was w pewien sekret. Mój mocodawca chce pierwszy obwieścić tę nowinę w Atenach, jeszcze przed nadejściem wiadomości. Między nami mówiąc, planuje, że będzie miał proroczą wizję. Później, gdy Macedonia utonie w plemiennym barbarzyństwie... — Napotkał gniewny wzrok Eubejczyka i dodał pośpiesznie: — To znaczy, przejdzie w ręce króla, który ograniczy się do swego kraju, później będzie on mógł wyjawić wdzięcznej Grecji, jaką rolę odegrał w jej wyzwoleniu. Czy ktokolwiek odmówi mu tej skromnej nagrody teraz?

— A czym on ryzykuje? — wykrzyknął nagle Ilir. Choć na dole biły z hałasem młoty, wystraszył tym pozostałych. Zignorował ich gniewne gesty. — Tu oto mamy człowieka, który naraża się na śmierć w obronie honoru, a Demostenesowi w głowie tylko odpowiedni czas, by wygłosić swe proroctwo na Agorze!

Trzej dyplomaci wymienili spojrzenia pełne oburzenia i niesmaku. Któż poza tym dzikusem z Lynkestis przysłałby na taką naradę nieokrzesanego górala? Trudno było zgadnąć, co jeszcze mógłby powiedzieć, przerwali więc spotkanie. Wszystko, co najważniejsze zostało już ustalone.

Opuszczali budynek oddzielnie, w krótkich odstępach czasu. Chiota i Eubejczyk wychodzili ostatni. Chiota spytał: — Czy masz pewność, że twój człowiek wykona swoją robotę?

— O tak. Wiemy, jak to załatwić.

— Byłeś tam? Sam to słyszałeś?
W górach Macedonii wiosenna noc dmuchała chłodem. Pochodnie dymiły w przeciągu od okna. Węgle w świętym domowym ognisku przygasały i migotały w swym poczerniałym kamiennym kręgu. Było już późno. W miarę pogłębiania się cieni, kamienne ściany zdawały się pochylać i nasłuchiwać. Goście już poszli, prócz jednego. Niewolników odesłano do łóżek. Gospodarz i jego syn przyciągnęli trzy łoża biesiadne do stolika z winem. Pozostałe, zepchnięte w pośpiechu na bok, sprawiały wrażenie bałaganu.

— Mówisz, że tam byłeś — powtórzył pytanie Pauzaniasz, pochylając w przód głowę i ramiona. Musiał uchwycić się brzegu łoża, by zachować równowagę. Oczy miał zaczerwienione od wina, ale to, co przed chwilą usłyszał, otrzeźwiło go. Syn gospodarza napotkał jego spojrzenie. Był to młody człowiek o wyrazistych niebieskich oczach i świadczących o słabości ustach pod krótką czarną brodą.

— Wino rozluźniło mi język. Nic już więcej nie powiem.

— Wybacz mu, proszę — powiedział jego ojciec Dejnias. — Hejraksie, co cię opętało? Dawałem ci znak oczami.
Pauzaniasz obrócił się niczym dzik dźgnięty włócznią.

— Ty także o tym wiesz?

— Mnie tam nie było — powiedział gospodarz — ale ludzie gadają. Żałuję, że to w moim domu o tym usłyszałeś. Król i Attalos powinni się wstydzić mówić o tym nawet między sobą, a tym bardziej w towarzystwie. Ale ty wiesz najlepiej, jacy oni są, kiedy siedzą przy pełnym bukłaku.
Paznokcie Pauzaniasza wpijały się w drewno i ciekła spod nich krew.

— Przysiągł mi przed ośmiu laty, że nie pozwoli mówić o tym w swojej obecności. Tylko tym mnie przekonał do zaniechania zemsty.

— Nie złamał przysięgi — rzekł Hejraks ze złośliwym uśmiechem.

— Nie pozwolił o tym mówić. Sam to mówił. Dziękował Attalosowi za przysługę, a kiedy Attalos chciał odpowiedzieć, zakrył mu usta dłonią i obaj zaczęli się śmiać. Teraz rozumiem.

— Przysiągł mi na nurt Acheronu — mówił prawie szeptem Pauzaniasz — że nic o tym nie wiedział.
Dejnias pokręcił głową. — Hejraksie, cofam upomnienie. Kiedy wie o tym tylu ludzi, lepiej że Pauzaniasz dowiaduje się od przyjaciół.

— Mówił mi — głos Pauzaniasza nabierał mocy — „Za parę lat, gdy zobaczą, że jesteś traktowany z honorem, nie będą w to wierzyć, a potem o tym zapomną".

— Tyle są warte przysięgi — powiedział Dejnias — kiedy ludzie czują się bezpieczni.

— Attalos jest bezpieczny — rzucił od niechcenia Hejraks — wśród swych żołnierzy w Azji.

Pauzaniasz patrzył w ciemniejący żar w palenisku. Zdawało się, że zwraca się do niego.

— Czyżby myślał, że już za późno?

— Jeśli chcesz, możesz zobaczyć moją suknię — powiedziała Kleopatra do brata.

Poszedł za nią do komnaty, gdzie na wieszaku w kształcie litery T wisiała suknia z pięknej, szafranowej tkaniny, haftowana w ozdobione klejnotami kwiaty. Nie można jej było niczego zarzucić. Już wkrótce mieli rzadko się widywać. Uścisnął ją w pasie. Mimo wszystko nadchodzące uroczystości przydały jej uroku. Błyski radości przebijały się niczym zieleń na wypalonym zboczu. Zaczynała czuć się jak królowa.

— Popatrz, Aleksandrze! — Podniosła z poduszki wieniec panny młodej. Kłosy pszenicy i gałązki oliwne wykonane były z czystego złota. Podeszła do lustra.

— Nie! Nie przymierzaj go. To przynosi pecha. Będziesz wyglądała naprawdę pięknie.

Jej buzia straciła już dziecinną krągłość i pojawiła się w niej zapowiedź charakteru.

— Mam nadzieję, że wkrótce wyjedziemy do Ajgaj. Chciałabym zobaczyć dekoracje, zanim zwalą się tam tłumy i nie będzie można się poruszać. Czy słyszałeś, Aleksandrze, o wielkim, uroczystym pochodzie do teatru w dniu otwarcia igrzysk? Mają być poświęcone dwunastu Olimpijczykom, których posągi będą niesione...

— Nie dwunastu — rzekł sucho Aleksander — ale trzynastu: dwunastu Olimpijczyków i boskiego Filipa. Ale, że jest skromny, jego posąg będzie ostatni... Słuchaj, co to za hałas?

Podbiegli do okna. Jakieś towarzystwo zsiadało z mułów i ustawiało się przed wejściem do pałacu. Byli uwieńczeni laurem, a przywódca niósł laurową gałąź.

Aleksander zsunął się szybko z parapetu.

— Muszę iść. To heroldowie z Delf z przepowiednią dotyczącą wojny.

Pocałował ją szybko i odwrócił się do drzwi. Stała w nich jego matka, która właśnie wchodziła.

Kleopatra ujrzała, jak spojrzenie matki omija ją, i jej dawna gorycz ożyła. Aleksander rozpoznał to skierowane na niego spojrzenie. Wzywało do podzielenia się jakimś sekretem.

— Nie mogę zostać, matko. Przybyli heroldowie z Delf. — Widząc, że otwiera usta, dodał szybko: — Mam prawo tam być. Chcemy, by o tym pamiętano.

— Tak, lepiej idź. — Wyciągnęła do niego ręce, a gdy ją całował, zaczęła coś szeptać. Oderwał się od niej.

— Nie teraz. Spóźnię się.

— Musimy dziś porozmawiać — rzuciła za nim. Wyszedł, nie dając po sobie poznać, że usłyszał. Poczuła spojrzenie Kleopatry i zrobiła jakąś uwagę o weselu. Kleopatra pomyślała, że sporo było takich chwil w ciągu wielu lat, ale zachowała spokój. Na długo przedtem, zanim Aleksander zostanie królem, jeśli w ogóle nim zostanie, ona będzie królową.

W Sali Perseusza zebrali się naczelni wróżbici, kapłani Apollona i Zeusa, Antypater i wszyscy, których do tego upoważniało urodzenie albo stanowisko, by wysłuchać wyroczni. Heroldowie z Delf stali przed podwyższeniem. Aleksander, który pierwszą część drogi przebiegł, wszedł wolno i stanął po prawej stronie tronu, przybywając tuż przed królem. Obecnie musiał sam zabiegać o takie rzeczy.

Nastąpiła chwila oczekiwania i szeptów. Było to poselstwo królewskie. To nie dla tłumów zadających pytania o małżeństwo, kupno ziemi, podróże morskie czy potomstwo, na które można odpowiedzieć, ciągnąc losy, zeszła siwowłosa Pytia do zadymionej jaskini pod świątynią, zasiadła na trójnogu przy kamiennym Pępku Świata spowitym w magiczne sieci, przeżuła gorzki laur, odetchnęła wyziewami ze skalnej rozpadliny i zaczęła mamrotać coś w natchnieniu przed bystrookim kapłanem, ujmującym jej słowa w wiersze. To nie dla tych tłumów, lecz dla jednego jedynego pytania. Stare legendy unosiły się niczym mgła w myślach obecnych. Bardziej powściągliwi oczekiwali jakiejś typowej odpowiedzi — rady, jakim bogom składać ofiary albo poświęcić przybytek.

Król wszedł kulejąc, odebrał honory i siadł, wyciągając przed siebie sztywną nogę. Odkąd nie mógł ćwiczyć, zaczął przybierać na wadze. Aleksander, stojąc za nim, spostrzegł, że kark mu pogrubiał.

Wymieniono zwyczajowe pozdrowienia. Główny herold rozwinął zwój.

— Apollon Pytyjski Filipowi, synowi Amyntasa, królowi Macedończyków, odpowiada tak: „Byk został uwieńczony, wszystko dokonane. Ofiarnik stoi w pogotowiu".

Obecni wypowiedzieli stosowne słowa na szczęście. Filip kiwnął głową do Antypatra, który z ulgą odpowiedział skinieniem. Parmenion i Attalos mieli kłopoty na wybrzeżu Azji, ale teraz główne siły wyruszą pod dobrą wróżbą. Rozległ się szmer zadowolenia. Oczekiwano przychylnej odpowiedzi, bóg miał bowiem wiele do zawdzięczenia królowi Filipowi. Jednak tylko do najbardziej uhonorowanych — mruczeli dworzanie — Apollon o rozdwojonym języku przemawiał aż tak wyraźnie.

— Stawałem mu na drodze — mówił Pauzaniasz — ale nie dał mi żadnego znaku. Tak, był uprzejmy, ale taki był zawsze. Tę historię zna od dziecka, przyzwyczaiłem się widzieć to po jego oczach. Nie daje mi jednak żadnego znaku. Dlaczego, jeśli to wszystko prawda?

Dejnias wzruszył ramionami i uśmiechnął się. Obawiał się tej chwili. Gdyby Pauzaniasz zamierzał rozstać się z życiem, zrobiłby to już przed ośmiu laty. Człowiek rozkochany w zemście chce przeżyć swego wroga, by rozkoszować się jej słodkim smakiem. To już Dejnias wiedział i był na to przygotowany.

— To cię chyba nie dziwi? Takie rzeczy mogą zostać zauważone i zapamiętane. Możesz być pewien, że będziesz traktowany jak przyjaciel. Chodzi, oczywiście, o zachowanie pozorów. Spójrz. Przyniosłem ci coś, co cię powinno uspokoić. — Otworzył dłoń.

— Jeden pierścień jest podobny do drugiego.

— Przyjrzyj się dobrze temu. Zobaczysz go znowu przy wieczerzy.

— Tak — rzekł Pauzaniasz. — To mi wystarczy.

— Ależ! — wykrzyknął Hefajstion. — Ty znów nosisz swój pierścień z lwem. Gdzie był? Szukaliśmy go wszędzie.

— Symon znalazł go w skrzyni z ubraniami. Musiałem go ściągnąć, zdejmując jakiś strój.

— Zaglądałem do tej skrzyni.

— Może zaplątał się w jakiejś fałdzie.

— Nie podejrzewasz, że go ukradł, a potem się przestraszył?

— Symon? Miałby więcej oleju w głowie. Wszyscy przecież wiedzą, że to mój pierścień. Wygląda na to, że to mój szczęśliwy dzień.

Miał na myśli to, że Eurydyka znowu urodziła córkę.

— Oby bóg spełnił dobry znak — rzekł Hefajstion.

Zeszli na wieczerzę. Aleksander zatrzymał się, by przywitać stojącego u wejścia Pauzaniasza. Wydobycie uśmiechu z kogoś tak ponurego było czymś w rodzaju triumfu.

Był mrok przed świtem. Stary teatr w Ajgaj jarzył się od latarni i pochodni. Małe lampki polatywały jak świetliki, gdy porządkowi prowadzili gości na ich miejsca na wyścielanych ławach. Wietrzyk, wiejący od górskich lasów, podnosił wonie płonącej sosnowej żywicy i stłoczonych ludzi. W dole, w kolistej orchestrze, ustawiono w krąg dwanaście ołtarzy Olimpijczyków. Paliły się na nich pachnące kadzidłem ognie, oświetlając szaty hierofantów, umięśnione ciała ofiarników i ich połyskujące topory. Z pola za teatrem dolatywały ryki i beczenie ofiar, zaniepokojonych poruszeniem i światłami, ustrojonych już girlandami. Ponad inne wybijał się ryk białego byka ze złoconymi rogami przeznaczonego dla króla Zeusa.

Na scenie ustawiony był pogrążony jeszcze w cieniu tron dla króla, a po jego bokach honorowe krzesła dla rodziny królewskiej, jego zięcia, syna i głównych przywódców Macedonii.

W górnych rzędach siedzieli atleci, woźnice, śpiewacy i muzycy, którzy wezmą udział w zawodach, kiedy już igrzyska zostaną uświęcone. Oni wszyscy i mnóstwo zaproszonych przez króla gości wypełniali szczelnie mały teatr. Żołnierze, chłopi i górale, którzy zjechali tu zobaczyć widowisko, tłoczyli się na ciemnym stoku góry wokół konchy teatru albo na drodze pochodu. Głosy podnosiły się, opadały i przemieszczały niczym fale na kamienistym brzegu. Sosny rysujące się czernią na tle jaśniejącego nieba trzeszczały pod ciężarem chłopców.

Stara droga do teatru została wyrównana i poszerzona dla potrzeb uroczystego pochodu. Pył skropiony rosą pachniał słodko w chłodzie poranka. Żołnierze z pochodniami spychali ludzi z drogi pochodu, ale odbywało się to wśród żartów. Popychający i popychani należeli często do tego samego klanu. Pochodnie dopalały się już, gdy wstał bezchmurny, czysty, letni świt.

Gdy szczyty nad Ajgaj poróżowiały, zabłysła cała wspaniałość drogi uroczystego pochodu: wysokie szkarłatne maszty ze złoconymi lwami i orłami na wierzchołkach, z których spływały w dół długie chorągwie, girlandy z kwiatów i bluszczu powiązanego wstążkami, łuk tryumfalny, którego rzeźby i malowidła przedstawiały prace Heraklesa, z postacią bogini Zwycięstwa na szczycie, trzymającą złocone laury. Po jej bokach stali żywi, złotowłosi chłopcy przebrani za Muzy z trąbami w rękach.

Na dziedzińcu przedzamcza na starym skalnym akropolu stał Filip w purpurowym płaszczu spiętym złotem i w złotym wieńcu laurowym na głowie. Odwrócił głowę twarzą do wietrzyka. Śpiew ptaków, głosy strojonych instrumentów, widzów i porządkowych dolatywały do niego na tle basowego ryku wodospadów Ajgaj. Przemierzył wzrokiem równinę ciągnącą się na wschód od Pelli i odbijające świt morze. Jego pastwisko leżało przed nim bujne i zielone, rogi rywali były połamane. Rozdęte nozdrza wciągały przyjazne wonie.

Za nim w szkarłatnej tunice opiętej nabijanym klejnotami pasem stał przy panu młodym Aleksander. Na jego jasnych włosach, świeżo umytych i uczesanych, widniał wieniec z letnich kwiatów. Połowa greckich państw przysłała królowi w darze kute w złocie wieńce, ale żadnego nie przekazał synowi. Wokół dziedzińca stali ludzie ze straży przybocznej. Przed szeregami chodził ich dowódca Pauzaniasz. Stojący na jego drodze wyrównywali szeregi albo poprawiali rynsztunek, ale widząc, że na nich nie patrzy, stawali swobodniej.

Na murze północnym stała w otoczeniu kobiet panna młoda, która niedawno wyszła z małżeńskiego łoża. Nie zaznała w nim rozkoszy, ale była przygotowana na coś gorszego. On był w porządku: nie był zbyt pijany i bardzo dbał o jej młodość i panieństwo, był też właściwie niestary. Już się go nie bała. Pochylona nad szorstkim kamiennym parapetem patrzyła, jak długi wąż uroczystego pochodu ustawia się pod murami. Obok niej stała jej matka, patrząc na dziedziniec. Jej usta poruszały się i wydobywał się z nich słaby szmer. Kleopatra nie starała się usłyszeć słów. Czuła czary niczym żar z zasłoniętego ogniska. Lecz była już pora wyruszać do teatru. Ich lektyki czekały w pogotowiu. Wkrótce będzie już w podróży poślubnej i te rzeczy nie mają już znaczenia. Nawet gdyby Olimpias przybyła do Epiru, Aleksander poradzi sobie z nią. Mimo wszystko, to było coś, mieć męża!

Trąby Muz zagrały. Pod łukiem Zwycięstwa Dwunastu Bogów ruszyło wśród okrzyków podziwu do swoich ołtarzy. Każdą platformę ciągnęły dobrane konie okryte czerwienią i złotem. Drewniane posągi miały boskie rozmiary; pełne siedem stóp wzrostu, malował je zaś ateński mistrz z pracowni Apellesa.

Zeus królujący na tronie z laską i orłem na dłoni został skopiowany z olbrzymiego Zeusa w Olimpii. Tron był złocony, a szata ciężka od klejnotów i złotej frędzli. Apollon w szatach muzykanta trzymał złotą lirę. Posejdon jechał na rydwanie zaprzężonym w morskie konie. Demeter siedziała w wieńcu ze złotych kłosów pośród trzymających pochodnie wtajemniczonych w jej misteria. Królowa Hera miała swoje pawie, ale dowcipnisie zauważyli, że zajmuje ona dość odległe miejsce w pochodzie, choć jest małżonką Zeusa. Dziewicza Artemida z łukiem na ramieniu trzymała za rogi klęczącego jelenia. Dionizos jechał nagi na cętkowanej panterze. Atena miała swą tarczę i hełm, ale już nie swą attycką sowę. Hefajstos wywijał swoim młotem. Ares opierał stopę na powalo-

nym przeciwniku i spoglądał spod grzebieniastego hełmu. Hermes zawiązywał skrzydlate sandały. Okryta przejrzystym wąskim welonem Afrodyta siedziała w ukwieconym krześle z małym Erosem przy boku. Zauważono, że miała rysy Eurydyki, która nie wyszła jeszcze z komnaty położnicy i nie miała się dziś pokazać. Przebrzmiała fanfara dla ostatniej z dwunastu platform. Pojawiła się trzynasta. Był to posąg króla Filipa na tronie z orłem nad głową i lampartem zamiast poręczy. Stopy opierał na uskrzydlonym byku z ludzką głową w perskim kołpaku. Artysta usunął blizny i ujął mu z dziesięć lat. Poza tym był jednak bardzo podobny. Omal czekało się na ruch czarnych oczu. Rozległy się owacje, ale można było wyczuć i milczenie, niczym chłodny prąd w ciepłym morzu. Jakiś stary wieśniak mruknął do drugiego:
— Powinni go zrobić mniejszego.

Spojrzeli na szereg kołyszących się bogów na przedzie i obaj uczynili starodawny znak odwracający nieszczęście.

Za bogami szli przywódcy Macedonii, Aleksander z Lynkestis i pozostali. Widać było, że nawet ci z zapadłych gór nosili lamowane szaty z pięknej wełny i złote zapinki. Starzy ludzie wspominali czasy kożuchów i zapinek z brązu i cmokali z podziwem i powątpiewaniem.

W takt niskich tonów piszczałek grających jakiegoś marsza Dorów szedł czworobok królewskiej straży przybocznej pod wodzą Pauzaniasza. Żołnierze w paradnych zbrojach uśmiechali się do przyjaciół w tłumie, w dniu święta surowość nie była wymagana. Pauzaniasz patrzył jednak wprost przed siebie na wysokie drzwi teatru.

Zagrały starodawne rogi i rozległ się okrzyk: — Niech żyje król! Filip jechał na białym koniu w purpurowym płaszczu i złotym wieńcu. O pół długości konia za nim jechali po bokach jego syn i zięć.

Chłopi dawali panu młodemu falliczne znaki na szczęście i życzyli mu potomstwa. Ale przy łuku gromada młodych ludzi, którzy czekali tam, nabrawszy powietrza w płuca, ryknęła nagle: — Aleksander!

Odwrócił do nich głowę z uśmiechem. W wiele lat później, gdy byli już wodzami i satrapami, chwalili się tym wyczynem przed milczącymi z zazdrością słuchaczami.

Potem szli przyboczni w tylnej straży, a następnie, zamykając pochód, szły ofiary prowadzone przez byka z girlandą na szyi i złotą blachą na rogach.

Słońce uniosło się w górę ze swych świetlnych sieci i wszystko zalśniło: morze, rosa na trawie, pajęczyny na żarnowcu, klejnoty, złocenia, polerowany spiż.

Bogowie weszli do teatru. Przez wysokie wejście na parodos wozy wjeżdżały jeden po drugim na orchestrę. Wśród owacji gości podnoszono olśniewające blaskiem posągi i ustawiano na cokołach przy ołtarzach. Trzynaste bóstwo, które nie żądało dla siebie przybytku, ale władało świętym okręgiem, ustawiono pośrodku.

Na zewnątrz, na drodze, król dał znak. Pauzaniasz warknął rozkaz. Czworobok straży królewskiej zawrócił sprawnie w lewo i w prawo i odszedł ku tylnej straży, poza króla.

Teatr był o paręset kroków. Naczelnicy, oglądając się za siebie, widzieli odejście straży. Wyglądało na to, że na ten ostatni odcinek drogi król swą osobę powierza właśnie im. To pochlebiało — rozstąpili się przed nim.

Widziany tylko przez swoich żołnierzy, którzy myśleli, że to nie ich sprawa, Pauzaniasz poszedł ku parodosowi.

Filip widział, że naczelnicy czekają. Od szeregów straży podjechał do nich wolno i pochylił się z uśmiechem.

— Wchodźcie, przyjaciele. Ja za wami.

Zaczęli się ruszać, ale jakiś starszy ziemianin stanął jak wryty przy jego uździe i spytał z macedońską bezpośredniością.

— Nie masz straży, królu? W takim tłumie?

Filip pochylił się w siodle i poklepał go po ramieniu. Miał nadzieję, że ktoś to w końcu powie.

— Mój lud jest moją strażą. Niech to zobaczą wszyscy cudzoziemcy. Dzięki za troskę, Arejosie, ale wchodźcie.

Gdy naczelnicy poszli naprzód, przyhamował konia, jadąc między panem młodym a Aleksandrem. Z tłumu po obu stronach dolatywał szum przyjaznych głosów. Przed nim był teatr pełen przyjaciół. Szerokie usta uśmiechały się. Od dawna czekał na taką chwilę próby. Był królem wybranym przez naród. Południowcy mieli czelność nazywać go tyranem. Niech zobaczą, czy potrzebuje tyrańskiego czworoboku włóczni. Niech powiedzą Demostenesowi.

Ściągnął wodze i skinął dłonią. Dwaj służący podeszli do młodszych jeźdźców i stanęli w pogotowiu, by im przytrzymać konie.

— Teraz wy, moi synowie.

Aleksander zapatrzony na wchodzących naczelników obejrzał się szybko. — Nie wejdziemy z tobą?

— Nie — rzekł szorstko Filip. — Właśnie to mówię. Wejdę sam.

Pan młody odwrócił wzrok, kryjąc zakłopotanie. Czy mają kłócić się o pierwszeństwo teraz, na oczach wszystkich? Ostatni naczelnicy znikli z widoku. Nie mógł iść sam.

Aleksander, wyprostowany w szkarłatnym siodle Bucefała, patrzył na szmat pustej drogi, pustej w świetle słońca, szerokiej, zdeptanej stopami, zrytej kołami, noszącej ślady kopyt. Pustka dzwoniła w uszach. Na końcu drogi, w trójkącie głębokiego cienia rzucanego przez parodos widać było lśnienie zbroi, zarys czerwonego płaszcza. Jeśli stał tam Pauzaniasz, musiał chyba dostać taki rozkaz? Bucefał zastrzygł uszami. Błyszczące jak onyks oko patrzyło w bok. Aleksander dotknął palcem jego karku. Stał jak odlany z brązu. Pan młody niecierpliwił się. Czemu ten młodzik się nie rusza? Czasem ma się ochotę uwierzyć w te wszystkie plotki. Ma coś takiego w oczach. Był taki dzień w Dodonie, wiał ostry wiatr, leżał śnieg, on był wtedy w kożuchu...

— Zsiadaj więc — rzekł Filip niecierpliwie. — Twój szwagier czeka.

Aleksander spojrzał raz jeszcze w ciemne wejście. Pchnął kolanem Bucefała i spojrzał Filipowi w twarz w głębokim skupieniu.

— To za daleko — powiedział cicho. — Będzie lepiej, jeśli pójdę z tobą.

Filip uniósł brwi pod złotym wieńcem. Było całkiem jasne, o co chodzi temu chłopakowi. Jeszcze na to nie zasłużył. Niech się nie napiera.

— To moja sprawa i ja osądzę, co lepsze.

Głęboko osadzone oczy zajrzały w jego oczy. Poczuł się zagrożony. Poddanemu nie wolno wpatrywać się w króla.

— To za daleko — mówił wysoki, czysty, pozbawiony wyrazu i stanowczy głos. — Pozwól mi iść z tobą, a oddam swoje życie za twoje, przysięgam ci na Heraklesa.

Pośród stojących z boku rozszedł się pomruk zdziwienia. Widzieli, że dzieje się coś, co nie było planowane. Filip zaczynał się gniewać, starał się jednak zachować twarz. Zniżając głos, powiedział ostro:

— Dość tego. Nie idziemy do teatru grać tragedię. Powiem ci, kiedy będziesz mi potrzebny. Teraz słuchaj rozkazów.

Oczy Aleksandra zaprzestały poszukiwań. Były nieobecne, puste, przejrzyste jak szare szkiełka.

— Dobrze, panie.

Zsiadł z konia. Drugi Aleksander poszedł z ulgą w jego ślady.

W wysokim wejściu Pauzaniasz pozdrowił ich po wojskowemu. Aleksander odpowiedział, przechodząc obok i rozmawiając z drugim Aleksandrem. Weszli po pochylni na scenę, podziękowali za owacje i usiedli.

Na zewnątrz Filip dotknął wodzów. Dobrze wyszkolony rumak ruszył paradnym krokiem naprzód, nie zwracając uwagi na hałas. Ludzie wiedzieli, czego dokonał król, podziwiali to i starali się, by usłyszał, że

to podziwiają. Przeszedł mu gniew, miał coś lepszego, by o tym myśleć. Gdyby chłopiec wybrał stosowniejszą porę...
Jechał dalej, odpowiadając na wiwaty. Mógłby iść już wcześniej, ale utykanie pozbawiało jego chód dostojeństwa. Poprzez wysoki na dwadzieścia stóp parodos mógł już dojrzeć orchestrę i pierścień bogów na niej. W uszy uderzyła muzyka.
Jakiś żołnierz wystąpił z kamiennego wejścia, by mu pomóc zsiąść i odebrać od niego konia. Był to Pauzaniasz. Dla uczczenia tego dnia sam zajął się tą paziowską usługą. Jak to już dawno temu... Był to znak pojednania. W końcu gotów był zapomnieć. Uroczy gest. Za dawnych dni miał talent do takich uczynków.
Filip zsunął się niezręcznie z konia, uśmiechnął się i zaczął coś mówić. Lewa ręka Pauzaniasza trzymała jego ramię, zacieśniając chwyt. Ich spojrzenia spotkały się. Pauzaniasz wyciągnął prawą rękę spod płaszcza tak szybko, że Filip nie dojrzał nawet sztyletu, oprócz tego, że ujrzał go w oczach Pauzaniasza.
Straż na drodze widziała upadek króla i schylonego nad nim Pauzaniasza. Żołnierze myśleli, że kulawa stopa zawiodła, a Pauzaniasz okazał się niezręczny. Nagle wyprostował się i zaczął biec.
Przesłużył w straży osiem lat, a od pięciu nią dowodził. Dopiero okrzyk jakiegoś wieśniaka: „On zabił króla!" sprawił, że żołnierze uwierzyli własnym zmysłom i rzucili się z krzykiem do teatru.
Jakiś dowódca dopadł ciała, spojrzał na nie i wrzasnął: — Za nim! Ludzki potok wylewał się za róg, poza budynki zaplecza sceny. Dobrze wyszkolony królewski rumak stał spokojnie przy parodosie. Nikt nie ośmielił się go dosiąść.
Kawałek ziemi za teatrem, poświęcony Dionizosowi, bogu opiekunowi, służył kapłanom za winnicę. Grube, czarne, zdrewniałe pędy upstrzone były młodymi pędami i jasnozielonymi liśćmi. Na ziemi połyskiwał hełm Pauzaniasza porzucony w ucieczce. Jego czerwony płaszcz zwisał z jakiejś podpórki. On sam pędził przez winnicę ku staremu kamiennemu murowi i otwartej bramie, za którą czekał jeździec z dwoma końmi.
Pauzaniasz stale ćwiczył i nie miał jeszcze trzydziestki, lecz w pogoni byli młodzi przed dwudziestką, którzy uczyli się walki w górach przy Aleksandrze i ćwiczyli jeszcze więcej. Trzech czy czterech wysunęło się na czoło i przewaga zaczęła się zmniejszać.
Zmniejszała się jednak zbyt wolno. Brama była niedaleko. Człowiek z końmi obrócił je głowami ku otwartej drodze.
Nagle, jak ugodzony niewidzialną włócznią, Pauzaniasz poleciał na-

przód. Zahaczył palcem u nogi o wygięty w łuk korzeń. Padł jak długi, potem podniósł się na rękach i kolanach, wyszarpując obutą stopę, lecz młodzi ludzie już go dopadli.

Wykonał obrót, przypatrując się po kolei ich twarzom. Szukał czegoś. Nie znalazł. Liczył się z tym jednak od początku. Oczyścił już swój honor. Sięgnął do miecza, lecz ktoś przydepnął mu rękę, a ktoś inny nastąpił na pancerz. Kiedy wszystkie ostrza opadły, pomyślał, że nie miał czasu, by poczuć dumę. Nie było czasu.

Człowiek z końmi rzucił tylko okiem, puścił drugiego konia, uderzył po swoim i popędził galopem. Ale czas zaskoczenia już minął. Kopyta zatętniły na drodze za winnicą. Jeźdźcy pognali za nim przez bramę. Znali wartość tej zdobyczy.

W winnicy przywódcy pościgu przedarli się przez tłok. Któryś z dowódców spojrzał na okrwawione ciało, leżące wśród winorośli niczym jakaś składana przed wiekami ofiara.

— Dobiliście go, głupcy! Teraz już nic nie powie.

— Nawet o tym nie pomyślałem — rzekł Leonnatos, aż do tej chwili pijany pościgiem. — Bałem się, że może nam umknąć.

— Ja myślałem tylko o tym, co zrobił — powiedział Perdikkas. Otarł miecz o spódniczkę zabitego.

Kiedy odchodzili, Arat zwrócił się do innych: — Tak będzie najlepiej. Znacie przecież tę historię. Gdyby mówił, zaszkodziłby królowi.

— Jakiemu królowi? — odezwał się Leonnatos. — Król nie żyje.

Hefajstion miał miejsce w połowie wysokości teatru przy środkowych schodach.

Przyjaciele, którzy czekali, by powitać Aleksandra, obiegli teatr i wciskali się przez górne wejście. Zwykle były to miejsca dla wieśniaków, ale Towarzysze królewicza nie liczyli się zbytnio w zgromadzeniu tego dnia. On sam nie oglądał wielkiego wejścia bogów. Jego ojciec miał miejsce nisko w dole. Matka powinna być wśród kobiet w ostatnim sektorze. Dwie królowe już tam były w pierwszym rzędzie. Widział Kleopatrę, która rozglądała się jak wszystkie dziewczęta. Olimpias myślała, jak się zdawało, że to poniżej jej godności. Patrzyła wprost przed siebie ku parodosowi po przeciwnej stronie.

Tam już nie sięgał wzrok Hefajstiona, ale miał dobry widok na scenę z trzema tronami. Wyglądała wspaniale. Między kolumnami o rzeźbionych głowicach rozciągnięto wyszywane zasłony. Spoza nich dolatywała muzyka, wypchnięta przez tak licznych bogów z orchestry.

Czekał na Aleksandra, by wznieść powitalny okrzyk. Jeśli to zrobi jak należy, wszyscy go podchwycą. Mógłby się o to założyć.

Właśnie wszedł z królem Epirotów. Owacja przetoczyła się po teatrze. To nic, że obaj mieli te same imiona. On już rozpozna swoich. Rozpoznał i uśmiechnął się. Tak, to mu dobrze zrobiło. To był niewielki teatr. Hefajstion zauważył, że Aleksander nie był sobą. Wyglądał, jakby śnił jakiś zły sen i jakby z niego chciał się obudzić. Czego można dziś się spodziewać? Zobaczę go później, jeśli zdołam dostać się do niego przed igrzyskami. Wszystko będzie prostsze, kiedy już przeprawimy się do Azji.

Na dole w orchestrze podobizna króla Filipa siedziała na pozłacanym tronie na ustrojonym laurem cokole. Na scenie czekał taki sam tron. Z drogi doleciały wiwaty. Ukryta muzyka zagrała głośniej. Doszła do tryumfalnej fanfary i tu nastąpiła przerwa. Miało się uczucie, jakby ktoś przeoczył jakiś sygnał.

Nagle z sektoru kobiet, gdzie linia siedzeń zakrzywiała się na wprost parodosu, rozległ się przeraźliwy krzyk.

Aleksander odwrócił głowę. Twarz mu się zmieniła. Zerwał się ze swego tronu i przeszedł szybko w miejsce, z którego mógł wyjrzeć poza skrzydła sceny i zaraz pobiegł po pochylniach i przez orchestrę, między kapłanami, ołtarzami i bogami. Wieniec spadł mu z rozwianych włosów.

Gdy na widowni podniósł się ruch i gwar, Hefajstion zeskoczył na galerię w połowie wysokości teatru i zaczął nią biec. Przyjaciele poszli szybko za nim, nauczono ich nie tracić czasu. Ci młodzi ludzie, biegnący tak szybko do celu, powstrzymywali panikę, póki nie przebiegli. Dotarli do końca schodów prowadzących na parodos. Były już zatłoczone przez cudzoziemskich gości z niższych rzędów. Hefajstion spychał ich na bok jak w bitwie, łokciami i ramionami. Jakiś grubas upadł, przewracając innych. Schody były zablokowane. W rzędach siedzeń panował zamęt. W środku chaosu opuszczeni przez hierofantów bogowie zwracali oczy na drewnianego króla.

Nieruchoma jak oni, wyprostowana na swym honorowym krześle, nie zwracając uwagi na krzyczącą coś do niej córkę, siedziała królowa Olimpias wpatrzona w parodos.

Hefajstiona ogarnęła wściekłość. Nie dbając o nic, wywalczył sobie przejście do celu.

Filip leżał na wznak. Spomiędzy żeber sterczała rękojeść sztyletu. Był celtyckiej roboty z wyszukanym wzorem srebrnej inkrustacji. Biały chiton prawie nie był zakrwawiony. Ostrze zamknęło ranę. Aleksander klęczał nad nim, szukając bicia serca. Ślepe oko króla było na wpół przymknięte, to drugie obrócone na patrzących. Twarz zastygła w wyrazie zdumienia i goryczy.

Aleksander dotknął powieki otwartego oka. Ustąpiła pod palcami.
— Ojcze — powiedział. — Ojcze! Ojcze!
Położył rękę na zimnym czole. Złoty wieniec zsunął się i upadł z brzękiem na kamienne płyty. Twarz Aleksandra zastygła na chwilę jak wyrzeźbiona w marmurze. Ciało drgnęło. Usta rozchyliły się, jakby chciały przemówić. Aleksander rzucił się naprzód, podniósł głowę ojca w dłoniach i pochylił się nad nią. Ale to tylko powietrze, uwolnione przez jakiś mimowolny skurcz płuc, opuszczało zwłoki, a z nim nieco krwawej piany. Aleksander odsunął się. Nagle jego twarz i postawa uległy zmianie. Ostrym tonem rozkazu powiedział: — Król nie żyje. — Wstał i rozejrzał się wokoło.

Ktoś krzyknął: — Złapali go, Aleksandrze! Usiekli go!

Szerokie wejście parodosu pełne było naczelników, nie noszących w dniu święta żadnej broni i starających się w pomieszaniu utworzyć mur ochronny z własnych ciał.

— Aleksandrze, jesteśmy tu! — To był Aleksander z Lynkestis, przepychający się do przodu. Znalazł już sobie jakąś zbroję — pasowała, była jego własnością. Głowa Aleksandra zdawała się wskazywać w milczeniu jakieś cele, równie wyraźnie jak głowa psa myśliwskiego.

— Pozwól się odprowadzić do zamku, Aleksandrze, kto wie, kim są zdrajcy.

„Tak, kto?" — pomyślał Hefajstion. „Ten człowiek coś wie. Po co przygotował tę zbroję?" Aleksander szukał czegoś oczami w tłumie. Hefajstion pomyślał, że innych braci. Przywykł czytać myśli Aleksandra, stojąc za jego plecami.

— Co tu się dzieje?

Tłum rozstąpił się. Antypater przecisnąwszy się przez kotłowaninę przerażonych gości, dotarł do Macedończyków, którzy zaraz ustąpili mu z drogi. Od dawna był wyznaczony na regenta Macedonii po wymarszu królewskiej armii. Wysoki, w wieńcu na głowie, ubrany z umiarem i przepychem jednocześnie, rozglądał się wokoło. — Gdzie jest król?

— Tutaj — odparł Aleksander.

Przez chwilę wytrzymał spojrzenie Antypatra, potem odstąpił, by mu pokazać ciało.

Antypater przykląkł i zaraz się podniósł. — Nie żyje — powiedział z niedowierzaniem. — Nie żyje. — Przesunął dłonią po czole. Dotknęła świątecznego wieńca. Konwencjonalnym gestem rzucił go na ziemię.

— Kto...

— Zabił go Pauzaniasz.

— Pauzaniasz? Po tylu latach? — Urwał nagle, zaskoczony tym, co powiedział.

— Czy wzięto go żywcem? — spytał nieco zbyt pośpiesznie Aleksander z Lynkestis.

Aleksander zwlekał z odpowiedzią. Przyglądał się twarzy tamtego. Potem rzekł:

— Zamknąć bramy i obsadzić mury. Nikomu nie wolno wyjechać bez mego rozkazu. — Przeglądał twarze w tłumie. — Twój oddział, Alkestasie. Rozstaw ich zaraz.

„Pisklę się wykluło. Miałem rację" — pomyślał Antypater. — Aleksandrze, nie jesteś tu bezpieczny. Przyjdziesz do zamku?

— W swoim czasie. O co im chodzi?

Na zewnątrz zastępca dowódcy straży królewskiej usiłował wziąć swych ludzi w garść z pomocą młodszych oficerów, lecz żołnierze całkiem potracili głowy. Posłuchali tych, którzy krzyczeli, że ich wszystkich oskarży się o spisek na życie króla. Obrócili się, klnąc przeciw młodym ludziom, którzy zabili Pauzaniasza. Wyglądało to, jakby tamci chcieli mu zamknąć usta. Oficerowie daremnie starali się ich zakrzyczeć.

Aleksander wystąpił z ostro zarysowanego błękitnego cienia parodosu w chłodne, jasne światło poranka. Słońce niewiele się uniosło od czasu, gdy wszedł do teatru. Wskoczył na niski murek przy wejściu. Hałas przycichł.

— Aleksandrze! — krzyknął ostro Antypater. — Uważaj! Nie odsłaniaj się!

— Straż — od prawego — do falangi!

Przepychająca się ludzka masa ucichła niczym spłoszony koń uspokojony przez jeźdźca.

— Szanuję wasz ból, ale nie rozpaczajcie jak kobiety. Spełniliście wasz obowiązek. Wiem, jakie mieliście rozkazy. Sam je słyszałem. Meleagrze, eskorta dla ciała króla! Zabierz je do zamku. Mała sala posłuchań.

Widząc, że tamten rozgląda się za jakimiś noszami, dodał: — Są tu mary za sceną, wśród dekoracji do tragedii.

Pochylił się nad ciałem, wyszarpnął fałdę płaszcza przygniecioną przez ciało i naciągnął płaszcz na twarz i spoglądające z goryczą oko. Żołnierze z eskorty otoczyli powierzony im ładunek, zakrywając go przed wzrokiem patrzących.

Aleksander wyszedł przed milczące szeregi straży.

— Którzy powalili mordercę, wystąp!

Wystąpili z ociąganiem, czując dumę i strach jednocześnie.

— Mamy dług wobec was. Nie będzie to wam zapomniane. Perdikkasie!

Wystąpił młody człowiek z ulgą w twarzy.

— Zostawiłem Bucefała na drodze. Zrób to dla mnie, zadbaj o niego. Zabierz straż, czterech ludzi.

— Tak, Aleksandrze — odszedł, promieniejąc wdzięcznością.

Nastąpiła wyczuwalna niemal cisza. Antypater odezwał się z dziwnym wyrazem twarzy: — Aleksandrze, twoja matka królowa jest w teatrze. Czy raczej jej nie należy przydać straży?

Aleksander przeszedł obok niego i spojrzał w parodos. Stał tak nieruchomo. Przy wejściu trwało poruszenie. Żołnierze znaleźli mary, malowane i okryte purpurą. Postawili je obok ciała Filipa i przenieśli na nie ciało. Płaszcz zsunął się z twarzy. Dowódca zamknął powieki zmarłego i przyciskał je, póki nie zastygły.

Aleksander patrzył nieruchomo w głąb teatru. Tłum rozproszył się, bo nie było już na co czekać. Bogowie pozostali. W zamieszaniu strącono z podstawy Afrodytę. Leżała obok niej nieruchoma, a nad jej obalonym tronem pochylał się młody Eros. Posąg króla Filipa siedział pewnie na swoim miejscu, utkwiwszy malowane oczy w pustych rzędach.

Aleksander odwrócił się. Zbladł, ale panował nad głosem.

— Tak, widzę, że jeszcze tam jest.

— Musi być zrozpaczona – rzekł Antypater głosem bez wyrazu.

Aleksander patrzył na niego w zamyśleniu. Nagle spojrzał w bok, jakby coś tam przyciągnęło jego wzrok.

— Masz słuszność, Antypatrze. Powinna być w najpewniejszych rękach. Będę ci wdzięczny, jeśli ty sam odprowadzisz ją do zamku. Weź tylu ludzi, ilu uznasz za konieczne.

Antypater otworzył usta. Aleksander czekał z głową lekko przechyloną i niewzruszonym wzrokiem.

— Jak sobie życzysz, Aleksandrze — rzekł Antypater i odszedł wykonać zadanie.

Nastała chwila ciszy. Hefajstion wystąpił nieco ze swego miejsca w tłumie. Niczego nie dawał do zrozumienia, zgłaszał tylko swą obecność, jak mu kazały wyroki losu. Nie dostał żadnej odpowiedzi, lecz między jednym a drugim krokiem ujrzał, że Bóg mu podziękował. Ujrzał swoje przeznaczenie w niezmierzonych widnokręgach pełnych słońca i dymu. Nie zastanawiał się, dokąd go ono zaprowadzi. Przyjmował je całym sercem, jego jasną i ciemną stronę.

Dowódca nosicieli wydał rozkaz. Król Filip na swych pozłacanych marach zniknął za rogiem. Ze świętej winnicy kilku żołnierzy przyniosło Pauzaniasza. Nieśli go na jakimś plecionym płotku, okrytego swym podartym płaszczem. Krew kapała przez wiklinę. Jego też trzeba było pokazać ludowi.

— Przygotujcie krzyż — rzekł Aleksander.

Hałas ścichł do niespokojnego szumu, mieszając się z rykiem wodospadu. Ponad nim wznosił się nieziemski krzyk wzlatującego złocistego orła. W szponach trzymał wijącego się węża porwanego spośród skał. Ich głowy rzucały się na siebie, na próżno starając się zadać śmiertelny cios. Aleksander usłyszał odgłosy walki i wytężał wzrok, chcąc ujrzeć jej wynik. Lecz przeciwnicy, wciąż walcząc, wznieśli się w bezchmurne niebo ponad szczytami gór, zmaleli i znikli z oczu.

— Dokonało się — powiedział i kazał maszerować do zamku.

Gdy dotarli do szczytu murów wznoszących się nad równiną pellijską, nowe letnie słońce rozciągało swój połyskliwy szlak poprzez morze na wschodzie.

NOTA OD AUTORKI

Wszystko, co o Aleksandrze napisali jemu współcześni, przepadło bez śladu. Opieramy się na dziełach historycznych zestawianych w trzy albo cztery wieki później z tych właśnie zaginionych materiałów, które to dzieła czasem powołują się na źródła, czasem zaś nie. Głównym źródłem Arriana był Ptolemeusz z naszej opowieści, ale dzieło Arriana zaczyna się dopiero od wstąpienia Aleksandra na tron. Początkowe rozdziały Kurcjusza zaginęły. Diodor, którego dzieło obejmuje odpowiedni okres, mówi nam sporo o Filipie, ale niewiele o Aleksandrze sprzed początków panowania. Jeśli idzie o pierwsze dwa dziesięciolecia, prawie dwie trzecie całego jego życia, jedynym zachowanym źródłem jest Plutarch i nieliczne napomknienia w dziełach innych historyków. Plutarch nie cytuje w tej części Żywotu Ptolemeusza, chociaż byłby on pierwszorzędnym świadkiem, prawdopodobnie więc Ptolemeusz nie pisał o tym okresie. Relacja Plutarcha została tu przedstawiona na tle historycznym. Skorzystałam, z należną dozą sceptycyzmu, z mów Demonstenesa i Ajschynesa. Niektóre anegdoty o Filipie i Aleksandrze wzięte zostały z *Powiedzonek królów i wodzów* Plutarcha, parę zaś z Atenajosa.

W kwestii wieku podejmującego posłów perskich Aleksandra wyciągnęłam wnioski z ich odnotowanego w źródłach zdziwienia, że jego pytania nie były wcale dziecinne. Pisząc o charakterze Leonidasa i o tym, jak przeszukiwał skrzynie chłopca, sprawdzając, czy matka nie włożyła tam czegoś zbytkownego, Plutarch cytuje verbatim samego Aleksandra. Z innych nauczycieli, podobno licznych, wymienia z imienia jedynie Lizymacha (Fojniksa). Plutarch nie był o nim wysokiego mniemania. Dowiadujemy się następnie, jak go cenił Aleksander. Podczas wielkiego oblężenia Tyru wyprawił się w długi górski marsz, Lizymach zaś nalegał, by go zabrać, przechwalając się, że nie jest ani słabszy, ani starszy od Fojniksa, wychowawcy Achillesa. „Choć wieczór nadchodził i nieprzyjaciel był blisko, Aleksander nie chciał opuścić upadającego już Lizymacha. Dodawał mu ciągle otuchy i podtrzymywał go, i przy tym nie zauważył, że z niewielką grupą oderwał się od armii. Nadeszła bardzo zimna noc i tak ją musiał spędzić w ogromnie trudnym terenie". W pojedynkę pobiegł wtedy do nieprzyjacielskiego ogniska i porwał płonący kawał drzewa. Nieprzyjaciele myśląc, że jest z nim wojsko, zaczęli uciekać, a Lizymach mógł zasnąć przy ogniu. Pozostawiony w Macedonii Leonidas otrzymał ogromny ładunek kosztownego kadzidła z ironicznym bilecikiem, mówiącym, że odtąd może on już przestać skąpić bogom.

Filipowe strofowanie Aleksandra, że powinien się wstydzić, bo zbyt dobrze śpiewa — zapewne publiczne, skoro zostało to odnotowane — wzięte jest z Plutarcha, który powiada, że chłopiec nigdy już potem nie śpiewał. Potyczka z dzikimi szczepami jest wymyślona. Nie wiemy, gdzie i kiedy Aleksander zakosztował wojny. Mogło to być, jeszcze zanim został regentem. W wieku szesnastu lat powierzono mu naczelne dowództwo i zadanie o pierwszorzędnym strategicznym znaczeniu w oczekiwaniu, że doświadczeni żołnierze będą mu posłuszni. Musieli go już wtedy dobrze znać.

Spotkanie z Demostenesem w Pelli jest całkowicie wymyślone. Prawdą jest jednak, że ów orator, który miał kilka godzin na przygotowanie, skoro przemawiał jako ostatni mówca, urwał po kilku niekładnych zdaniach i nie zdołał dokończyć, mimo zachęt ze strony Filipa. Ajschynes wymienia ośmiu świadków, można mu więc wierzyć. Demostenes nie lubił mówić bez przygotowania, ale nie widać powodów, by musiał. Wrócił do kraju z urazą do Aleksandra — dziwna to rzecz, skoro chodziło o młodego chłopca — i do Ajschynesa, za schlebianie Aleksandrowi.

Plutarch dał nam tak szczegółowy opis ujeżdżania Bucefała, że najbardziej prawdopodobnym jego źródłem musiała być chyba ulubiona opowieść samego Aleksandra. Dodałam jedynie przypuszczenie, że koń był poprzednio źle traktowany. Według Arriana miał już dwanaście lat. Nie do pomyślenia jest, by proponowano królowi wierzchowca z tak długą listą złośliwych wyczynów. Greckie rumaki bojowe przechodziły gruntowne przeszkolenie, więc i ten musiał je mieć za sobą. Nie mogę jednak przyjąć astronomicznej ceny wywoławczej trzynastu talentów. Rumaki były z góry przeznaczone na stracenie (Aleksander cieszył się co prawda Bucefałem aż do trzydziestego roku jego życia). Filip mógł natomiast zapłacić tę olbrzymią sumę za swego wyścigowego konia, który zwyciężył na igrzyskach olimpijskich, i obie opowieści mogły połączyć się w jedną.

Arystoteles stał się sławny w Atenach dopiero po śmierci Filipa. Jego cechowane dzieła pochodzą z późniejszego okresu. Nie wiemy, czego dokładnie uczył Aleksandra, Plutarch mówi jednak, że ten przez całe życie interesował się naukami przyrodniczymi (przebywając w Azji, stale wysyłał Arystotelesowi godne uwagi okazy) i medycyną. Przyjęłam, że poglądy Arystotelesa na etykę były już wtedy ukształtowane. Pośród zaginionych jego pism była księga listów do Hefajstiona, którego szczególną pozycję musiał, jak się zdaje, zauważyć.

Historia o Aleksandrze ratującym ojca przed zbuntowanymi żołnierzami wzięta jest z Kurcjusza. Aleksander narzeka, że jego ojciec niechętnie o tym wspominał, chociaż zawdzięczał synowi życie, gdy leżał ranny, udając martwego. Diodor i inni opisują zwycięski komos Filipa po bitwie pod Cheroneją, ale żaden z tych opisów nie wspomina o obecności Aleksandra. Erotyczne obyczaje Aleksandra były szeroko dyskutowane. Jego krytycy skłaniają się do twierdzenia, że był homoseksualistą. Jego wielbiciele odpierają ten zarzut z oburzeniem. Żadna ze stron nie zastanawia się, czy sam Aleksander uważałby to za dyshonor. W społeczeństwie, w którym normą jest biseksualizm, jego trzy królewskie małżeństwa każą go uznać za normalnego. Jego powściągliwość w tych sprawach była szeroko komentowana, ale współczesnych najbardziej dziwiła jego niechęć do wykorzystywania bezbronnych ofiar, branek i chłopców niewolników, co wówczas było powszechnie przyjęte.

Jego uczuciowy związek z Hefajstionem należy do najlepiej udokumentowanych faktów w jego życiu. Demonstrował go z nie skrywaną dumą. Pod Troją, na oczach całego wojska, oddawali razem cześć grobom Achillesa i Patroklesa. Homer nie mówi wprawdzie, że ci bohaterowie byli dla siebie czymś więcej niż przyjaciółmi, ale w czasach Aleksandra powszechnie tak sądzono, i gdyby uważał to, co im przypisywano, za uwłaczające, nie obnosiłby się z tym publicznie. Po zwycięstwie pod Issos, kiedy wzięte do niewoli kobiety z rodziny Dariusza opłakiwały swego pana jako zmarłego, Aleksander poszedł do ich namiotu, by je pocieszyć, zabierając ze sobą Hefajstiona. Według Kurcjusza weszli tam razem i podobnie ubrani. Hefajstion był wyższy i według perskich standardów bardziej okazały, więc królowa matka przed nim upadła na twarz. Gdy pojęła swą pomyłkę, widząc gorączkowe znaki asysty, zwróciła się głęboko zmieszana do prawdziwego króla, który jej rzekł: „Nie pomyliłaś się, matko, on także jest Aleksandrem"*.

Jasne jest, że publicznie zachowywali się odpowiednio (choć wysocy dostojnicy mieli Hefajstionowi za złe, że czyta listy Olimpias, zaglądając przez ramię Aleksandra, za co ten go nie skarcił). Nie ma dowodów na to, że doszło między nimi kiedykolwiek do fizycznego zbliżenia, więc ci, których taka myśl niepokoi, mają pełne prawo ją odrzucić. Zanoto-

---

* Kwintus Kurcjusz Rufus, *Historia Aleksandra Wielkiego*, tłum. zespołowe pod redakcją Lidii Winniczuk, PWN 1976, s. 78.

wano powiedzenie Aleksandra, że miłość cielesna i sen przypominają mu, iż jest śmiertelny. Aleksander przeżył przyjaciela o trzy miesiące, z czego dwa spędził podróżując z jego ciałem z Ekbatany do Babilonu wybranego na stolicę imperium. Dzika ekstrawagancja obrządku pogrzebowego, gigantyczne rozmiary stosu, zasięganie opinii wyroczni Zeusa Amona, czy zmarłemu należy się cześć boska, o czym już się mówiło w odniesieniu do samego Aleksandra (Amon uznał Hefajstiona za herosa), sugerują, że w owym czasie Aleksander nie był panem swego umysłu. Wkrótce potem zaraził się febrą, ale spędził mimo to noc na jakimś przyjęciu. Potem zajmował się wprowadzeniem w życie planów nowej kampanii — dopóki trzymał się na nogach, a właściwie znacznie dłużej. Źródła nie wspominają, że zajmował się nim jakiś lekarz (lekarza Hefajstiona kazał powiesić za zaniedbanie obowiązków). Jego uparte lekceważenie swego stanu zdrowia wygląda na nie uświadomioną chęć samozniszczenia.

Jego doświadczenia w czasie Dionizjów w Ajgaj są wymyślone, ale chyba prawdziwe psychologicznie. Olimpias miała na sumieniu wiele morderstw. Kasander skazał ją w końcu na śmierć, powierzając wykonanie wyroku rodzinom ofiar. Zabiła Eurydykę i jej dziecko, korzystając z tego, że śmierć Filipa odwróciła uwagę Aleksandra. Podejrzewano (lecz nie udowodniono), że miała udział w tej śmierci. Prorocza „wizja" Demostenesa jest faktem historycznym.

SPIS TREŚCI

ILIRIA

PAJONIA

MACEDONIA

Ister

Filipp

Amfipolis

j. Lychnitis

Ajgaj

Pella

Stagira

Olint

Pydna

Dion

Olimp

EPIR

Dodona

TESSALIA

Termopile

FOKIDA   Elateja

Delfy   Cheroneja

BEOCJA

Teby

Maraton

Korynt

At

ATTY

Argos

Sparta

```
0        40       80       120      160
ODLEGŁOŚĆ W MILACH
```

N

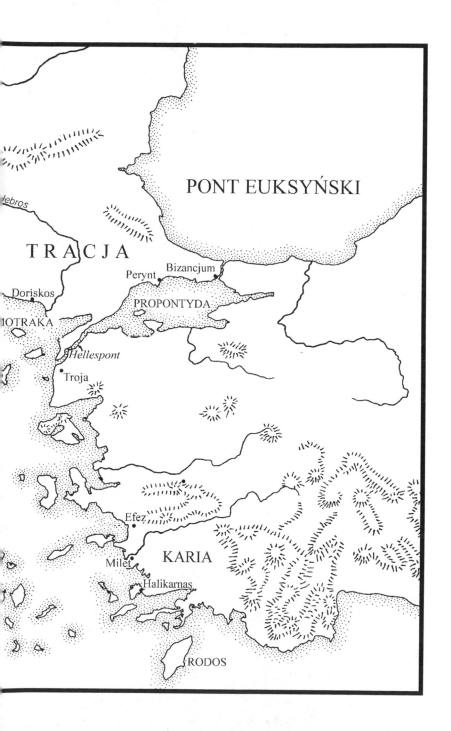

PONT EUKSYŃSKI

ebros

T R A C J A

Perynt Bizancjum

Doriskos

PROPONTYDA

IOTRAKA

Hellespont

•Troja

Efez

Milet KARIA

Halikarnas

RODOS